高等学校土建类学科专业“十三五”规划教材
高　等　学　校　规　划　教　材

土木工程制图(第二版)

马彩祝　黄　莉　谢　坚　主编

中国建筑工业出版社

图书在版编目（CIP）数据

土木工程制图/马彩祝等主编．—2版．—北京：中国建筑工业出版社，2019.11（2024.6重印）

高等学校土建类学科专业“十三五”规划教材　高等学校规划教材

ISBN 978-7-112-24176-7

Ⅰ.①土…　Ⅱ.①马…　Ⅲ.①土木工程-建筑制图-高等学校-教材　Ⅳ.①TU204

中国版本图书馆CIP数据核字（2019）第202283号

本书共分9章，主要内容为投影原理与制图基础，制图规则与组合体投影，工程形体的图样画法，CAD技术，天正建筑TArch，建筑施工图，结构施工图，给水排水施工图，路桥施工图等。

本书根据作者多年的教学经验和专业设计经历，组织整理出一整套内容丰富，时代感强的教学案例，便于初学者系统地学习有关土木建筑工程图知识。为了加强实践教学，本书配置实践性较强的习题集，并提供部分标准答案。

本书可作为高等院校土建类专业（如土木工程、建筑设计、环境工程、工程造价、工程管理、房地产开发与管理、安全工程等）的本、专科教材，也可供工程技术人员培训、成人继续教育等相关专业选用。

为便于教学，作者特制作了与教材配套的电子课件，如有需求，可发邮件（标注书名、作者名）至 jckj@cabp.com.cn 索取，或到 http://edu.cabplink.com//index 下载，电话：（010）58337285。

责任编辑：王美玲　张莉英

责任校对：李欣慰

高等学校土建类学科专业“十三五”规划教材

高等学校规划教材

土木工程制图（第二版）

马彩祝　黄　莉　谢　坚　主编

*

中国建筑工业出版社出版、发行（北京海淀三里河路9号）

各地新华书店、建筑书店经销

北京红光制版公司制版

建工社（河北）印刷有限公司印刷

*

开本：787×1092毫米　1/16　印张：23¾　字数：572千字

2019年12月第二版　2024年6月第十一次印刷

定价：**58.00**元（赠教师课件）

ISBN 978-7-112-24176-7

（34605）

第二版前言

本书第一版于2013年8月出版至今，已历时五年有余。本书一直以来深受广大读者厚爱，被全国许多高等院校选作土木工程及建筑类专业的必修课教材。为适应教学和教材市场的需求，本书作者认真、广泛地听取了广大读者的意见，并结合近年来国内外教学改革的经验及绘图技术的发展规律，对本教材进行了全面的修订。

修订内容如下：

1. 增加了AutoCAD2016绘图软件章节，将传统绘图训练与计算机辅助设计操作有机整合，使学生的工程制图技术一步到位。

2. 考虑国内土木工程及建筑设计界多年以来广泛使用国产天正建筑TArch插件的现实需求，修订版增加了天正建筑TArch章节。

3. 再版增加了《路桥工程图》章节，使《土木工程制图》教材更加名副其实。

4. 再版删减了“简化画法”章节，因为CAD的普及，过去所推广的“简化画法”的意义已不复存在。

5. 考虑CAD技术早已使相贯线、截交线等自然生成的原因，再版将其做了删减。

6. 修正了第一版书中的施工图案例、文字叙述、插图等存在的不足，使再版的所有章节都更加准确、清晰、紧凑、精炼和美观。

7. 本书配套习题集也同时做了修改，同时根据读者的要求增加了“两补三”、“补缺线”等部分练习题的参考答案。

8. 本书将继续保留以往的特色：知识叙述力求循序渐进、由浅入深、突出重点、便于自学；具体内容理论联系实际，书中二维投影图与三维直观图遥相呼应、逻辑严谨；施工图教学案例与时俱进、难点分散、标新立异，有利于教和学。

9. 本书由广州大学马彩祝，广州大学黄莉、谢坚任主编，饶常明、曹帅、庞灿为参编。

10. 与本书配套的由马彩祝、谢坚、黄莉、饶常明编写的《土木工程制图习题集》同时由中国建筑工业出版社出版。本习题集内容与本教材紧密相连，并优势互补。

11. 本书第4章、第6章由广州大学马彩祝编写；第1章1.5节、1.6节，第2章2.1节、2.2节、2.3节，第3章由广州大学黄莉编写；第1章1.1节、1.2节、1.3节、1.4节，第2章2.4节、2.5节，第7章由广州大学谢坚编写；第1章1.7节，第8章由广州南洋理工职业学院饶常明编写；第5章由广州大学华软软件学院庞灿编写；第9章由广州大学华软软件学院曹帅编写。马彩祝教授负责统稿。

本书在编写和修订过程中，参考了国内外众多画法几何、工程制图教材及有关文献资料，得到许多同行的指导及许多建设性修改意见，在此一并致谢！

由于修订时间紧、编者水平有限，本套教材仍难免存在一些缺点和不足之处，恳请广大同仁和读者继续给予批评指正。

编者

2019年3月

前　言

作为施工的依据，图纸是土木建筑工程中不可或缺的重要技术资料，所有从事工程技术的人员都首先必须掌握制图的技能。土建工程图是表达房屋、给水排水、桥梁、道路等土木工程设计的重要技术资料和施工的依据。

本书主要介绍土木工程制图一般理论和绘图方法，紧密结合土木工程及建筑学专业，注重从投影理论到制图实践的应用，遵循国家规范，力求反映近年来土木工程、建筑工程专业的最新发展水平。本书根据中华人民共和国住房和城乡建设部等部门于2010年8月18日联合发布、2011年3月1日实施的《房屋建筑制图统一标准》GB 50001—2010编写。

本书具有以下特点：

(1) 以“提高素质”为目的。本书指导思想及内容尊重和遵守国家标准，体现严谨、认真、一丝不苟的职业道德。

(2) 注重设计制图、草图、计算机辅助设计（CAD）能力的培养。作为制图教材，以图说话是本书编写的特点，其目的是方便自学，方便阅读。对基本概念、投影规律及教学重点、难点问题，都绘制了空间示意图，尽量以图形和表格形式表现、阐述和归纳对比，以帮助学生捋顺从空间到平面、从平面到空间的三维思维过程。

(3)“有利于自学”是我们编写本教材的宗旨和目的。书中大部分例题均采用分步作图，每个作图步骤配合一幅专门的图解过程，使作图方法、步骤一目了然。同时强化实践性教学内容，如草图的意义与画图训练、建筑工程图实例导读等。

(4) 注重教学性和实用性。本教材内容连贯，系统性好，并奉行实用、好用、适当、简捷、与时俱进、取材新颖的编写原则，拒绝华而不实，内容臃肿。本书作为基础技术课教材，不涉及与土木工程制图教学大纲无关的教学内容。

(5) 教学案例独创。书中围绕设有电梯的建筑物展开的专业施工图教学案例，在以往同类教材里属首创。书中建筑施工图、结构施工图、给水排水施工图章节均紧紧围绕这一建筑物展开，将不同专业的设计施工图有机联系起来，方便读者系统地学习房屋工程图的具体内容，深入了解在同一建筑的整套施工图中不同专业的设计方案、表达方法和所包含的内容，从而了解各专业的学习重点、设计及施工规律、绘图技巧等。

(6) 轴测图一章别具特色。我们在此增加了徒手绘制轴测图及“正等测交会投影”的教学内容，其目的仍是考虑到计算机绘图的需求。

(7) 与本书配套的由谢坚、黄莉、马彩祝主编的《土木工程制图习题集》同时由中国建筑工业出版社出版。本习题集内容与教材紧密相连、优势互补。

本书第1、4、8、10章由广州大学马彩祝编写，第3、5、7章由广州大学黄莉编写，第2、6、9章由广州大学谢坚编写，马彩祝、黄莉、谢坚任主编，马彩祝统稿。参加编写工作的还有吴珊瑚、张春梅、孟庆红、宁艳、陶旭升、扈媛。

本书在编写过程中，参考了国内众多画法几何、工程制图教材及有关文献资料，得到许多同行、专家的指导及许多建设性修改意见，在此一并致谢！

由于编者水平有限，本套教材难免存在不少缺点和错误，恳请广大同仁和读者批评指正。

编者
2013年3月

目　　录

绪　论

1. 工程图的发展历史与作用

（1）工程图的发展

人类从劳动开创文明史以来，图形一直是人类认识自然，表达、交流的主要形式之一，从象形文字的使用到今天的科学技术推广，始终与图形有着密切联系。图形的重要性可以说是其他任何表达方式所不能替代的。从埃及人丈量尼罗河两岸土地的方法到希腊欧几里得的几何原本；从文艺复兴资本主义出露端倪到18世纪的工业革命；从法国科学家G·蒙日的画法几何学到工程制图的推广普及，人类在几何图形学的历史长河中，创造了辉煌的篇章，促进了人类工业制造技术和科学技术的蓬勃发展。

当人类进入20世纪中叶，计算机图形学兴起，开创了图形学应用和发展的新纪元——计算机辅助设计（CAD）技术，推动了几乎所有领域的设计革命，CAD技术的发展和应用水平已成为衡量一个国家科技现代化和工业现代化水平的重要标志之一。CAD技术从根本上改变了过去的手工绘图方式，其强大的图形编辑功能以及可以采用多种方法进行二次开发和用户定制的能力，将设计者从繁重的体力、脑力劳动中解放出来。

（2）图形的作用

图形在人类社会发展过程中的作用不可低估，其主要表现在以下几方面：

1）工程图在构思、设计、制造过程中是必要的媒介，对于推动人类文明的进步、促进制造技术的发展，起了重要作用。

2）在科学研究中，利用图形直观表达实验数据的规律，对于人们把握事物的内在联系、变化趋势，具有独特的作用。

3）在表达和培养形象思维中，图的形象性、直观性、准确性使得人们可以通过图形来认识未知，探索真理。

2. 本课程的主要内容

本课程的主要内容包括：投影基础、组合体的表达、轴测图的绘制、制图标准介绍、建筑施工图的绘制与阅读、结构施工图的绘制与阅读、给水排水施工图的绘制与阅读以及路桥工程图等内容。

3. 本课程的任务

培养学生运用绘图技术进行构思、分析和表达工程问题的能力及解决工程问题的能力，同时本课程还将把徒手绘图技能的培训提到教学议事日程上来。本课程主要的任务是：

（1）掌握在平面上表达三维形体的规则与技能。

（2）培养三维逻辑思维和形象思维的设计能力。

（3）培养绘制、表达、阅读建筑施工图、结构施工图图样的基本能力。

（4）培养徒手绘图、仪器绘图的能力，为使用绘图软件设计打下良好的基础。

（5）从讲解“GB（中国国家标准）”和“ISO（国际标准化组织）”着手，培养学生认真负责的工作态度和严谨细致的工作作风。

第 1 章　投影与制图基础

1.1　投 影 法 分 类

1.1.1　投影的概念

影子，是日常生活中常见的现象。物体在光的照射下，会在地面、墙面、桌面上形成影子，如图 1-1(*a*) 所示。而影子又随光照方向的变化而改变，因此，从们从影子的自然现象中进行科学的抽象和概括，创造了投影理论及其法则，以此为先决条件的投影是各类工程图绘制的基本理论或基本法则，如图 1-1(*b*) 所示。

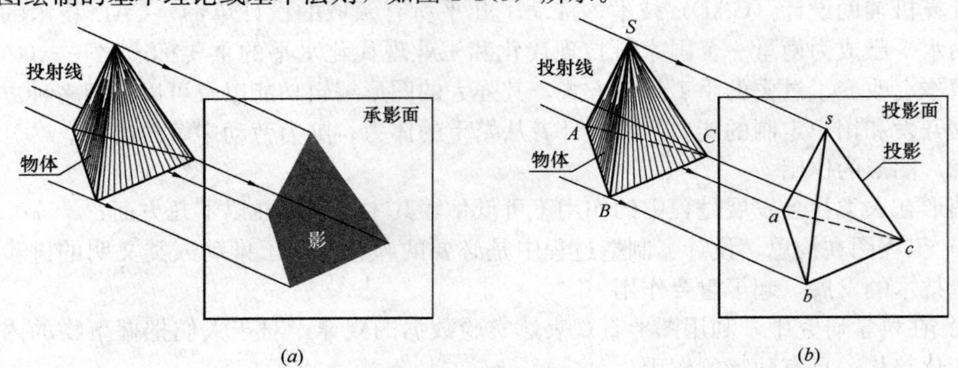

图 1-1　影子和投影

(*a*) 影子；(*b*) 投影

投影，即反映在一定的投射条件下，在承影面（如地面或墙面）上获得与空间几何元素一一对应的图形的过程。

在图 1-2(*a*) 中，假设空间有一点光源 *S* 和物体 *ABC*、平面（投影面）*H*，分别连线

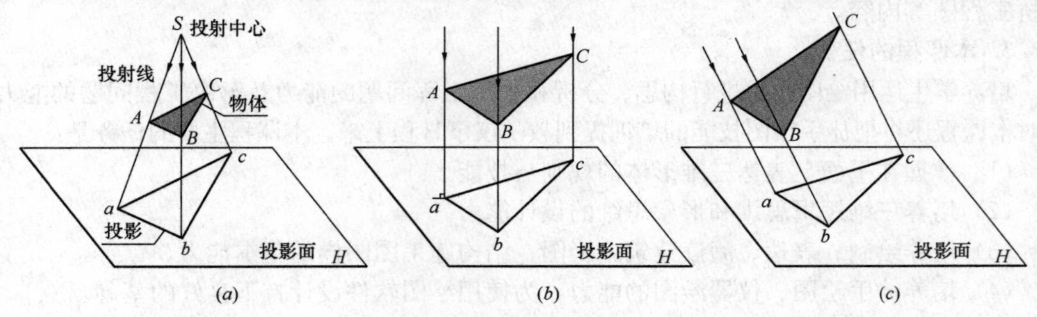

图 1-2　投影的概念

(*a*) 中心投影；(*b*) 平行投影——正投影；(*c*) 平行投影——斜投影

SA、SB、SC 并延长与平面相交于 a、b、c。其中，S 称为投射中心，SA、SB、SC 称为投射线，平面 H 称为投影面，a、b、c 称为点 A、B、C 在 H 面上的投影。这种对空间物体进行投影，在投影面上获得图像的方法称为投影法。

通过上述分析可知，要获得投影必须具备三要素：投射线、空间几何元素或物体、投影面。

1.1.2 投影法的分类

根据投射中心与投影面之间距离远近的不同，投影法可分为两大类：中心投影法、平行投影法。

1. 中心投影法

如图 1-2（a）所示，投射中心 S 距离投影面 H 为有限远时，投射线交于一点 S，用这样的投射线获得的投影称为中心投影。对应的投影方法称为中心投影法。

2. 平行投影法

如图 1-2(b)、图 1-2(c) 所示，投射中心 S 距离投影面 H 为无限远时，所有投射线都相互平行，用这样的投射线获得的投影称为平行投影。对应的投影方法称为平行投影法。

根据投射线与投影面垂直与否，平行投影法又分为正投影法、斜投影法。

（1）正投影法

当投射线垂直于投影面时，所得投影称为正投影，对应的投影法称为正投影法，如图 1-2(c) 所示。

（2）斜投影法

当投射线倾斜于投影面时，所得投影称为斜投影，对应的投影法称为斜投影法，如图 1-2(b) 所示。

1.2 平行投影的特性

积聚性、度量性、定比性和从属性、平行性、类似性是平行投影的重要特性。土建工程制图最常使用的是正投影法，现以之为例说明其投影特性。

1.2.1 积聚性

当空间线段或平面图形垂直于投影面时，其投影积聚为一点或一直线段，如图 1-3(a)、

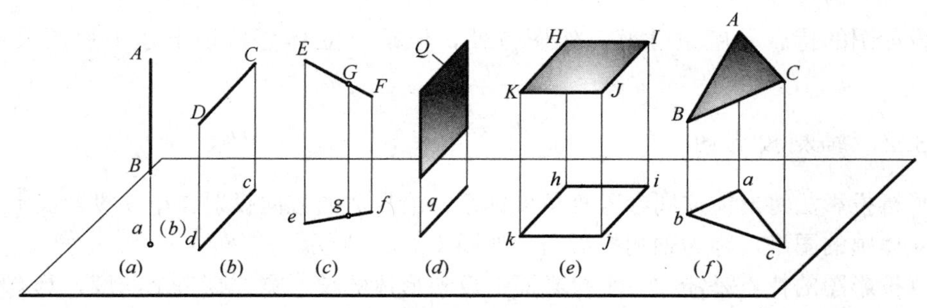

图 1-3 正投影的特性

(d) 所示，直线 AB 垂直于投影面 H 其投影积聚为一点 $a(b)$；平面 Q 垂直于投影面 H 其投影积聚为一直线段 q。这样的特性称为积聚性。

1.2.2 度量性

当空间线段或平面图形平行于投影面时，其投影反映实长或实形，如图 1-3(b)、(e) 所示，直线 CD 平行于投影面 H，其投影 cd 反映实长；平面图形 $HIJK$ 平行于投影面 H，其投影 $hijk$ 反映实形。

1.2.3 定比性和从属性

直线上两线段长度之比等于其投影的长度之比，且直线上点的投影必在直线的投影上。如图 1-3(c) 所示，G 在直线 EF 上，则 g 在直线的投影 ef 上，且 $EG:GF=eg:gf$。

1.2.4 平行性

平行的两直线在同一投影面上的投影仍然保持平行，如图 1-3(e) 所示，$HI//KJ$，则 $hi//kj$。

1.2.5 类似性

当直线与投影面倾斜时，其投影是变短的直线；当平面与投影面倾斜时，其投影是边数相同的类似形。如图 1-3(c)、(f) 所示，直线 EF 的投影为变短了的 ef，平面 ABC 与其投影 abc 是边数相同的类似形。这样的特性称为类似性。

1.3 土建工程中常用的图示法

用图示法表达土建工程形体时，由于所表达的对象不同、目的不同，所采用的图示方法也会不同。下面简单介绍土建工程中常用的多面正投影图、轴测投影图、透视投影图。

1.3.1 多面正投影图

用正投影法在两个或两个以上互相垂直的投影面上绘出形体的正投影图，并将其按一定规则展开在一个平面上。这样的投影图称为多面正投影图，简称投影图，如图 1-4(a) 所示。

正投影图的特点是度量性好、作图方便，但缺乏立体感，是土建工程图最主要的图样。

1.3.2 轴测投影图

用平行投影法将形体连同参考直角坐标系，沿合适的方向投射在单一投影面上所得到的具有立体感的图形，称为轴测投影图，如图 1-4(b) 所示。

轴测投影图的特点是能在一个投影面上反映形体的长、宽、高三个向度，具有一定的立体感，但不能完整准确地反映形体的形状，只能作为工程辅助图样。

1.3.3 透视投影图

用中心投影法将形体投射在单一投影面上所得到的具有立体感的图形，称为透视投影图，如图 1-4(c) 所示。

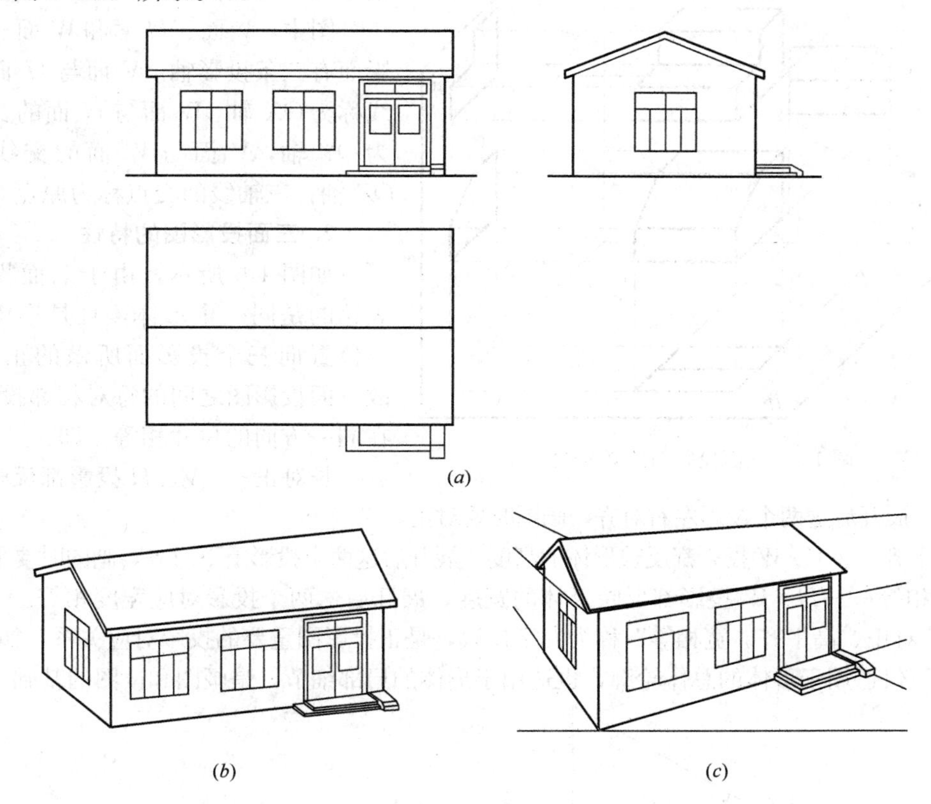

图 1-4 工程中常用投影图

(a) 正投影图；(b) 轴测投影图；(c) 透视投影图

透视投影图的特点：因其与照相原理相似，所得投影显得十分逼真，比轴测图更接近于人的视觉效果。这种图多用于建筑物外观或室内的装修效果。

1.4 三 面 正 投 影 图

1.4.1 三面正投影体系

如图 1-5 所示，一般情况下单面或两面正投影不能确定形体的形状，需三面正投影方能确定。工程上通常用三面正投影图来表达形体的形状。

1. 三面投影体系的建立

在图 1-5 中，设三个两两垂直的投影面以构成三面投影体系，其中：

水平位置的 H 面称为水平投影面，从上往下进行投射，对应形体的正投影称为水平投影。

正立位置的 V 面称为正立投影面，从前往后进行投射，对应形体的正投影称为正面

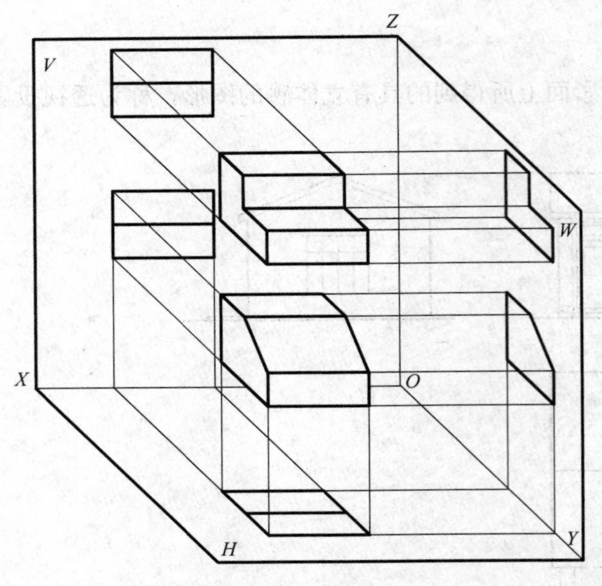

图 1-5　三面投影图的必要性

投影。

侧立位置的 W 面称为侧立投影面，从左往右进行投射，对应形体的正投影称为侧面投影。

图中，V 面、H 面和 W 面三个投影面有三条投影轴。V 面与 H 面的交线称为 OX 轴，W 面与 H 面的交线称为 OY 轴，V 面与 W 面的交线称为 OZ 轴；三轴线的交点称为原点 O。

2. 三面投影图的特性

如图 1-6 所示，由于三面投影图表达的是同一个形体，且是形体在同一位置向三个投影面所做的正投影，故三面投影图之间的每对相邻投影图，在同一方向的尺寸相等，即：

长对正——V、H 投影都反映形体的长度，展开后这两个投影左右对齐，画图时要对正。

高平齐——V、W 投影都反映形体的高度，展开后这两个投影上下对齐，画图时要平齐。

宽相等——H、W 投影都反映形体的宽度，展开后这两个投影对应宽度相等。

“长对正、高平齐、宽相等”称为九字口诀，是正投影图重要的投影对应关系，如图 1-7 所示，不仅适用于形体的总体轮廓，也适用于形体的局部细节，是画图和读图的基础。

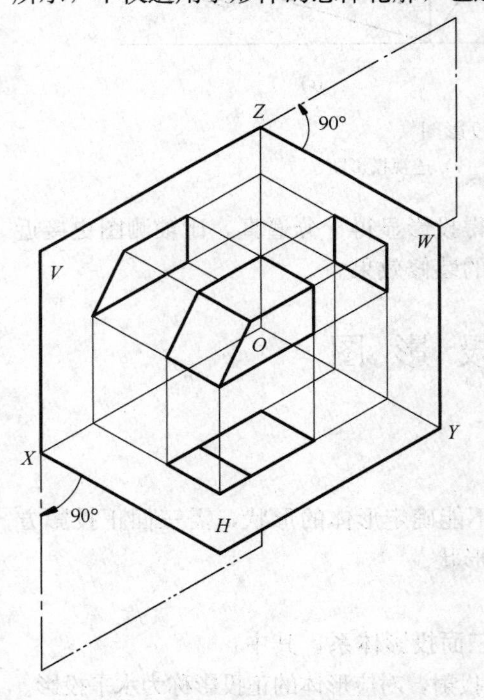

图 1-6　三面投影体系的形成及展开

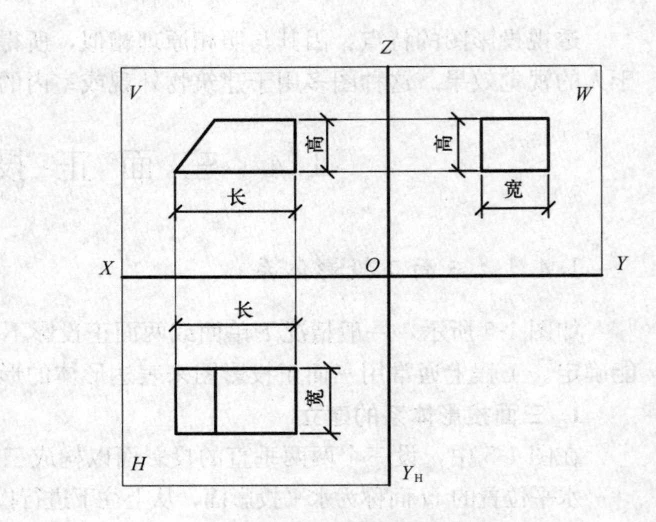

图 1-7　三面投影图的特性

1.4.2 点、直线、平面的投影规律

任何工程物体不论怎样复杂，抽象成几何形体后，都可以看成是由点、线、面组成。掌握其投影规律，有助于正确地阅读和绘制工程形体的投影图。

通常，空间点常用大写字母（或罗马序号）表示。如图 1-8(*a*) 所示：点 S，对应的 H 面投影为 s，V 面投影为 s'，W 面投影为 s''；直线 SB，对应的 H 面投影为 sb，V 面投影为 $s'b'$，W 面投影为 $s''b''$；如 $\triangle SAB$，对应的 H 面投影为 $\triangle sab$，V 面投影为 $\triangle s'a'b'$，W 面投影为 $\triangle s''a''b''$。

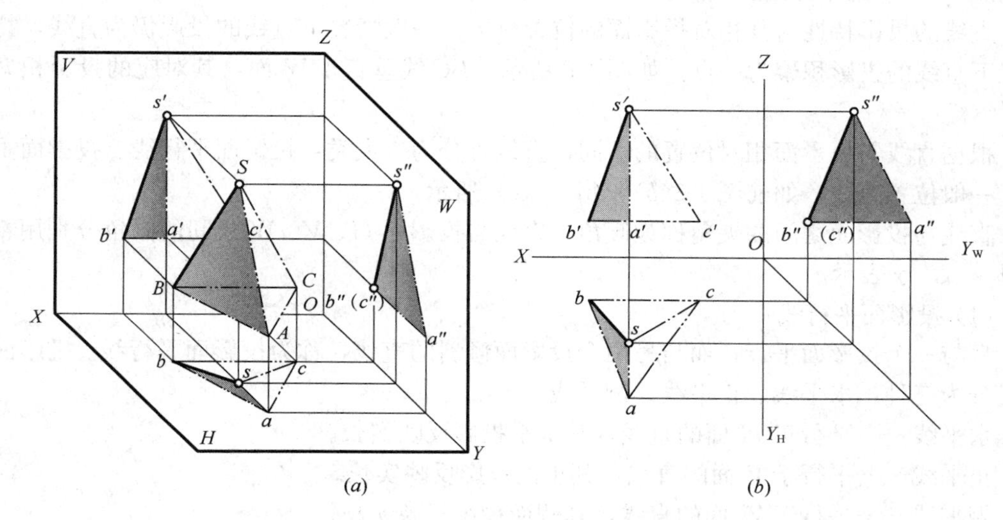

图 1-8 点、线、面的三面投影特性

另外，用单字母或罗马序号表示空间直线和平面也是常用的表示方法，如为空间直线 L，则对应的三面投影依次为 l、l'、l''；如为空间平面 Q，则对应的三面投影依次为 q、q'、q''。

1. 点的投影特性

(1) 点的投影规律

如图 1-8(*b*) 所示，以点 S 为例：

点 S 的 V、H 投影连线垂直于 OX 轴，即 $s's \perp OX$。

点 S 的 V、W 投影连线垂直于 OZ 轴，即 $s's'' \perp OZ$。

点 S 的 H 投影 s 到 OX 轴的距离等于点 S 的 W 投影 s'' 到 OZ 轴的距离。

(2) 两点的相对位置与重影点

1) 两点的相对位置

两点的相对位置，是指两点间的上下、左右、前后位置的关系。在三面投影中：V 面投影能反映出他们的上下、左右关系；H 面投影能反映出左右、前后关系；W 面投影能反映出上下、前后关系。

图示中，点 S 在点 B 右、前、上方，点 C 在点 S 的右、后、下方。

2) 重影点

当空间两点相对于某一投影面位于同一条投射线上时，该两点在该投影面上的投影重

合，这两点就称为该投影面的重影点。

两点重影必有一点被遮挡，距投影面远的一点可见，被挡住不可见的一点其投影加括号。如图 1-8(*b*) 所示，*B*、*C* 二点位于同一条垂直于 *W* 面的投射线上，故为 *W* 面的重影点，*B* 在前可见，*C* 在后不可见，用（c''）表示。

2. 直线的投影规律

由初等几何可知，两点可定一直线。求作直线的投影，可先求出该直线上任意两点的投影（常取两个端点）。如图 1-8 所示，要确定直线 *SA* 的空间位置，只需确定该直线上两端点 *S*、*A* 的空间位置，直线 *SA* 的三面投影依次为 sa、$s'a'$、$s''a''$。

直线的投影特性与其相对投影面的位置有关，一般情况下直线的投影仍为直线，特殊情况下直线的投影积聚为一点。如图 1-8 所示，*BC* 线垂直于 *W* 面，其对应的投影积聚为点 b''（c''）。

根据直线与投影面相对位置的不同，直线可分为三大类：投影面平行线、投影面垂直线、一般位置直线，如前图 1-3(*b*)、(*a*)、(*c*) 所示。

直线与投影面之间的夹角称为倾角。直线与投影面 *H*、*V*、*W* 之间的倾角分别用希腊字母 α、β、γ 表示。

(1) 投影面平行线

只与一个投影面平行，而与另两个投影面倾斜的直线，称为投影面平行线。投影面平行线分为三种：水平线、正平线、侧平线。

水平线——平行于 *H* 面的直线，其水平投影反映实长。

正平线——平行于 *V* 面的直线，其正面投影反映实长。

侧平线——平行于 *W* 面的直线，其侧面投影反映实长。

如图 1-9 所示，$AB//H$ 面为水平线，$ab=AB$，$a'b'//OX$，$a''b''//OYw$，且直线的水平投影反映与 *V*、*W* 面的倾角 β、γ。

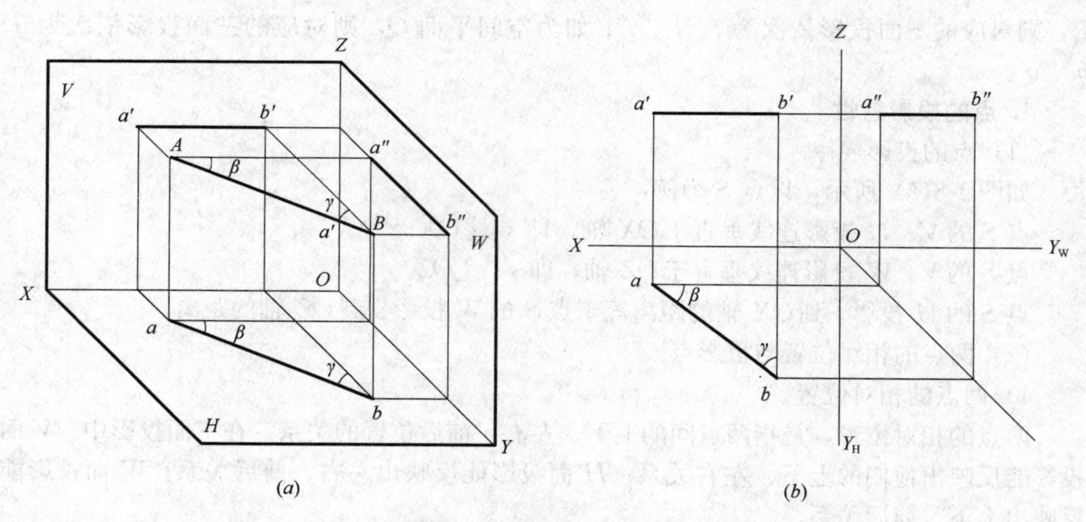

图 1-9 水平线的投影特性

(*a*) 直观图；(*b*) 投影图

综上所述，投影面平行线的主要投影特性为：当直线平行于某一投影面时，在该面上的投影反映实长且反映与另两个投影面的倾角；直线的另外两面投影平行于相应的投影轴。

（2）投影面垂直线

与一个投影面垂直，而与另两个投影面平行的直线，称为投影面垂直线。投影面垂直线分为三种：铅垂线、正垂线、侧垂线。

铅垂线——与 H 面垂直的直线，其水平投影积聚为一点。

正垂线——与 V 面垂直的直线，其正面投影积聚为一点。

侧垂线——与 W 面垂直的直线，其侧面投影积聚为一点。

如图 1-10 所示，$AB \perp H$ 面为铅垂线，$a(b)$ 积聚为一点，$a'b' \perp OX$，$a''b'' \perp OYw$，$a'b' = a''b'' = AB$。

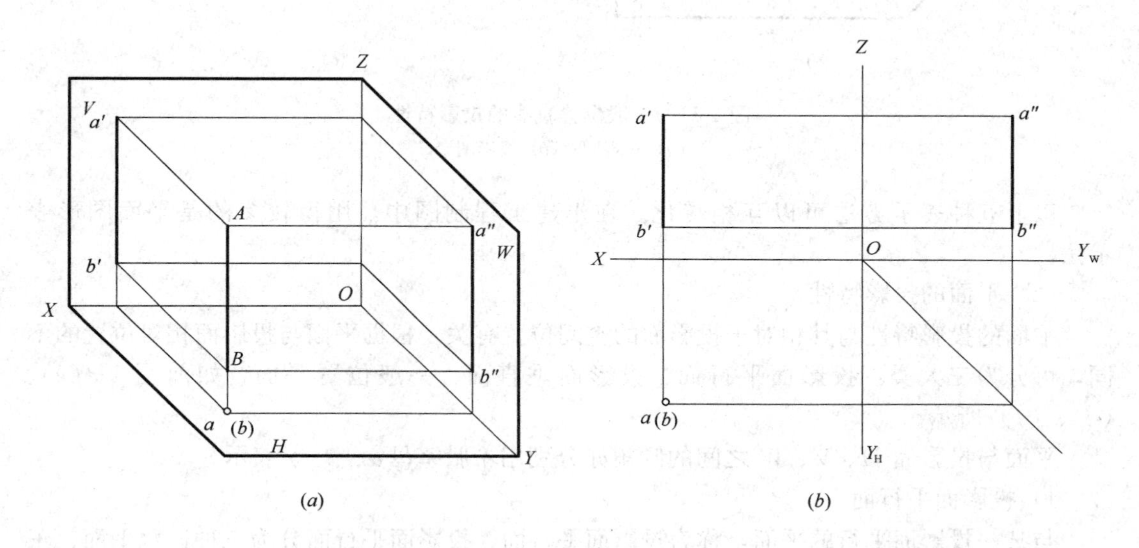

图 1-10　铅垂线的投影特性

（a）直观图；（b）投影图

综上所述，投影面垂直线的主要投影特性为：当直线垂直于某一投影面时，在该面上的投影积聚为一点；直线的另外两面投影垂直于相应的投影轴，且反映线段的实长。

（3）一般位置直线

与三个投影面均处于倾斜位置的直线，称为一般位置直线。

如图 1-11 所示，直线 AB 倾斜于 H、V、W 三个投影面，其三面投影 ab、$a'b'$、$a''b''$ 均为直线，且不反映实长。

综上所述，一般位置直线的主要投影特性为：三个投影均短于实际长度，且均呈倾斜状态。

3. 平面的投影规律

（1）平面表示法

由初等几何可知，常用平面表示法为：一直线和线外一点；不共线的三点；两相交直线；两平行直线；平面图形。

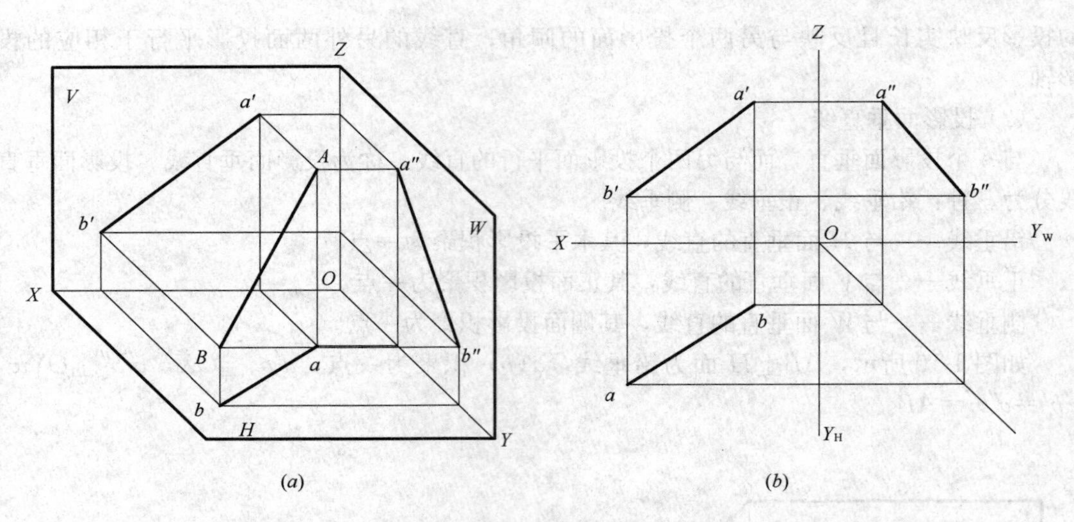

图 1-11　一般位置直线的投影特性

(*a*) 直观图；(*b*) 投影图

以上五种表示方法可以互相转化。在土建工程制图中，用得较多的是平面图形表示法。

(2) 平面的投影特性

平面的投影特性与其相对于投影面的空间位置有关。根据平面与投影面相对位置的不同，可分为三大类：投影面平行面、投影面垂直面、一般位置平面，如前图 1-3(*e*)、(*d*)、(*f*) 所示。

平面与投影面 H、V、W 之间的倾角亦分别用希腊字母 α、β、γ 表示。

1) 投影面平行面

与某一投影面平行的平面，称为投影面平行面。投影面平行面分为三种：水平面、正平面、侧平面。

水平面——与 H 面平行的平面，其水平投影反映实形。

正平面——与 V 面平行的平面，其正面投影反映实形。

侧平面——与 W 面平行的平面，其侧面投影反映实形。

如图 1-12 所示，Q 面平行于 H 面，$q=Q$，$q'//OX$，$q''//OYw$。

综上所述，投影面平行面的主要投影特性为：当平面平行于某一投影面时，在该面上的投影反映实形；平面的另外两面投影积聚为直线段并平行于相应的投影轴。

2) 投影面垂直面

只与一个投影面垂直的平面，称为投影面垂直面。投影面垂直面分为三种：铅垂面、正垂面、侧垂面。

铅垂面——与 H 面垂直的平面，其水平投影积聚为直线段。

正垂面——与 V 面垂直的平面，其正面投影积聚为直线段。

侧垂面——与 W 面垂直的平面，其侧面投影积聚为直线段。

如图 1-13 所示，Q 面垂直于 H 面，q 积聚为一直线段且反映与 V、W 面的倾角 β、γ；q'和 q''为小于原平面图形的同边数类似形。

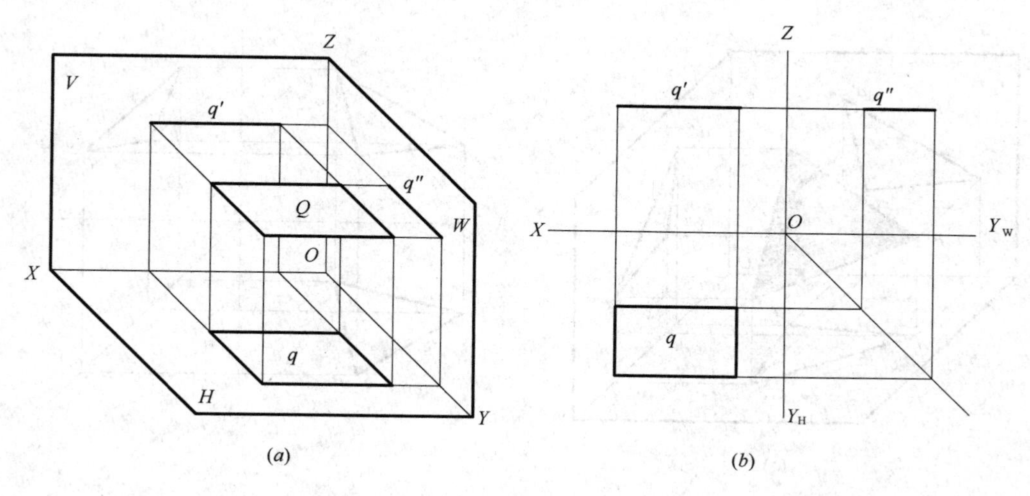

图 1-12　水平面的投影特性

（a）直观图；（b）投影图

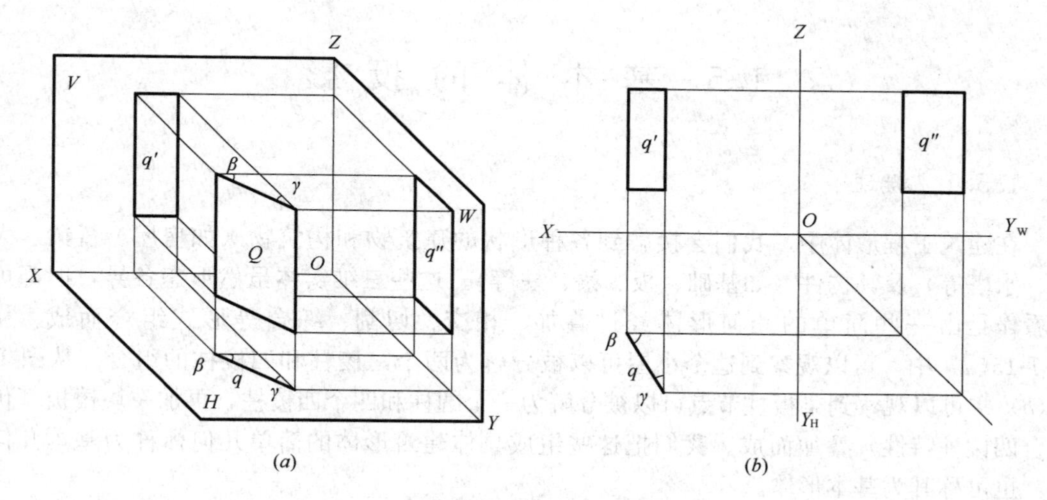

图 1-13　铅垂面的三面投影特性

（a）直观图；（b）投影图

综上所述，投影面垂直面的主要投影特性为：当平面垂直于某一投影面时，在该面上的投影积聚为直线段且反映与另外两个投影面的倾角；平面的另外两投影为比实形小的同边数类似形。

3）一般位置平面

与 H、V、W 三个投影面均处于倾斜位置的平面，称为一般位置平面。

如图 1-14 所示，平面 ABC 与 V、H、W 三个投影面均倾斜，其投影 abc、$a'b'c'$ 和 $a''b''c''$ 均为小于实际平面的同边数类似形。

故一般位置平面的主要投影特性为：平面的三面投影均为比实形小的边数相同的类似形。

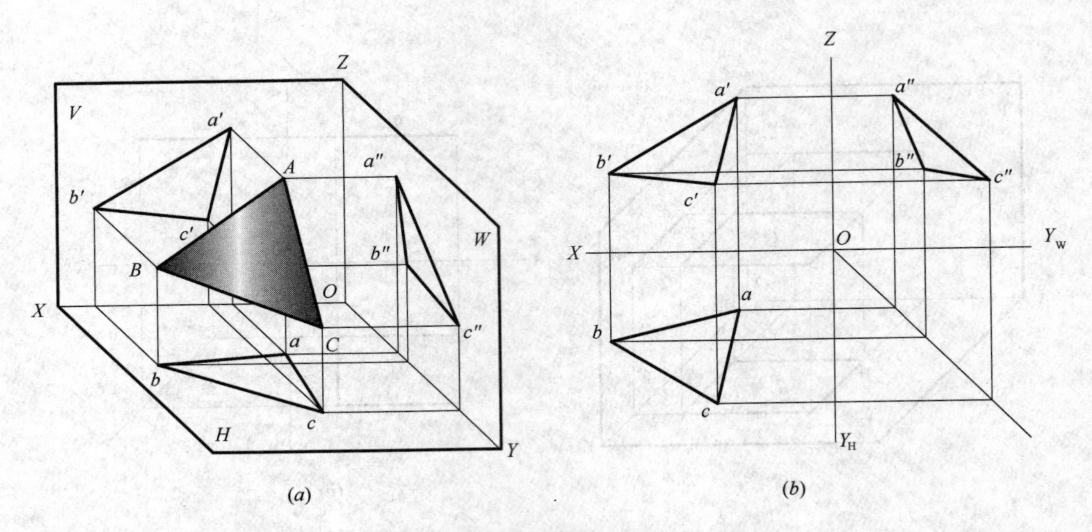

图 1-14　一般位置平面的投影特性

（*a*）直观图；（*b*）投影图

1.5　基本体的投影

1.5.1　概述

在建筑工程形体中，我们会接触到各种形状的建筑物和构筑物（如房屋、桥梁、大坝、水塔等）及其构件（如基础、板、梁、柱等)。这些三维实体虽然形态各异，但都可以看作是由一些简单的几何形体经过叠加、相交、切割、综合等形式组合而成。从图 1-15(*a*) 中，可以观察到这个小屋可以被分解为两个三棱柱和四棱柱的组合。从图 1-15(*b*) 中可以观察到梁板柱节点可以被分解为一个圆柱和四个四棱柱，再加一块楼板（仍符合四棱柱特性）叠加而成。我们把这些组成具体建筑形体的简单几何体称为基本几何体，也可称其为基本形体。

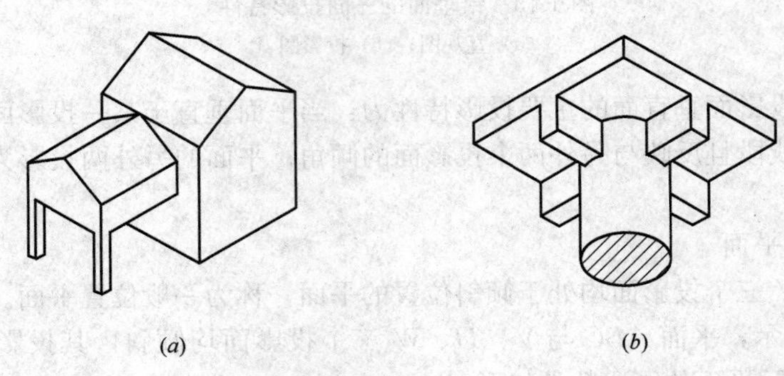

图 1-15　立体实例

（*a*）小屋；（*b*）梁板柱节点

基本体是由一系列表面所围成的，根据表面的性质不同，立体可以分为平面立体和曲面立体。

如果基本体表面全部由平面所围成，则称为平面立体。最基本的平面立体有棱柱和棱锥，如图 1-16(*a*)、(*b*)所示。如果立体表面由曲面和平面或全部曲面所围成，则称为曲面立体，最基本的曲面立体有圆柱、圆锥、圆球及圆环等，如图 1-16(*c*)、(*d*)、(*e*)、(*f*)所示。

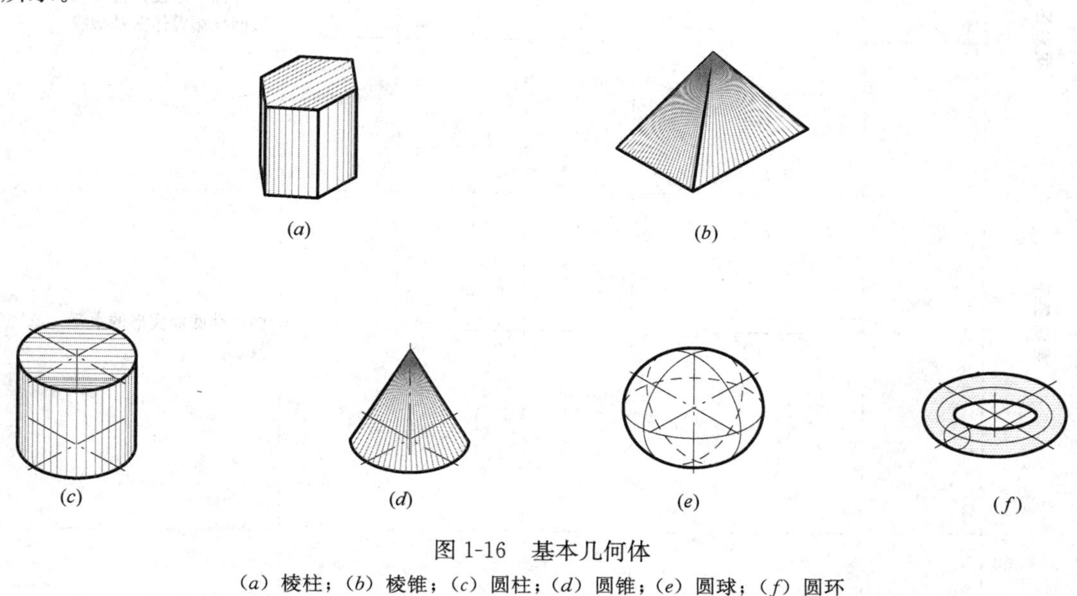

图 1-16　基本几何体

(*a*) 棱柱；(*b*) 棱锥；(*c*) 圆柱；(*d*) 圆锥；(*e*) 圆球；(*f*) 圆环

工程图样中，常把工程形体的三面投影称为视图，画三面投影图也就是画三视图，三视图在土建专业分别称为：*V* 面投影——正立面图；*H* 面投影——平面图；*W* 面投影——左侧立面图。

1.5.2　平面体的投影

1. 棱柱体

棱柱是由棱面和上、下底面围成的，相邻棱面的交线称为棱线，各棱线均互相平行，一般正棱柱的上、下底面与棱线垂直（表 1-1）。

六棱柱和四棱锥三面投影图的作图步骤　　　　**表 1-1**

立体名	正六棱柱	四棱锥	作图步骤说明
投影过程	Z W V Y X H	Z W V Y X H	由该轴测图反映平面立体的投影过程

续表

立体名	正六棱柱	四棱锥	作图步骤说明
作图步骤一			画对称中心线，轴线和底面投影等作图基准线
作图步骤二			画反映底面实形的水平投影
作图步骤三	高平齐 长对正 宽相等 宽相等	高平齐 长对正 宽相等 宽相等	根据投影规律，画其余投影图，检查、整理底图后加深,得该平面立体三面投影图

2. 棱锥体

棱锥由棱面和底面围成，各棱面相交，且各棱线交汇于一点（锥顶）（表 1-1）。由表 1-1，以正六棱柱和四棱锥为例，学习棱柱和棱锥三面投影图的作图步骤。其他基本平面立体三面投影图的作法与此相似。

3. 平面体的截切

平面体是由平面围成的，所以平面截切平面体形成的截交线均为截平面与平面立体表面的交线，即截交线是截平面和平面体表面的共有线，而且每段截交线的端点又必是平面体各棱线上的点，如图 1-17 所示。所以，只要找到这些共有点，顺次连接平面体上同一平面上的点，即会得一个封闭的平面多边形的截交线线框。

由此可见，要在已知的平面体三视图上画出截交线就必须首先求出这些截交线上的点。

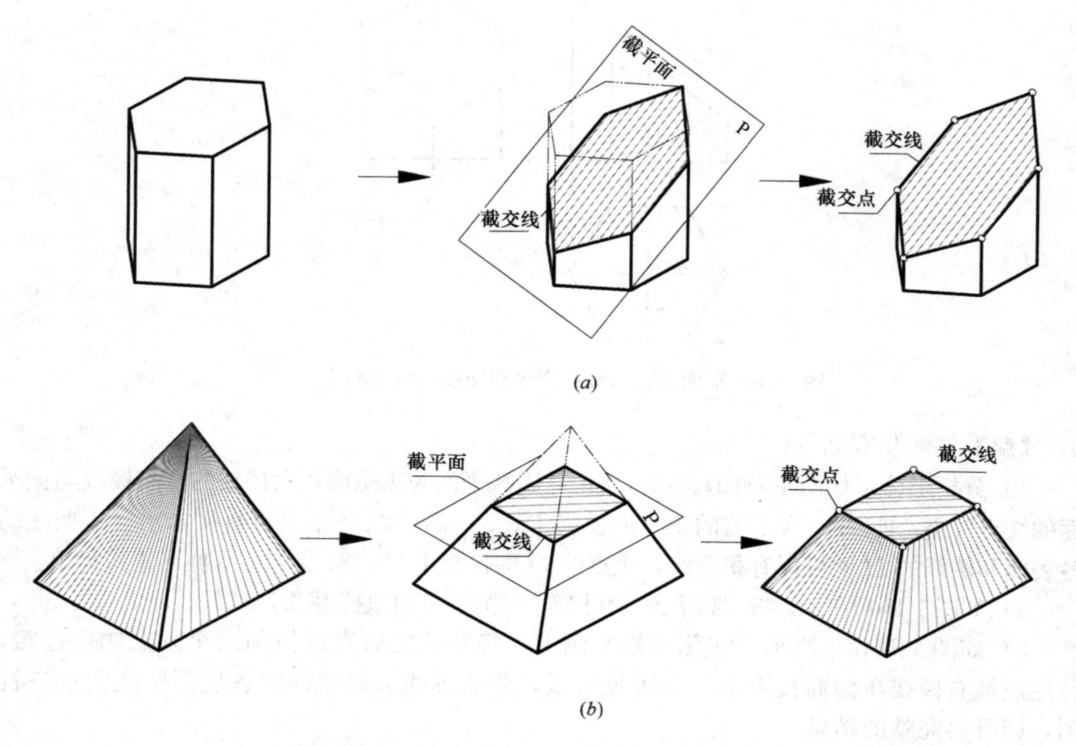

(*a*)

(*b*)

图 1-17　平面切割平面立体产生截交线的过程

(*a*) 平面斜切棱柱产生截交线的过程；(*b*) 底面平行面切棱锥产生截交线的过程

【例 1-1】 如图 1-18(*a*) 所示，正六棱柱底面平行于 H 面，并被垂直于 V 面的平面截切，完成其三视图。

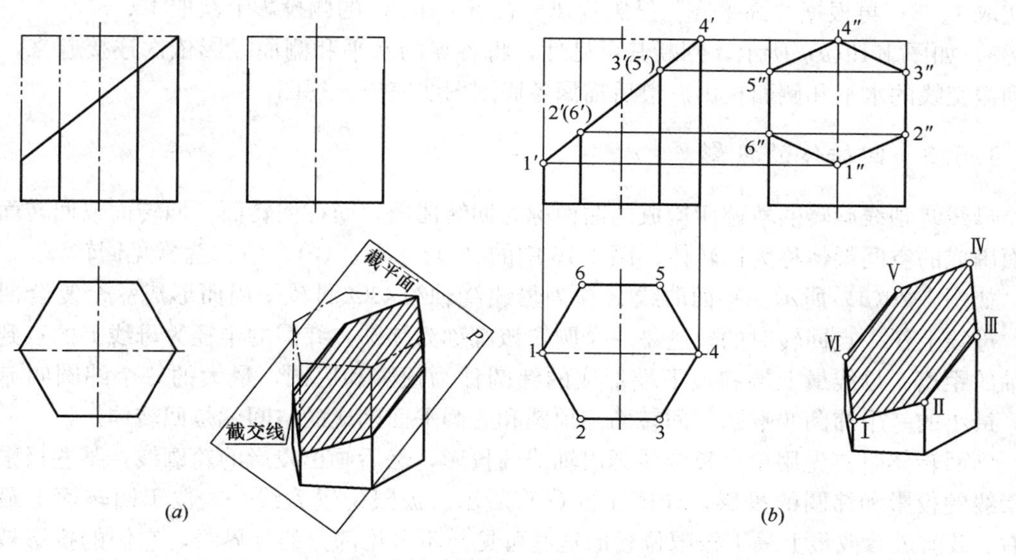

(*a*)　(*b*)

图 1-18　平面斜切六棱柱产生截交线的解题步骤（一）

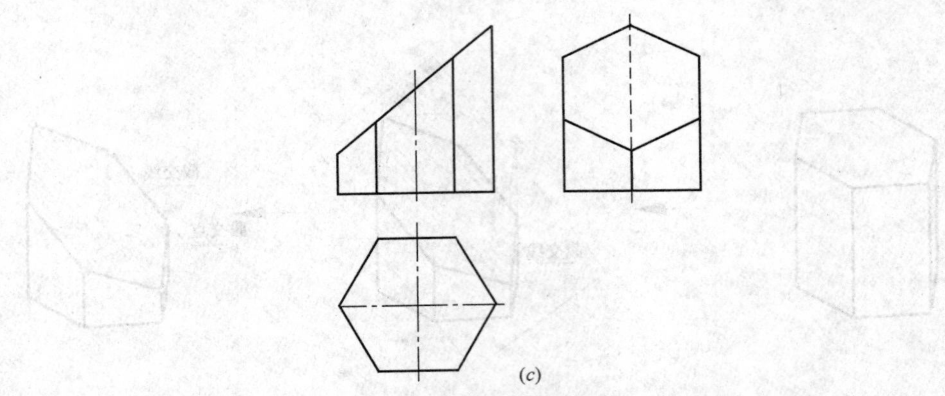
(c)
图 1-18　平面斜切六棱柱产生截交线的解题步骤（二）

【解】 作图步骤如下：

1）分析形体：如图 1-18(*a*)、(*b*) 所示，因截平面为正垂面，六棱柱的六条棱线与截平面的交点Ⅰ、Ⅱ、Ⅲ、Ⅳ、Ⅴ、Ⅵ的正立面投影 1′、2′、3′、4′、5′、6′可直接求出。六棱柱的各表面和棱线的 *H* 面投影有积聚性，交点的 *H* 面投影 1、2、3、4、5、6 亦可直接得出。

2）如图 1-18(*b*)所示，按"高平齐，宽相等"规律，亦可直接得出 1″、2″、3″、4″、5″、6″。

3）如图 1-18(*c*) 所示，在侧面投影图上，将被截之后六棱柱的六个顶点顺序连接，并注意最右棱线在侧面投影上为不可见棱线，画成虚线。最后描深各底图图线完成三视图，即可得完整的结果。

【例 1-2】 如图 1-19 所示，三棱锥被一正垂的平面截切，完成其另两面投影。

【解】 作图步骤如下：

1）分析形体：如图 1-19(*a*)、(*b*) 所示，因截平面为正垂面，三棱锥的三条棱线 *SA*、*SB*、*SC* 与截平面的交点Ⅰ、Ⅱ、Ⅲ的正面投影 1′、2′、3′可直接求出。

2）如图 1-19(*b*) 所示，由 1′、3′根据"长对正"投影规律，在 *SA* 和 *SC* 的水平投影上获取 1、3；再根据"高平齐"投影规律，在 *SA* 和 *SC* 的侧投影上获取 1″、3″。

3）如图 1-19(*c*) 所示，判断其可见性，将各点的水平和侧面投影依次连接起来，即得到截交线的水平和侧面投影。最后描深各底图图线完成三视图。

1.5.3　回转体的投影

母线绕轴线旋转的轨迹所构成的曲面称为回转曲面，简称回转面。回转面或回转面与平面围成的空间形体称为回转体。图 1-16 中的 (*c*)、(*d*)、(*e*)、(*f*) 为常见回转体。

如图 1-20(*a*) 所示，平面曲线 L 作为母线绕轴线 OO 回转一周而形成一个复合回转面。母线上任一点回转时的轨迹是一个圆，该圆称为纬圆。纬圆的半径为母线上的点到回转轴的距离。母线最上端和最下端形成的纬圆称为顶圆和底圆，最大的一个纬圆叫赤道圆，最小的一个纬圆叫喉圆。回转面与顶圆和底圆平面围成的空间就是回转体。

画回转体时首先用单点长画线画出轴线的投影，然后画出投影的轮廓线，某些极限位置素线的投影和纬圆的投影，如图 1-20(*b*) 所示。极限位置素线——位于回转面上最左最右、最前最后或最上最下极限位置的这些可见与不可见部分的分界线，它们的投影被称做转向轮廓线。

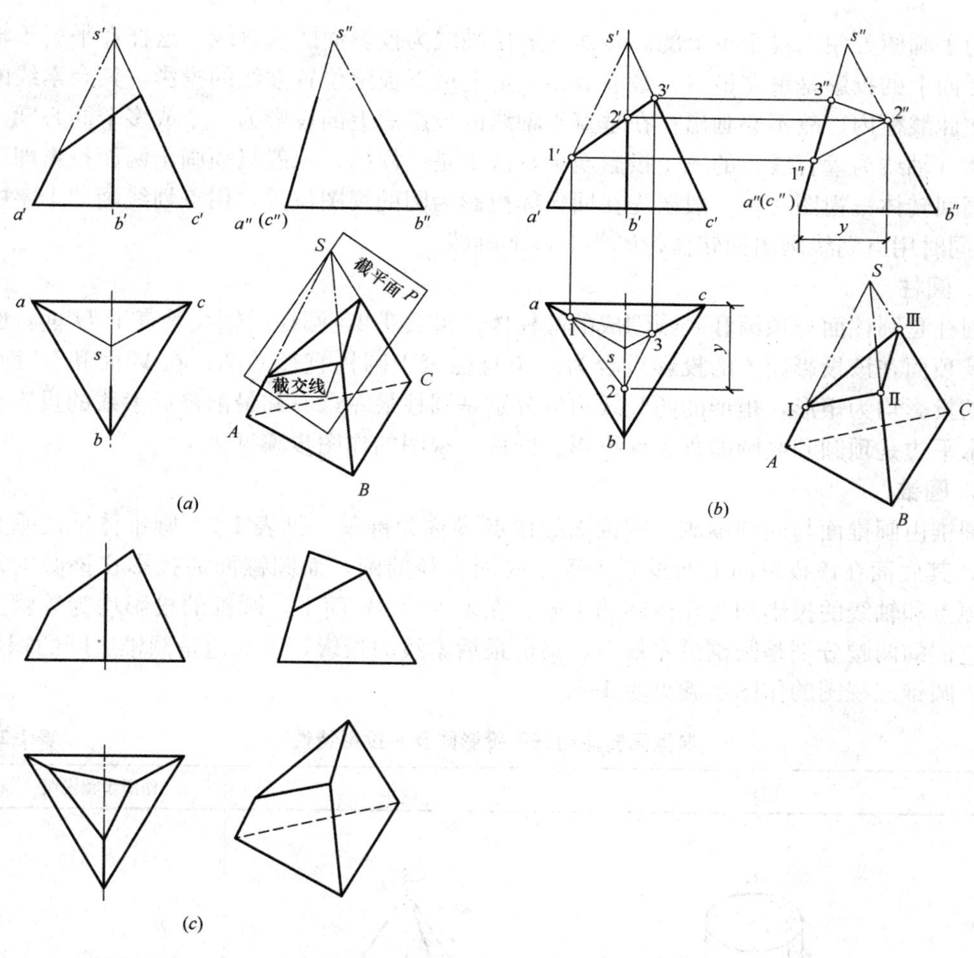

图 1-19 平面斜切三棱锥产生截交线的解题步骤

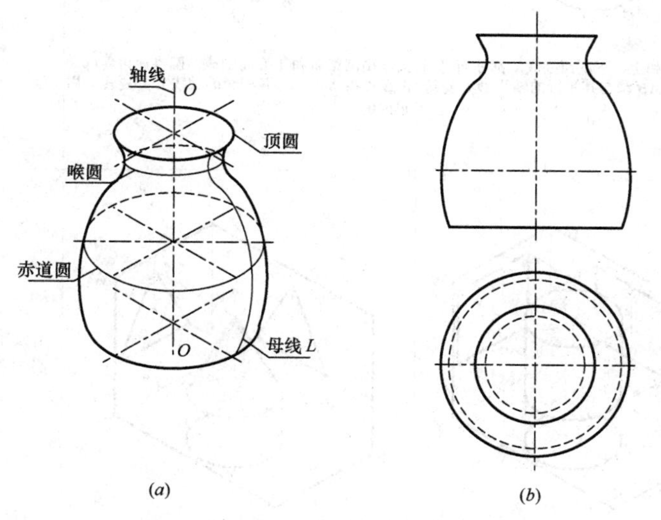

图 1-20 回转面的形成

(*a*) 回转面形成过程；(*b*) 回转体投影图

为了画图方便，对于单个的回转面一般使轴线为投影面的垂直线。这样在平行于轴线的投影面上的投影是最左最右、最前最后或最上最下极限位置素线的投影，其余素线的投影都在此线框内，故不必画出；在垂直于轴线的投影面上的投影为一个或多个同心圆。正回转体（轴线为垂直线）的三个投影至少有两个是一样的，一般只须画出两面投影即可。

画回转体三视图时，一般要先在回转体投影为圆的视图位置，用点划线画“十字中心线”，同时用点划线画出回转体投影为非圆的轴线。

1. 圆柱

圆柱是圆柱面与顶圆和底圆围成的圆柱体，见表 1-2，圆柱的轴线垂直于 H 面，圆柱面及其顶面在该投影面上的投影重合为一个直径等于圆柱直径的圆；在 V 面和 W 面上，圆柱的投影均为矩形，矩形的两竖线边框分别是圆柱最左最右和最前最后素线的投影，上下两水平边是顶圆和底圆的积聚性投影。圆柱三视图的作图步骤见表 1-2。

2. 圆锥

圆锥由圆锥面与底圆围成。圆锥面的顶点 S 称为锥顶，见表 1-2。圆锥体轴线垂直于 H 面，其底面在该投影面上的投影为等于底面直径的圆，而圆锥面的投影在该圆的范围内，顶点和轴线的投影均落在该圆的中心；在 V 面和 W 面上，圆锥的投影均为等腰三角形，它们的两腰分别是圆锥最左最右、最前最后素线的投影，下底边是圆锥底圆的积聚性投影。圆锥三视图的作图步骤见表 1-2。

典型回转体的三面投影图及其投影特性 　　表 1-2

立体名	圆柱	圆锥	作图步骤说明
形成方式	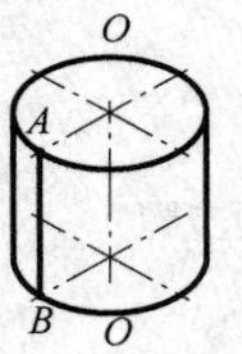 圆柱由圆柱面和上、下底面围成。圆柱面可看成是由直母线 AB 绕与其平行的轴线 O-O 旋转一周形成的	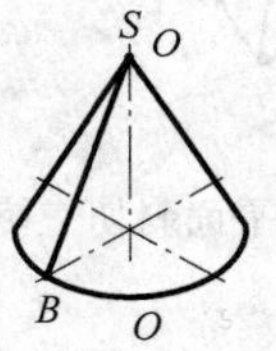 圆锥由圆锥面和下底面围成。圆锥面可看成是由直母线 SB 绕与其相交的轴线 O-O 旋转一周形成的	由该轴测图反映回转体的形成过程
投影过程	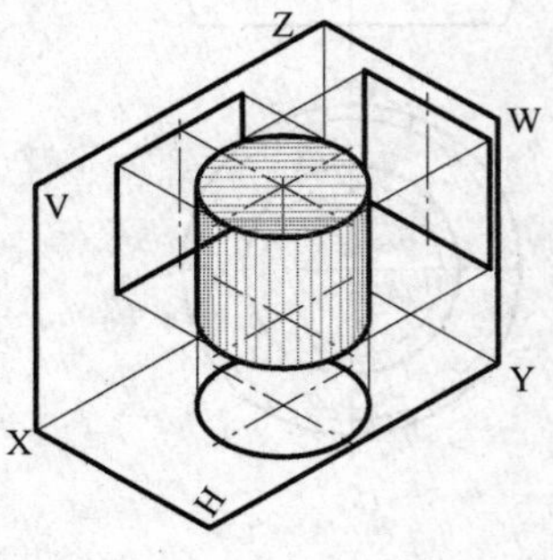	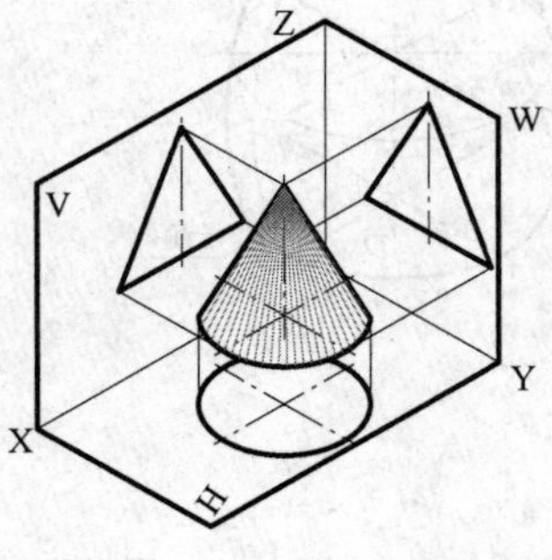	由该轴测图反映回转体的投影过程

续表

立体名	圆柱	圆锥	作图步骤说明
作图步骤一	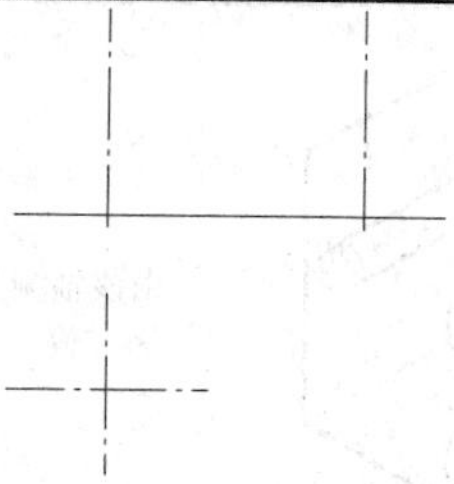	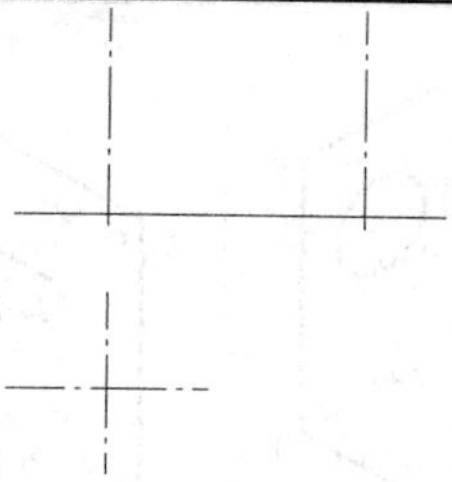	画对称中心线，轴线和底面投影等作图基准线
作图步骤二	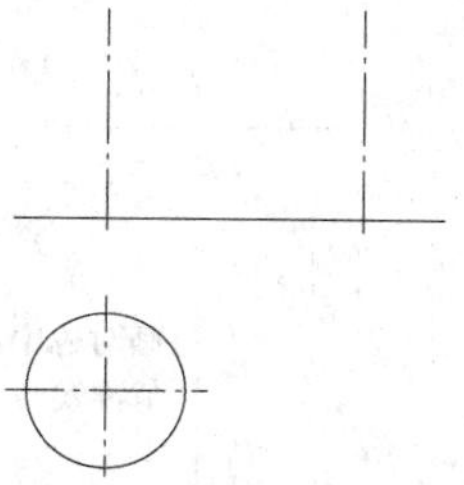	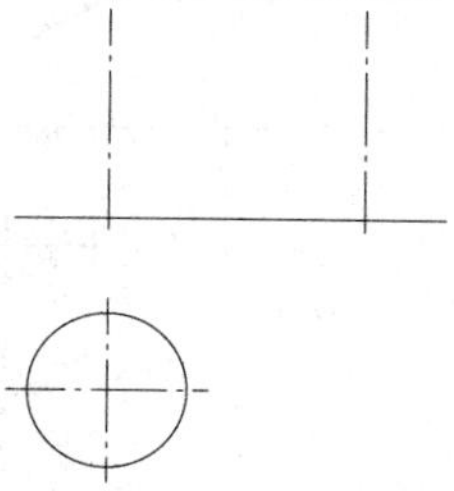	画反映底面实形的水平投影图
作图步骤三	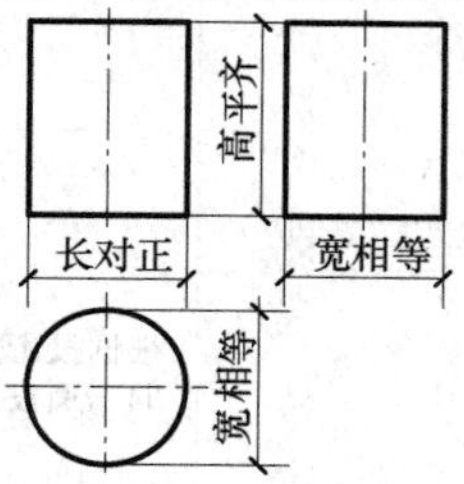 高平齐 长对正 宽相等 宽相等	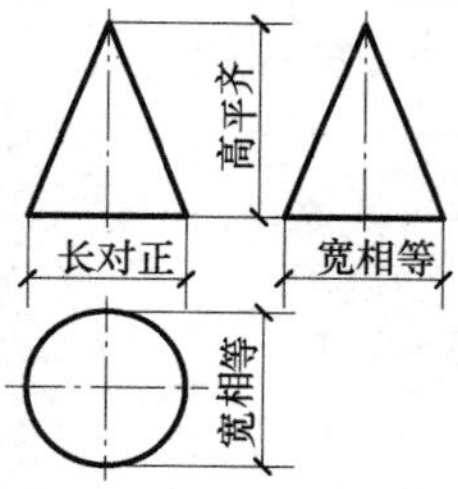 高平齐 长对正 宽相等 宽相等	根据投影规律,画其余投影图，检查、整理底图后加深，得该回转体的三面投影图
投影特性	1.轴线垂直于水平面的圆柱，其水平投影是圆，其圆周是整个圆柱面的投影，具有积聚性。2.正面和侧面投影都是以轴线为对称线的完全相同的矩形	1.轴线垂直于水平面的圆锥，其水平投影是圆，由于锥面上所有素线均倾斜于水平面，所以锥面水平投影没有积聚性。2.正面和侧面投影都是以轴线为对称线的完全相同的等腰三角形	

3. 圆球体

圆球面围成的空间形体称为圆球体，见表 1-3。

4. 圆环体

圆环面围成的空间形体称为圆环体，见表 1-3。

典型回转体的三面投影图及其投影特性 表 1-3

立体名	圆球	圆环	作图步骤说明
形成方式	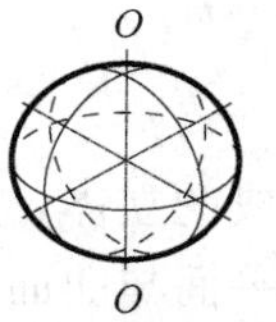 O O 圆球由球面围成，圆球面可看成是由半圆周母线绕其直径为轴线 *O-O* 回转一周形成	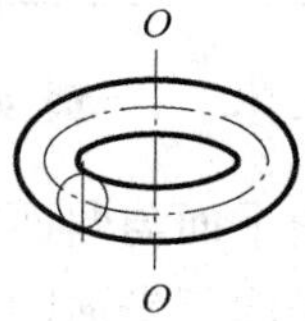 O O 圆环体是由圆环面围成，圆环面可看成是由整圆周母线绕它以外且与它共面的轴线 *O-O* 回转一周形成	由该轴测图反映回转体的形成过程

续表

立体名	圆球	圆环	作图步骤说明
投影过程	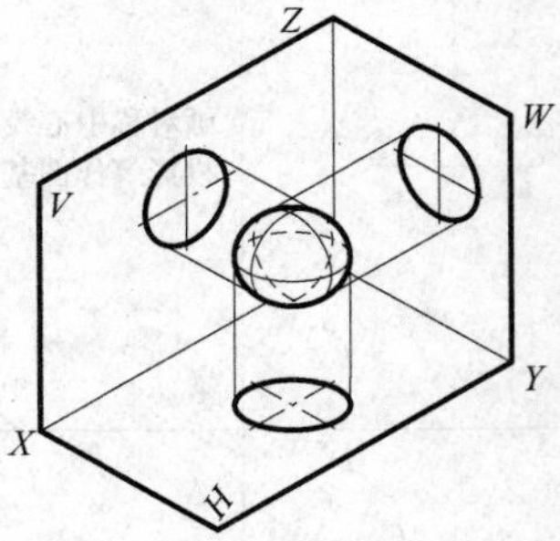	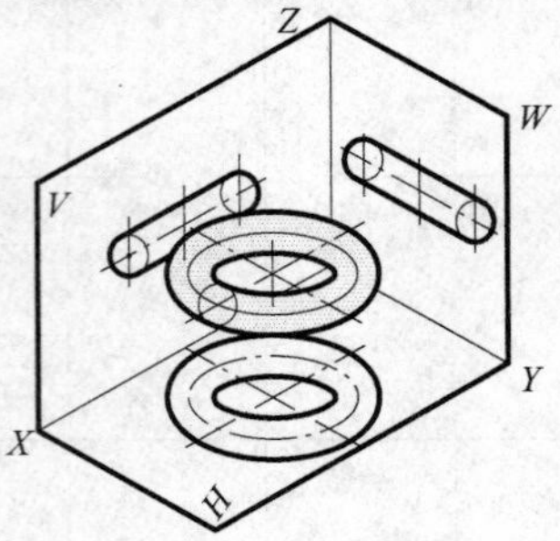	由该轴测图反映回转体的投影过程
作图步骤一	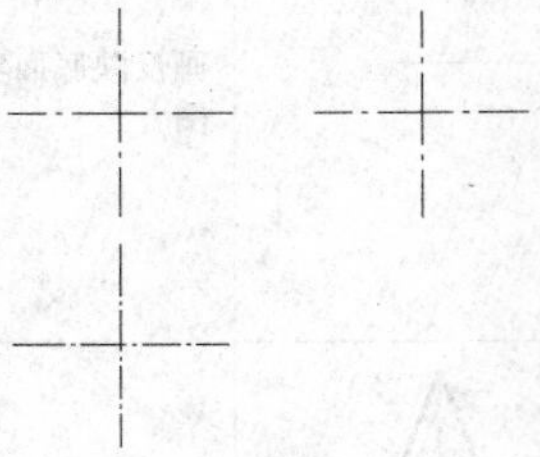	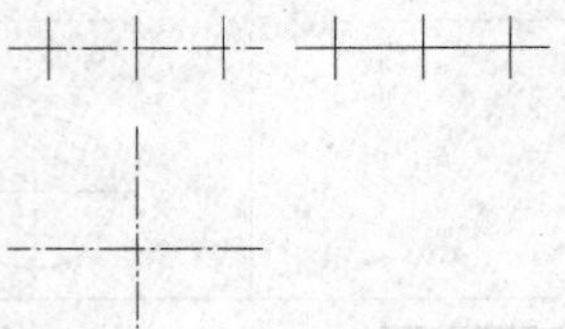	画对称中心线，轴线等作图基准线
作图步骤二	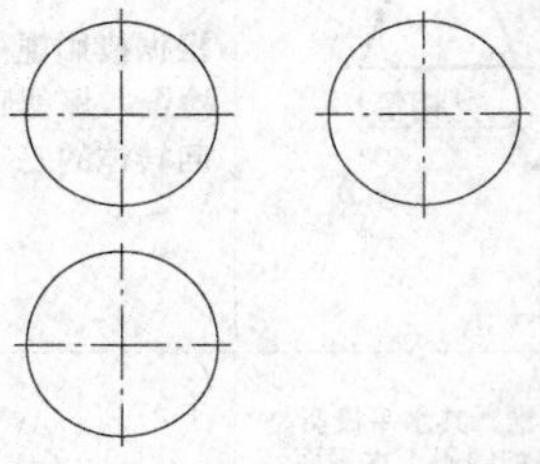	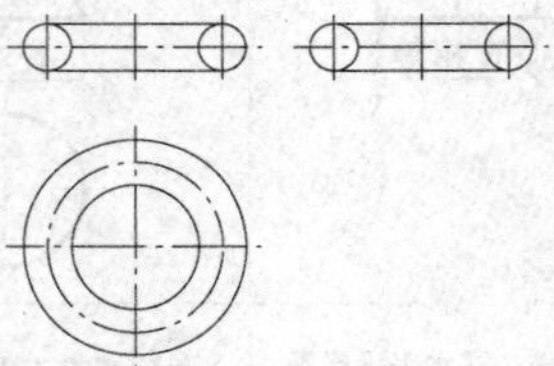	根据投影规律，画该回转体的三面投影图底图
作图步骤三	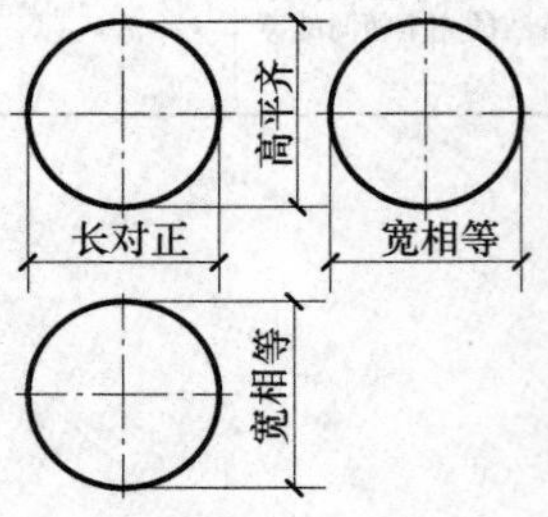	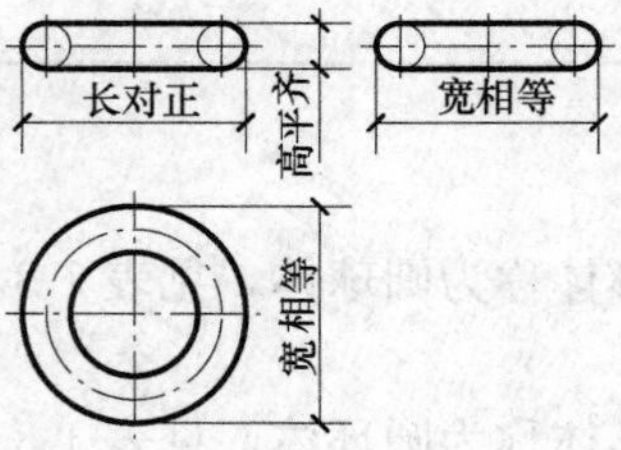	检查、整理底图后加深,得该回转体的三面投影图
投影特性	1.圆球的三面投影都是大小相同的圆，且没有积聚性。2.圆的直径等于圆球的投影直径	1.由于主轴线垂直于水平面，所以水平投影呈现圆环状。2.正面和侧面投影都是全等图形	

1.5.4 平面截切曲面立体——截交线

由上一节可知曲面立体是由平面与曲面或全部由曲面围成的立体，所以平面截切曲面体时所产生的截交线既可能是平面与平面的交线，也可能是平面与曲面的交线——直线段或曲线段，如图 1-21 所示。

截平面与曲面的交线一般为封闭的平面曲线。在三面投影中，平面曲线的投影一般仍

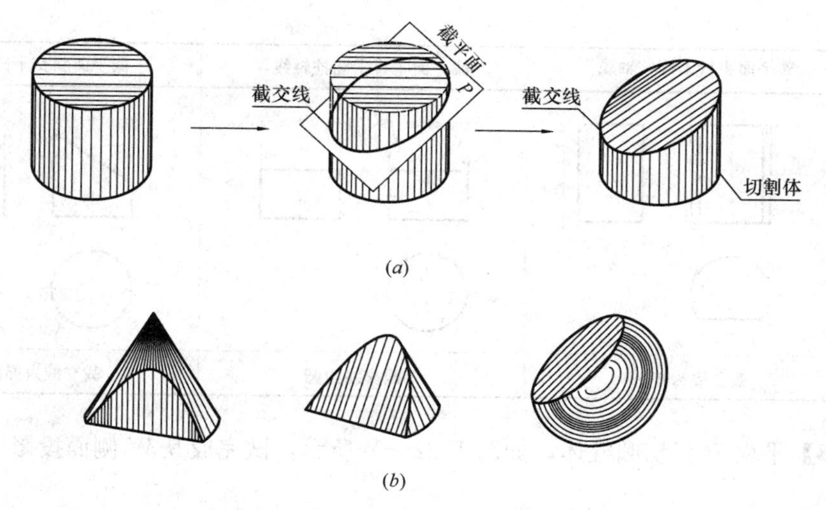

图 1-21　平面截切曲面立体产生的截交线

(a) 平面斜切圆柱；(b) 平面截切圆锥、圆球

是曲线，当其与投影面垂直时积聚为直线段，与投影面平行时反应实形。画曲线的投影时，一般需选定该曲线上的特殊位置点，求出它们在三个投影面上的投影。这些特殊位置的点有最高最低点、最前最后点、最左最右点以及投影外轮廓上的点。必要时还需要在这些特殊位置点之间再选定一些中间点，求出它们的投影。把求出的曲线上点的投影顺序圆滑地连接起来，即得该曲线的投影。可见部分连成粗实线，不可见部分连成虚线。

1. 圆柱切割体

平面截切圆柱体见表 1-4，由表可见圆柱体截交线的形状取决于截平面相对于圆柱体轴线的相对位置。

圆柱截交线的三种情况　　表 1-4

截切方式	截平面平行于圆柱轴线	截平面垂直于圆柱轴线	截平面斜交于圆柱轴线
截切过程			
截切结果			

续表

截切方式	截平面平行于圆柱轴线	截平面垂直于圆柱轴线	截平面斜交于圆柱轴线
三面投影图			
截交线特点	截交线为矩形	截交线为圆	截交线为椭圆

【例 1-3】 平面 P 斜切圆柱体，如图 1-22（a）所示，试完成其 W 侧面投影。

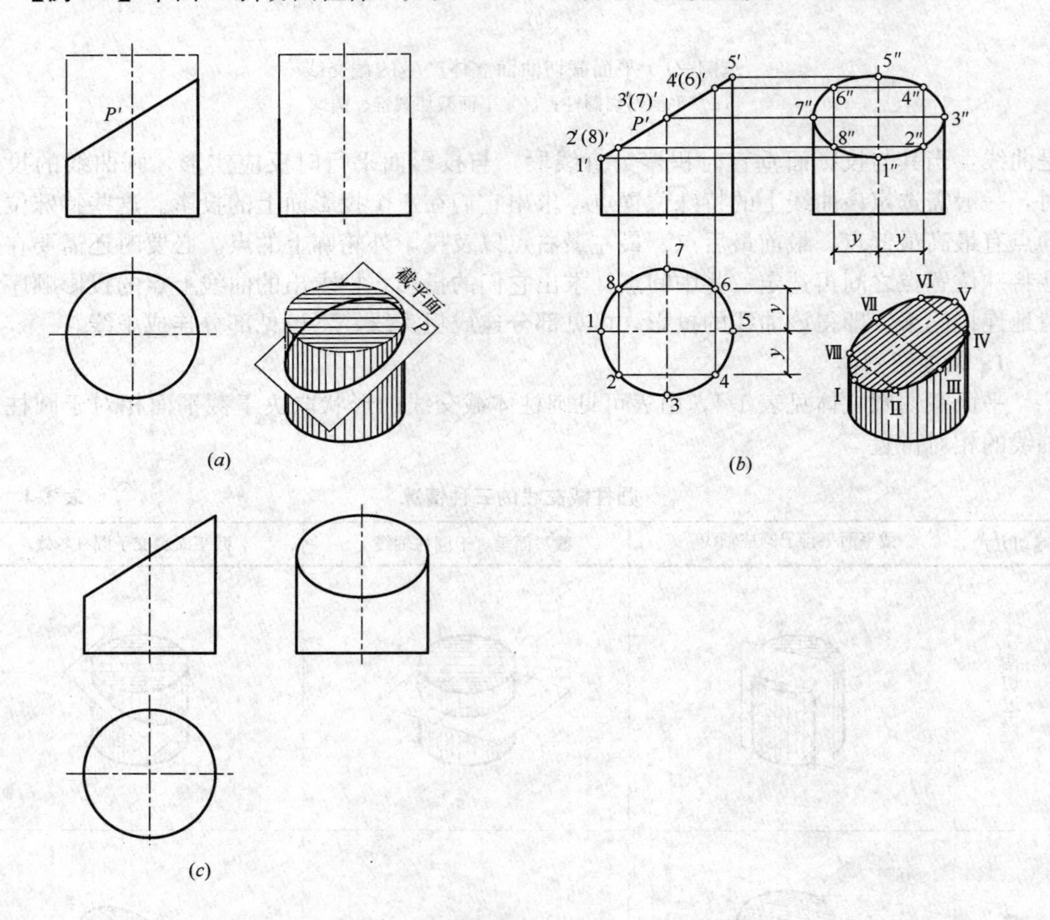

图 1-22　平面斜切圆柱体产生截交线的解题步骤

【解】 作图步骤如下：

1）分析形体：如图 1-22（a）所示，由于截平面 P 与圆柱轴线斜交，所以截交线的空间形状为椭圆；截交线是截平面 P 与圆柱面的共有线，由于截平面 P 为正垂面，其正面投影积聚，所以截交线的正面投影为已知的直线段；由于截交线是圆柱面上的线，圆柱面的水平投影积聚为圆，故截交线的水平投影为已知圆，所以此题仅需求作截交线的侧面投影。

2）如图 1-22(b) 所示，根据圆柱的三面投影图和截平面的正面投影 p'，由截交线的水平、正面已知投影求其侧面投影——求特殊点：最高点Ⅴ、最低点Ⅰ、最前点Ⅲ及最后点Ⅶ位于圆柱的四条转向轮廓线上，它们在水平投影上的投影 5、1、3、7 可先画出，然后向上引线，得 $5'$、$1'$、$3'$（$7'$），最后根据点的投影规律求出 $5''$、$1''$、$3''$、$7''$，它们可以分别作为椭圆的短轴和长轴，完成截交线（椭圆）在 W 面上的投影；也可以通过求截交线上的一般点顺序连成圆滑的椭圆曲线。如图 1-22(c) 所示。

2. 圆锥切割体

平面截切圆锥体，截交线的形状取决于截平面相对于圆锥体轴线的位置，有 5 种情况见表 1-5。

圆锥截交线的五种情况 **表 1-5**

截切方式	截平面过锥顶	截平面垂直于圆锥轴线 $\theta=90°$	截平面与圆锥轴线倾斜 $\theta>\alpha$	截平面与圆锥轴线平行 $\theta=0°$	截平面与圆锥轴线倾斜 $\theta=\alpha$
截切过程	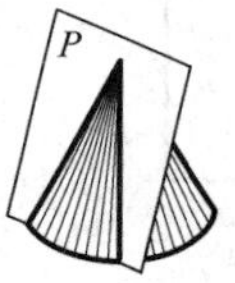 P	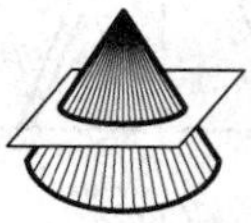	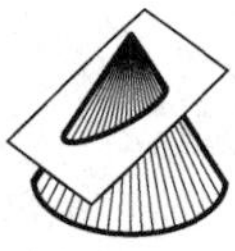	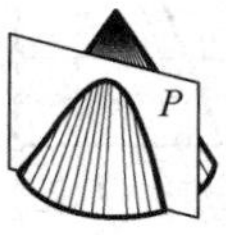 P	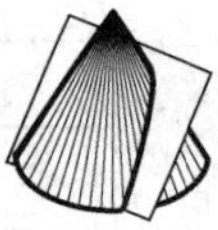
截切结果	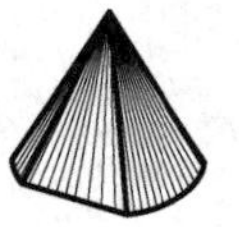				
三面投影图	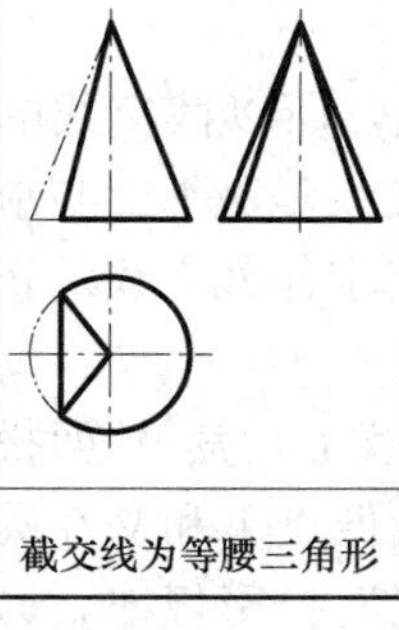	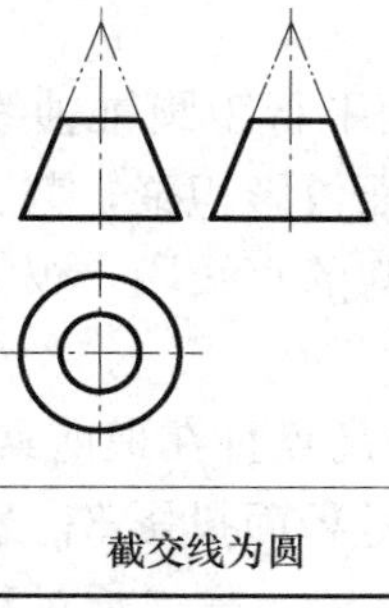	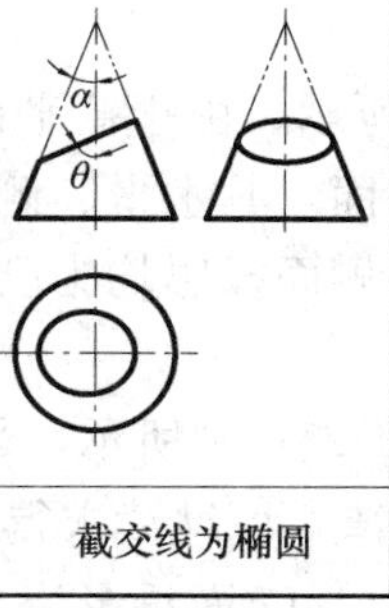 α θ	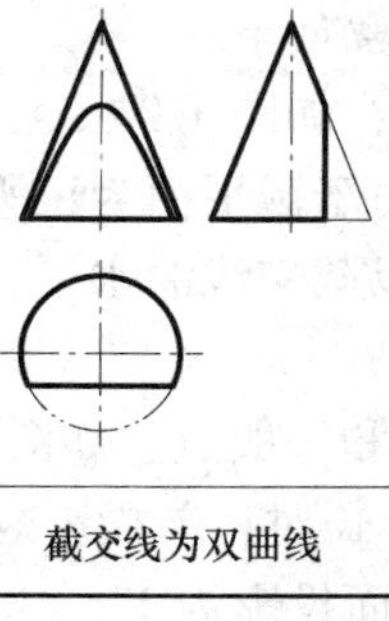	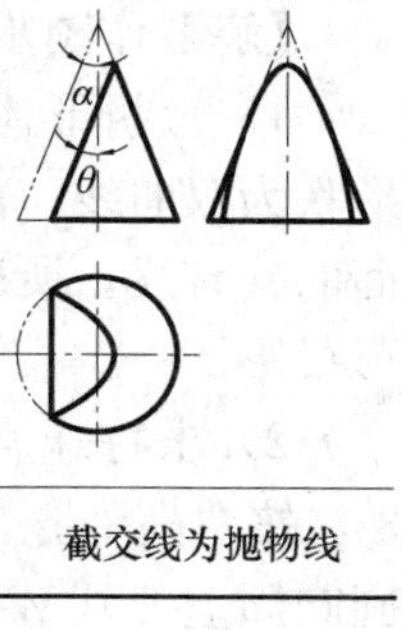 α θ
截交线特点	截交线为等腰三角形	截交线为圆	截交线为椭圆	截交线为双曲线	截交线为抛物线

1）截平面过锥顶，截交线是等腰三角形。

2）截平面垂直轴线（$\theta=90°$），截交线是圆。

3）截平面与轴线倾斜且 $\theta>\alpha$，截交线是椭圆。

4）截平面平行于轴线（$\theta=0°$），截交线是双曲线。

5）截平面与轴线倾斜且 $\theta=\alpha$，截交线是抛物线。

画圆锥切割体三面投影图的一般方法步骤见［例 1-4］。

【例 1-4】 正平面 P 截切圆锥体，如图 1-23(a) 所示，求作截交线的三面投影。

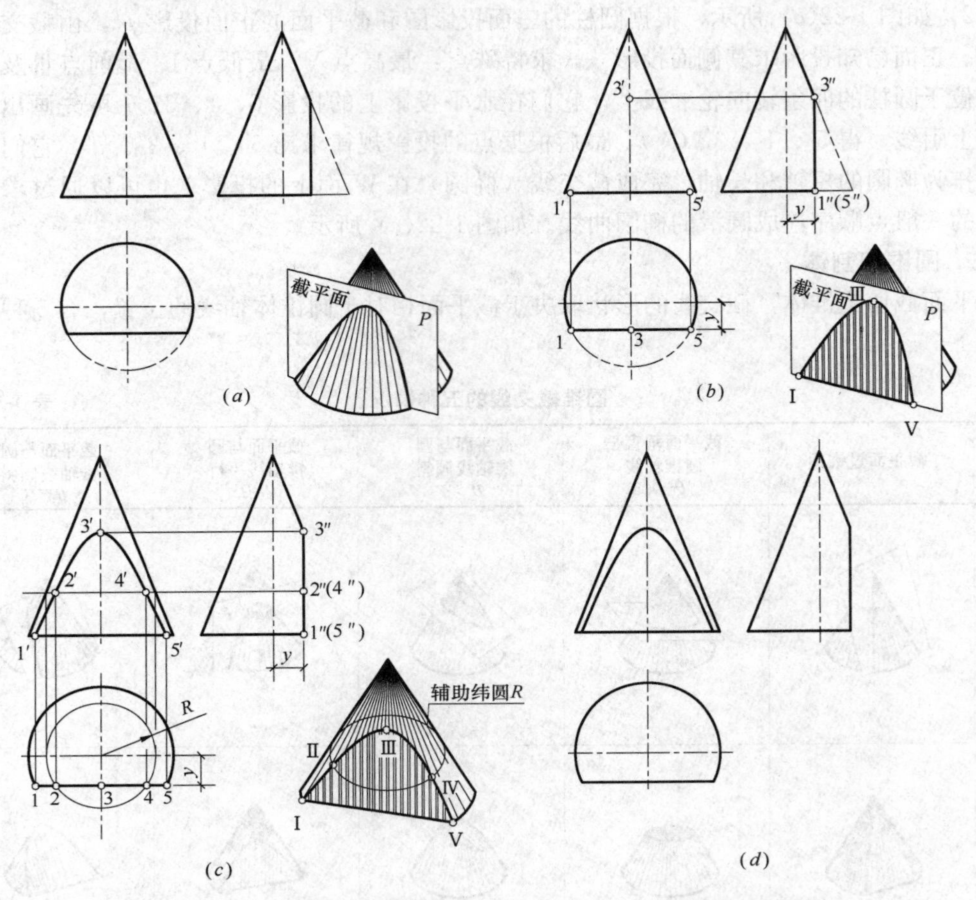

图 1-23　平行于圆锥轴线的平面切圆锥产生截交线—双曲线的解题步骤

【解】 作图步骤如下：

1）分析形体：如图 1-23(a) 所示，由于截平面平行于圆锥轴线，所以截交线的空间形状为双曲线；由于截平面为正平面，其水平、侧面投影积聚，截交线是截平面与形体表面的共有线，所以截交线的水平、侧面投影均为已知的直线段，仅需求作截交线的正面实形投影。

2）求特殊点和一般点。如图 1-23(c) 所示，最高点Ⅲ在最前素线上，其 W 面投影为 3″，按“高平齐，长对正”投影规律，可继续求得其 V 面投影 3；最低点Ⅰ和Ⅴ在圆锥底圆圆周上，其 W 面投影为 1″、(5″)，H 面投影为 1、5，按“长对正”投影规律，即可得其 V 面投影 1′、5′。再按“高平齐，长对正，宽相等”之规律，完成Ⅱ、Ⅳ两个一般点的三面投影，如图 1-23 所示。

3）描深底图，完成圆锥切割体的三视图，如图 1-23(d) 所示。

本例题中求解作图的关键是正确求作特殊点Ⅰ、Ⅲ、Ⅴ的投影；再利用辅助水平纬圆法求一般点Ⅱ、Ⅳ的投影。

3. 圆球切割体

平面截切圆球体，不论平面与圆球的相对位置如何，其截交线在空间是圆，如图 1-24所示。但由于截切平面对投影面的相对位置不同，所得截交线（圆）的投影不同。截交线圆的直径取决于截平面距离球心的远近，截平面距球心越近截交线圆直径越大，反之越小，当截平面平行于一个投影面时，其截交线圆在该投影面上的投影反映实形，截交线的另两个投影积聚为直线段，直线段的长度为截交线圆的直径。

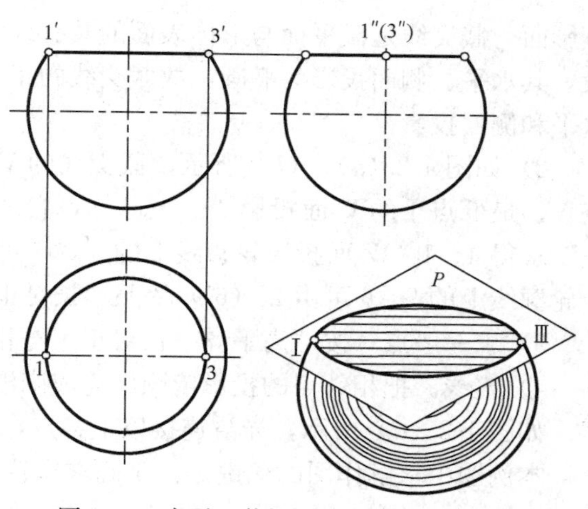

图 1-24　水平面截切圆球产生截交线—圆

【例 1-5】 正垂面截切球体，如图 1-25所示，求作截交线的三面投影。

【解】 作图步骤如下：

1）分析形体：如图 1-25(*a*) 所示，截交线的空间形状为圆，由于截平面垂直于正立

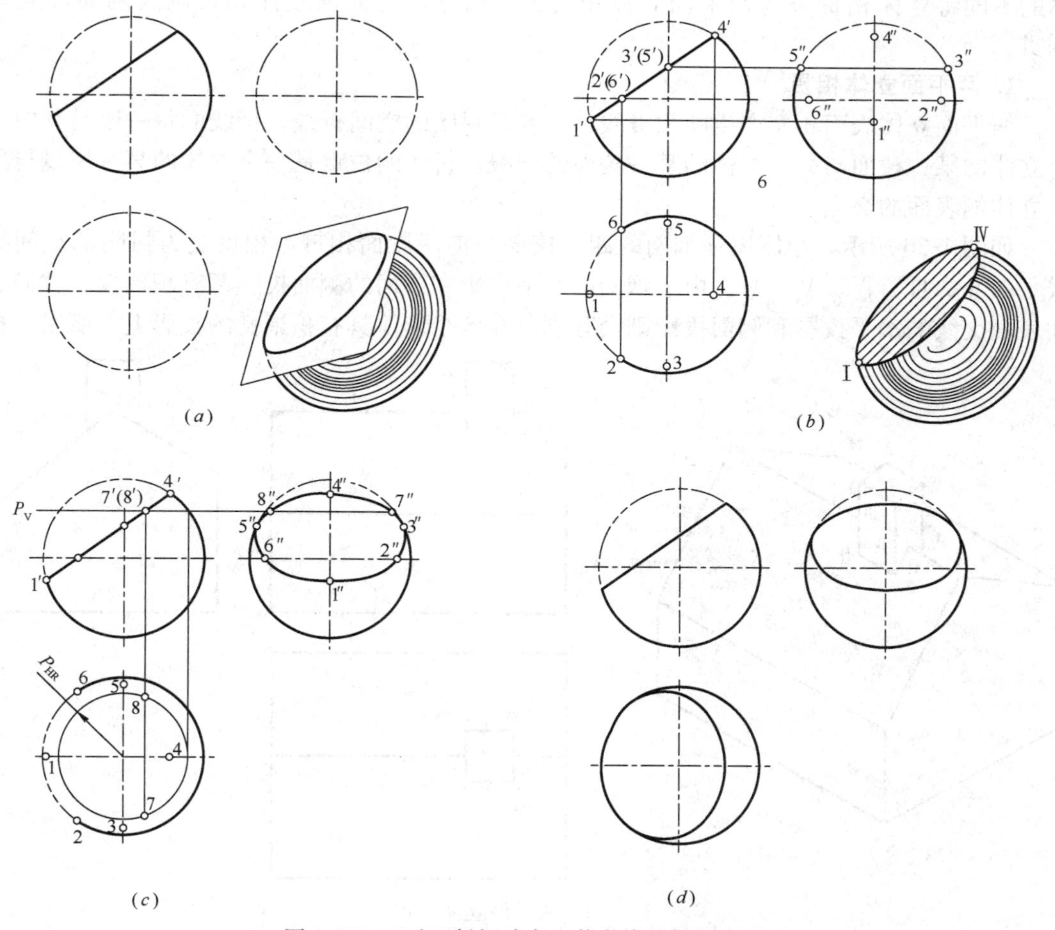

图 1-25　正垂面斜切球产生截交线的解题步骤

投影面，截交线是截平面与形体表面的共有线，所以截交线的正面投影具有积聚性为直线段，其水平、侧面投影为椭圆，故截交线的正面投影为已知的直线段，仅需求作截交线的水平和侧面投影。

2）如图 1-25(a)、(b) 所示，截交线的 V 面积聚性投影可知其特殊点的投影：最高点Ⅳ、最低点Ⅰ的 V 面投影 4′、1′已知，自 4′、1′按“高平齐”求得 4″、1″再按“长对正”求得 4、1。W 面投影轮廓线上的 3″、5″可由 3′（5′）依照“高平齐”求得，H 面投影轮廓线上的 2、6 可由 2′（6′）依照“长对正”求得。

3）求一般点。按“高平齐，长对正，宽相等”投影规律求一般点Ⅱ、Ⅵ、Ⅶ、Ⅷ。

4）连线。把相邻点的投影依顺序连成圆滑曲线，如图 1-25(c) 所示。

如图 1-25(d) 所示，光滑连接以上各点，即可求的截交线的三面投影。

本例题中求解作图的关键是：正确求作特殊点Ⅰ、Ⅱ、Ⅲ、Ⅳ、Ⅴ、Ⅵ的投影。

1.6 基本体相贯

两立体相交又称为两立体相贯，立体相贯时形成的表面交线称为相贯线。通常根据立体的不同将立体相贯分为两平面立体相贯、平面立体与曲面立体相贯以及两曲面立体相贯。

1. 两平面立体相贯

两平面立体表面相交产生的相贯线，一般是封闭的空间折线。折线的每一段是其中一个立体的某一棱面与另一立体的某一棱面的交线；折线的顶点是一个立体的某一棱线与另一立体侧表面的交点。

如图 1-26 所示，小屋屋顶烟囱的四个棱面与前后屋面相贯，相贯线为封闭的空间折线Ⅰ、Ⅱ、Ⅲ、Ⅳ、Ⅴ、Ⅵ。由于烟囱的水平投影和屋面的侧面投影都有积聚性，它们之间表面交线的水平投影和侧面投影则会分别落在各个形体具有积聚性的投影上，所以，投

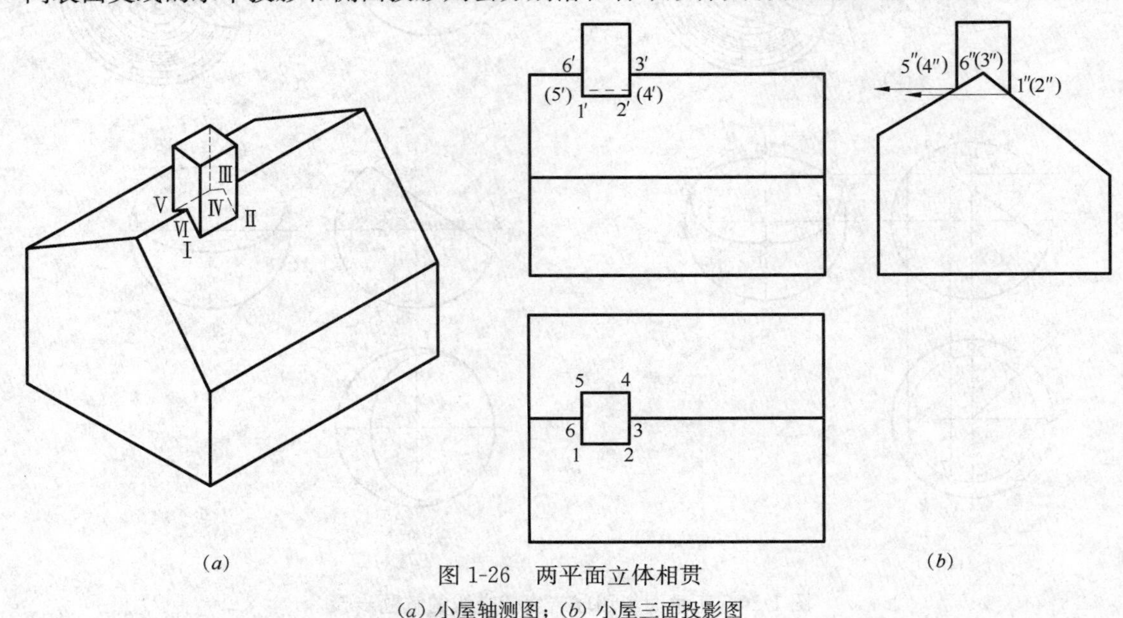

图 1-26　两平面立体相贯

(a) 小屋轴测图；(b) 小屋三面投影图

影图中表面相贯线的正面投影 1′、2′、3′、4′、5′、6′可利用其水平和侧面积聚性的投影根据“长对正、高平齐、宽相等”直接作图求得。

当只有一个投影有积聚性或三个投影都没有积聚性时，要注意逐点、逐线有条不紊地进行，才能顺利求解（先求点后连线）。例如求作图 1-27(*a*) 所示的房顶透气窗的水平投影，如果有左侧面投影，则可以根据平面图和侧立面图“宽相等”的投影规律直接做出。如果没有左侧面投影，就要先作两条倾斜的辅助线才能得到题解，作图过程如图 1-27(*b*)、(*c*)、(*d*) 所示。当然，根据房顶透气窗的左右对称的特性，也可以依据对称性直接作出房顶透气窗右侧与屋顶的交点，从而省略步骤 (*c*) 得结果 (*d*)。

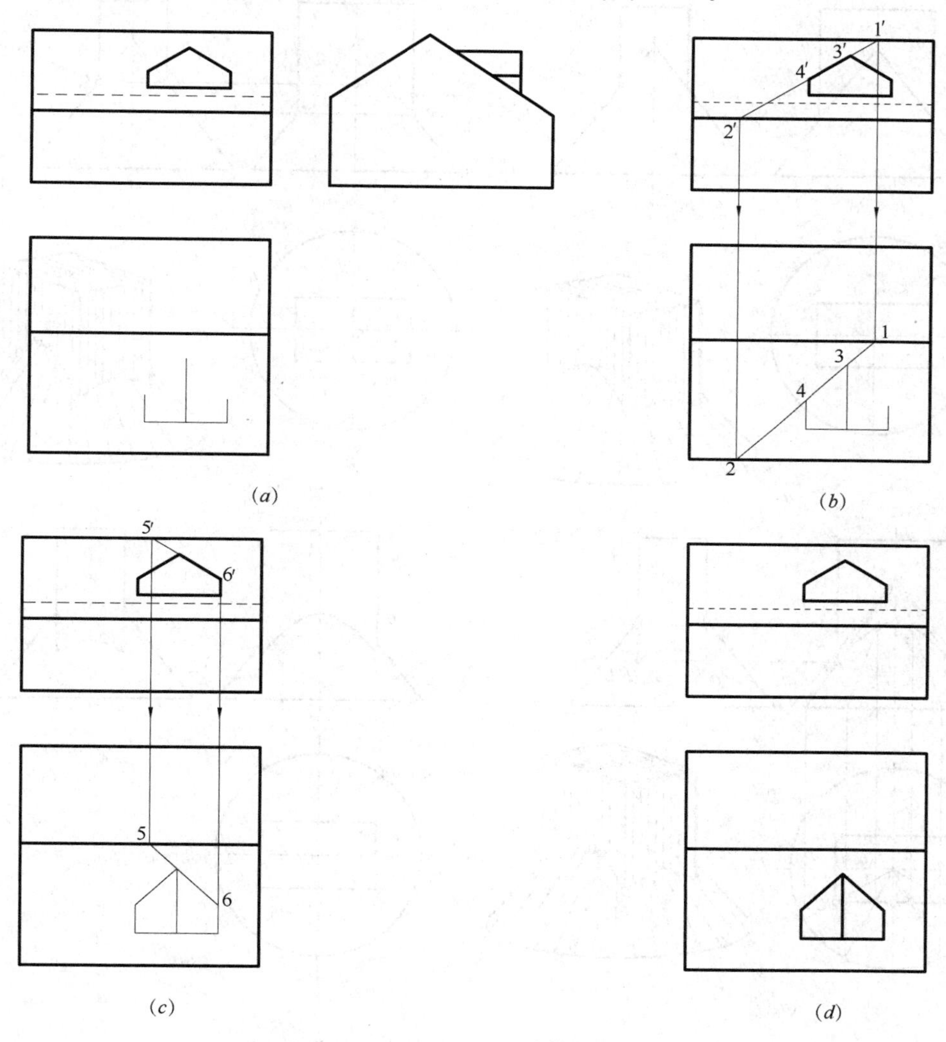

图 1-27　房顶透气窗的投影作法

2. 平面立体与曲面立体相贯

平面立体与曲面立体相贯，其相贯线一般是由若干段平面曲线（包括直线段）所组成的空间分段曲线，一般为封闭的。相贯线的每段曲线是平面立体的某一棱面与曲面立体相交所得的截交线。两段平面曲线的交点叫结合点，是平面立体的棱线与曲面立体的交点。

因此求平面立体与曲面立体的交线可以归结为两个基本问题，即求平面与曲面的截交线及直线与曲面的交点。

【例 1-6】 求圆锥形薄壳基础的表面交线，如图 1-28 所示。

【解】 作图步骤如下：

1）分析形体。如图 1-28(*a*) 所示，该基础实际上由四棱柱与圆锥相交而成，它们的中心线相互重合，故其表面交线为由四条双曲线组成的空间曲线。这四条双曲线的连接点也就是四棱柱的棱线与圆锥面的交点。

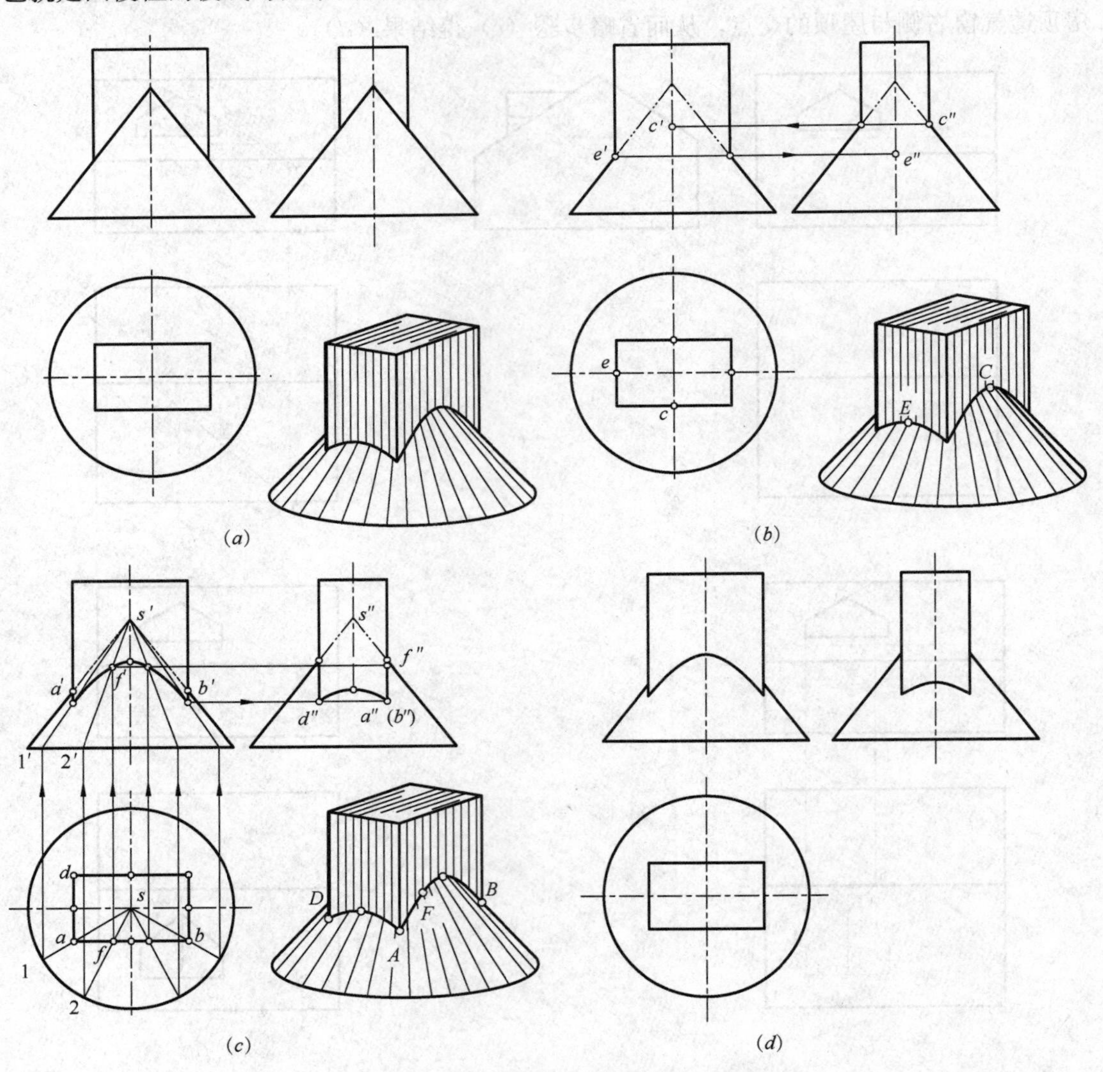

图 1-28　圆锥形薄壳基础表面交线的作图方法

2）如图 1-28(*b*) 所示，先求四条双曲线的四个最高点，圆锥左、右和前、后四条转向轮廓线与四棱柱相应棱面的交点即为所求的四个最高点，图中利用棱面投影的积聚性分别求出最高点 c''、c' 和 e''、e' 等（注：由于形体前后左右对称，为图例清晰起见，只标出左前侧的部分点的投影，其余部分可依据对称性求出）。

3）如图 1-28(c) 所示，求四个最低点的投影。由于四棱柱的水平投影有积聚性，故可在水平投影中作通过最低点 a 的圆锥素线的投影 $s1$，据此按投影关系作出 $s'1'$，$s'1'$ 与四棱柱左前棱线正面投影的交点 a' 即为一个最低点的投影；又由于在图示情况下，四个最低点是对称分布的（即是等高的），所以通过 a' 作水平线与其他各棱线正面投影相交，即可求出其他棱线上各点的投影。

如图 1-28(c) 所示，再求若干一般点。在圆锥面上任作素线 $s\,\mathrm{II}$ 的投影，$s2$ 与棱面的水平投影相交于点 f；按投影关系作出 $s'2'$ 后，便可据在 $s'2'$ 上求出 f'。

4）如图 1-28(d) 所示，将求出的点以四个最低点为界分段光滑连接，按图线要求描深各图线，便可完成圆锥形薄壳基础的三面投影图。

本例也可以用在圆锥面上作辅助纬圆的方法来求解。

3. 两曲面立体相贯

两曲面立体的表面交线一般是闭合的空间曲线。投影作图时，需先设法求出两形体表面的若干共有点（特别是特殊位置的点），然后把它们用曲线光滑地连接起来，并区分可见性，如图 1-29 所示。

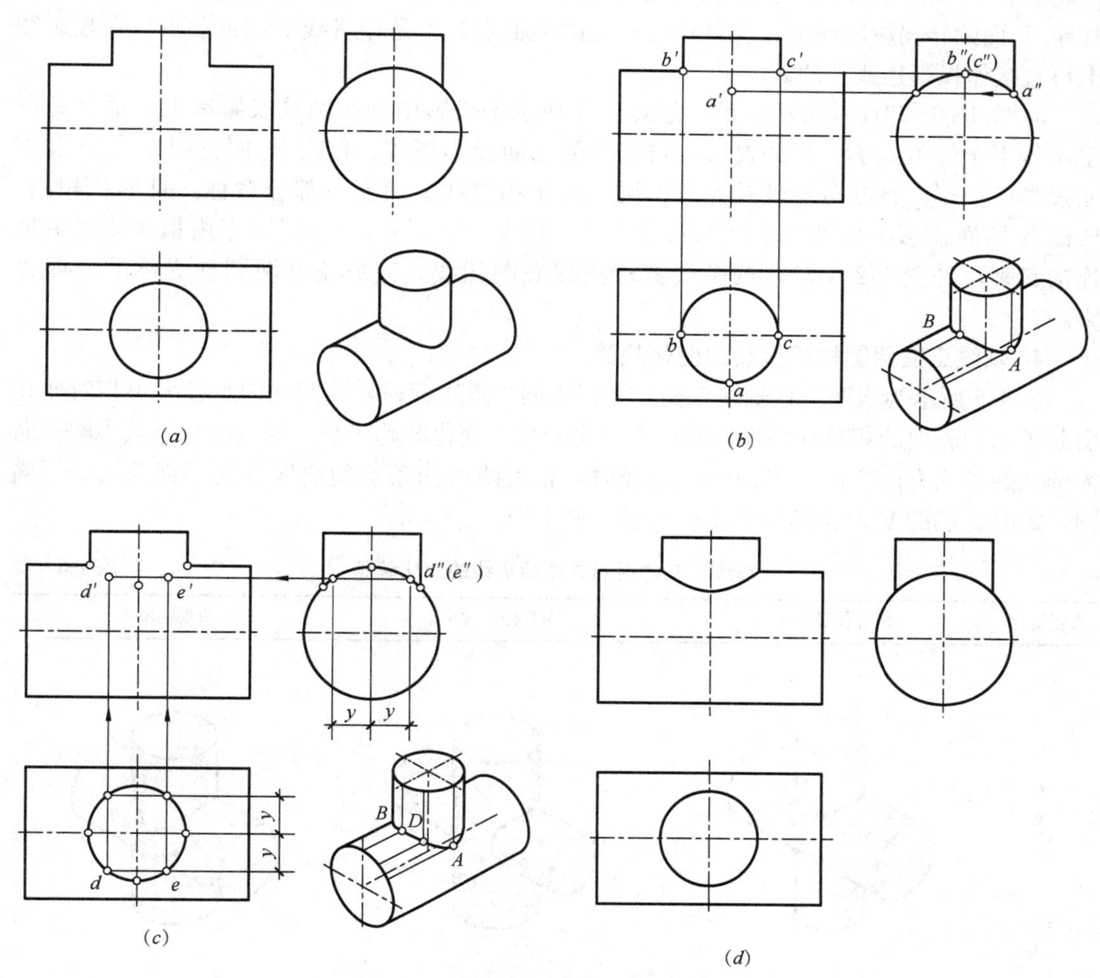

图 1-29 轴线正交的两圆柱相贯线的作图方法

两个回转体的相贯线一般是闭合的空间曲线，特殊情况下可能是平面曲线或直线。

求作回转体相贯线的投影与求作截交线一样，应设法求出两立体表面上的一系列共有点，然后依点连线。

利用积聚性投影取点作图法。当相交的两曲面立体，其表面垂直于投影面时，可利用它们在投影面中积聚性投影，采用立体表面上取点作图法直接求出。

【例 1-7】 求轴线正交两圆柱的相贯线，如图 1-29 所示。

【解】 作图步骤如下：

1）分析形体。如图 1-29(a) 所示，相贯线是两圆柱的共有线，两圆柱轴线垂直相交，一圆柱的轴线垂直 W 面，一圆柱的轴线垂直 H 面，竖直圆柱全贯于水平圆柱，相贯体有共同的前后对称面。因此，相贯线是一条封闭的前后左右对称的空间曲线。相贯线的水平投影落在轴线铅垂的圆柱面的圆投影上，相贯线的侧面投影落在轴线侧垂的圆柱面的圆投影上，所以本例只需利用相贯线已知的水平、侧面投影求取正面投影。

2）如图 1-29(b) 所示，求特殊点。相贯线上 B、C 两点分别位于两圆柱对 V 面的转向轮廓线上，是相贯线上的最高点，也分别是相贯线上的最左点和最右点。A 点位于小圆柱对 W 面的转向轮廓线上，它是相贯线上的最低点，也是相贯线上的最前点。在投影图上可直接作投影连线求的 a'、b'、c'。

3）如图 1-29(c) 所示，求一般点。先在水平投影中的小圆柱投影圆上，适当地确定出若干个一般点 D、E 的投影，再按点的三面投影规律，作出 W 面投影 d''、e''和 V 面投影 d'、e'，判断可见性及光滑连接。由于相贯线前后左右部分对称，且形状相同，所以在 V 面投影中可见与不可见部分重合，按 b'、d'、a'、e'、c'顺序用粗实线光滑地连接起来，如图 1-29(d)，按图线要求描深底图图线，完成正交两圆柱立体的三面投影图。

4. 轴线正交两圆柱相贯线的变化趋势

表 1-6 所示为当两圆柱轴线正交且平行于同一投影面时，两圆柱的直径大小相对变化引起了它们表面的相贯线的形状和位置产生变化。变化的趋势是：相贯线总是从小圆柱向大圆柱的轴线方向弯曲，当两圆柱等径时，相贯线由两条空间曲线变为平面曲线——椭圆，此时它们的 V 面投影为相交两直线（表 1-6）。

轴线正交的两圆柱体相贯线的变化趋势 **表 1-6**

直径变化	两直径竖小平大	两直径竖大平小	两直径相等
直观图	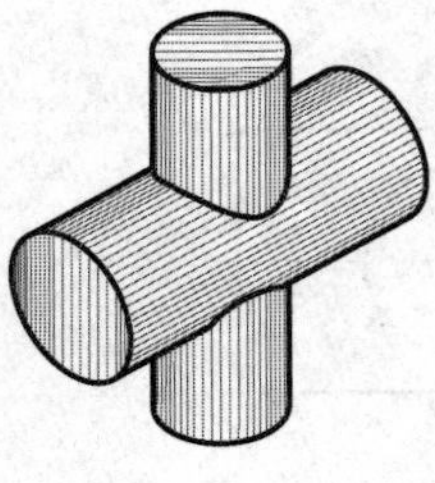	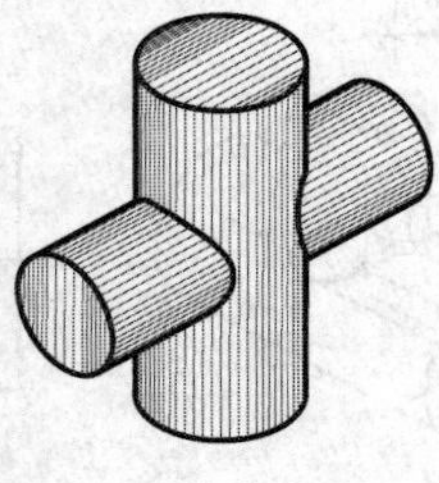	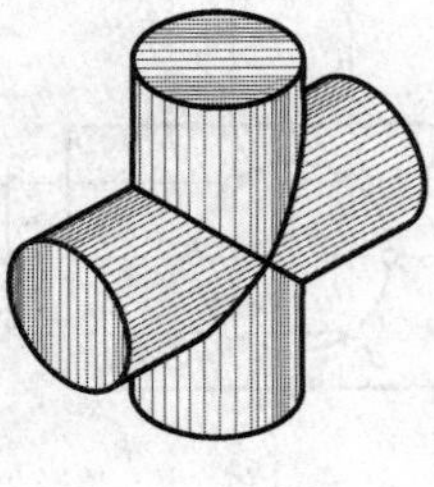

续表

直径变化	两直径竖小平大	两直径竖大平小	两直径相等
三面投影图	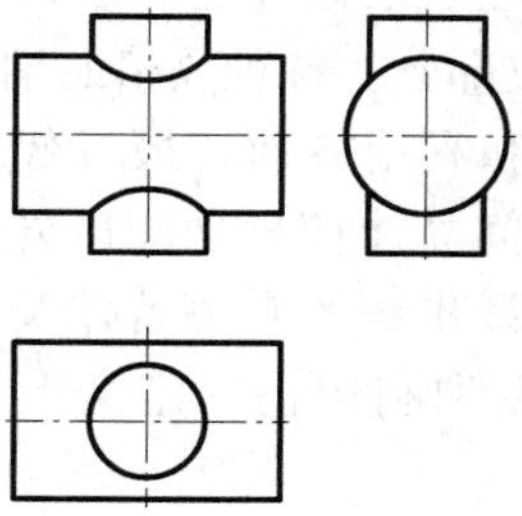	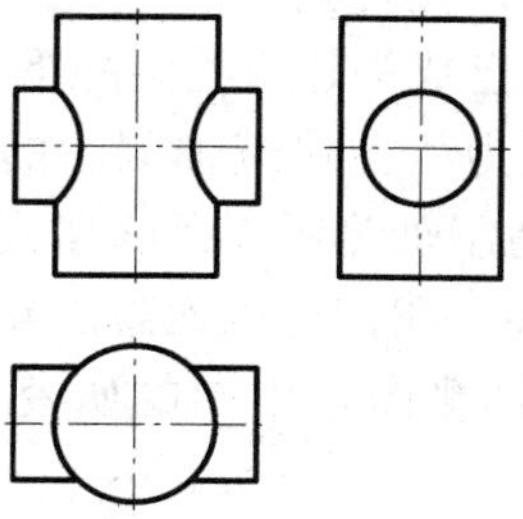	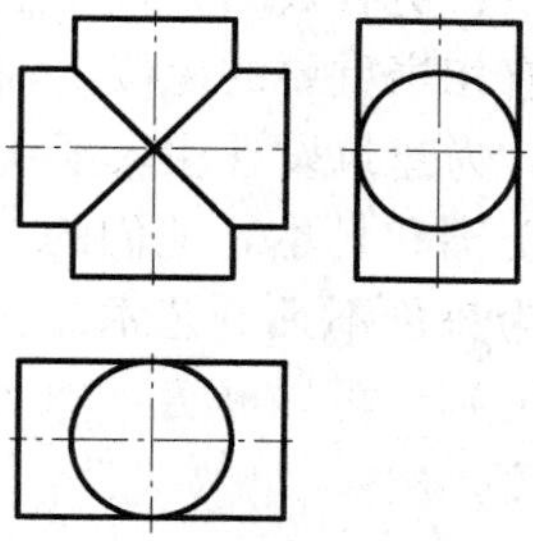
相贯线趋势分析	相贯线总是从小圆柱向大圆柱的轴线方向弯曲	相贯线总是从小圆柱向大圆柱的轴线方向弯曲	当两圆柱等径时，相贯线由两条空间曲线变为平面曲线-椭圆，此时它们的面v投影表现为相交两直线

1.7 轴　测　图

近年来，轴测图凭借自身对工程表达的特殊地位和其优秀的表现力，在国外越来越为建筑表现所偏爱，已成为国外建筑师们首选的表达设计意图、设计理念的工具，国外对轴测图的研究已进入了很高层次。手工绘制和计算机绘制齐头并进，除了常规的正等测、斜轴测图以外，分解轴测图、组装轴测图、多视点轴测图、混合轴测图等等，也都一展风采。

1.7.1　关于轴测图的经历和意义

建筑绘画与建筑一样在全世界有着悠久的历史。中国古代建筑的绘画成绩斐然，无论是在春秋战国时期还是在敦煌莫高窟的壁画中都可以见到栩栩如生的建筑绘画。到北宋时期建筑绘画有了新的进展，最有代表性的是北宋李诫编著的《营造法式》，通过该书的500多幅图，人们可以清楚地看到北宋时期《营造法式》的作者已经掌握了平面图、轴测图、透视图的绘图技巧，作品的立体感十分逼真，如图1-30所示。

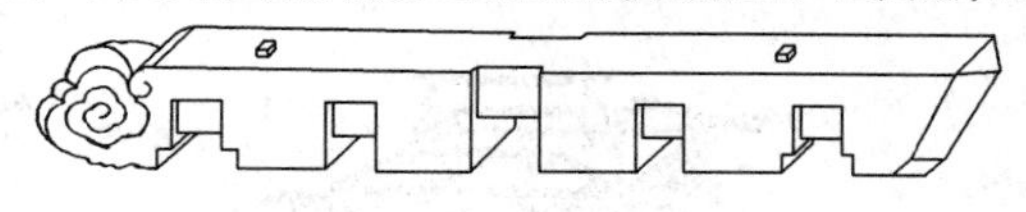

图1-30　正身科五彩要头

就轴测图而言，中国古代一度成为工程绘画界占统治地位的表现形式。有资料记载，日本当时的工程绘画是以学习中国为主，他们的三维图形也是以轴测图为主导。

西方社会在轴测图方面同样有着辉煌的成绩，从莱奥纳多·达·芬奇遗留下来的许多珍贵的草图看，他似乎更喜欢用平行投影绘制轴测图。

虽然人类对轴测图的绘制历史久远，但在18世纪之前，轴测图仍然处于缄默知识状态，对轴测图的形成往往是知其然，而不知其所以然。所以，人们普遍认为18世纪末期法国数学家加斯帕·蒙日（Gaspard Monge）的画法几何学为工程图，包括轴测图的形成原理画上一个圆满的句号。因此，在画法几何学创建之后，工程图以显性知识的性质，以更快、更有效的方式在全世界广泛传播。20 世纪以来，建筑绘画在建筑学课程体系中已占有相当重要的地位，轴测图已成为建筑绘画的重要组成部分。各种风格的轴测图表现形式，为建筑设计注入了新的活力。在建筑轴测图的开发和利用方面，最具代表性的国家是美国和日本，他们的一些精制轴测图作品除了提供空间立体信息功能以外，其本身已成为身价不凡的艺术品。这些，我们可以通过近年来翻译出版的有关著作及作品清楚地了解到。可以断言，21 世纪轴测图在中国的研究、开发和利用也一定会上升一个新的高度。

1.7.2 轴测图与中国古代透视的渊源

让我们来看这幅《清明上河图》片段，如图 1-31 所示。由此使我们想到北宋张择端的这幅巨作是为民情风俗而画，但画中的建筑都形神兼备，尽善尽美。此画的纳入，主要想说明一个问题：那就是中国古代的透视不属于西方 15 世纪文艺复兴时期那种有严密的投影概念的画法，从 8 世纪敦煌古代建筑绘画作品中就可以见到这种纯熟而富有民族特色的散点透视图。尤其是画面中流动的人物并没有停留在近大远小的一瞬间，能流动的东西

图 1-31　《清明上河图》片段

一直在流动，画面冲破了西方写真透视的静止感，参见图 1-32。参差错落、方向各异的建筑物的透视处理若按现代西方透视理论衡量，可以说是近乎荒诞的，但又不能说其为非透视和无透视，此处引入这两个图的中心意思是想说明中国古代这种灭点在很远处的散点透视似乎介于轴测投影图和透视图之间，它虽然没有自成一家的理论体系，但它具有自己的逻辑。说明中国古代的建筑绘画重在达意，而西方的科学透视重在写真。写真者对景写生，力求眼手一致；达意者却以景入心，以意出之。所以，中国建筑绘画尤其对其建筑群落的表达往往不固定视点，而是在前后左右全面观察，然后再重新组合，创造出一个新的境界。以上从一个侧面的论述，是为建筑轴测图的发生发展寻求历史和民族文化的渊源。

图 1-32　盛唐第 445 窟“拆屋图”

1.7.3 建筑绘画与轴测图

建筑绘画吸取了建筑工程制图的相关方法，突出形象的准确性和真实感。它与其他的绘画作品比较，虽然有一定程度的共性，但个性也是非常鲜明的。建筑绘画应该符合客观现实及工程建成后的实际效果，因此建筑绘画不能有主观随意性，建筑绘画作为一种表现技法应具备严谨、科学、创新和艺术的统一。而建筑绘画中最符合上述观点的，恰是轴测图。尤其是发展到今天的轴测图已具有美术绘画和工程技术绘画共同的属性（它是一种介于绘画与工程图样之间，建筑师所特有的表达语言）：轴测图堪称人类工程绘画中三维视图的根基，它无论从视觉感受还是从绘图技法方面都与人的本能反应十分贴切。平行投影法的特性，使物体上互相平行的线，在轴测图上继续平行，物体上等长的轮廓线在轴测图上也继续等长。这虽然不符合近大远小的视觉反映，但却符合工程需要，符合实际。因此，在仿造和设计建筑物、建筑构件及家具过程中常先用徒手画轴测草图，初步确定物体的形状和构造，以便进行选择、比较、计算，有时还可以直接利用轴测图作为制造依据，因为它具有非常好的度量性。

轴测图与透视图比较而言，轴测图能最大限度地满足工程绘画实用性的需求，有利于对空间概念的建立和对空间形式的规划。因此，在工程技术书刊、辞典中得到广泛应用，尤其是各种版本的立体几何和制图教科书，几乎百分之百地采用轴测图作为基本几何体和房屋组成部分、名称讲解的插图，如图 1-33 所示。

这种插图的普遍性，极有力地说明轴测图在投影的真实性方面不可取代的位置，它有一种见图如见物的感觉，你面前的轴测图仿佛就是一个小模型，而不像是面对透视图就像面对摄影作品一样。对此，早在 1564 年，西方就有人对文艺复兴时期的中心投影和平行投影作过比较，并指出中心投影的不足之处，即："引入透视将损失平面中的很多内容，而这些作品的完整性就在其平面和边界中"。

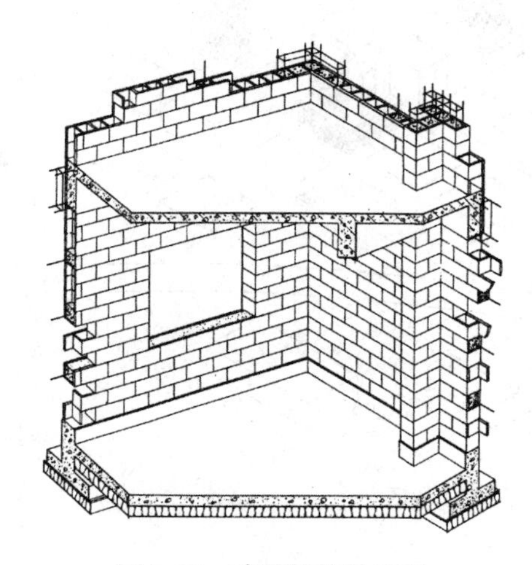

图 1-33 建筑结构轴测图

图 1-34 街景透视图

图 1-34 作为透视图，体现了较长的商业建筑街景，满足了人的视觉感受。而在这个透视空间里，房屋随着与观察者距离的不断加大，变得越来越收缩，轮廓与轮廓之间的紧

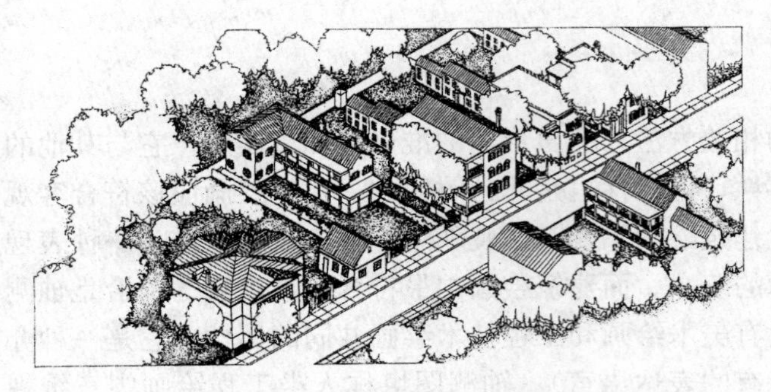

图 1-35　测轴测图居住区街景

张气氛使人难以分清各自独立的形体，即便直觉和知觉并没有认为房屋发生了畸变，但无论如何这幅图都无法清晰表现出街道旁建筑物的格局。图 1-35 作为轴测图，体现了很长的居住区街景，同样能满足人的视觉感受又能体现出建筑物的规划格局。总之，平行投影注定了轴测图最适合于描绘结构原理，感觉空间形式的使命。透视图以满足人的视觉反映为前提，突出景物的深度、广度和组合，顾及不到工程形体的真实性，它使建筑物上本来平行的线不再平行，互相等长的轮廓也不再等长，它作为效果图的作用是不言而喻的。就建筑业而言，轴测图除可作为效果图之外，还可更好地帮助建筑师、设计师与客户进行沟通，有效地将设计意图传达给客户和施工人员。如图 1-36 所示，以若干不同高度及大小为主体的长方体轴测图，组成和表达了城市规划意向。

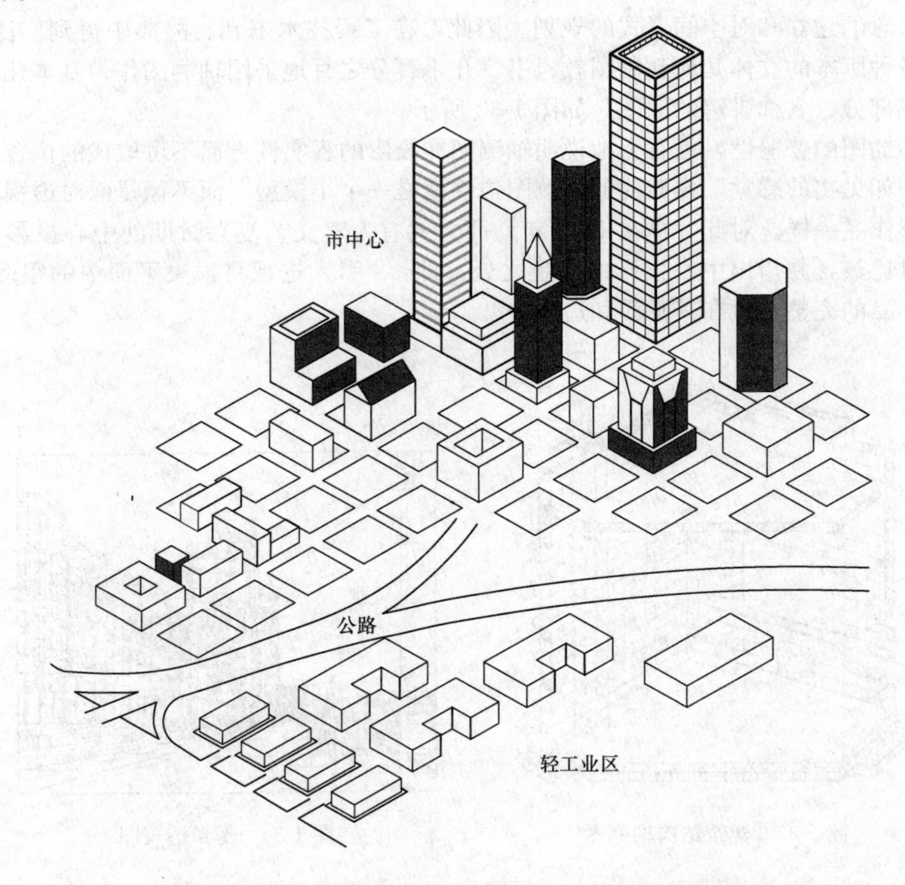

图 1-36　以长方体（轴测图）为基调的城市规划效果图

1.7.4 徒手绘轴测图

“徒手草图将永远是设计工作者的起点”——这是设计界的共识，同时说明徒手技能的重要意义。

1. 徒手草图的绘制方法和要求

(1) 需要 2H、2B 铅笔各一支，2H 画底稿，2B 加深。

(2) 握笔时手离笔尖约 40mm 左右，手腕接近或依靠在纸面；一般以手腕运笔，画较大图或画长线时手臂也要运动。尤其画较长直线时，眼睛要注意终点或其他参考点。

(3) 两点之间应力争一笔连成，无论是直线还是弧线，最好不用短线多次相接而成。

(4) 画直线或弧线时，要善于发现已知的与此平行的直线或平行的弧线，并以此为平行基准画出新的线条。在图纸上画第一条水平、铅垂线时一般参考图纸边框线或图纸边缘为平行基准。

(5) 徒手绘制轴测图时，尽量减少对橡皮的依赖，注意绘图的方向与次序：从前向后，从左向右，从上向下。

(6) 徒手轴测草图的绘制，把握方向感非常重要，其次是细节的描绘。所以，要熟悉不同种类的轴测图 X、Y、Z，也就是长宽高的不同角度关系。

(7) 注意将徒手草图融汇到二维或三维 CAD 过程中。因为计算机绘图与各种相关软件、硬件的研发都在努力适应人的思维，适应草图方式的绘图与造型。概念设计已走进 CAD，这就要求我们尽快改变用铅笔、钢笔传统的徒手草图习惯，使之与现有计算机绘图与计算机造型思维具有一致性，以便让草图能迅速地在计算机屏幕上表达想象的成果，能方便造型设计，且能付诸实际制造。

(8) 徒手草图既然是工程图的前身，同样是严谨的。不能因徒手草图方便、快捷而改变工程图的基本要求。

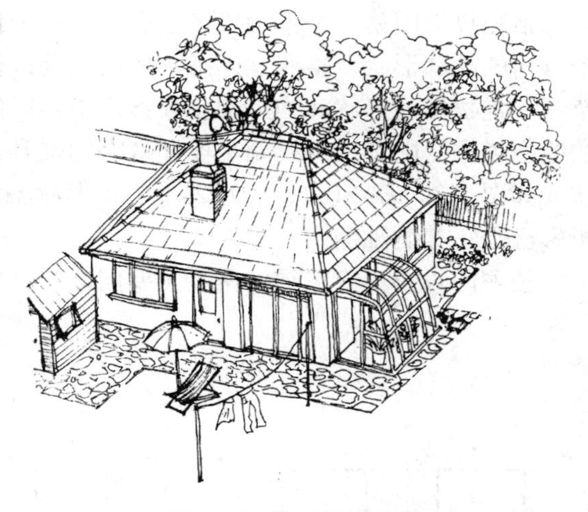

图 1-37 徒手轴测效果

2. 徒手轴测图的实践

图 1-37 为本书作者徒手绘制的轴测效果图。它既没有脱离轴测图的平行投影法则，又不觉得远离时空与自然；它既有轴测图的属性，又传递一点美术画的风情。这就是轴测草图的魅力。

1.7.5 轴测投影的概念

轴测投影是将物体及所附坐标轴，沿不平行于物体任一坐标面的投影方向，将物体和确定物体的直角坐标系，用平行投影法投影到选定的投影面上，这种投影方法称为轴测投影法，如图 1-38 长方体的轴测投影所示。

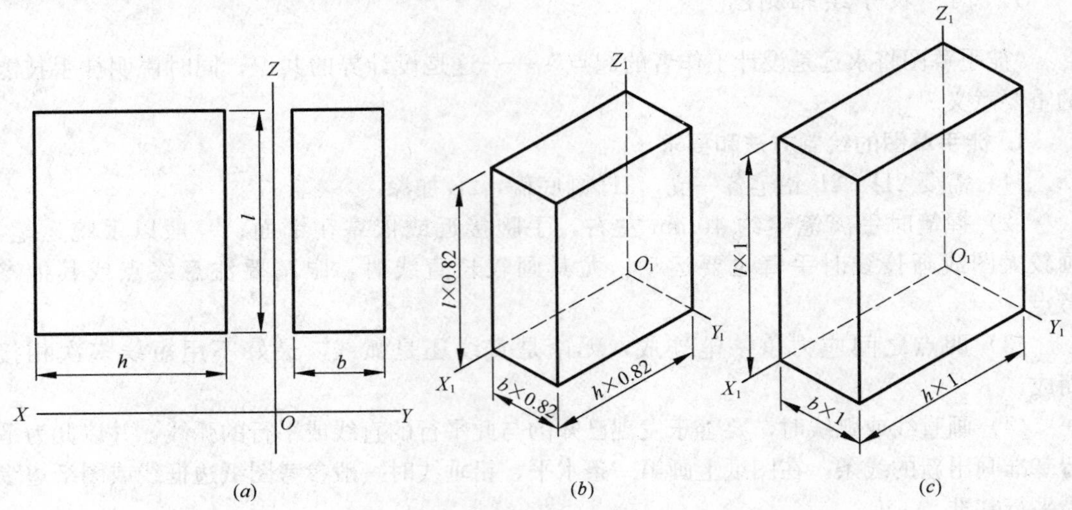

图 1-38 长方体的轴测投影及轴向变化率

(*a*) 已知；(*b*) 标准轴向变化率；(*c*) 简化轴向变化率

1.7.6 轴测投影的形成

轴测投影图是一个单面投影，它在每一个投影上同时反映出物体的三个坐标和物体三个方向的轮廓形状，富有立体感，所以在制造机器、建造房屋及构件时，常常徒手画轴测草图，把物体的形状和构造初步设计出来，以便不断推敲、比较和修改，作为正规施工图的绘制依据。随着三维绘制手段和效果的提升，轴测图直接用来指导生产将变为现实。

如图 1-39(*a*)、(*b*)、(*c*) 表示了正等测轴测投影图的形成过程，而图 (*c*) 中的 *V* 面投影已是正等测轴测图。

轴测图投影不容忽视的两个主要问题是：轴间角和轴向变化率问题。

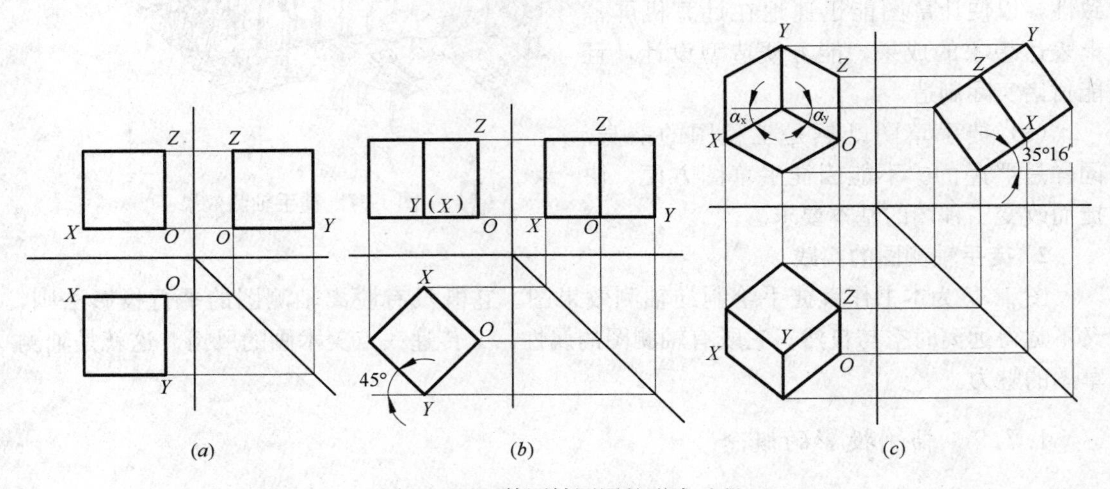

图 1-39 正等测轴测图的形成过程

(*a*) 正方体的三面投影；(*b*) 在水平方向旋转 45°；(*c*) 向上旋转 35°16′

1.7.7 轴间角和轴向变化率

根据以上对轴测投影基本特性的分析，我们可用抽象的三维空间的直角坐标系（习惯上称原坐标轴系，OX；OY；OZ），表示几何体长、宽、高的方向与尺度，如图 1-40 所示，轴测轴 O_1X_1；O_1Y_1；O_1Z_1之间的夹角称为轴间角。

若严格遵守轴向变化率，所作出的图与相应的物体的轴测投影所得的大小是一样的，这是符合轴向变化率的轴测投影图。可是在设计和生产实践中，一般轴测图只要求绘出物体的形状，形状的准确是第一位的，没有必要严格遵守轴向变化率，若追求与轴向变化率一致的轴测投影图，按理论计算所得的轴向变化率，是无理数，这样就给作图时确定尺寸造成较大困难。因此，可选择一组简化轴向变化率进行作图。在这种情况下作出的图，必然沿三维方向放大了一个系数 t 倍，但形状没有改变，如图 1-38(c) 所示。这种简化的轴测投影图的视觉效果与准确的轴测投影图基本是一样的，并且作图简单方便。正轴测投影，轴向变化率小于 1。为了使图形直观、效果好，实际绘图时一般选用等于 1 的轴向变化率。

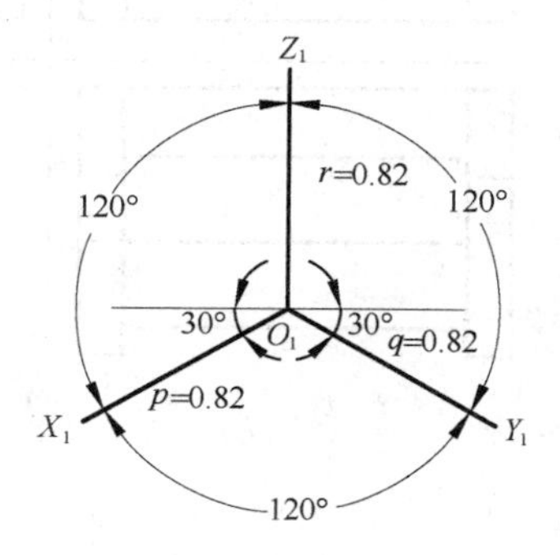

图 1-40　正等测坐标轴

1.7.8 正等测轴测图

如图 1-39(a)、(b)、(c) 表示了正等测轴测投影图的形成过程，先将正方体在水平方向旋转 45°，再将立方体向上或向下旋转 35°16′，此时的 V 面、H 面上的投影已出现明显的三维特征，同时看到了立方体的三个方向的侧表面和能够代表立方体三个方向的坐标轴所得到的轴倾角 $\alpha_x=\alpha_y=30°$；轴间角均为 120°；轴向变化率均为，如 $P=q=r=0.82$，如图 1-40 所示。

1.7.9 长方体的正等测投影图

为简化和方便，这里一律采用 $p:q:r=1:1:1$ 的轴向变化率。下面介绍以长方体为毛坯深入“加工”正等测的几个例子：

【例 1-8】 以长方体为毛坯的台阶的正等测轴测图，如图 1-41 所示。

通过图 1-41(a)，分析三个二维投影图长、宽、高（X、Y、Z）的轴向关系，为画轴测图打下基础。

如图 1-41(b) 所示，确定台阶所属的长方体（毛坯）最大轮廓，根据图 1-41(a) 提供的已知条件，定位并画出左右两块挡板。这里比较关键的问题是，在右侧的挡板里侧画出台阶与该挡板的交线的轴测图，这为简捷的完成台阶的整个轴测图起到关键作用。

最后一步，检查、加深，如图 1-41(d) 所示。

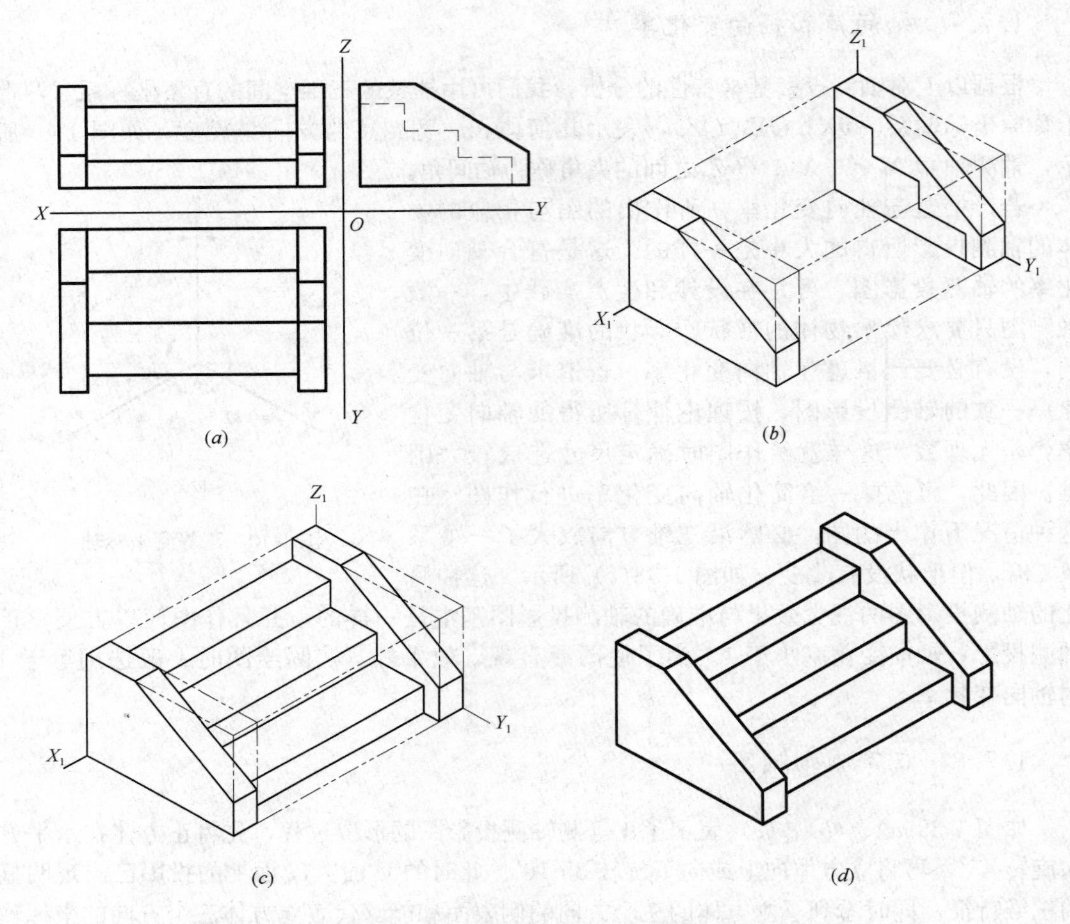

图 1-41　以长方体为毛坯的台阶的正等测轴测图

(a) 已知；(b) 以长方体为依托的作图过程之一；
(c) 以长方体为依托的作图过程之二；(d) 完成

【例 1-9】 以长方体为毛坯的小房子的正等测轴测图，如图 1-42 所示。

作图过程请参考［例 1-8］台阶的正等测轴测图，此图关键一步是完成图 1-42(*b*) 长方体毛坯的造型。

以上几个图例，都是在长方体造型的基础上，经切割完成的形体造型。因为有长方体轴测图的依托，其结构的变化显得顺其自然。

另外：轴测投影图一般省略不可见的轮廓线，必要时才画虚线，用虚线衬托立体感。

【例 1-10】 正等测轴测图改变观察方向或表达不同部位的处理，如图 1-43 所示。

该例题中，图 1-43(*b*) 属于常态的轴测图表达方向，从上往下观看；而图 1-43(*c*) 是观察物体的下底，要表达出物体底部的结构形状，观察方向与前者相反。这时，应首先确定好轴向的变化，图 1-43(*b*) 中的 X_1、Y_1 轴向与图 1-43(*c*) 中的 X_1、Y_1 轴向相反，因为表达物体长度的 X 轴向不能改变。

【例 1-10】 说明，使用轴测图表达的结构形状，一定要考虑好要表达的重点部位，使轴测图所传递的立体信息准确、清楚、全面、一目了然。

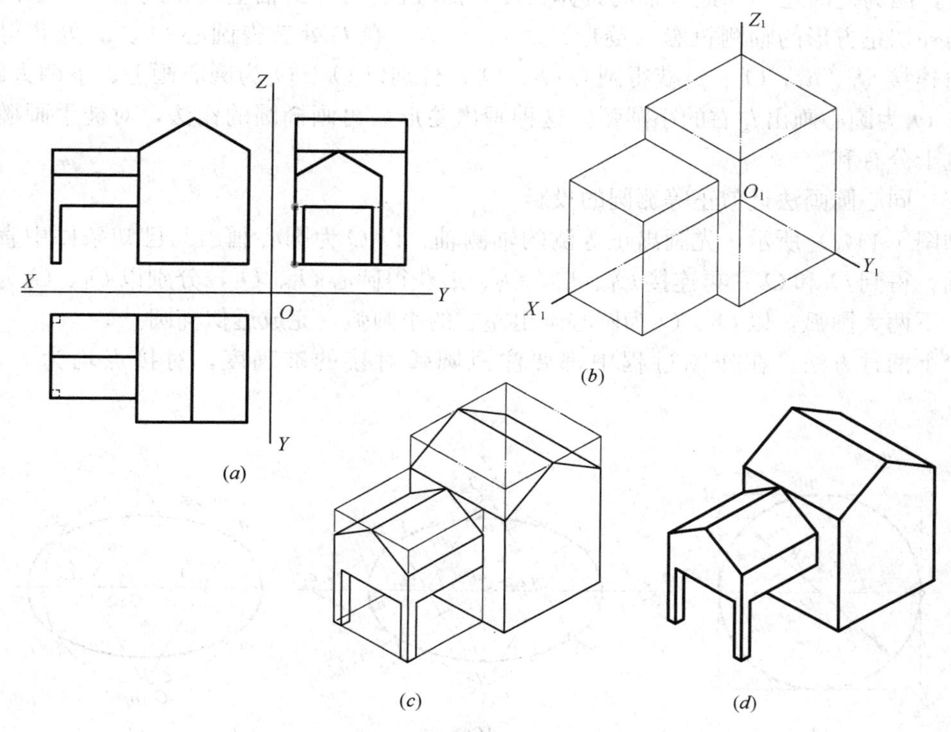

图 1-42　以长方体为毛坯的小房子的正等测轴测图

(*a*) 已知；(*b*) 长方体造型；(*c*) 以长方体为依托的作图过程；(*d*) 完成

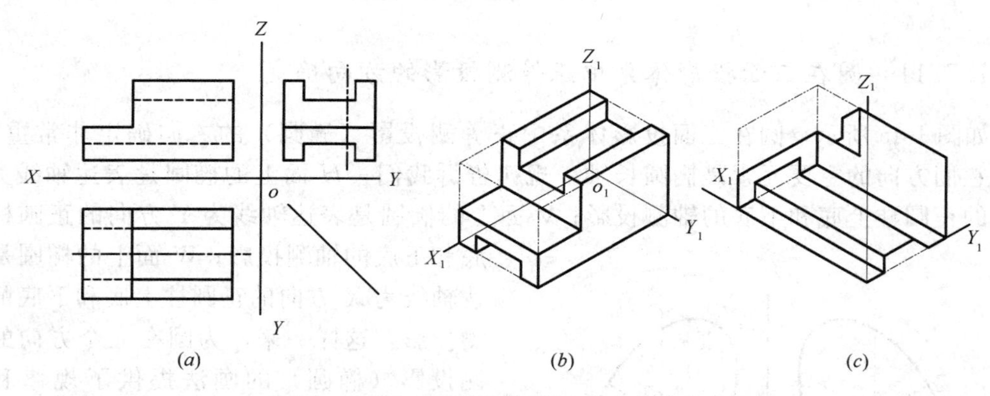

图 1-43　正等测轴测图观察方向的变化

(*a*) 已知；(*b*) 正等测投影；(*c*) 正等测投影（表达下底）

1.7.10　平行于坐标平面或属于坐标平面的圆的正等测轴测投影

下面介绍两种圆的正等测轴测投影的近似画法，如图 1-44 所示。

(1) 外切菱形法近似椭圆

这种方法也称四心偏圆法。先画出圆的外切正方形，如图 1-44(*a*) 所示；如图 1-44 (*b*) 所示，画出 3 个正等测轴测轴，画椭圆长轴 a_1、c_1，所谓画长轴，实际是画长轴所在的位置，因为此时还不知道长轴的具体长度，短轴已在 O_1O_2 轴上，在此基础上画出正等测圆的外切正方形的轴测投影（菱形）a_1、b_1、c_1、d_1，在 b_1 处获得圆心 O_1、d_1 处获得圆心 O_2，再连接 O_1、h_1，O_1、g_1 获得圆心 O_3、O_4，分别以 O_1、O_2 为圆心画上、下两大圆弧，以 O_3、O_4 为圆心画出左右的小圆弧。这种画出菱形后再画椭圆的作法，对徒手画椭圆的草图也十分有利。

（2）同心圆画法近似正等测圆的投影

如图 1-44(*c*) 所示，先画出正等测的轴测轴，以 O 为圆心画出与已知条件中直径相等的圆，得到 O_1 和 O_2；再连接 O_1、h_1，O_1、g_1 获得圆心 O_3、O_4，分别以 O_1、O_2 为圆心画上、下两大圆弧，以 O_3、O_4 为圆心画出左右的小圆弧，完成近似椭圆。

以上两种方法，在作图过程中都要注意圆弧对接的准确度，对接点均为 c_1、f_1、g_1、h_1。

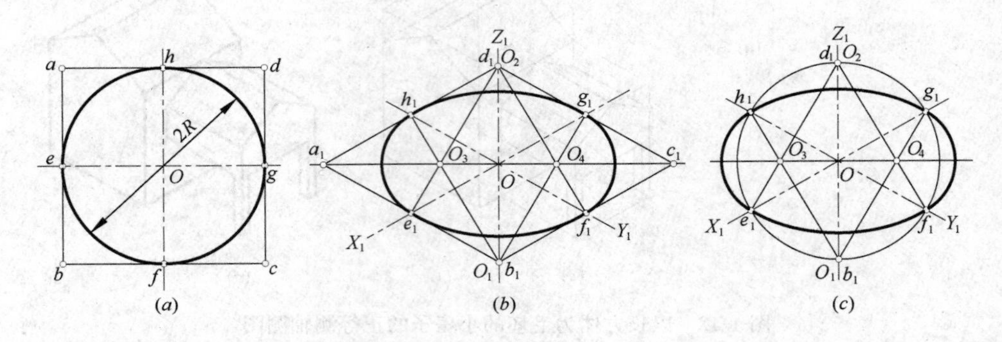

图 1-44　圆的正等测近似画法

(*a*) 已知；(*b*) 画法一；(*c*) 画法二

1.7.11　圆在三面投影体系中正等测投影的方向确定

如图 1-45 所示，圆在三面投影体系中正等测投影（椭圆）的方向确定非常重要，决定它们方向的主要元素是椭圆长轴，规律告诉我们，H 面上的椭圆是表达轴线为 Z 方向的正圆柱上底和下底的轴测投影；V 面上的椭圆是表达轴线为 Y 方向的正圆柱上底和下底的轴测投影；W 面上的椭圆是表达轴线为 X 方向的正圆柱上底和下底的轴测投影，这样一来，为圆在三个方向的轴测投影（椭圆）的画法提供了规律和依据：若圆柱轴线平行于 Z 轴，则圆柱上下底的轴测投影（椭圆）的长轴就垂直于 Z 轴；若圆柱轴线平行于 Y 轴，则圆柱上下底的轴测投影（椭圆）的长轴就垂直于 Y 轴；若圆柱轴线平行于 X 轴，则圆柱上下底的轴测投影（椭圆）的长轴就垂直于 X 轴。

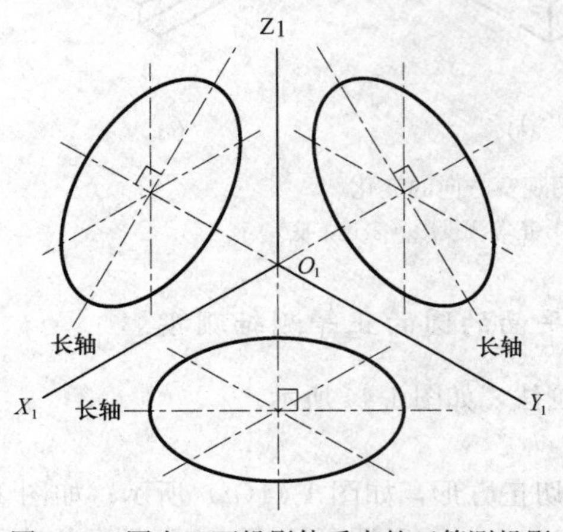

图 1-45　圆在三面投影体系中的正等测投影

掌握以上规律，有利于徒手绘图。

1.7.12 圆柱的正等测投影

如图 1-46(a) 正圆柱的二维投影图所示，它的轴线为 OZ 方向，而 OX、OY 方向是平行于主向线的径向。

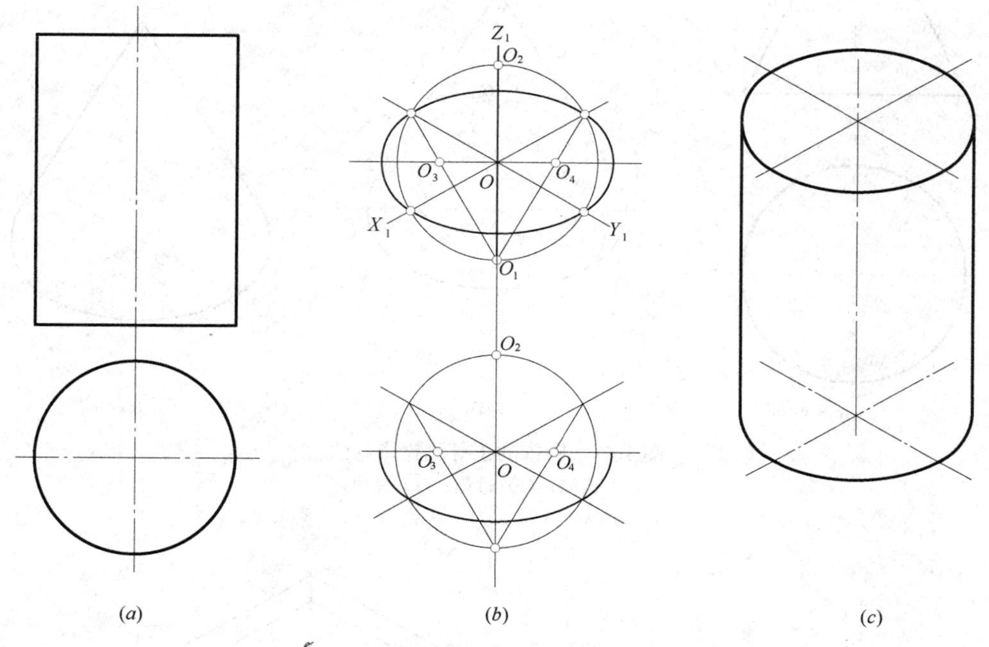

图 1-46 圆柱的正等测投影画法

(a) 已知；(b) 过程；(c) 完成

正圆柱的各个纬圆的投影，都垂直于轴线的水平圆，它们的正等测投影为一系列椭圆，而这些椭圆的长轴均垂直于 Z 轴。这里只需要完整的上底轴测投影，而下底只需要画一半这些椭圆轮廓即可。因正圆柱的素线是一系列平行于轴线的直线，所以只要先画出它们的上下底圆的轴测投影，然后作该两椭圆的公切线即可，如图 1-46(b)、(c)所示。

1.7.13 圆锥的正等测投影

如图 1-47(a) 为正圆锥的二维投影图。作正圆锥的轴测投影的原理原则上与圆柱相同，但根据圆锥的特性可简化作图。在确定轴测轴之后，从 O_1 到顶点 S_1 为圆锥高度，过锥顶 S_1 作下底椭圆的切线即为它的轴测轮廓线，如图 1-47(b)、(c) 所示。

1.7.14 组合体的正等测轴测投影

对工程形体而言，无论其形状如何复杂，都可看作是由若干基本形体按一定方式组合而成的，所以，只要掌握基本形体的轴测投影就不难画出组合体的轴测投影。

画组合体的轴测投影时，确定各基本形体之间的位置关系是绘图的关键。

如图 1-48(a) 为梁柱板节点，由方板、纵横梁和圆柱组成。作图过程中，重要的问

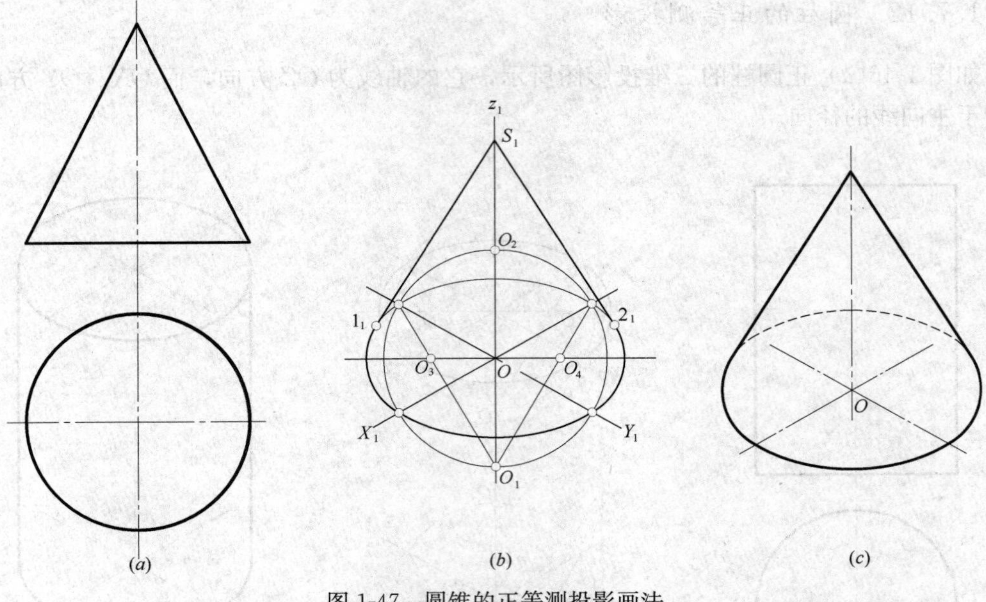

图 1-47　圆锥的正等测投影画法

（*a*）已知；（*b*）过程；（*c*）完成

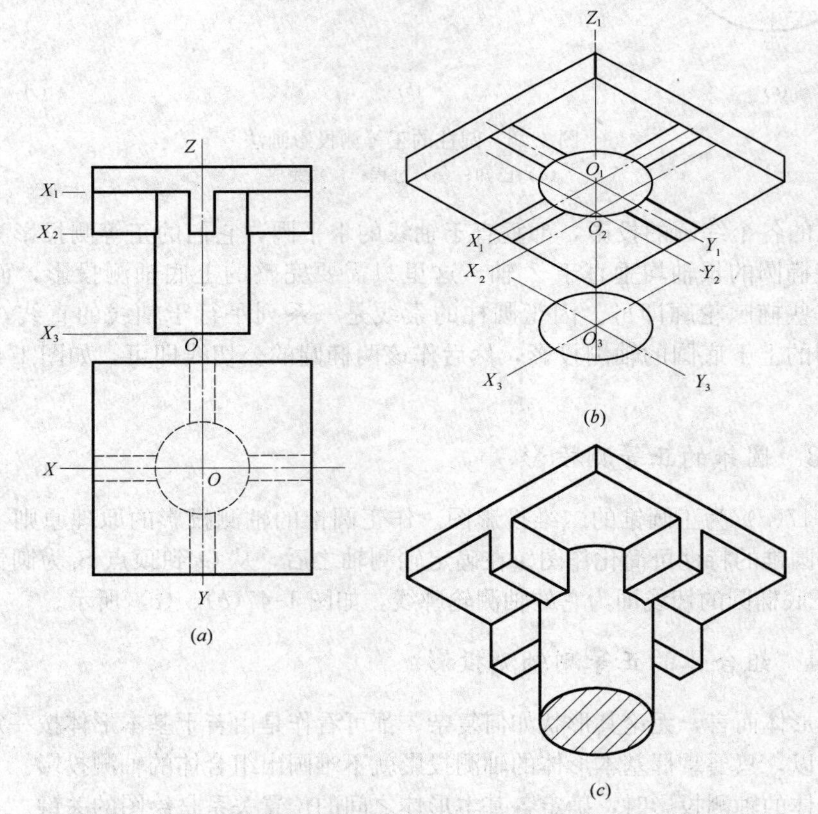

图 1-48　组合体的正等测轴测投影

（*a*）已知；（*b*）过程；（*c*）完成

题是确定各结构所在的高度位置，确定出层次 X_1、Y_1、Z_1；X_2、Y_2、Z_2；X_3、Y_3、Z_3，如图 1-48(*b*) 所示。画出 $X_1O_1Y_1$ 层面的轴测图，在这个层面上完成方板下底面的正等测轴测投影，然后向上画出板的厚度，回到 $X_1O_1Y_1$ 坐标平面，画圆柱与方板相交的圆的轴测投影的椭圆；在 X_1O_1、Y_1O_1 轴向层面上确定纵横梁所在的位置，在 O_1Z_1 方向，向下确定梁的高度尺寸；在 $X_3O_3Y_3$ 层面上画椭圆，求出梁与圆柱的交线的轴测投影。检查无误后加深，完成梁柱板节点轴测投影，如图 1-48(*c*) 所示。

1.7.15 正等测圆角的画法（1/4 圆弧）

在矩形板直角处所形成的 1/4 圆弧就相当于将一个圆分成 4 等分，如图 1-49(*a*) 二维投影图所示，水平面投影中有四个标注 *R* 的 1/4 圆弧。图 1-49(*b*) 在双点画线的衬托下，凸显出矩形板的轴测投影，矩形板的四个直角在轴测投影中变成两个 60°和两个 120°的角，此时一个完整圆的正等测轴测投影已被分解为四个部分，120°处画大弧线，圆弧的圆心均是在 *R* 长的边界处做垂线获得。60°处画小弧线，圆弧的圆心同样是在 *R* 长的边界处做垂线获得。做矩形板圆角轴测投影的关键问题是处理好板的下底 60°角处一小段圆弧的画法。

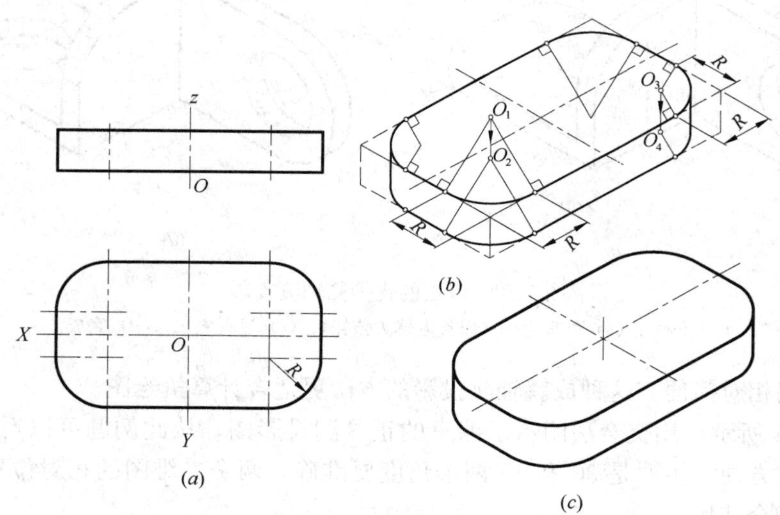

图 1-49 底板上圆弧的正等测轴测投影
(*a*) 已知；(*b*) 过程；(*c*) 完成

【例 1-11】 带圆角和圆弧的弯板的正等测投影的画法，如图 1-50 所示。

图 1-50(*a*)、(*b*)、(*c*)、(*d*) 详细图示了弯板的正等测投影的作图过程。此图综合了长方体轴测投影和圆柱、圆角轴测投影的画法规则，并加入适当的润饰技法，三维效果明显。

1.7.16 正等测交会投影

交会法是将物体的两个投影图或三个投影图分别配置在一定的方位上，再将各投影图上的对应点沿一定方向作投影连线，交会出各点的轴测投影再连线而成。交会法可在任意选定投影方向的情况下获得真正的轴向变化率。这种方法可体现很强的三维空间的立体

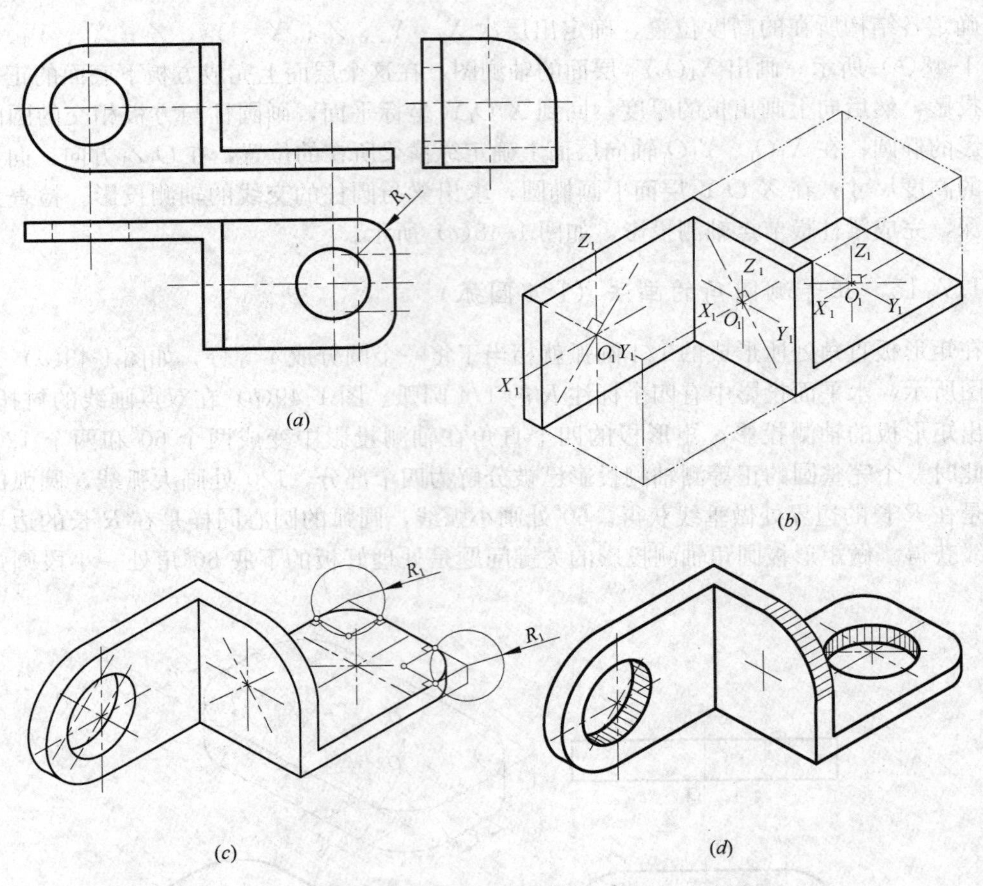

图 1-50　弯板的正等测轴测投影

（*a*）已知；（*b*）过程之一（以长方体为依托）；（*c*）过程之二；（*d*）完成

感，而且作用相对简便。这种成就轴测投影的方法更适合计算机绘图。

如图 1-51 所示，用交会法图示了课桌的正等测投影图，从此例题可以看出正等测的交会作图非常方便，主要是 30°和 45°两个角度要准确，两个二维图的相对位置适度即可。一副三角板配合使用。

1.7.17　斜轴测投影

斜轴测投影是一种非常方便的具有较好立体感的轴测投影，各种斜轴测投影在计算机绘图（CG）领域里变得更加快捷、高效。斜轴测投影更适合于小区和建筑群落的规划。因此，它作为优秀的三维语言之一，在建筑设计和广告设计过程中扮演着相当重要的角色。

斜轴测投影与正轴测投影的主要区别是投影法，前者用斜投影法，后者用正投影法。当轴测投影面平行于正立坐标面时，称为正面斜轴测投影。当轴测投影面平行于水平坐标面时，称为水平斜轴测投影。斜轴测投影还可以按轴向变化率分为三类，三个轴向变化率相等时称为正面斜等轴测投影，简称斜等测；只有两个轴向变化率相等时，称为正面斜二等轴测投影，简称斜二测；三个轴向变化率不相等时，称为一般斜轴测投影，简称斜三测。

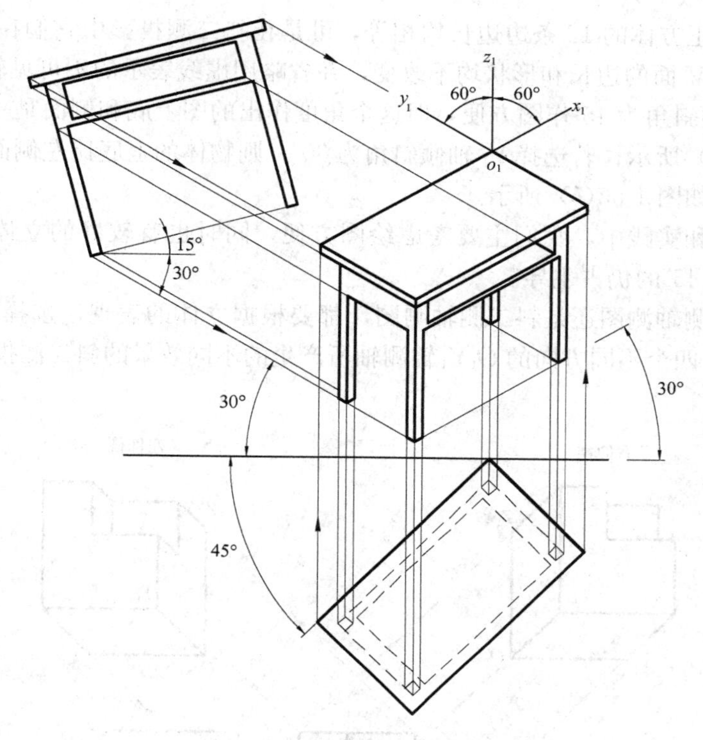

图 1-51　课桌的正等测交会画法

通过本节的学习和实践，相信一定会对斜轴测投影有一个全新的了解和认识，也一定会在今后的设计工作中发挥作用。

1.7.18　斜二测的轴间角和轴向变化率

正面斜二测是有两个轴向变形系数相等的斜轴测投影，简称斜二测。其轴间角与轴向变化率的种类较多，常用的三种 Y_1 轴倾斜角为 30°、45°、60°，变形系数为 $p=r=1$；$q=1/2$；如图 1-52 所示。

【例 1-12】 正方体的斜二测投影及分析，如图 1-53(*a*)、(*b*) 所示。

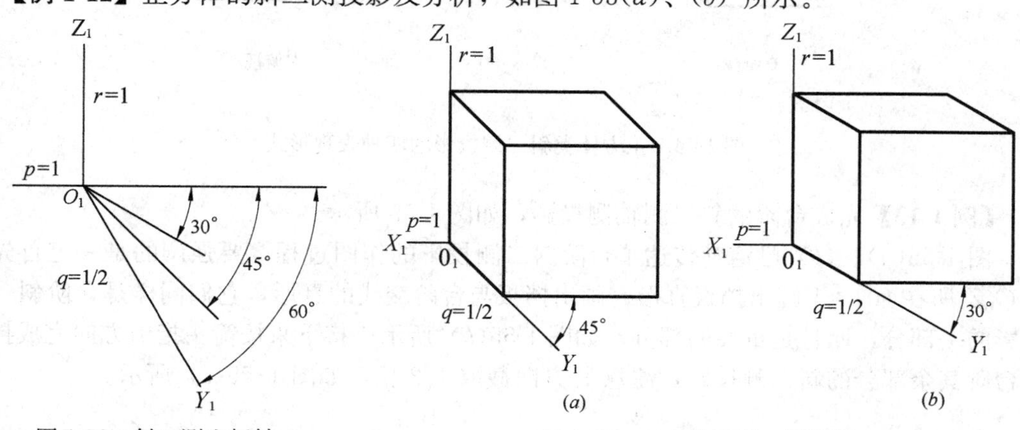

图 1-52　斜二测坐标轴和轴向变化率

图 1-53　正方体的斜二测投影
(*a*) $Y_1$45°画法；(*b*) $Y_1$30°画法

显然，组成正方体的12条边边长均相等，可是在斜二测投影中它们在Y方向的边均画1/2长，平行V面的边长和形状均不改变，并省略用虚线表示的不可见轮廓线。

选取Y_1轴倾斜角为45°作图方便，但这个角度作出的图上底和侧面是一样的，略显呆板，如图1-53(a)所示；若选择Y_1轴倾斜角为30°，则物体的上底比左侧面窄一些，但看上去显得自然，如图1-53(b)所示。

但是在教学和实践中，我们主要考虑绘图方便，同时也有较好的立体感，所以选择O_1Y_1轴倾斜角为45°的仍占主导。

无论是正等测轴测图还是斜二测轴测图，都要根据立体的表现，选择最佳观察方向。如图1-54所示，四个不同方向的O_1Y_1轴测轴所产生的不同效果的斜二测投影。

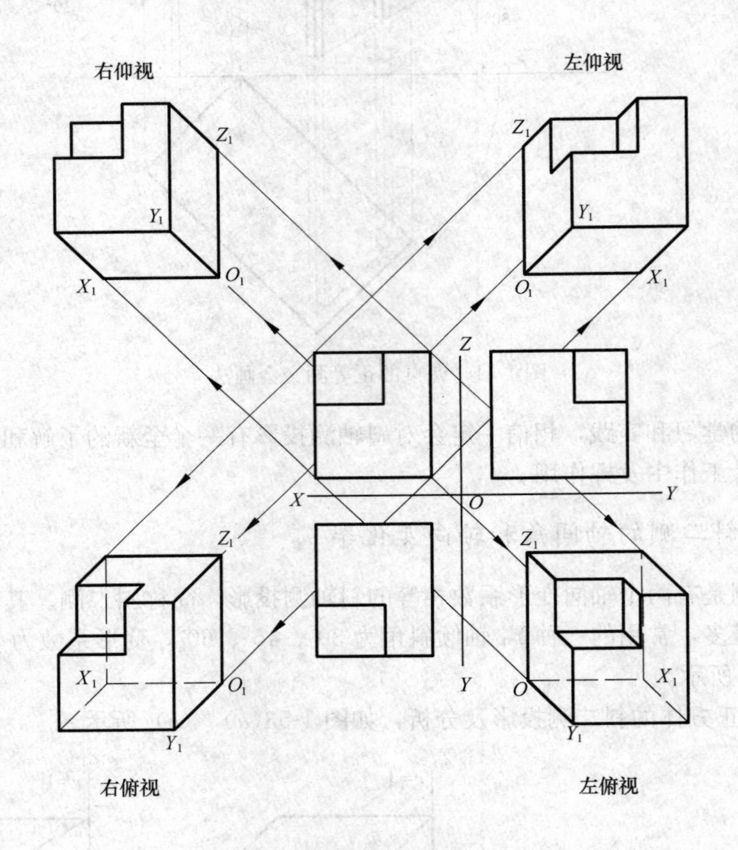

图1-54　正方体类斜二测投影的四种表现形式

【例1-13】完成台阶的斜二测轴测投影，如图1-55所示。

图1-55(a)、(b)已清楚传达了台阶斜二测投影的作图过程，要强调的是一定首先在$X_1O_1Z_1$所在面1∶1画出挡板真形；画出挡板与台阶交线的真形，它们同样是台阶斜二测投影的一部分，而且是重要的部分，如图1-55(b)所示。接下来按箭头指引方向完成挡板和台阶其余部分的斜二测投影，注意Y方向截取1/2长，如图1-55(c)所示。

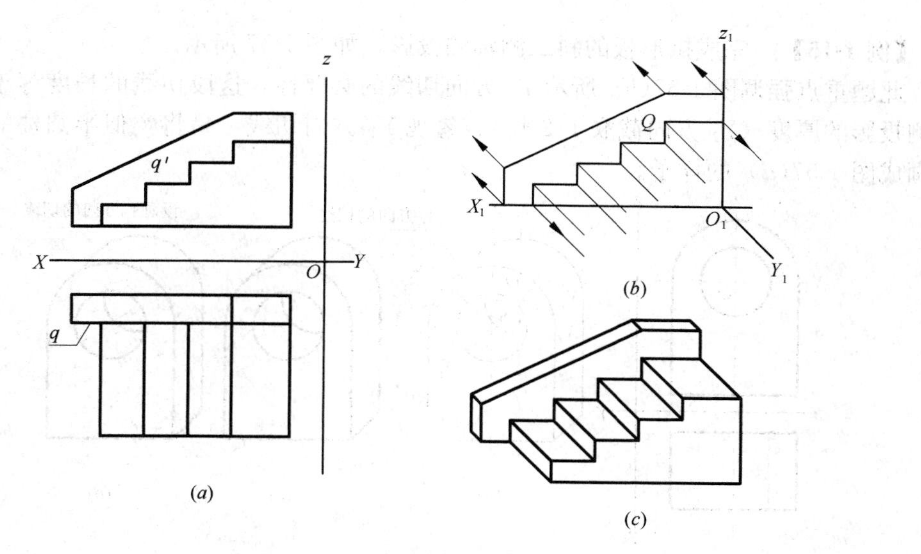

图 1-55　台阶的斜二测画法

(*a*) 已知；(*b*) 作图过程；(*c*) 完成

【例 1-14】 完成类似旗帜形状的标志物的斜二测轴测投影，如图 1-56 所示。

因为此图类似旗帜形状部分有非圆曲线，依据矩形将这段曲线分成 10 等分 11 个点，有利于准确绘制斜二测投影图。

这个例题同时说明，将非圆曲线的轮廓纳入 *OX*、*OZ* 轴所决定的 *V* 投影面，使斜二测图绘图简便，因为图形轮廓从二维进入三维没有发生改变。这是针对曲面轮廓选择斜二测投影的优势。

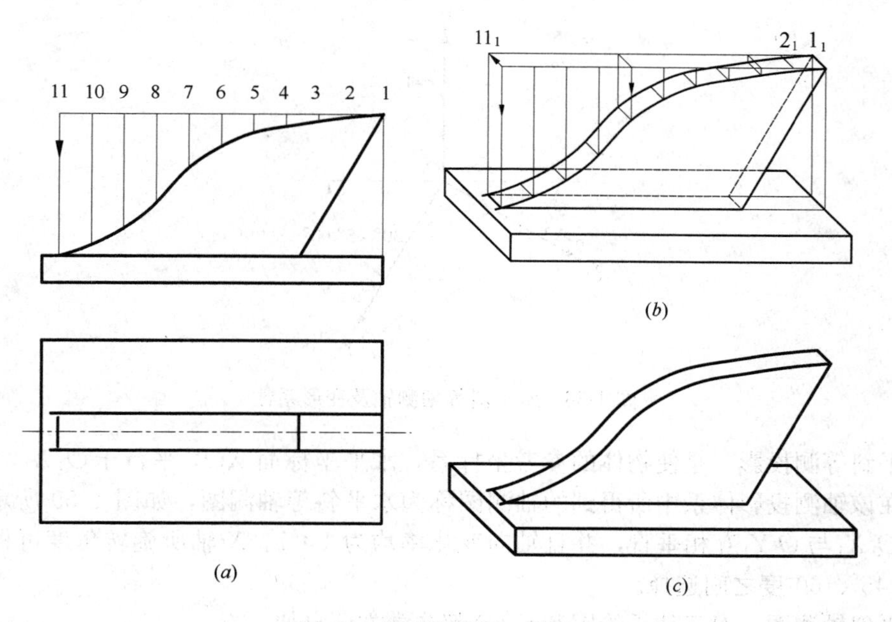

图 1-56　标志物的斜二测画法

(*a*) 已知；(*b*) 作图过程；(*c*) 完成

【例 1-15】 完成拱形板的斜二测轴测投影，如图 1-57 所示。

此题重点强调图 1-57(b) 所示 Y_1 方向切线的必要性，这段切线的长度等于拱形板斜二测投影的厚度（Y_1 方向截取 1/2 长）。忽视 Y_1 方向切线，易将类似半圆柱的斜二测投影画成图 1-57(d) 的样子。

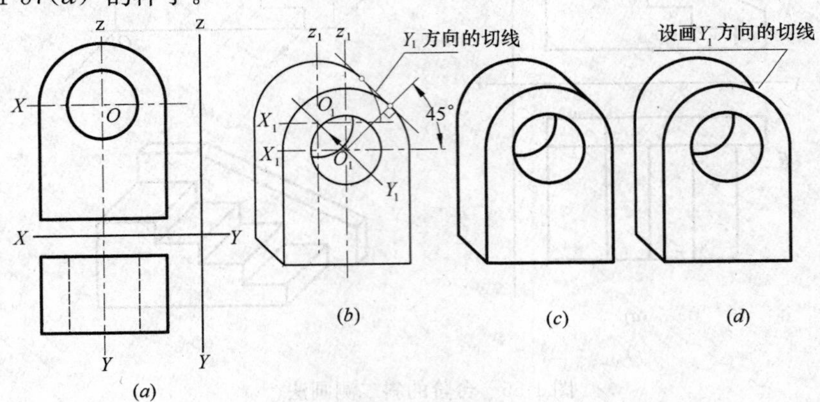

图 1-57 拱形板的斜二测画法

(a) 已知；(b) 作 Y_1 方向的切线；(c) 正确的结果；(d) 错误的结果

1.7.19 水平斜轴测投影

水平斜等轴测轴及变形系数如图 1-58 所示，这种轴测图绘制方便，因为它不改变二维水平面投影的轮廓形状和整体布局。操作时只要求将平面投影以 Z_1 轴为旋转轴，旋转一个合适的角度，这样就解决了 Z_1 轴与 Y_1 轴重合的问题，而且产生较强的三维立体感。

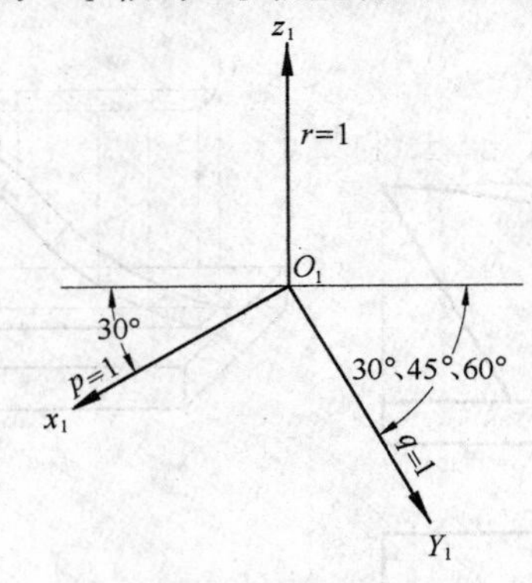

图 1-58 水平斜等轴测轴及变形系数

水平斜等测投影，是使物体的参考坐标系，水平坐标面 XOY 平行于 O_1X_1、O_1Y_1 轴测轴，在该轴测投影体系中所得到的轴测图称为水平斜等轴测图，如图 1-59 所示。其中轴测轴 O_1X_1 与 O_1Y_1 互相垂直，并且轴向变化率均为 1∶1。X 轴所旋转角度可根据需要在 30°、45°、60°度之间选择。

水平斜轴测图，对于徒手绘图和 CAD 都非常方便自如。

图 1-59（c）水平斜等轴测投影图有效地表达了小区规划的意向。

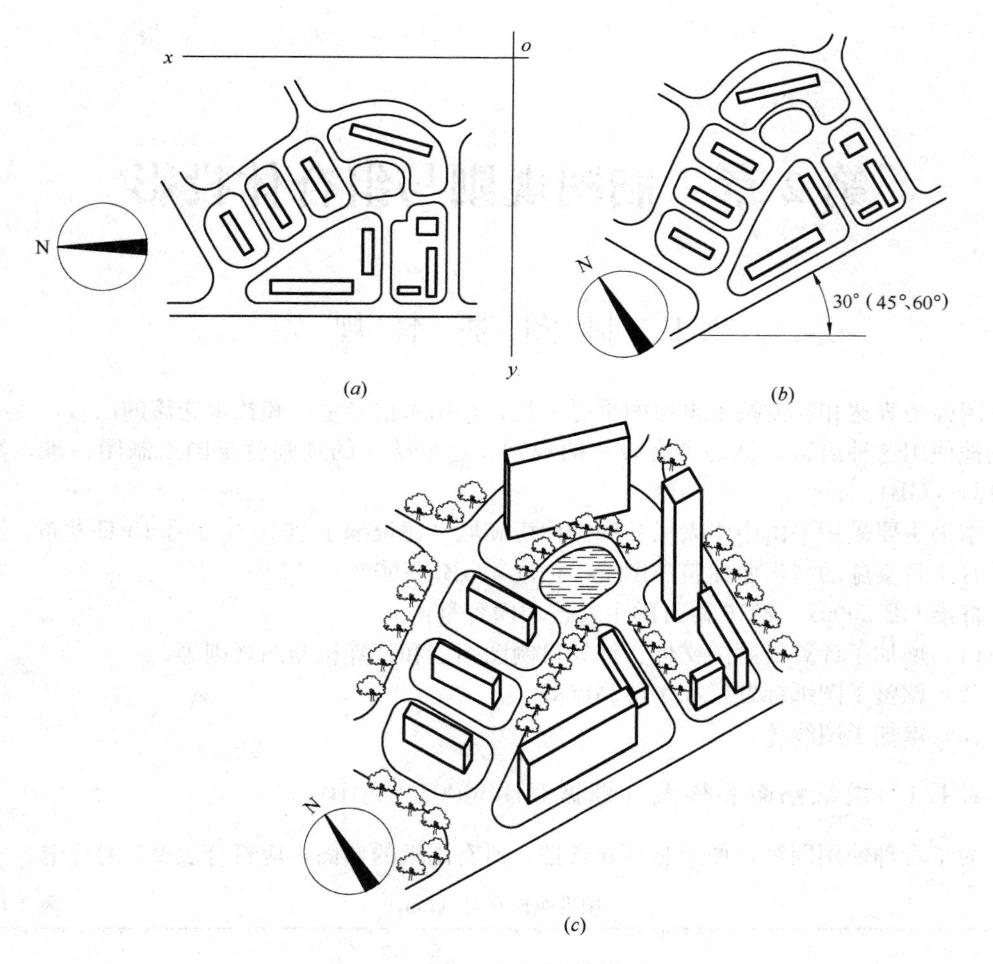

图 1-59　小区的水平斜轴测投影

(*a*) 已知；(*b*) 作图过程（旋转 30°）；(*c*) 完成

第2章　制图规则与组合体投影

2.1 制图基本规定

图样是表达和交流技术思想的重要工具，是用来指导生产和技术交流的语言，为有效准确地使用这种语言，就必须有统一的规则。这个统一的规则就是国家制图标准，简称《国标》(GB)。

本书主要采用了由中华人民共和国住房和城乡建设部于2010年8月18日发布，2011年3月1日实施的《房屋建筑制图统一标准》GB/T 50001—2010。

标准GB 50001—2010修订的主要技术内容是：

(1) 增加了计算机制图文件、计算机制图图层和计算机制图规则等。

(2) 调整了图纸标题栏和字体高度等。

(3) 增加了图线等。

2.1.1　图纸幅面和格式（根据GB 50001—2010）

为了合理使用图纸，便于装订和管理，所有图纸的幅面，应符合表2-1的规定。

图纸幅面尺寸（mm）　　**表 2-1**

尺寸代号	幅面代号				
	A0	A1	A2	A3	A4
$B \times L$	841×1189	594×841	420×594	297×420	210×297
c	10			5	
a	25				

图中$B \times L$为图纸的短边乘以长边，a、c为图框线到幅面线之间的宽度。图纸幅面尺寸相当于$\sqrt{2}$系列，即$L=\sqrt{2}B$。A0号幅面的面积为$1m^2$，A1号幅面是A0号幅面的1/2，其他幅面类推，如图2-1所示。

一般情况下都用横式图2-1（a），竖式用得较少。为了使用图样复制和缩微摄影时定位方便，对表2-1所列的各号图纸，均应在图纸各边长的中点处分别画出对中标志。对中标志线宽不小于0.35mm，长度从纸边界开始伸入框内约5mm，如图2-1（a）、（b）所示。

图纸中应有标题栏、图框线、幅面线、装订边线和对中标志。图纸的标题栏及装订边的位置，应符合下列规定：横式使用的图纸，应按图2-1（a）的形式进行布置，立式使用的图纸，应按图2-1（b）的形式进行布置。标题栏应按图2-1（c）、（d）所示，根据工程的需要选择确定其尺寸、格式及分区，签字栏应包括实名列和签名列。

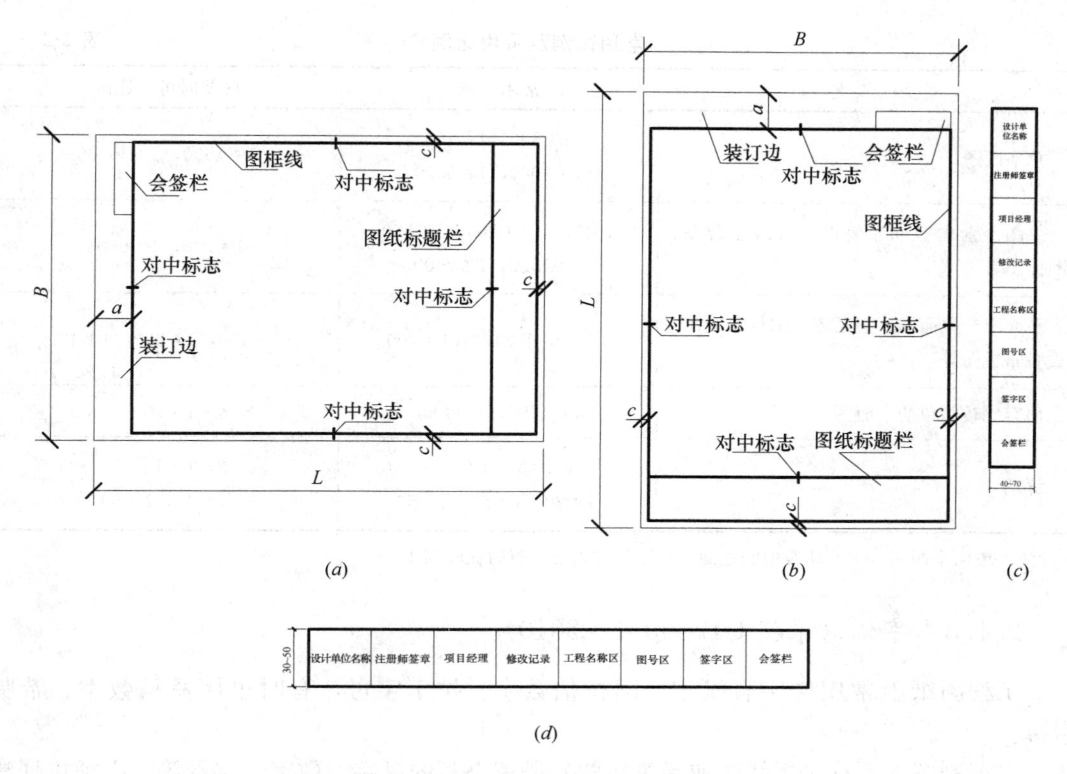

图 2-1 图纸幅面、格式及标题栏

（a）A0-A3 横式幅面；（b）A0-A4 立式幅面；（c）标题栏 1；（d）标题栏 2

图纸编排顺序：工程图纸应按专业顺序编排，应为图纸目录、总图、建筑图、结构图、给水排水图、暖通空调图、电气图等。各专业的图纸，应按图纸内容的主次关系、逻辑关系进行分类排序。

2.1.2 比例与图名（根据 GB 50001—2010）

工程制图中，图样中图形与实物相对应的线性尺寸之比，称为比例。比例应由阿拉伯数字来表示，比值为 1 的比例称原值比例，即 1∶1。比值大于 1 的比例称放大比例，如 2∶1等。比值小于 1 的比例称缩小比例，如 1∶2、1∶10、1∶100、1∶500 等。习惯上所称比例的大小，是指比值的大小，例如 1∶50 的比例比 1∶100 的大。

比例书写在图名的右侧，字号应比图名号小一号或两号，图名下画一条横粗实线，其粗度应不粗于本图纸所画图形中的粗实线，同一张图纸上的这种横线粗度应一致。图名下横线长度，应以所写文字所占长短为准，不要任意画长；例如：

平面图 1: 100

当一张图纸中的各图只用一种比例时，也可把该比例统一书写在图纸标题栏内。

绘图时，应根据图样的用途和被绘物体的复杂程度，优先选用表 2-2 中的常用比例。特殊情况下，允许选用“可用比例”。

常用比例及可用比例 表 2-2

图　　名	常用比例	必要时可用比例
总平面图	1∶500，1∶100 1∶2000，1∶5000	1∶2500，1∶10000
总图专业的竖向布置图、管线综合图、断面图等	1∶100，1∶200，1∶500 1∶1000，1∶2000	1∶300，1∶5000
平面图、立面图、剖面图、结构布置图、设备布置图等	1∶50，1∶100，1∶200	1∶150，1∶300，1∶400
内容比较简单的平面图	1∶200，1∶400	1∶500
详图	1∶1，1∶2，1∶5，1∶10 1∶20，1∶25，1∶50	1∶3，1∶15，1∶30 1∶40，1∶60

注：屋面平面图，工业建筑中的地面平面图等的内容，有时比较简单。

2.1.3 字体（根据 GB 50001—2010）

工程图纸上常用文字有汉字、阿拉伯数字、拉丁字母，有时也用罗马数字、希腊字母。

工程制图（不论是墨线图或铅笔线图）所需书写的汉字、数字、字母等，必须排列整齐、字体端正、笔画清晰、间隔均匀，不得潦草，以免错认而造成差错。

图样中的汉字，应采用国家公布的简化字，并应写长仿宋体。写仿宋体字时应注意它的笔画基本上是横平竖直，字体结构要匀称，并注意笔画的起落。长仿宋体的笔画粗度约为高的 1/20。

汉字、阿拉伯数字、拉丁字母、罗马数字等字体大小的号数（简称字号），都是字体的高度，文字的字高，应从表 2-3 中选用。字高大于 10mm 的文字宜采用 TRUETYPE 字体，如需书写更大的字，其高度应按$\sqrt{2}$的倍数递增。

文字的字高（mm） 表 2-3

字体种类	中文矢量字体	TRUETYPE 字体及非中文矢量字体
字高	3.5、5、7、10、14、20	3、4、6、8、10、14、20

图样及说明中的汉字，宜采用长仿宋体（矢量字体）或黑体，同一图纸字体种类不应超过两种。如需书写大一号的字，其字高可按 1∶$\sqrt{2}$来确定，并取毫米整数。汉字长仿宋体的某号字的宽度，即为小一号字的高度。汉字可以如下书写：

横平竖直　　结构匀称　　注意起落

排列整齐　字体端正　笔画清晰　间隔均匀

工程图样上书写的长仿宋体汉字，其高度应不小于 3.5mm。阿拉伯数字、拉丁字母、罗马数字等的高度应不小于 2.5mm。当阿拉伯数字、拉丁字母、罗马数字同汉字并列书写时，它们的字高比汉字的字高宜小一号或两号。当拉丁字母单独用作代号或符号时，不使用 I，O 及 Z 三个字母，以免同阿拉伯数字的 1，0 及 2 相混淆。

阿拉伯数字、拉丁字母及罗马数字的规格见表 2-4。

阿拉伯数字、拉丁字母、罗马数字的规格 **表 2-4**

		一般字体	窄字体
字母高	大写字母	h	h
	小写字母(上下均无延伸)	$(7/10)h$	$(10/14)h$
小写字母向上或向下延伸部分		$(3/10)h$	$(4/14)h$
笔画宽度		$(1/10)h$	$(1/14)h$
间隔	字母间	$(2/10)h$	$(2/14)h$
	上下行底线间最小间隔	$(14/10)h$	$(20/14)h$
	文字间最小间隔	$(6/10)h$	$(6/14)h$

注：1. 小写拉丁字母如 a，c，m，n……，上下均无延伸，而 j 则上下均有延伸。
2. 字母的间隔，倘在视觉上需要更好的效果时，可以减小一半，即和笔画的宽度相等。

阿拉伯数字、拉丁字母以及罗马数字都可以按需要写成直体或斜体，一般书写采用斜体较多。斜体的倾斜度应是对底线逆时针转 75°角，其宽度和高度均与相应的直体相等，如图 2-2 所示。

斜体阿拉伯数字

1 2 3 4 5 6 7 8 9 0

斜体罗马数字

I II III IV V VI VII VIII IX X

大小写斜体A型拉丁字母

ABCDEFGHIJKLMNOPQRSTUVWXYZ

abcdefghijklmnopqrstuvwxyz

图 2-2 斜体阿拉伯数字斜体罗马数字大小写斜体 A 型拉丁字母

2.1.4　图线（根据 GB 50001—2010）

在绘制土建工程图时，为了表示图中的不同内容，并且能够分清主次，必须使用不同的线型和不同宽度（即图线的粗细）的图线。

土建工程图图线的宽度 b，宜从 1.4、1.0、0.7、0.5、0.35、0.25、0.18、0.13mm 线宽系列中选取。当选定了粗线的宽度 b 后，中粗线及细线的宽度也随之确定而成为线宽组。图线宽度不应小于 0.1mm。绘图时每个图样，应根据复杂程度与比例大小，先选定基本线宽 b。

土建工程图的图线线型有实线、虚线、点画线、双点画线、折断线、波浪线等，随用途的不同而反映在图线的粗细关系上，见表 2-5。

图线的线型、线宽及用途　　表 2-5

线型名称	线型	线宽	一般用途
粗实线		b	主要可见轮廓线 剖面图中被剖着部分的轮廓线、结构图中的钢筋线、建筑物或构筑物轮廓的外轮廓线、剖切位置线、地面线、详图符号的圆圈、新建的各种给水排水管道线、总平面图或运输图中的公路或铁路路线等
中实线		$0.5b$	可见轮廓线 剖面图中未被剖着但仍能看到而需要画出的轮廓线、标注尺寸的尺寸起止短划、原有的各种给水排水管道或循环水管道线等
细实线		$0.35b$	尺寸界线、尺寸线、索引符号的圆圈、引出线、图例线、标高符号线、重合断面的轮廓线、较小图形中的中心线、钢筋混凝土构件详图的构件轮廓线等
粗虚线		b	新建的各种给水排水管道线，总平面图或运输图中的地下建筑物或地下构筑物等
中虚线		$0.5b$	需要画出的看不到的轮廓线 建筑平面图中运输装置（例如桥式吊车）的外轮廓线、原有的给水排水管线、拟扩建的建筑工程轮廓线等
细虚线		$0.35b$	不可见轮廓线、图例线等
粗点画线		b	结构图中梁或构造的位置线、平面图中起重运输装置的轨道线、其他特殊构件的位置指示线等
细点画线		$0.35b$	中心线、对称线、定位轴线等
粗双点画线		b	预应力钢筋线等
细双点画线		$0.35b$	假想轮廓线、成型以前的原始轮廓线
折断线		$0.35b$	不需要画全的断开界线
波浪线		$0.35b$	不需要画全的断开界线、构造层次的断开界线
特粗线		$1.4b$	需要画上更粗的实线，如建筑物或构筑物的地面线，路线工程图中的设计线路、剖切位置的线段等

图线线型和线宽的用途，各专业不同，应按专业制图的规定来选用。

建筑工程图中，对于表示不同内容和区别主次的图线，其线宽都互成一定比例，即粗线、中粗线、细线三种线宽之比为 b∶0.5b∶0.35b。同一图纸幅面中，采用相同比例绘制的各图，应选用相同的线宽组。绘制比较简单的图或比例较小的图，可以只用两种线宽，其线宽比为 b∶0.35b。当选定了粗线的宽度 b 后，中粗线及细线的宽度也随之确定而成为线宽组（见表 2-6）。

线宽组（mm） **表 2-6**

粗 线	b	1.4	1.0	0.7	0.5	0.35
中粗	0.5b	0.7	0.5	0.35	0.25	0.18
细线	0.35b	0.5	0.35	0.25	0.18	

由线宽系列可看出，线宽之间的公比是 $\sqrt{2}$，它和图纸幅面的长边尺寸系列、短边尺寸系列以及字体的高度系列（连同汉字长仿宋体的字宽系列）都互相一致，且和国际标准统一，即它们的公比都是 $\sqrt{2}$，这样不仅简单、易记、使用方便，并且有益于国际、国内的统一与技术经济交流，又有利于图样的缩微复制和电子计算机绘图。

在各种线型中，虚线、点画线及双点画线的线段长度和间隔宜各自相等。点画线或双点画线的两端，不应是点，点画线与点画线交接或点画线与其他图线交接时，应是线段交接。虚线与虚线交接或虚线与其他图线交接时，也应是线段交接。虚线为实线的延长线时，不得与实线交接。绘制圆或圆弧的中心线时，圆心应为线段的交点，且中心线两端应超出圆弧 2～3mm。实线、虚线、点画线画法如图 2-3 所示。

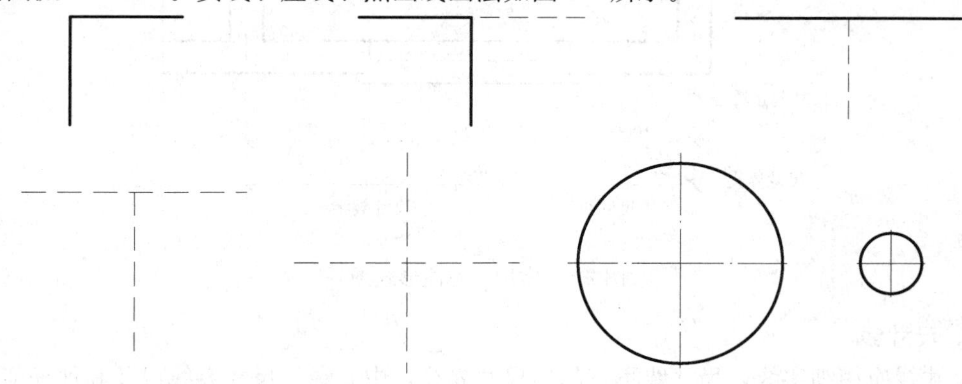

图 2-3 实线、虚线、点画线、画法举例

当图形较小（如图 2-3 中较小的圆），画点画线有困难时，可用细实线来代替。

图 2-4（a）为折断线和图 2-4（b）为波浪线的画法举例。折断线直线间的符号和波浪线都徒手画出。折断线应通过被折断图形的全部，其两端各画出 2～3mm。

2.1.5 尺寸注法（根据 GB 50001—2010）

在建筑工程图中，除了按比例画出建筑物或构筑物等的形状外，还必须标完整的实际尺寸，以作为施工等的依据，与所绘图形的准确程度无关，更不得从图形上量取尺寸。

图样上的尺寸单位，除另有说明外，均以（mm）为单位。

这里将结合单个平面图形来叙述标注尺寸的基本规则，至于组合体图形的尺寸注法，在之后章节中结合专业图的图示方法和要求作详细叙述。

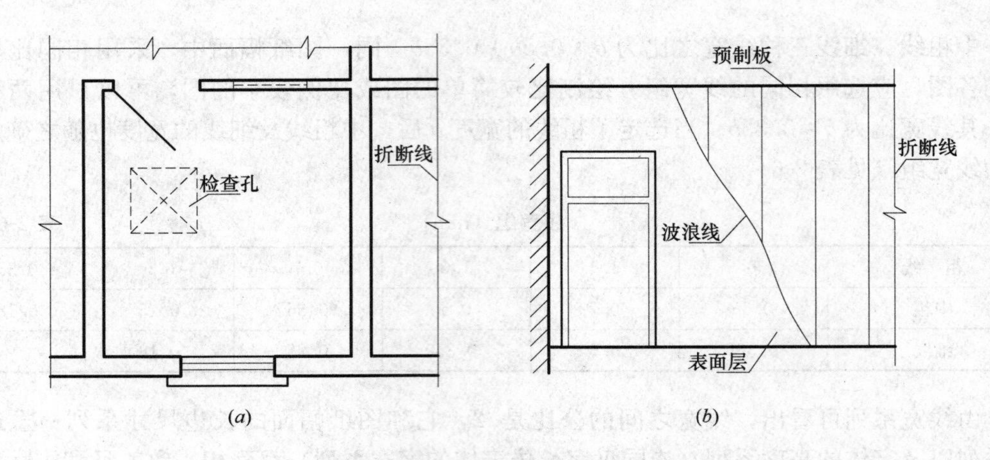

图 2-4　折断线、波浪线画法举例

（*a*）折断线画法举例；（*b*）波浪线画法举例

图样上标注的尺寸，由尺寸线、尺寸界线、尺寸起止符号、尺寸数字等组成，如图 2-5 所示。图样上尺寸的标注，应整齐、统一，数字应写得整齐、端正、清晰。

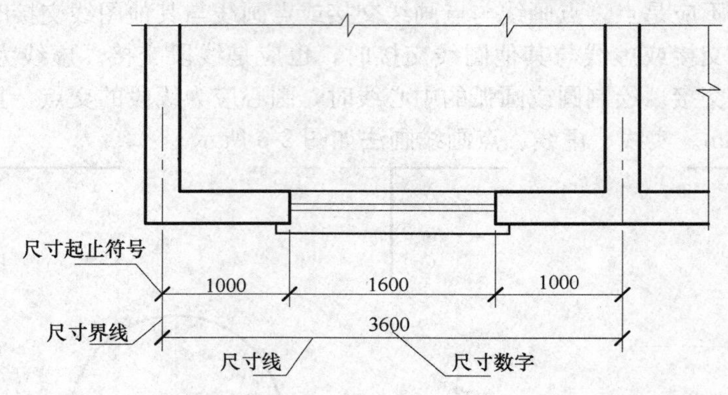

图 2-5　常用的标注形式图

1. 尺寸线

尺寸线应用细实线，尺寸线不宜超出尺寸界线，中心线、尺寸界线以及其他任何图线都不得用作尺寸线，线性尺寸的尺寸线必须与被标注的长度方向平行，尺寸线与被标注的轮廓线间隔以及互相平行的两尺寸线的间隔一般为 6～10mm。

2. 尺寸界线

尺寸界线应用细实线，一般情况下，线性尺寸的尺寸界线垂直于尺寸线，并超出尺寸线约 2mm。尺寸界线不宜与需要标注尺寸的轮廓相接，应留出不小于 2mm 的间隙。

在尺寸线互相平行的尺寸标注中，应把较小的尺寸标注在靠近被标注的轮廓线，较大的尺寸则标注在较小尺寸的外边（图 2-5），以避免较小尺寸的尺寸界线与较大尺寸的尺寸线相交。

3. 尺寸起止符号

尺寸线与尺寸界线相接处为尺寸的起止点。在起止点上应画出尺寸起止符号，一般为 45°倾斜的中粗短线，其倾斜方向应与尺寸界线成顺时针 45°角，其长度宜为 2～3mm。但是，在标注圆弧的半径、圆的直径和角度时，应改用箭头作为尺寸起止符号。尺寸箭头的形式如图 2-6 所示。箭头的宽度约为图形粗实线宽度（b）的 1.4 倍，长度约为粗实线宽度（b）的 5 倍，并予涂黑。在同一张纸或同一图形中，尺寸箭头的大小应画得一致。工程图上的尺寸箭头，不宜画得太小或太细长，其尖角一般不宜小于 15°，否则不利于缩微摄影及重新放大与复制。

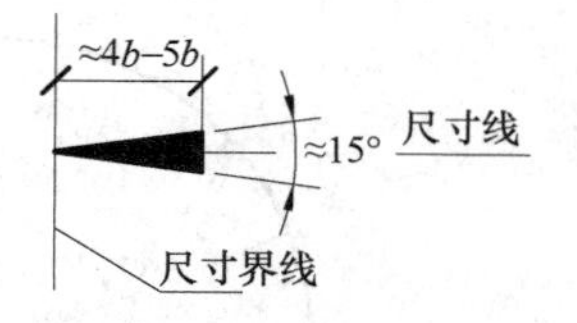

图 2-6　尺寸箭头的形式及大小

4. 尺寸数字

工程图上标注的尺寸数字，是物体的实际尺寸，它与绘图所用的比例无关。建筑工程图上标注的尺寸数字，除标高及总平面图以米为单位外，其余都以毫米为单位。因此，建筑工程图上的尺寸数字无须注写单位。尺寸数字的高度，一般是 3.5mm，最小不得小于 2.5mm。尺寸线的方向有水平、竖直、倾斜三种，注写尺寸数字的读数方向相应地如图 2-7（a）所示。对于靠近竖直方向向左或向右 30°范围内的倾斜尺寸，可如图 2-7（b）、（c）所示注写。

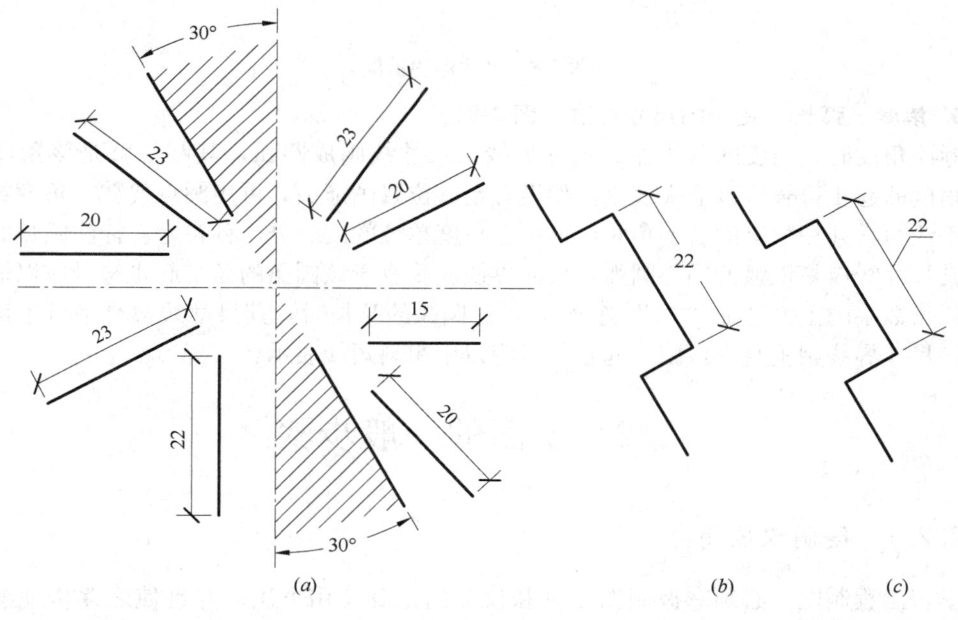

图 2-7　线性尺寸数字的注写方向

（a）一般情况；（b）变化一；（c）变化二

5. 半径、直径、球的尺寸注法（图 2-8）。

半径尺寸线必须从圆心画起或对准圆心。直径尺寸线则通过圆心或对准圆心。标注半径、直径或球的尺寸时，尺寸线应画上箭头。尺寸箭头的形式和大小如图 2-6 所示。半径数字、直径数字仍要沿着半径尺寸线或直径尺寸线来注写。当图形较小，注写尺寸数字及符号的地位不够时，也可以引出注写。半径数字前应加写拉丁字母 R；直径数字前就加注直径符号 ϕ。注写球的半径时，在半径代号 R 前再加写拉丁字母 S；注写球的直径时，在直径符号 ϕ 前也加写拉丁字母 S。当较大圆弧的圆心在有限地位以外时，则应对准圆心画一折线状的或者断开的半径尺寸线，例如图 2-8 中的 R24。

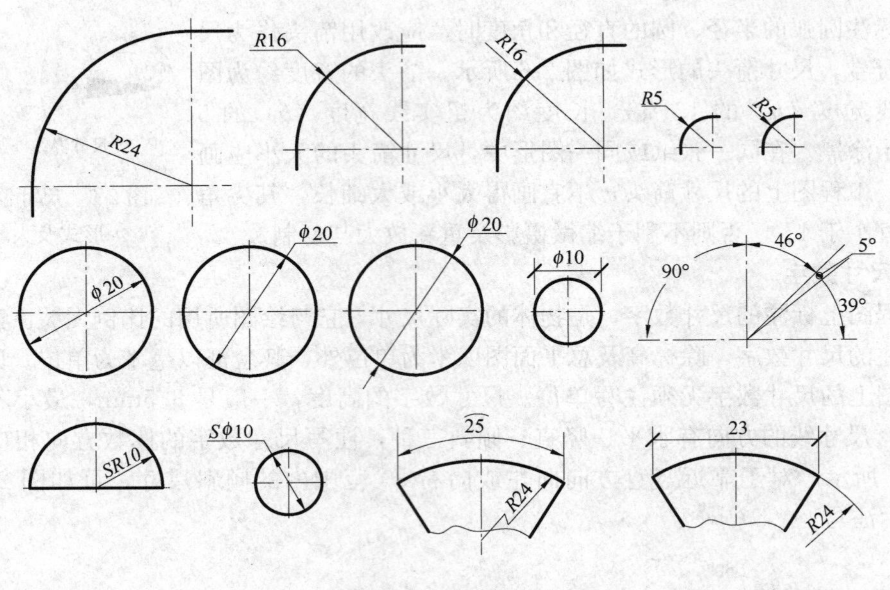

图 2-8　尺寸标注示例

6. 角度、弧长、弦长的尺寸注法（图 2-8）

标注角度时，角度的两边作为尺寸界线，尺寸线画成圆弧，其圆心就是该角度的顶点。角度的起止符号应以箭头表示，如没有足够位置画箭头，可用圆点代替。角度数字一律水平注写，并在数字的右上角相应地画上角度单位的度、分、秒符号。标注圆弧的弧长时，其尺寸线应是该弧的同心圆弧，尺寸界线应垂直于该圆弧的弦，起止符号应以箭头表示，弧长数字的上方应加“⌒”符号。）标注圆弧的弦长时，其尺寸线应是平行于该弦的直线，尺寸界线则垂直于该弦，起止符号应以中粗斜短线表示。

2.2　绘图的一般步骤

2.2.1　绘图仪器简介

学习工程制图，必须掌握制图工具和仪器的正确使用方法，并且使之逐步地熟练起来，因为它是提高制图质量和速度的重要条件之一。

绘图仪器包括：分规、圆规、墨线笔、绘图墨水笔等。绘图工具包括：画图板、丁字尺和三角板、比例尺、曲线板和绘图铅笔等。常用绘图用品有：橡皮、裁纸刀、胶带纸、砂纸、擦线片和建筑模板等。

绘图时常用的工具有画图板、丁字尺和三角板等。丁字尺是画水平线用的，三角板和丁字尺配合使用时，可以画出竖直线或 30°，45°，60°，15°，75°，105°等的倾斜线，如图 2-9 所示。

2.2.2　绘图程序和方法

为了保证图样的质量和提高绘图的速度，除了正确使用绘图工具和仪器外，还必须掌握正确的绘图程序和方法。

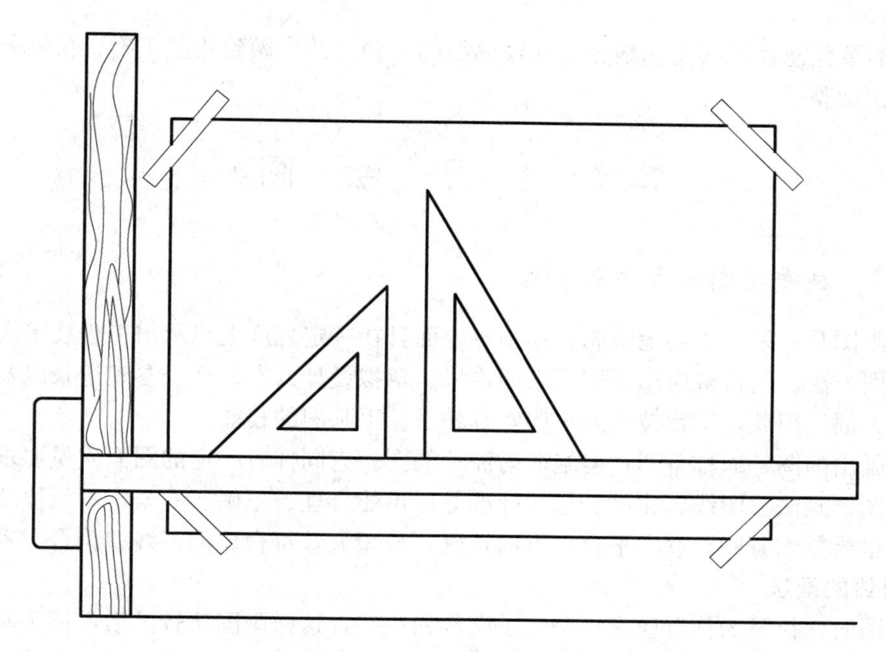

图 2-9　绘图工具的使用

1. 绘图前的准备工作

（1）准备好所用的绘图仪器和工具（包括绘图桌）并擦拭干净，磨削好铅笔及圆规上的铅芯。

（2）安排工作地点使光线从图板的左前方射入，将需要的工具放在方便之处，以便于绘图。

（3）图纸必须固定在图板上，才能利用丁字尺配合三角板画各种直线。一般按对角线方向顺次固定，使图纸平整。当图纸较小时，应将图纸固定在图板的左下方，使图纸的左边离图板左边约 5 厘米，图纸下边离图板下边缘的距离大于丁字尺的宽度。

2. 画底稿的方法和步骤

绘图的步骤和方法随图的内容及绘图者的习惯而不同，这里建议的是一般的绘图方法和步骤。画底稿时，宜用削尖的 H 或 2H 铅笔轻淡地画出，并经常磨削铅笔。

根据具体内容和个人习惯的不同建议：

（1）先画图纸幅面框线、图框线、标题栏外框线等。

（2）考虑图形布局，一般图形应布置在图画的中间位置，并考虑到注写尺寸、文字等的地方和位置，务必使图纸中图安排得疏密匀称。

（3）根据需画图形的类别和内容来考虑先画哪一个图。画图时，先画轴线、中心线，再画轮廓线，然后画细部的图线。

（4）接着画尺寸界线、尺寸线、尺寸起止符号、注写尺寸数字及其他符号。

最后书写图名、注释等文字。

3. 铅笔加深的方法和步骤

画完底稿后，应仔细校对，改正错误和缺点，擦净多余图线及污垢，方可用铅笔加深。加深直线可用 HB 铅笔，圆规的铅芯应比画直线的铅芯软一级。加深图线时，用力要均匀，同时要注意使图线均匀地分布在底稿线的两侧。并且做到线型正确、粗细分明、连接光滑、图面整洁。

2.3 徒 手 绘 图

2.3.1 徒手绘图的方法和步骤

徒手画图是一种不受场地限制，作图迅速而且在一定程度上显示出工程技术人员训练水平的绘图方法。它常被应用于记录新的构思、草拟设计方案、现场参观记录以及创作交流等各个方面。因此，工程技术人员应熟练掌握徒手画图的技能。

徒手画出的图，通称草图，但绝非指潦草的图。它同样有一定的图面质量要求，即幅面布置、图样画法、图线、比例、尺寸标准等尽可能合理、正确、齐全，不得潦草。草图上的线条也要粗细分明，基本平直，方向正确，长短大致符合比例，线型符合国家标准。

1. 直线的画法

画草图时，执笔的位置应高一些，手腕放松一些，这样画图比较灵活，徒手画图时执笔力求自然。画长线时手腕不要转动，而是整个手臂作运动，要手眼并用，眼睛应看向终点，画出的线条要尽量平直，注意应尽可能一次画成，不要来回重复描绘。但在画短线时，只将手指及手腕作适当运动即可，用手腕抵住纸面，速度均匀地移动手腕。每条图线原则上宜一笔画成，对于超长的直线才分段画出。图 2-10 为徒手画的各类直线段。

2. 徒手画斜线

徒手画与水平线呈 30°、45°、60°等特殊角度的斜线，可利用该角度的正切即对边与邻边的比例关系近似画出，如图 2-11（*a*）、（*b*）所示。也可以先画出 90°角，以适当半径

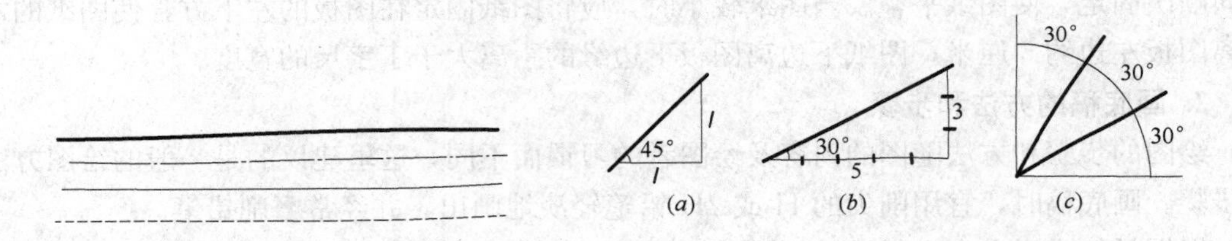

图 2-10 徒手画的各类直线段

图 2-11 徒手画斜线

（*a*）画 45°斜线；（*b*）画 30°斜线；（*c*）等分 90°角

画出一段圆弧，将该圆弧作若干等分，通过这些等分点所作的射线，就是所求的相应角度的斜线（图 2-11（*c*））。

3. 等分线段

徒手等分直线段通常利用目测来进行。若作偶数等分（例如八等分），最好是依次作二等分，如图 2-12（*a*）所示。若为奇数等分（例如五等分），则可用目测先去掉一个等分，而把剩余部分作四等分（图 2-12（*b*））。图线下方的数字表示等分线段时的作图顺序。

4. 徒手画圆

画直径较小的圆时，可在中心线上按圆的半径凭目测定出四个点之后徒手连接而成

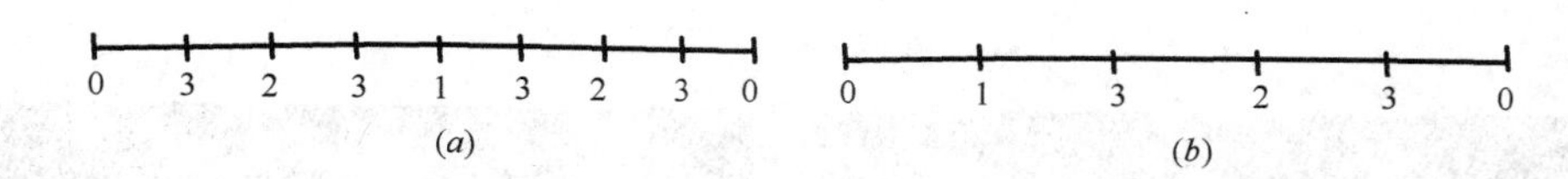

图 2-12　徒手等分直线段

(a) 八等分；(b) 五等分

（图 2-13（a））。画直径较大的圆时，可通过圆心画几条不同方向的射线，同样凭目测按圆的半径在其上定出所需的点，再徒手把它们连接起来（图 2-13（b））。

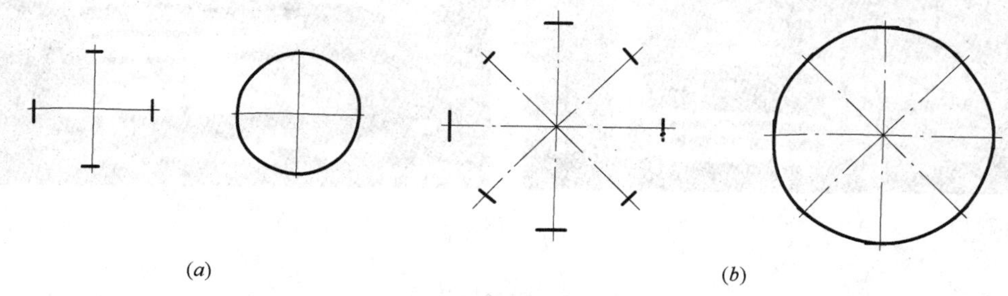

图 2-13　徒手画圆

(a) 画小圆；(b) 画大圆

5. 徒手画椭圆

徒手画椭圆时应尽可能准确地定出它的长、短轴，然后通过长、短轴的端点画出一个矩形，并画出该矩形的对角线，再在对角线上凭目测按椭圆曲线变化的趋势定出四个点，最后徒手将上述各点依次连接起来即得所求，如图（图 2-14（a）、（b）、（c））所示。

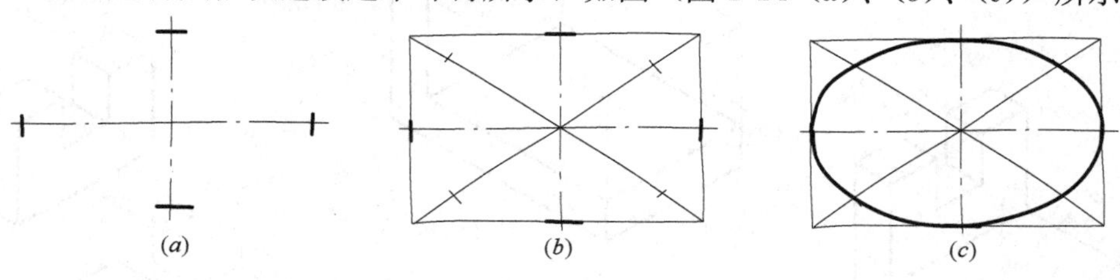

图 2-14　徒手画椭圆

(a) 第一步；(b) 第二步；(c) 完成作图

2.4　组合体概述

从几何角度观察建筑物，不难发现它们大都是由许多基本几何体及几何曲面体按一定方式组合而成的。如图 2-15 所示，这些建筑从外观整体到局部细节主要由棱柱、棱锥、圆柱、圆球、圆台等基本几何体，按一定建筑构成规律组成。

由若干基本几何形体经过叠加、挖切、综合等方式构成的形体称为组合体。

将组合体假想分解成若干个基本几何体，对其形状大小、相对位置、组合方式等进行综合分析，这种方法称为形体分析法。形体分析法是画图、读图和尺寸标注的依据，如图 2-16 所示。

组合体的相交方式有不贯通、贯通两种情形。

如图 2-17 所示，该建筑形体可看成由 A 体与 B 体、C 体与 B 体相交而成（不贯通）。

(*a*)

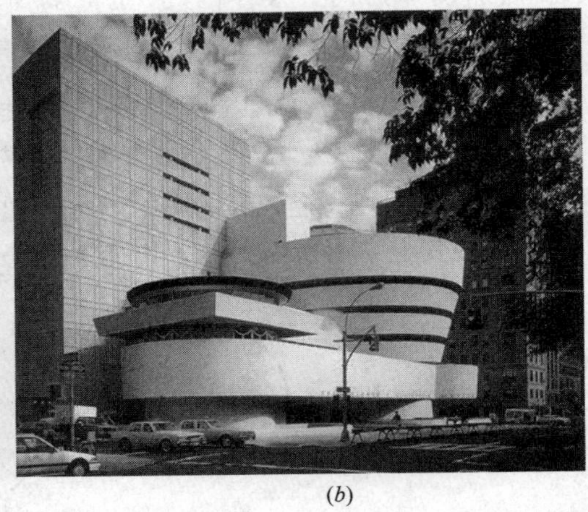

(*b*)

图 2-15　组合体建筑

（*a*）上海国际会展中心；（*b*）古根海姆博物馆

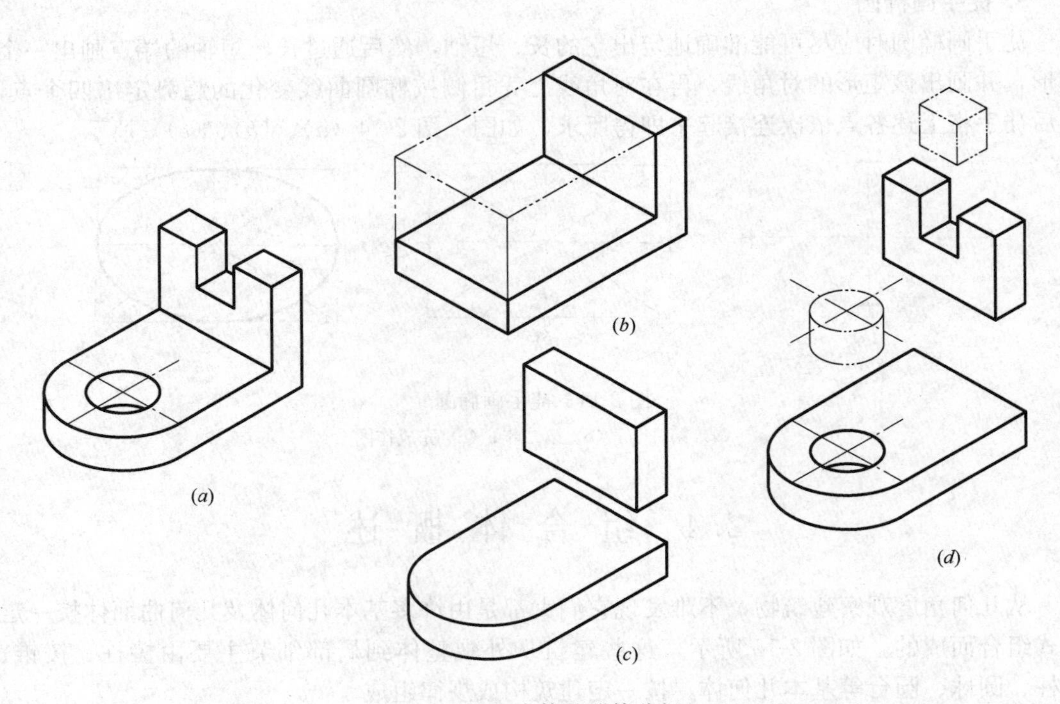

图 2-16　组合体的形体分析

2.4.1　组合体投影图的画法

1. 形体分析

在画组合体的投影之前，首先要运用形体分析法将复杂形体分解为若干基本几何体，并分析各基本几何体的形状及它们之间的相对位置和表面间的连接方式。

2. 正面投影的选择

根据人们的观察习惯，正面投影图通常作为形体的主要投影图。正面投影方向的选择实际上就是形体对正立投影面（V面）相对位置的选择。其原则是使正面投影既能反映形体的形状特征，又能清楚表达出各部分的结构形状。

如图 2-17 所示，对房屋建筑来说，常选用主要出入口所在立面平行正立投影面（V 面）；又如图 2-18 所示。

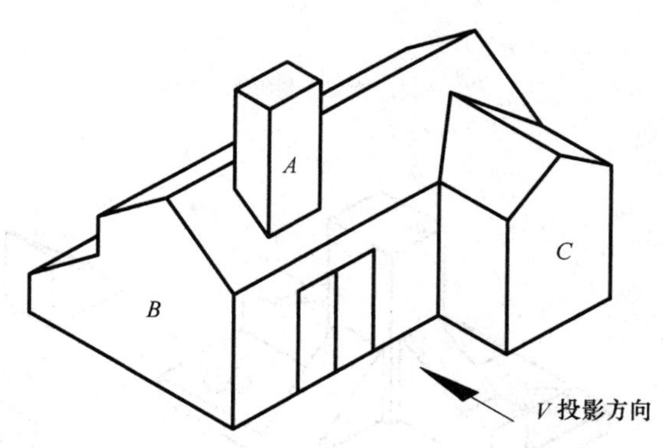

图 2-17　房屋正面图投影方向的确定

3. 综合绘图举例

现以图 2-19 所示的建筑构件为例，说明组合体的绘图步骤。

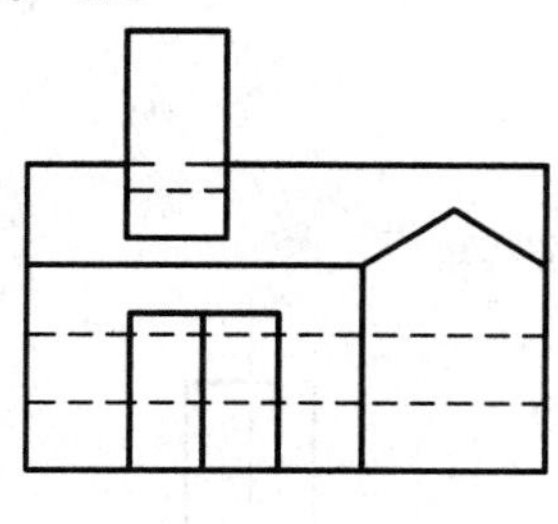

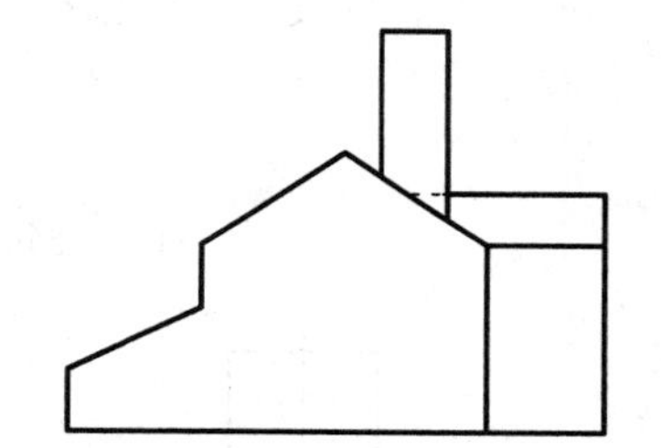

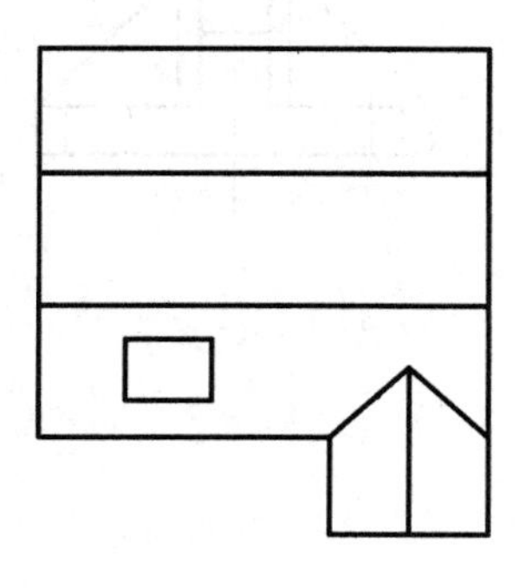

图 2-18　房屋的三面投影图

（1）形体分析

如图所示，该建筑构件由带四个圆柱孔的底板四棱柱、中部四棱柱、前后三棱柱肋板、左右多棱柱肋板四部分组成。

（2）投影选择

使底板底面与 H 面平行，是该建筑构件在正常施工中的放置位置，选能反映该建筑构件各组成部分形状特征及相对位置的方向作为正面投影图的方向。综上分析，该形体的三面投影图按图 2-20 所示比较合理。

（3）选比例、定图幅

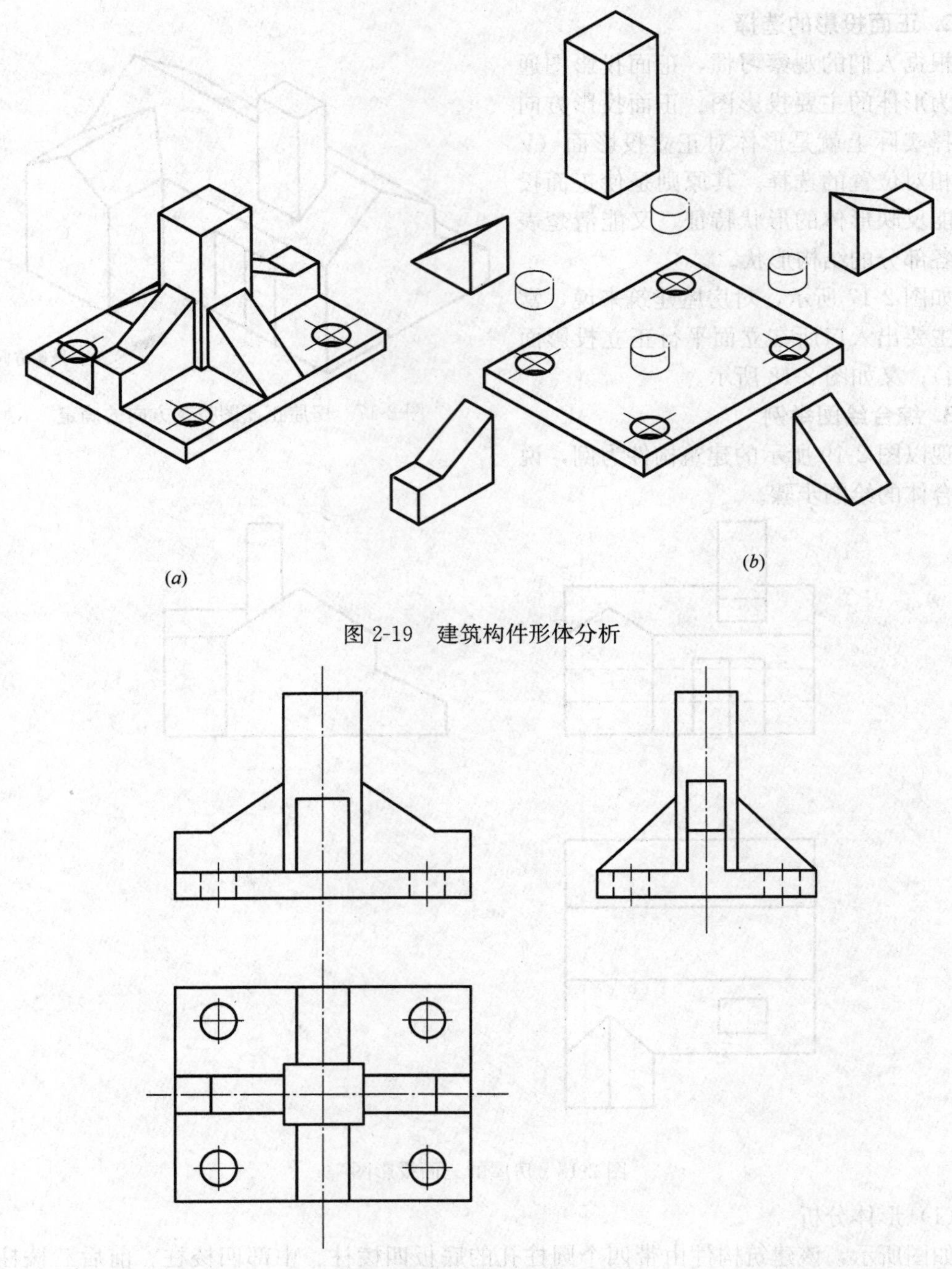

图 2-19　建筑构件形体分析

图 2-20　建筑构件的三面投影

根据该建筑构件的大小和复杂程度，选择合适比例，确定图纸幅面。

（4）画底稿

按形体分析法分析的各基本几何体及相对位置，从先主后次、先大后小、先整体后局部的顺序，逐个画出各基本几何体的三面投影，如图 2-21 所示。

必须注意，在逐个画基本几何体时，应同时画出对应的三个投影，以保证各基本几何

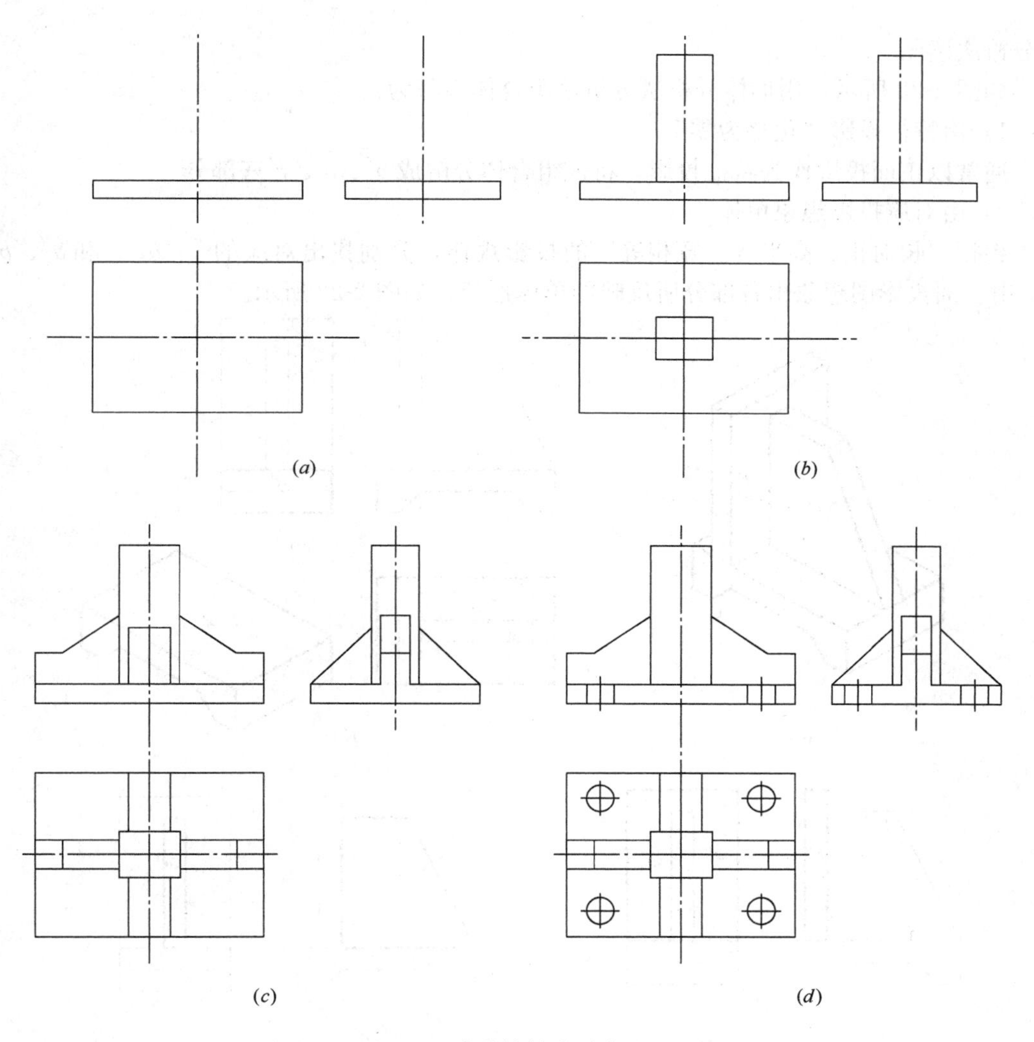

图 2-21　建筑构件绘图步骤二

体之间的相对位置和投影关系，并能提高画图速度。

(5) 校核、加深图线。

最后，对整个图线检查校核，清理图面，按规定线型加深图线，完成组合体的全图，如图 2-20 所示。

必须注意，回转体需画出轴线，圆或大于半圆的圆弧需画出十字中心线。

2.4.2　组合体投影图的识读

读图是画图的逆过程，即运用投影规律，由二维平面图形（正投影图）想象出三维空间形体的形状。组合体的读图与画图一样，主要采用形体分析法，对形状较复杂的局部还可采用线面分析法。

1. 形体分析法读图

根据已知投影图把形体分解成若干部分，由每个组成部分的三面投影想象出对应形体的形状，再根据投影规律及各组成部分的相对位置关系，综合起来想象整体形状，即为形体分析法读图。

如图 2-22 所示，用形体分析法分析该组合体步骤为：

1）由特征投影“化整为零”

通常以正面投影作为特征投影，将该组合体分解成 a'、b'、c' 三部分。

2）由对应投影想象单体

根据“长对正、高平齐、宽相等”的投影规律，分别找出对应的 a、b、c 和 a''、b''、c''，由三面投影图想象出各部分所反映的单体形状，如图 2-22 所示。

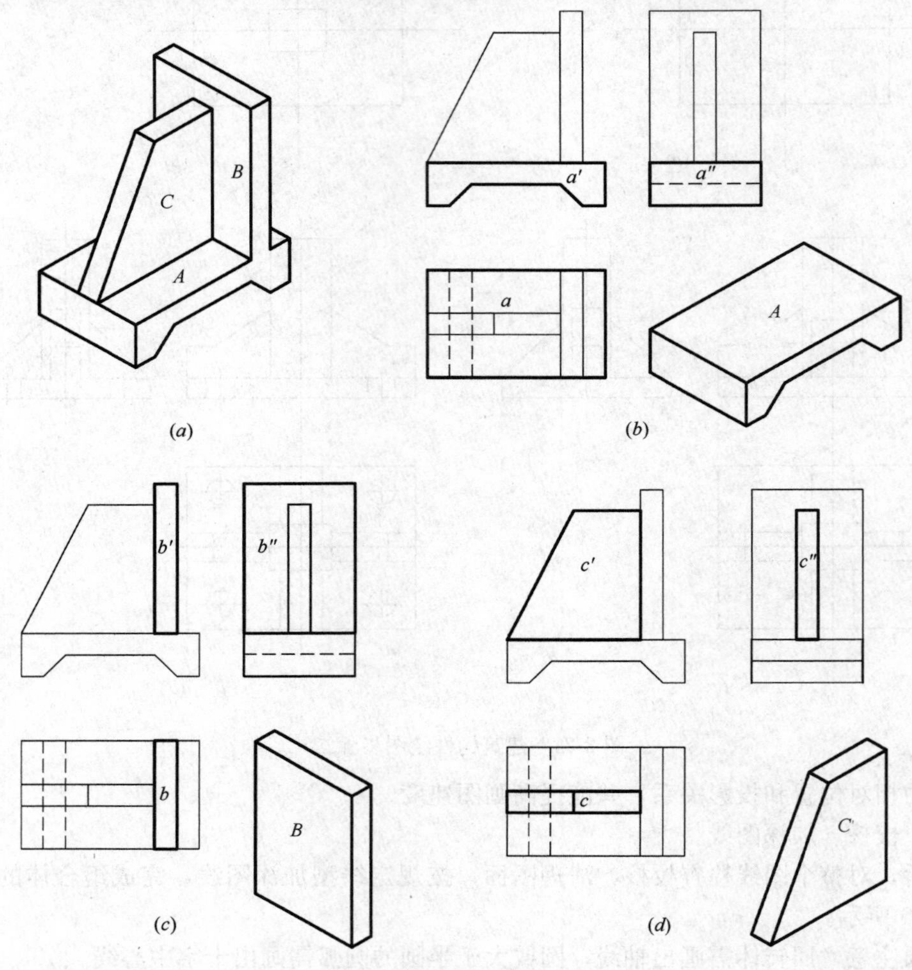

图 2-22　形体分析法读图

3）综合想象“积零为整”

根据分析的各基本形体的形状及相对位置，想象出组合体的整体形状。

2. 线面分析法

在对组合体的整体轮廓进行形体分析的基础上，对投影图中较难看懂的局部，可根据线、面投影规律（如图 1-3 所示积聚性、实形性、类似性），依次分析其对应形状和空间位置，从而想象出完整的组合体形状，这种分析方法称为线面分析法。通常线面分析法是对形体分析法的补充。

下面以图 2-23 为例，说明形体分析法和线面分析法在读图中的综合应用。

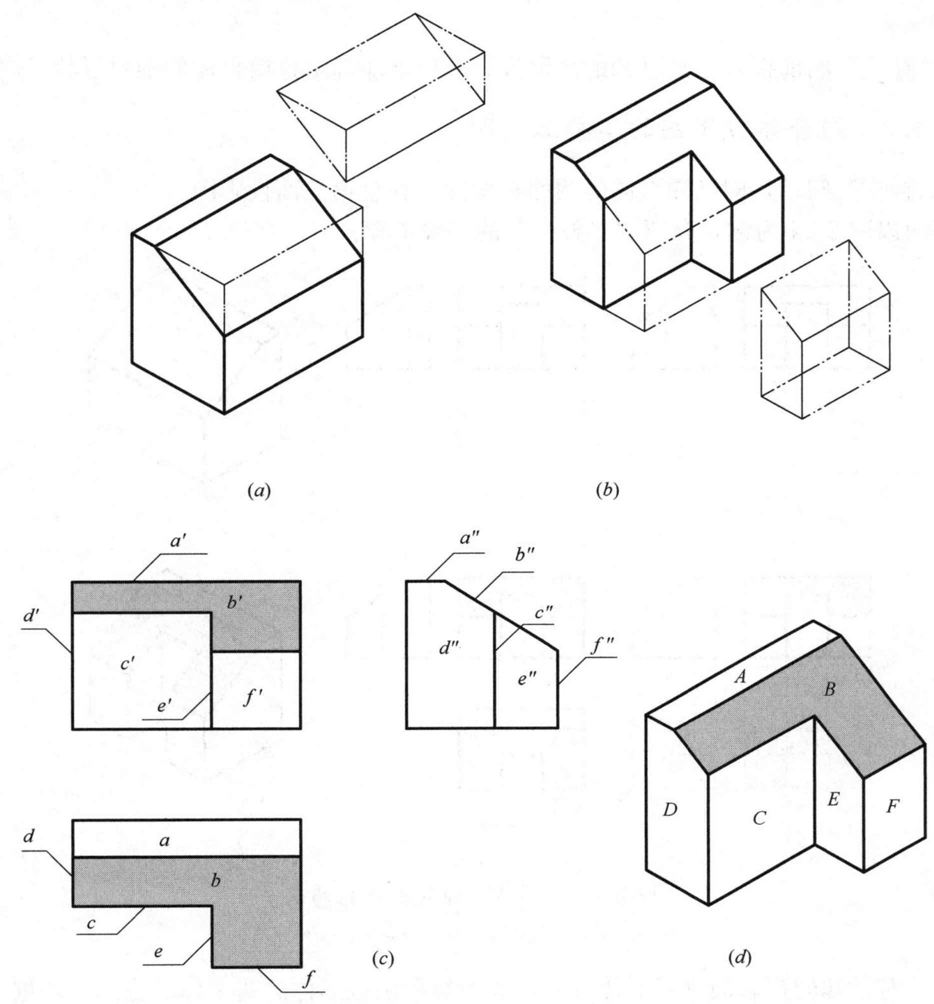

图 2-23 综合分析及线面分析法读图

（a）雏形一；（b）雏形二；（c）正投影图；（d）立体图

（1）进行整体分析。依据组合体的投影图和基本几何体的投影特征，由形体分析法想象出该形体的大体轮廓。

由图 2-23（c）给出的 W 投影图，可想象出该组合体的雏形一是由四棱柱前上方切去一个三棱柱，如图 2-23（a）所示；由给出的 H 投影图，可想象出该组合体的雏形二是在雏形一的基础上切去左前部，如图 2-23（b）所示。

（2）用线面分析法对较难看懂的局部进行分析。由 V 面投影的封闭图形 b'，依据"长对正，高平齐、宽相等"的投影规律，在 H 面投影图上有一个封闭图形 b 与之对应，在 W 面投影图上有一段线 b'' 与之对应，并且 b'' 与 b 宽相等，由此断定这是一个侧垂面。因此可判定是四棱柱被一个侧垂面切去一个角。并且 c' 与 c、c'' 保持"长对正，高平齐"的投影规律，由此可以判定四棱柱再一次被一个正平面截去左边的一部分，如图 2-23（c）所示。

(3) 将三面投影图进行综合分析想象，最后可得该组合体的整体形状，如图 2-23（*d*）所示。

“二补三”的前提条件是已知的两面投影图应该能确定该组合体的唯一形状。

2.4.3 组合体投影图的二补三问题

“二补三”问题，即已知形体的两面投影图，补全第三面投影图。

下面以图 2-24 为例，介绍“二补三”的一般步骤：

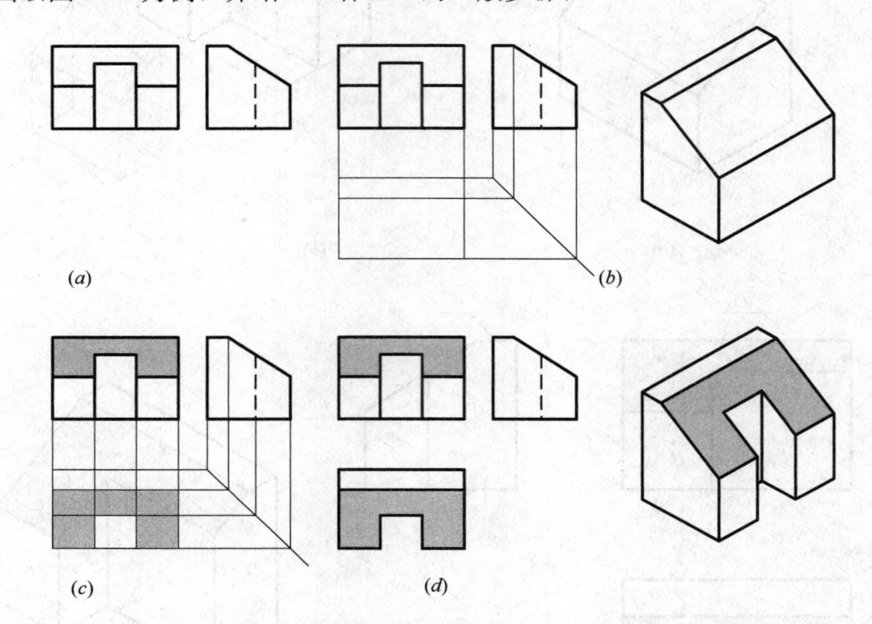

图 2-24 已知 V、W 投影补 H 投影

（*a*）题目；（*b*）步骤一；（*c*）步骤二；（*d*）完成

(1) 对已知的投影面进行形体分析，大致想象出该形体的基本体的雏形，依据“长对正、高平齐、宽相等”的投影规律，用底稿线画出基本体的雏形的轮廓，如图 2-24（*b*）所示。

(2) 对于较难读懂部位，可采用线面分析法及形体各表面的对应投影为同边数类似形的原则，补画出该部位的投影。如图 2-24（*c*）中所示，涂灰的线框所围合的面。

(3) 整理后加深图线，得出形体的第三面投影，如图 2-24（*d*）所示。

2.5 组合体尺寸标注

组合体的投影图只能反映出组合体的形状和各个基本组合体之间的组合关系，组合体的实际大小和各部分之间的相对位置必须通过标注尺寸来确定。

2.5.1 基本几何体的尺寸标注

任何几何体的尺寸都包括长、宽、高三个向度，故在其投影图上标注尺寸时，要把反映这三个方向的尺寸标注出来。

(1) 平面立体一般要标注长、宽、高三个方向的尺寸，如图 2-25 (*a*)、(*b*)、(*c*)、(*d*) 所示。

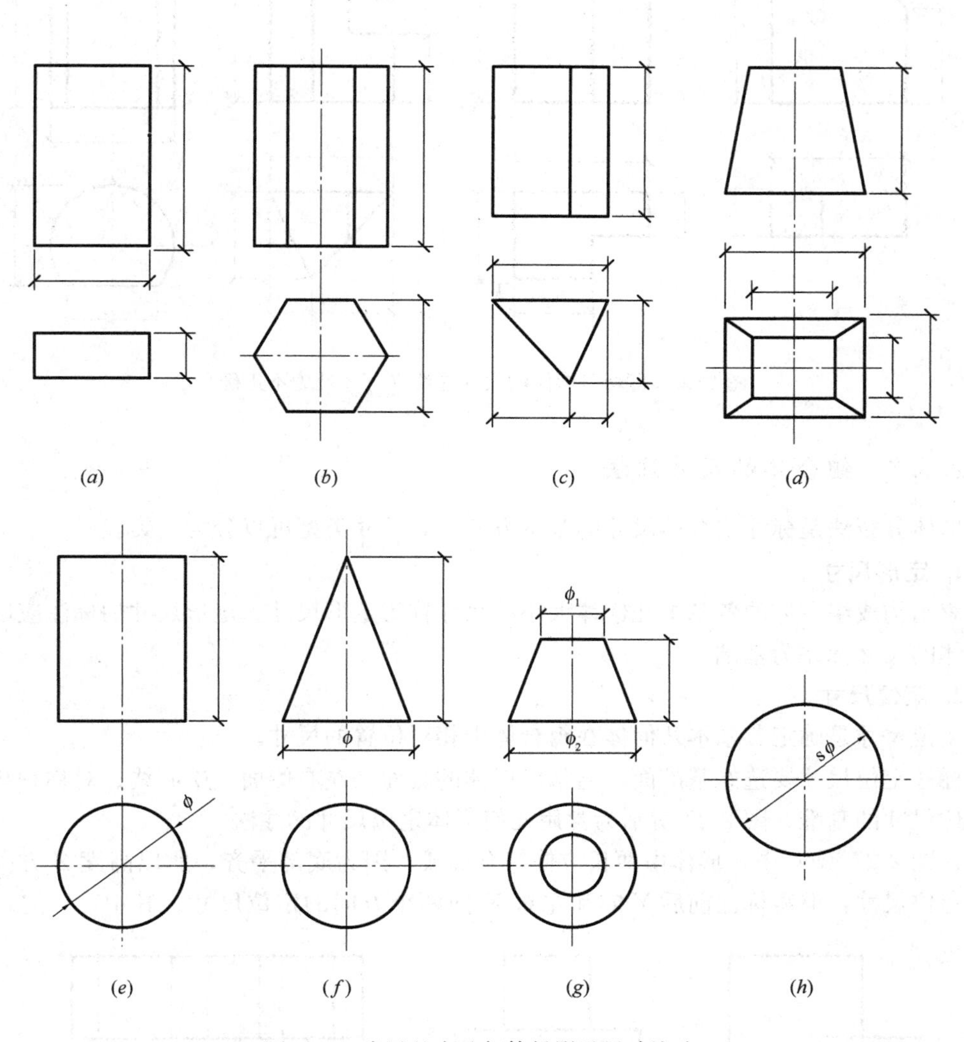

图 2-25 常见基本几何体投影及尺寸注法

(*a*) 四棱柱；(*b*) 正六棱柱；(*c*) 三棱柱；(*d*) 四棱台；(*e*) 圆柱；(*f*) 圆锥；(*g*) 圆台；(*h*) 球

(2) 回转体只需标注两个尺寸，即直径和轴线尺寸，圆球在标注直径并注上符号 $S\phi$ 后，画一个投影图即可完整表达其形状和大小，如图 2-25 (*e*)、(*f*)、(*g*)、(*h*) 所示。

2.5.2 带切口形体的尺寸注法

当基本几何体被平面截断后，除标注基本几何体的尺寸外，还应标注出截平面的定位尺寸。因形体与截平面的相对位置确定后，其切口的交线也已确定，故不应再标注切口交线的尺寸，如图 2-26 所示。

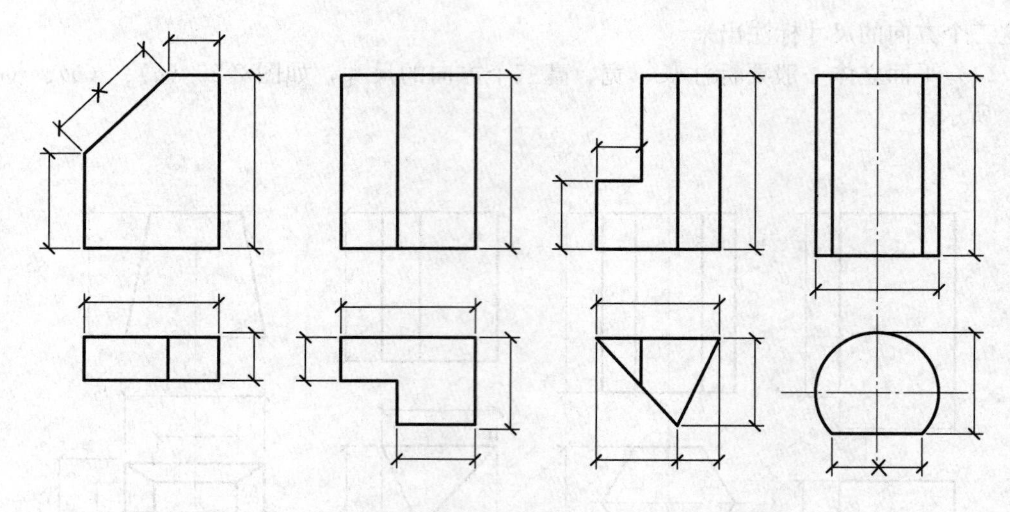

图 2-26　带切口形体的尺寸注法（打×处为不正确）

2.5.3　组合体的尺寸注法

形体分析法是标注组合体尺寸的基本方法，其尺寸类型可以分为三类。

1. 定形尺寸

表示构成组合体的各基本几何体大小的尺寸称为定形尺寸。定形尺寸的标注应以基本几何体的尺寸标注为基础。

2. 定位尺寸

定位尺寸是确定各基本几何体在组合体中相对位置的尺寸。

标注定位尺寸要选好基准面，通常以形体的底面、左右侧面、中心线、对称轴线等作为定位尺寸的基准。图 2-27 所示为常用几何形体定位尺寸的注法。

在图 2-27（*a*）中，形体由两长方体组合而成。因为底部平齐，所以高度 Z 方向不需标注定位尺寸，但需标注前后 Y 向和左右 X 向两个方向的定位尺寸。其中，Y 向 a 以长

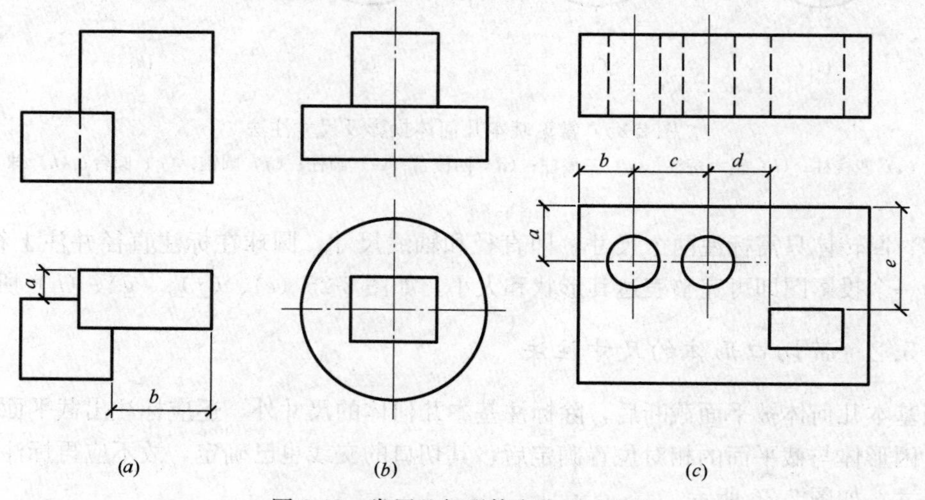

图 2-27　常用几何形体定位尺寸注法

方体的后面为基准，X 向 b 以长方体的右端面为基准。

在图 2-27（b）中，形体由圆柱和长方体叠加而成。因其前后、左右均对称，相对位置可由两中心线确定，故不必标注定位尺寸。

在图 2-27（c）中，形体由长方体切割出两个圆柱孔和一个长方形孔而成。由于各孔上下贯通，因此需标注出三个孔在长方体上前后 Y 向、左右 X 向的相对位置。左边圆孔以左端面为基准 X 向定位尺寸为 b，以长方体的后面为基准 Y 向定位尺寸为 a；中部圆孔以左边圆孔垂直中心线为基准 X 向定位尺寸为 c，Y 向定位尺寸也为 a；长方形孔以中部圆孔垂直中心线为基准 X 向定位尺寸为 d，Y 向以长方体的后面为基准定位尺寸为 e。

需指出，一般回转体的定位尺寸应标注到回转体的轴线上。

3. 总体尺寸

确定组合体总长、总宽、总高的尺寸称为总体尺寸。

下面对图 2-27（c）中的尺寸标注做进一步分析：

如图 2-28 所示，该构件底板上的两圆孔的定形尺寸是 ϕ80，方孔的定形尺寸为 110×60，厚度都为 130，底板的定形尺寸为 450×280×130；定位尺寸如图 2-27（c）所示，a＝90，b＝80，c＝120，d＝100，e＝160；总尺寸为 450×280×130。

注意，当基本几何体的定形尺寸与组合体的总体尺寸相同时，可共用同一尺寸，不必重复标注，如图 2-28 中的 Z 向 130，既是各圆孔和方孔 Z 向的定形尺寸，也是底板的总高尺寸。

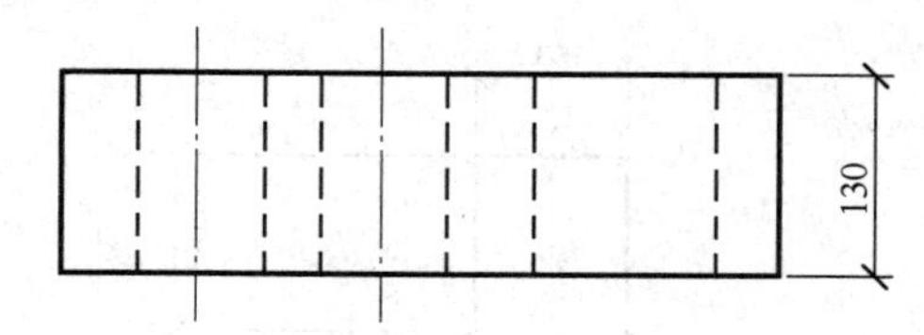

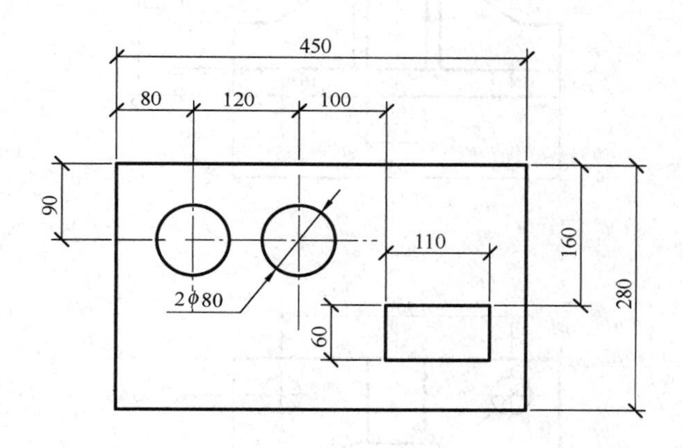

图 2-28 组合体的尺寸注法

2.5.4 尺寸标注的步骤及注意事项

尺寸标注的基本步骤为：形体分析，标注定形尺寸、定位尺寸、总体尺寸。尺寸标注的基本要求为：正确、完整、清晰。

具体尺寸配置原则：

（1）定形尺寸应标注在能反映形体特征的投影图上，并尽量将表示同一部分的尺寸集中在同一投影图上。如图 2-28 中，圆孔、方孔的定形尺寸均在反映其形体特征的水平投影图上标注。

（2）同一方向的几个连续的尺寸应尽量标注在同一条尺寸线上。如图 2-27（c）中所示的 b、c、d 定位尺寸。

（3）与两投影有关的尺寸尽量标注在两投影图之间。如图 2-28 中的底板总长 450 标注在正面投影图和水平投影图之间。

（4）尽量避免在虚线上标注尺寸。如图 2-28 中 V 投影若干虚线轮廓上并未标注尺寸。

（5）除某些细部尺寸外，尽量把尺寸标注在轮廓线外，但又要靠近被标注的对象。

（6）同一尺寸一般只标注一次，但在房屋建筑工程图中，必要时可以重复标注。

2.5.5 尺寸标注示例

【例 2-1】 图 2-29 所示建筑构件的形体分析如图 2-19 所示。分析该建筑构件的结构特点：长度和宽度都有对称性，所以水平投影图中的两个定位尺寸 1450 和 1000 的定位基准均是长度和宽度的对称面。

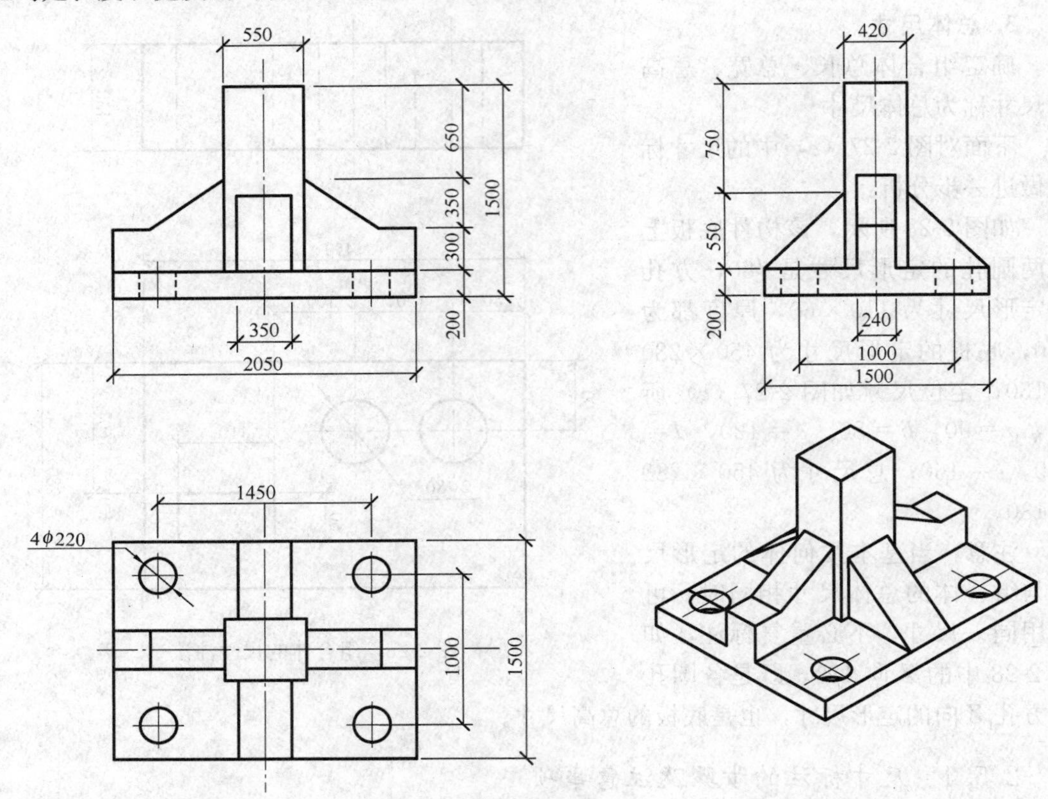

图 2-29 建筑构件尺寸标注示例

其余尺寸标注要领请参照前文所述自行分析。

【例 2-2】 如图 2-30 所示，需指出，当形体的端部为部分回转体时，总体尺寸应标注至回转体的中心线上。该组合体 $\phi150$ 圆孔的定位尺寸以右端为基准，标至中心线处为 240，该组合体的总长尺寸也是从右端标至中心线处为 240。

【例 2-3】 如图 2-31 所示，标注尺寸时要注意带切口位置、凹槽位置的标注方式。其中，组合体顶部四棱柱的高度定位，由其 W 投影与下部相贯后自行生成，无须标注。需指出：尽量不在虚线上标注尺寸；必要时形体尺寸方可标注在图形内且以轮廓线为尺寸界线，如底部凹槽的高度 110。

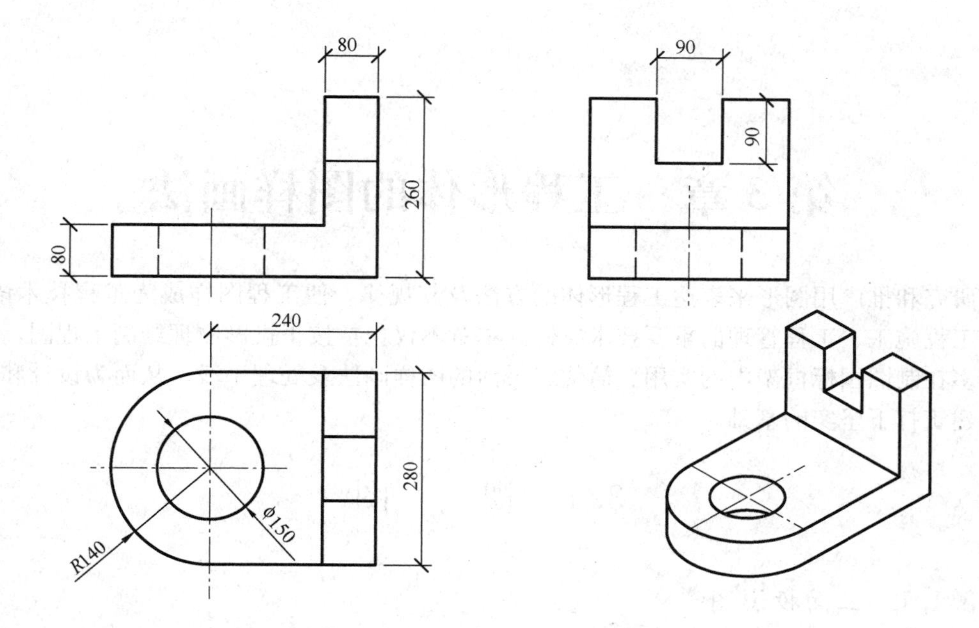

图 2-30　几何形体尺寸标注示例 1

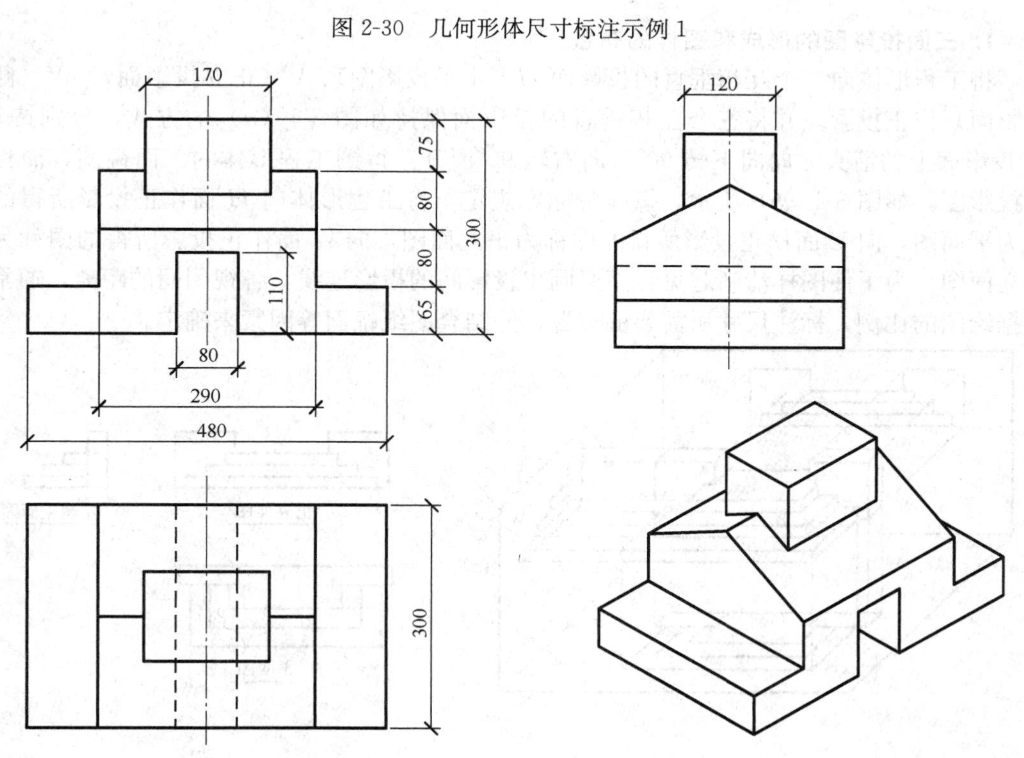

图 2-31　几何形体尺寸标注示例 2

第 3 章　工程形体的图样画法

研究和推广用图形来表达工程形体的方法及其规律，使工程图样成为工程技术语言，成为工程施工、工程管理的重要技术文件。本章不仅包括按正投影原理绘制工程图，还包括许多在制图国标框架内的实用、简便、灵活的图样画法及处理手段，从而为设计和表达工程建筑打下坚实的基础。

3.1　视　　图

3.1.1　三面投影图

1. 三面投影图的形成和图样的布置

将工程形体向三个互相垂直的投影面 H（水平投影图）、V（正立投影面）、W（侧立投影面）作正投影，并将三个互相垂直的投影面保持如图 3-1（*a*）的方式，分别按 H、W 投影面上的箭头方向向下转 90°、向右转 90°展开。得到工程形体的三面视图，简称三面投影图，如图 3-1（*b*）所示。按《国标》规定，将工程形体向 H 面作正投影所得的图称为平面图，向 V 面作正投影所得的图称为正立面图，向 W 面作正投影所得的图称为左侧立面图。为了使图样清晰起见，不必画出投影间的投影连线，各视图间的距离，通常可根据绘图的比例，标注尺寸所需要的位置，并结合图纸幅面等因素来确定。

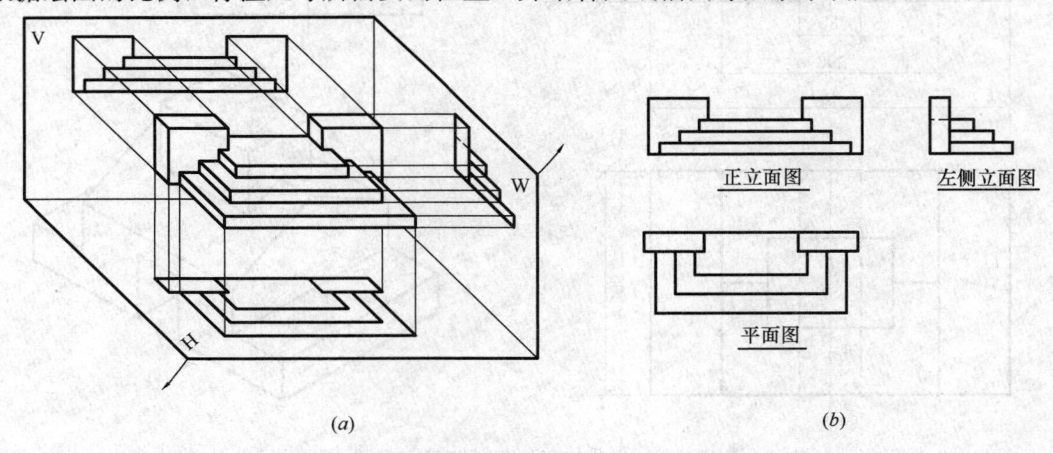

图 3-1　台阶三面投影图的形成和图样布置

（*a*）台阶三面投影图的形成；（*b*）台阶三面投影图

2. 三面投影图的投影规律

如图 3-2 台阶的三面投影图所示，正立面图反映台阶的上下、左右的位置关系，即高度和长度；平面图反映台阶的左右、前后的位置关系，即长度和宽度；左侧立面图反映台阶的上下、前后位置关系，即高度和宽度。虽然在三面投影图中不画各投影间的投影连线，但三面投影图仍然保持各投影之间的投影关系和“长对正、高平齐、宽相等”的三等投影规律。

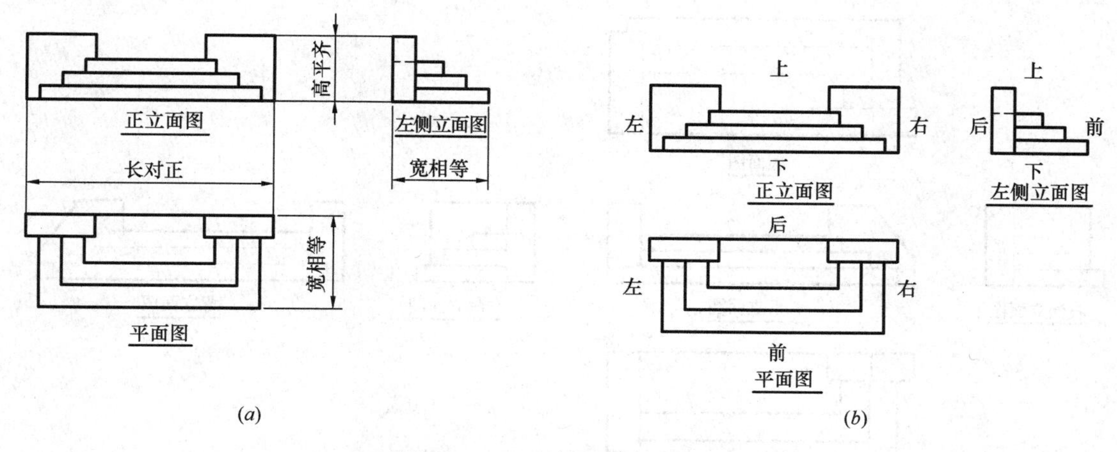

图 3-2　三面投影图的投影规律

3.1.2　六面基本视图

三面投影图在工程实际中往往不能满足需要。对于某些物体，需要画出从物体的下方、后方或右侧观看而得到的视图，如图 3-3 所示，就是增设 3 个分别平行于 H、V 和 W 面的新投影面，并在它们上面分别形成从下向上、从后向前和从右向左观看时所得到的视图，分别称为底面图、背立面图和右侧立面图。这样，总共有 6 个投影图，称做 6 个视图。然后将它们都展平到 V 面所在的平面上，便得到如图 3-4 所示的按投影面展开结果配置的 6 个视图的排列位置。图中每个视图的下方均标注了图名。

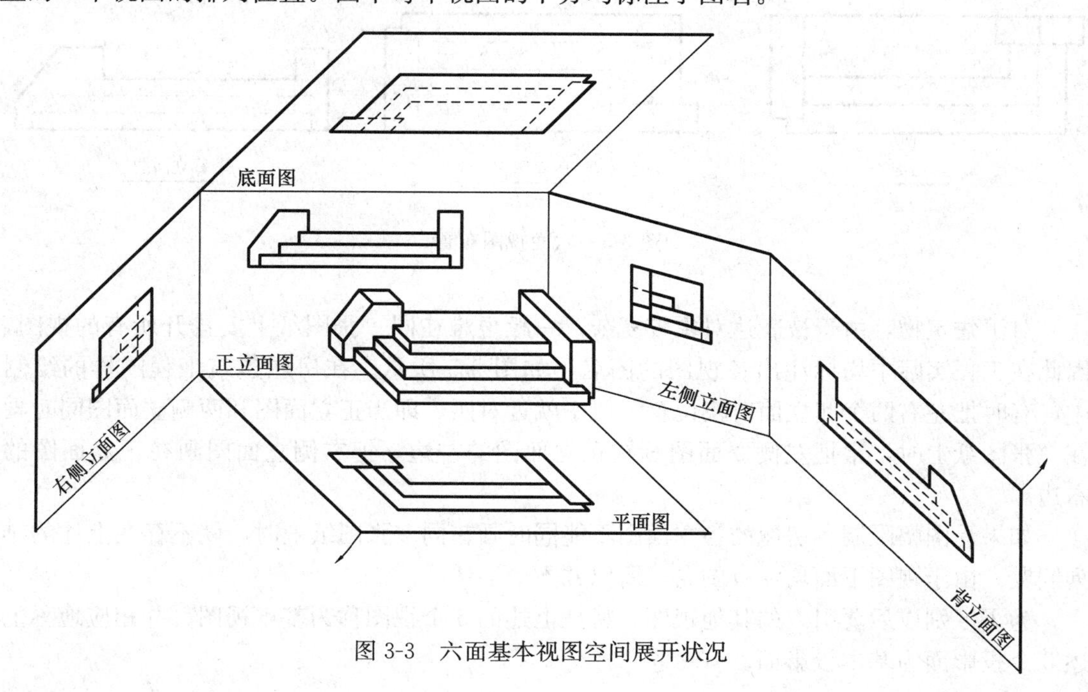

图 3-3　六面基本视图空间展开状况

一般情况下，如果 6 个视图在一张图纸内并且按图 3-4 所示的位置排列时，则不必注明视图的名称。如不能按图 3-4 配置视图时，则应标注出视图的名称，如图 3-5 所示。

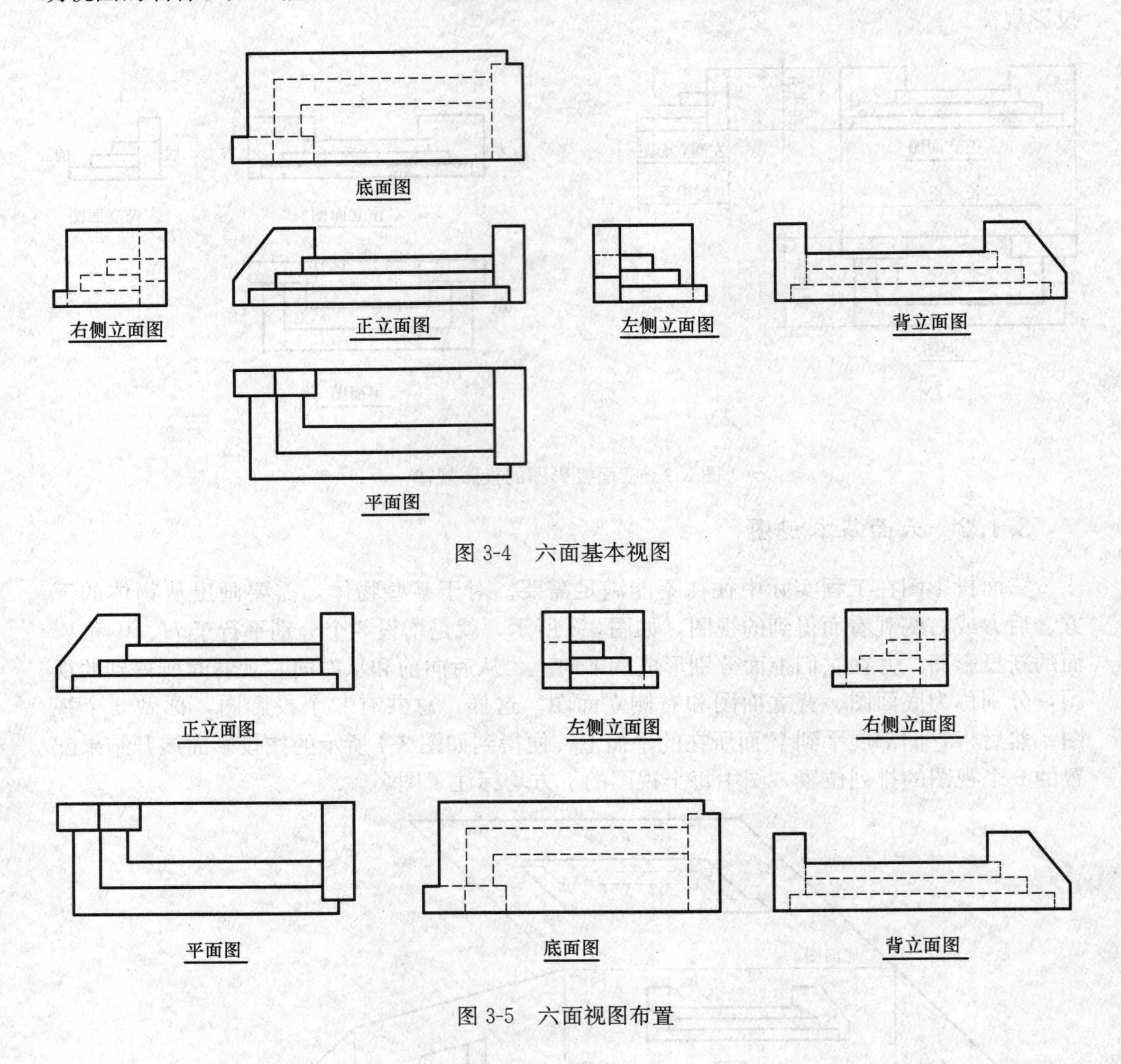

图 3-4　六面基本视图

图 3-5　六面视图布置

对于建筑物，由于被表达对象较复杂，一般很难在同一张图纸上安排开所有的视图，因此在工程实际中均标注出各视图的图名，如图 3-5 所示。在房屋建筑工程图样的绘制中，有时把左右两个侧立面对换位置，便于就近对照，即当正立面图和两侧立面图同时画在一张图纸上时，常把左侧立面图画在正立面图的左边，把右侧立面图画在正立面图的右边。

如果受图幅限制，房屋的各立面图不能同时画在同一张图纸上时，就不存在上述的排列问题。由于视图下面均注有图名，所以并不会混淆。

为了区别以后要引入的其他视图，特把上述的 6 个视图称为基本视图，并相应地称上述 6 个投影面为基本投影面。

建筑吊顶（顶棚）灯具、风口等设计绘制布置图时，应是反映在地面上的镜面图，而不是仰视图。

3.2 剖 面 图

基本视图能够把物体的外部形状特征表达清楚，但是，形体上不可见的结构在投影图中需用虚线画出。许多工程物体不仅有复杂的外部形状，而且也常常伴随复杂的内部结构，按前述的表达方法，其内部轮廓在视图中需要用虚线表示。

这样，对于内部复杂的建筑物，例如一套房子，内部有各种房间、走廊、楼梯、门窗、基础等，如果这些看不见的部分都用虚线表示，必然形成图面虚线实线交错，混淆不清，会产生不便于标注尺寸，容易产生差错等问题。

长期的生产实践告诉我们，解决这个问题的好办法是假想将形体剖开，让它的内部构造显露出来，使看不见的部分变成看得见，然后用实线画出这些内部构造的投影图，这种表达方式就是下面将要介绍的剖面图与断面图。

3.2.1 剖面图的形成

1. 剖面的概念

假想用剖切面（一般为平面）在形体的适当位置将其剖开，移去观察者与剖切面之间的那部分形体，画出剩余部分的投影，并且在剖面区域内画上材料符号，这种视图称为剖面图，简称剖面。所谓剖面区域是指剖切面与形体的接触部分（剖切到的实体轮廓）。

2. 剖切实例

图 3-6 所示的工程设备形体，由于内部结构比较复杂，在正立面图、侧立面图（图 3-8（*a*）所示）上都出现了较多的虚线，为使内部结构表达清楚，假想采用一个与 *V* 面平行的剖切面 *P* 沿着形体宽度方向的对称面将其剖开，然后将剖切面 *P* 连同它前面的半个形体移去，再将剩余的半个形体投影到 *V* 面，就得到了如图 3-7（*a*）所示的剖面图。

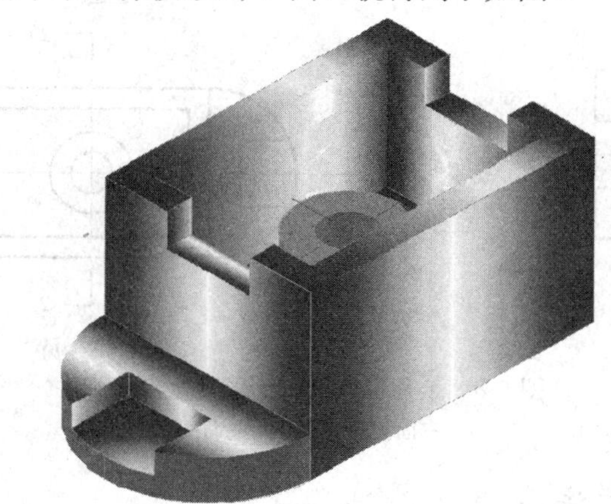

图 3-6 工程设备形体

同样也采用一个侧平面 *R*，沿形体中部凹槽的圆柱凸台的轴线剖切，移去剖切平面 *R* 及左边的部分形体，然后把右边一部分形体向 *W* 面投影，就得到了如图 3-7（*b*）所示的形体另一方向的剖面图。用这个剖面图代替原来的正立面图和侧立面图，与平面图一起，可以比较清楚地表达出工程设备形体的内外结构，如图 3-8（*b*）所示。

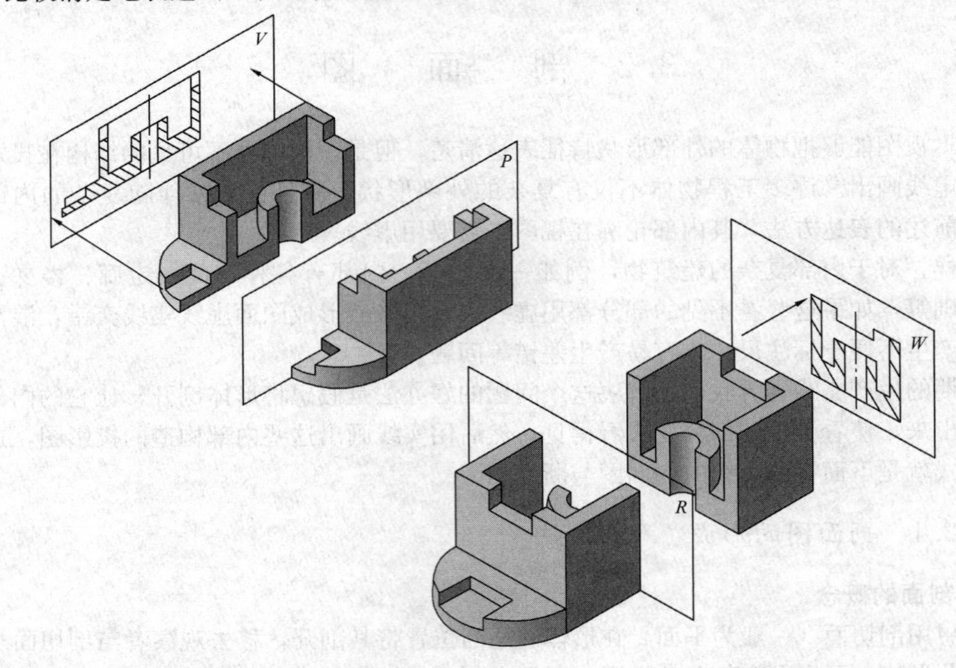

图 3-7　剖面图的形成

（*a*）平行 *V* 方向剖面图的产生；（*b*）平行于 *W* 方向剖面图的产生

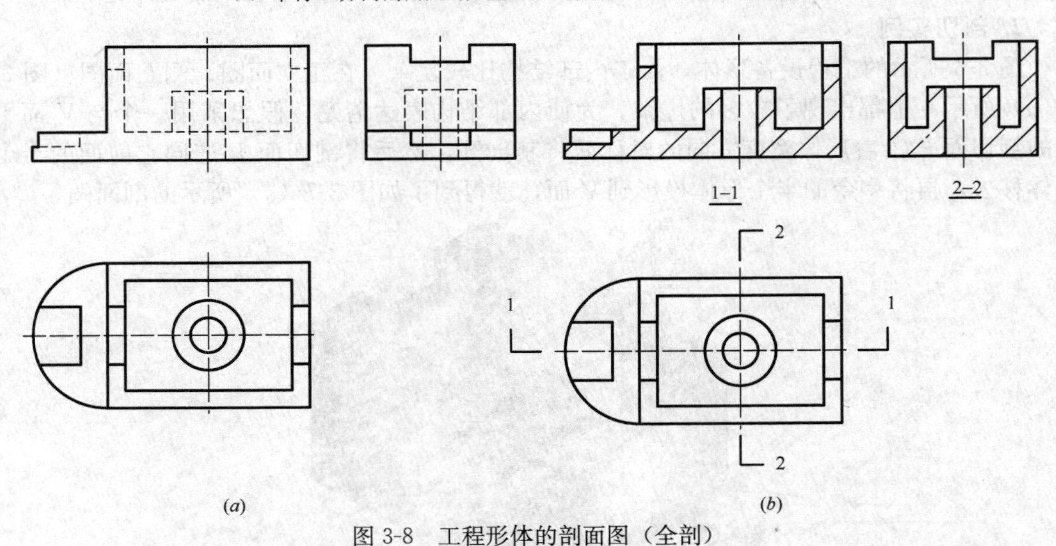

图 3-8　工程形体的剖面图（全剖）

（*a*）三面投影图；（*b*）剖面图

3.2.2　剖面图的画法

1. 剖面图作图时应注意以下的几点

（1）相关图样的处理——由于剖切是假想的，所以只有在画剖面图时才假想将形体切去一部分；而在画另一个投影时，还应按完整的形体处理。图 3-7 所示，虽然在画 *V* 面的剖面图时已将形体剖去了前半部，但是在画 W 面的剖面图时，仍然要按完整的形体剖开，H 面视图也要按完整的形体画出。

（2）剖切平面的选择——作剖面图时，剖切平面的选择应平行于投影面，从而使断面的投影反映实形。同时，剖切平面还应尽量通过形体上的孔、洞、槽等隐蔽结构的中心线，使形体的内部情形尽量表达得更清楚。对于土建专业图，剖切面尽量通过房屋结构（例如出入口，楼梯间等）变化比较大的位置。同一个形体，选择不同的剖切平面及剖切位置，得到的剖面图也不同。

2. 作图步骤

以图 3-6 中的工程设备形体为例，在其给定的三面投影图基础上改画其剖面图。

（1）擦去被切掉的可见轮廓线

形体被剖切后，剖切平面与观察者之间的左边部分形体被移走，原来视图上的外表轮廓线就已不存在。当在原视图上改画剖面图时，应首先擦去这部分被切掉的可见轮廓线，如图 3-9（*a*）所示。

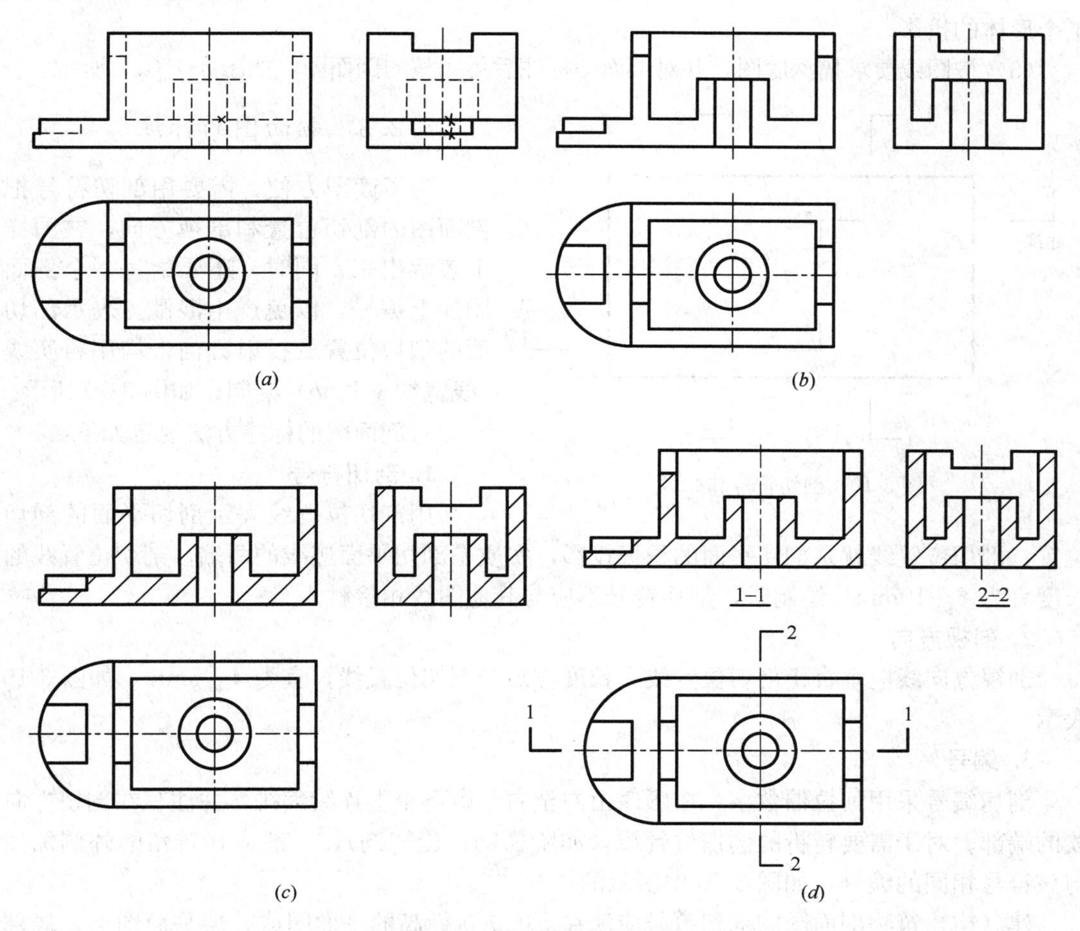

图 3-9　剖面图的作图步骤

（2）将内部的虚线改画成实线

剖开形体后，形体内部结构完全显露出来，原来视图内部的不可见轮廓线变为可见的轮廓线，所以内部虚线应变实线，如图 3-9（*b*）所示。

剩余虚线的处理（剖面区域后的轮廓线），按剖面的定义，形体剖切后，应画出剩余部分的投影，剩余部分的投影应分为两部分，一部分是剖面区域的投影，另一部分是剖面区域后可见轮廓线的投影。而剖面区域后不可见部分的投影，若不影响读图，不必画出，故剖面图原则上尽量不画虚线，如图 3-9（*a*）所示，擦去圆柱凸台后部的虚线。

（3）画材料图例符号

为使图样层次分明，并表现形体的材质，在剖面区域内，应画《国标》规定的材料图例符号，以区分被剖切到的实体和剖切后看到的投影轮廓。在不指明材料时，可采用通用剖面线（等距离的 45°方向细实线）代替材料符号，如图 3-9（*c*）剖面图所示。如图 3-11 所示剖面图，按基础的材料，在剖面区域内完成钢筋混凝土图例的填充。

（4）保持形体的完整

由于剖切是假想的，一个视图采用剖面剖切后，其他视图还必须按完整的形体画出。图 3-12 1—1 和 2—2 均采用了全剖面，但平面图仍然画出整个形体的投影，而不能只画出半个形体的投影。

（5）按图线要求描深底图，并对剖面图标注后得完整的剖面图，如图 3-9（*d*）所示。

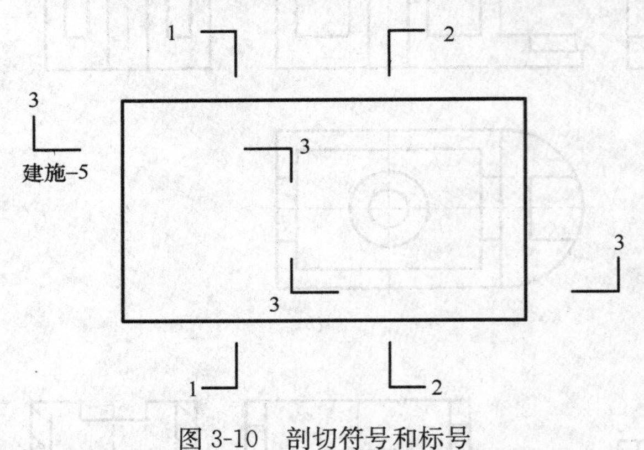

图 3-10　剖切符号和标号

3.2.3　剖面图的标注

为了读图方便，需要用剖切符号把剖面图的剖切位置和剖视方向，在图样上表示出来，同时，还要给每一个剖面图加上编号，以免产生混乱。表示剖切面的剖切位置及投射方向，均用粗实线（线宽约 1-1.5*b*）绘制，如图 3-10 所示。

对剖面图的标注方法规定如下：

1. 剖切符号

用剖切位置线表示剖切平面的剖切位置，剖切位置线就是剖切平面的积聚投影，实质是剖切平面迹线的两端。剖切位置线的长度宜为 6～10mm。绘制时，剖切符号不应与其他图线相接触。

2. 剖视方向

剖视方向线应垂直于剖切位置线，长度应短于剖切位置线，宜为 4～6mm，如图 3-10 表示。

3. 编号

剖切编号采用阿拉伯数字，按顺序由左至右，由下至上连续编排，并注写在剖视方向线的端部。对于需要转折的剖切位置线（如阶梯剖、旋转剖），一般应在转角的外侧加注与该符号相同的编号，如图 3-10 中所示的“3—3”。

建（构）筑物剖面图的剖切符号应注在±0.000 标高的平面图或首层平面图上，局部剖面图（不含首层）的剖切符号应注在包含剖切部位的最下面一层的平面图上。

4. 省略

当剖切面通过形体的对称面，且剖面图处在基本视图位置上时，可省略其标注。习惯性用的剖切位置（如房屋平面图中通过门、窗洞的剖切）符号和通过构件对称平面的剖切符号，可以省略标注。

5. 图名

在剖面图的下方和一侧，写上与该图相对应的剖切符号的编号，作为该图的图名，如“1—1”，“2—2”，…，并在图名下方画上一条与图名等长的粗实线，如图 3-8（*b*）中的 1—1 和 2—2 剖面图。

3.2.4 材料图例

在剖面图中，规定要在剖切平面截切形体形成的断面上画出建筑材料图例，以区分断面（剖到的）和非断面（未剖到的）部分。各种建筑材料图例的绘制必须遵照《国标》的规定，不同的材料用不同的图例，部分材料图例见表 3-1。

常用建筑材料图例 **表 3-1**

序号	名称	图例	备注
1	自然土壤		包括各种自然土壤
2	夯实土壤		
3	沙、灰土		
4	沙砾石、碎砖三合土		
5	石材		
6	毛石		
7	普通砖		包括实心砖、多孔砖、砌块等砌体。断面较窄不易绘出图例线时，可涂红，并在图纸备注中加注说明，画出该材料图例
8	耐火砖		包括耐酸砖等砌体
9	空心砖		指非承重砖砌体
10	饰面砖		包括铺地砖、马赛克、陶瓷锦砖、人造大理石等
11	混凝土		1. 本图例指能承重的混凝土 2. 包括各种强度等级、骨料、添加剂的混凝土 3. 在剖面图上画出钢筋时，不画图例线 4. 断面图形小，不易画出图例线时，可涂黑
12	钢筋混凝土		

续表

序号	名称	图　例	备　注
13	多孔材料		包括水泥珍珠岩、沥青珍珠岩、泡沫混凝土、非承重加气混凝土、软木、蛭石制品等
14	纤维材料		包括矿棉、岩棉、玻璃棉、麻丝、木丝板、纤维板等
15	木材		1. 上图为横断面，左上图为垫木、木砖或木龙骨 2. 下图为纵断面
16	金属		1. 包括各种金属 2. 图形小时，可涂黑
17	玻璃		包括平板玻璃、磨砂玻璃、夹丝玻璃、钢化玻璃、中空玻璃、夹层玻璃、镀膜玻璃等
18	防水材料		构造层次多或比例大时，采用上面图例
19	石膏板		包括圆孔、方孔石膏板、防水石膏板、硅钙板、防火板等

注：序号 1、2、5、7、8、12、13、15、16 图例中的斜线、短斜线、交叉斜线等倾斜角度均为 45°。

常用建筑材料的图例画法，在使用时，应根据图样大小而定，并应注意下列事项：图例线应间隔均匀，疏密适度，做到图例正确，表示清楚；不同品种的同类材料使用同一图例时（如某些特定部位的石膏板必须注明是防水石膏板时），应在图上附加必要的说明；两个相同的图例相接时，图例线宜错开或使倾斜方向相反，两个相邻的涂黑图例间应留有空隙。其净宽度不得小于 0.5mm。

画出材料图例，还可以使人们从剖面图就知道建筑物使用的是哪种材料，如图 3-16 和图 3-22 的断面上所画的是钢筋混凝土的图例。在不需要指明材料时，可以用等间距、同方向的 45°细斜线来表示断面。

3.2.5　剖面图的种类

国标规定：按形体被剖切的范围与方式不同，剖面可分为全剖面、半剖面、局部剖面三种形式。画剖面图时，针对建筑形体的不同特点要求，采用不同的剖切及剖切范围。

1. 全剖

当剖切面完全地剖开形体所得剖面图称为全剖面图，如图 3-7 所示。

全剖面图主要用于表达内部形状复杂且不对称的形体，或形体内外形状对称但外形简单的形体，如图 3-8（*b*）所示。

当形体内部结构比较复杂，层次较多，用单一剖切面不能同时表现形体内部的所有结构时，全剖面图还可以采用两个或两个以上互相平行的剖切面，或采用两个或两个以上相交的剖切面完全剖开形体。图 3-16 为采用两个互相平行的剖切面剖切形体获得的全剖面图。

2. 半剖

当形体的内外部结构都具有对称性（左右或前后或上下）时，在垂直于对称平面的投影面上投影的图形，可以画出由半个外形投影图和半个内部剖面图拼成的图形，同时表示形体的外形和内部构造，这种剖面图称为半剖面图。例如图 3-11（*a*）、（*b*）所示的基础，画出了半个正面投影以表示基础的外形轮廓线，另外配上半个相应的剖面图表示基础的内部构造，体现了半剖面图针对有对称性的形体简洁、高效的特点。

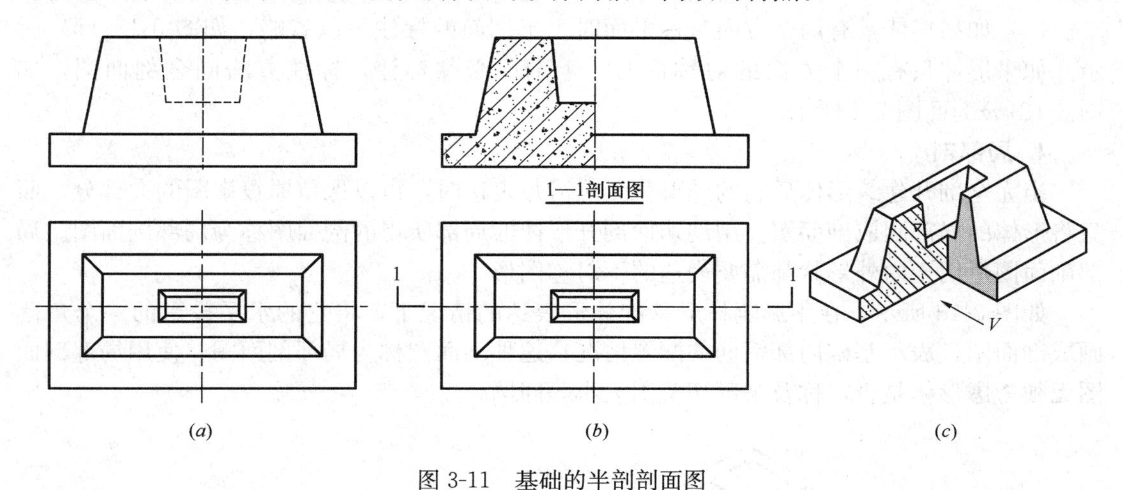

图 3-11　基础的半剖剖面图

（*a*）基础的投影图；（*b*）由半剖的剖切方法产生的剖面图；（*c*）基础的投影图

图 3-6 所示的工程设备形体由于前后对称，也可以由经图 3-12（*a*）所示的剖切过程画成半剖面图 2—2，如图 3-12（*b*）所示。

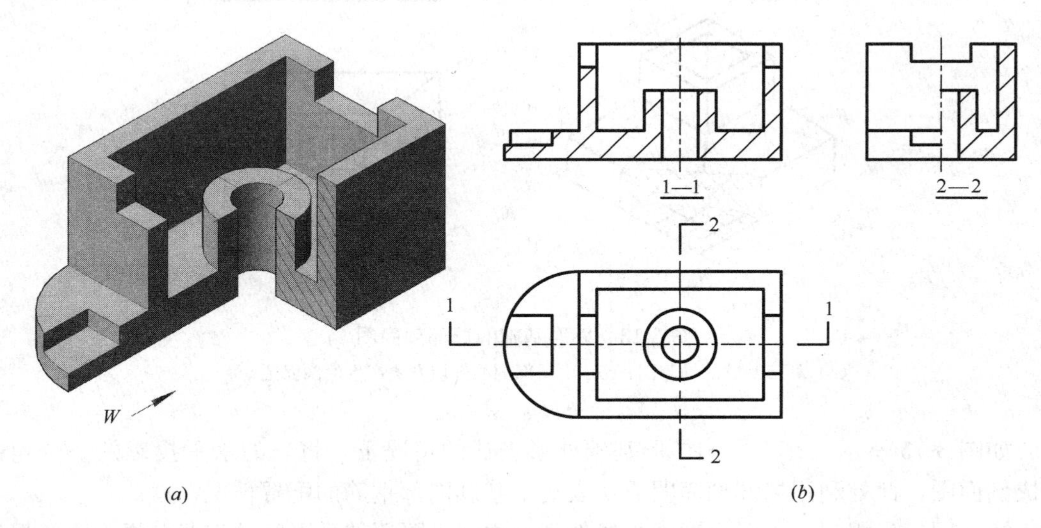

图 3-12　工程形体的剖面图（含半剖）

3. 画半剖面要注意以下几点：

（1）国标规定半个剖面与半个视图的分界线应画点画线，如果作为分界线的点画线刚好与图形轮廓重合，则应避免采用半剖面，而采用局部剖面。

（2）由于半剖面的图形对称，形体的内部结构在半个剖面上已经表达清楚，则表示外形的半个视图上不再画表示内部结构的虚线。

（3）关于半个剖面图画在对称线的左右或前后的位置问题，制图国标中没有作具体规定，一般以图形表达效果和设计习惯为主。如图 3-11 所示，将半个剖面图画在立面图的左侧；如图 3-12 中 2-2 所示，图中将半个剖面图画在右侧。

（4）如果形体具有两个方向对称平面时，半剖面的标注可以省略，如图 3-13（*b*）所示。如果形体只有一个方向的对称面时，半剖面必须标注，标注方法同全剖面图，如图 3-12(*b*)剖面图 2-2 所示。

4. 局部剖

当完全剖开建筑形体后它的外形就无法清楚表达时，可以保留原投影图的大部分，而只将形体的局部画成剖面图。用剖切面剖开形体的局部所得的剖面图称为局部剖面图。局部剖面图适用于内外形状都需要表达的不对称图形。

如图 3-13 所示，在不影响杯形基础外形表达的情况下，将它的水平投影的一个角落画成剖面图，表示基础内部钢筋的配置情况；这种剖面图称为局部剖面图。使用局部剖面图无须考虑形体是否对称及被剖切范围大小等问题。

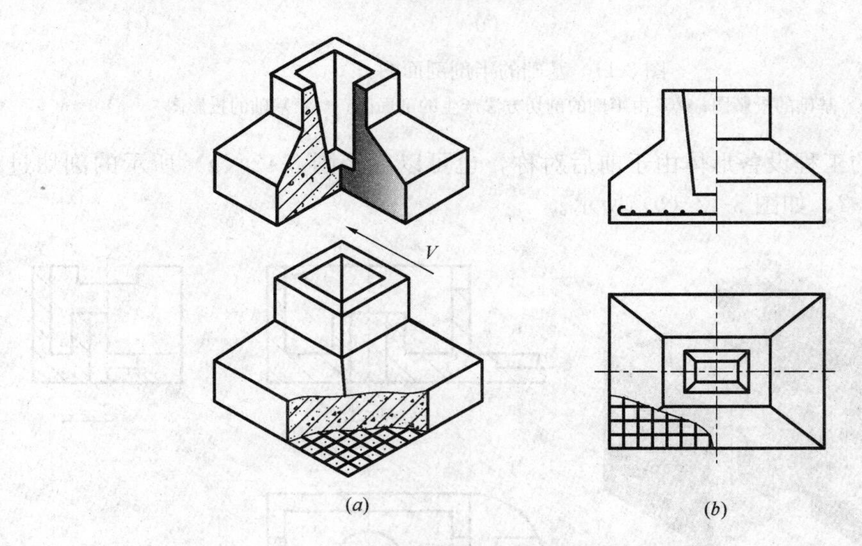

图 3-13 杯形基础的局部剖面图

（*a*）杯形基础的轴测图；（*b*）由局部剖的剖切方法产生的剖面图

如图 3-13 所示，在不影响杯形基础外形表达的情况下，将它的水平投影的一个角落画成剖面图，此处利用局部剖面图成功表达了基础内部钢筋的配置情况。

按《国标》规定，外形投影图与局部剖面之间，要用徒手画的波浪线分界。由于局部剖面的大部分仍为表示外形的视图，且又放在基本视图的位置上，一般不需另行标注。

局部剖面在建筑专业图中常用来表示多层结构所用材料和构造的做法，按结构层次逐层用波浪线分开，这种剖面称为分层局部剖面，如图 3-14 所示。这种剖面图多用于表达楼面、地面和屋面各层所用的材料和构造的做法。

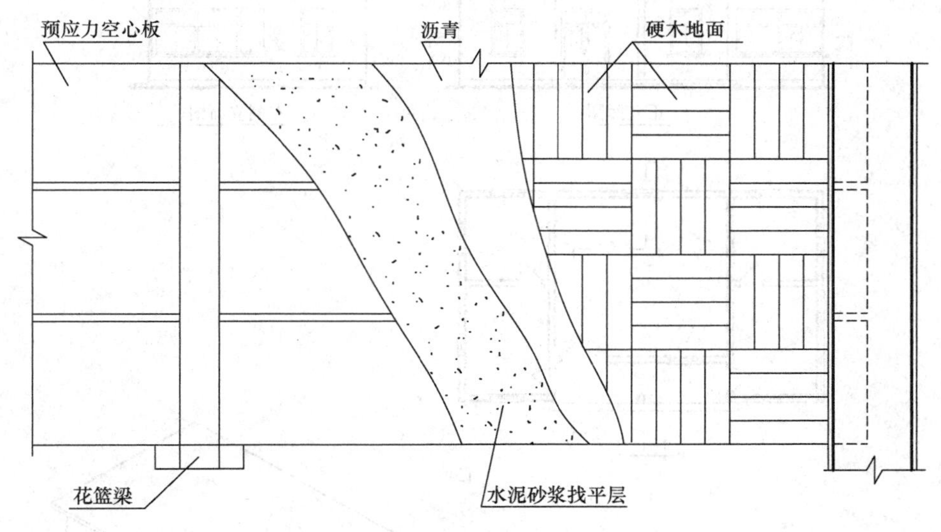

图 3-14　分层局部剖面

三种剖面图综合比较：全剖面图能清楚地表达形体内部结构，但同时影响了外部形状的表达；半剖面弥补了全剖面的不足，能同时表达形体的内外形状，但半剖面必须用于对称形体，也有很大的局限性。无论形体是否对称，无论剖切面通过什么位置、剖切多大范围，均可根据需要灵活运用局部剖面来同时表达形体的内外形状，但过多地使用会影响图形的整体性。总而言之，正确使用剖面，将使形体的表达更清晰、合理，并方便读图。

3.2.6　几种常用的剖切方法

无论是全剖面图、半剖面图还是局部剖面图，它们都是用剖切的方法形成的。如果按剖切平面数量的多少和相对位置来分，剖切方法可分为单一剖、旋转剖和阶梯剖三种。

1. 单一剖切面剖切

剖切只用一个剖切面（但必要时同一个形体可作多次剖切）剖开形体的方法称为单一剖。如图 3-15（*a*）所示的房屋，为了表示它的内部布置，假想用一水平的剖切平面，通过门、窗洞将整栋房屋剖开，然后画出其整体的剖面图。不过这种水平剖切的剖面图，在房屋建筑图中称为平面图，如图 3-15（*b*）中 1—1 所示，但平面图中的 1—1 剖切位置线一般都省略标注。

2. 几个平行的平面剖切——阶梯剖

若一个剖切平面不能将形体上需要表达的内部构造一起剖开时，可将剖切平面转折成两个（或两个以上）互相平行的平面，将形体沿着需要表达的位置剖开，然后画出剖面图。这种剖面图，称为阶梯剖面图。

如图 3-16 中水池的 1—1 剖面图，如果只用一个平行于 *V* 面的剖切平面，就不能同时

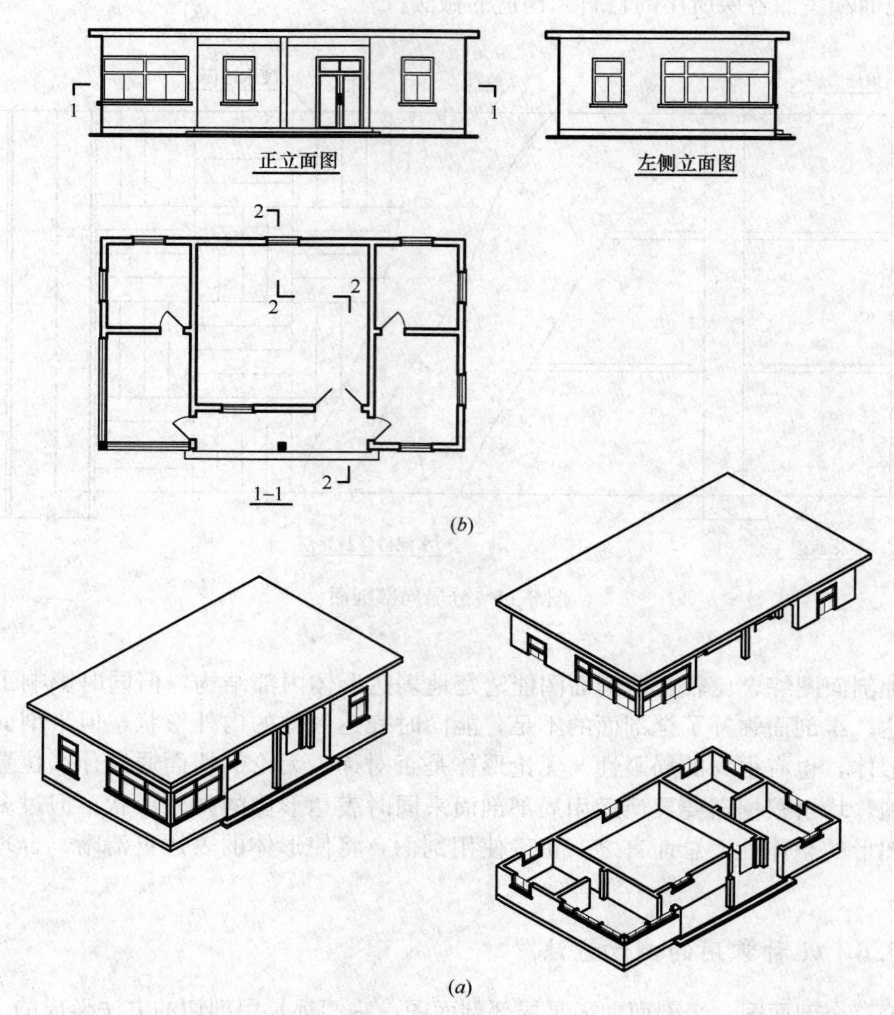

图 3-15　房屋剖面图

（a）房屋实体模型；（b）房屋图样

剖开水池前后方不同位置和形状的孔，这时可将剖切平面转折一次，使一个平面剖开水池左后方的方孔，另一个与其平行的平面剖开水池右前方的圆孔。这样，水池底部的两个孔的大小和深度都得到了表达。

采用两个以上剖切面时，要标注剖切面与转折面的位置，并标注与图名对应的编号。转折位置的编号标注在转角处，如图 3-16、图 3-17 所示。采用两个以上剖切面剖切形体时，应避免剖切后出现不完整形体。剖切面的转折位置也应避免与轮廓线重合。

采用两个互相平行的剖切面剖切形体，画剖面图时仍假想按单一剖切面完全剖开形体来对待，即不画转折平面的投影，因为转折处是假设的。

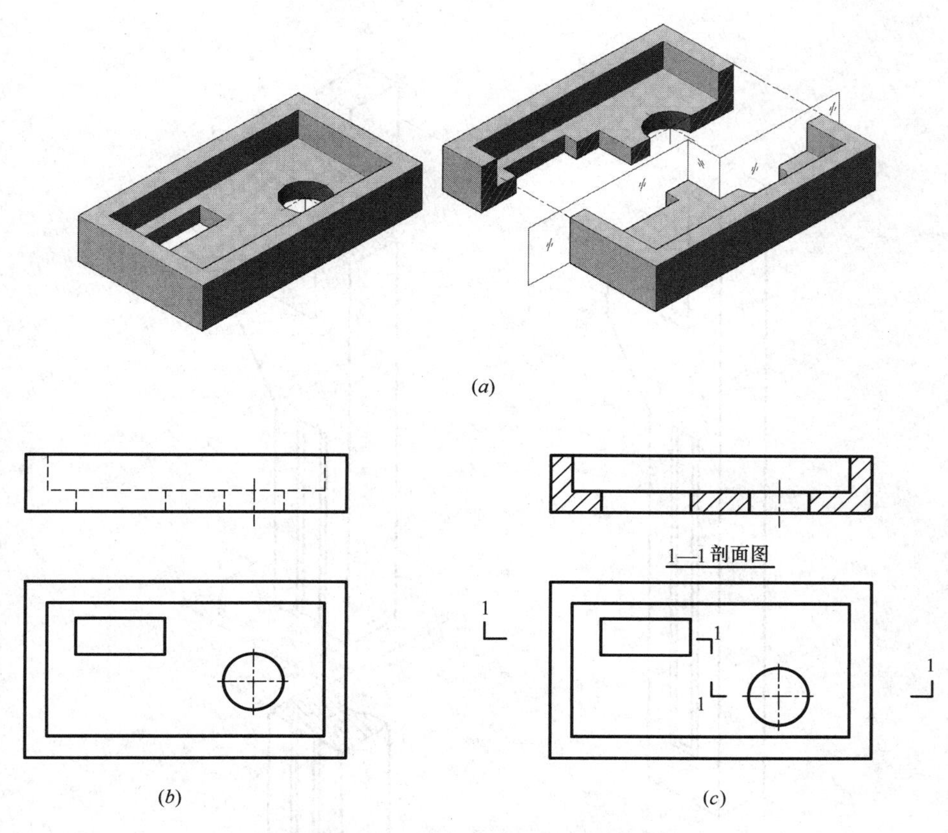

图 3-16　由阶梯剖产生的全剖面图

（*a*）水池效果图；（*b*）水池 *V*、*H* 投影图；（*c*）由阶梯剖的剖切方法产生的全剖面图

3.3　断　面　图

3.3.1　断面图的形成

1. 基本概念

假想用剖切面将形体的某处切断，仅画出该剖切面与形体接触部分的图形（剖面区域），并在其内画上材料图例符号，这种图形称为断面图，简称断面，如图 3-17（*b*）所示。

2. 断面图与剖面图的区别

（1）断面图只画出形体被剖开后断面的实形，如图 3-18（*a*）的 1—1 断面、2—2 断面所示；而剖面图要画出形体被剖开后整个余下部分的投影，如图 3-18（*b*）所示，除了画出断面外，还需画出牛腿的投影（1—1 剖面）和柱脚部分投影（2—2 剖面）。

（2）剖面图是被剖开的形体的投影，是体的投影，而断面图只是一个断面（平面）的投影，是面的投影。被剖开的形体必有一个断面，所以剖面图必然包含断面图在内。

（3）剖切符号的标注不同。断面图的剖切符号只画出剖切位置线，不画剖视投射方向线，而用编号的注写位置来表示投射方向。

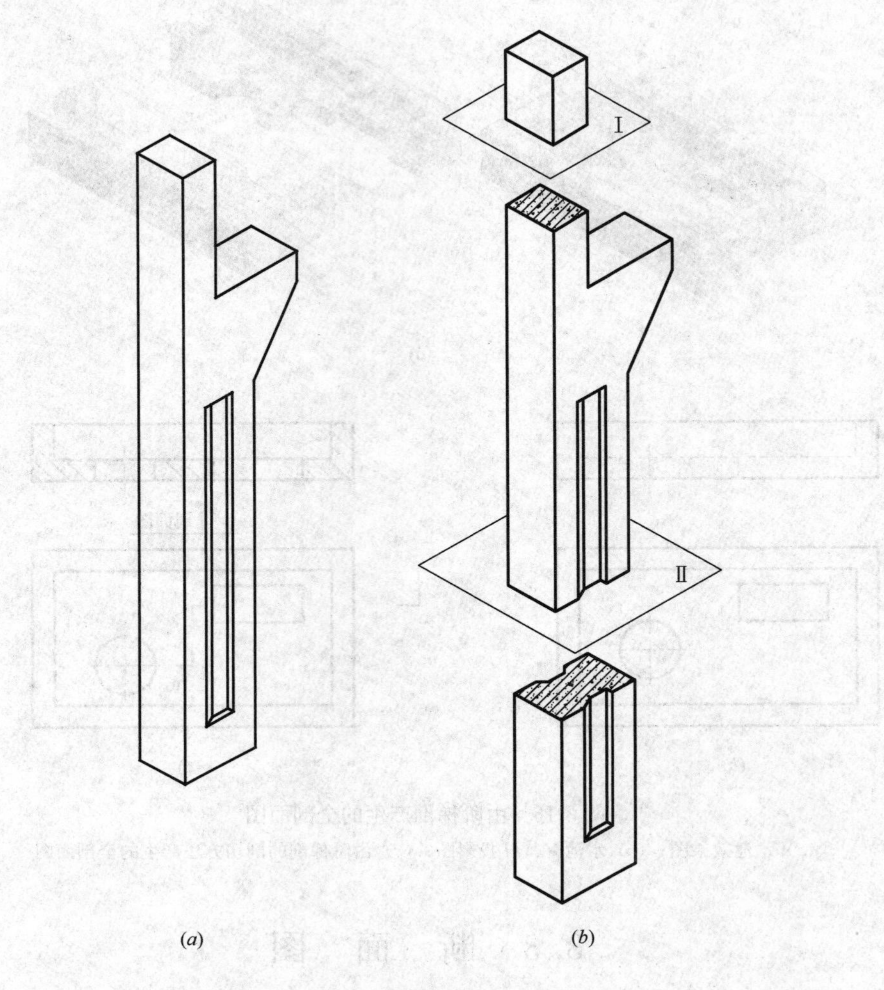

图 3-17 断面图的产生过程

(a) 柱子的外形图；(b) 断面及断面图产生示意图

3.3.2 断面图的标注

断面的剖切符号应符合下列规定：

(1) 断面的剖切符号应只用剖切位置线表示，并应以粗实线绘制，长度宜为6～10mm。

(2) 断面剖切符号的编号宜采用阿拉伯数字，按顺序连续编排，并应注写在剖切位置线的一侧；编号所在的一侧应为该断面的剖视方向，如画在剖切位置线的下面就表示向下方投影，如图 3-18 所示。

(3) 剖面图或断面图，如与被剖切图样不在同一张图内，应在剖切位置线的另一侧注明其所在图纸的编号，也可以在图上集中说明。

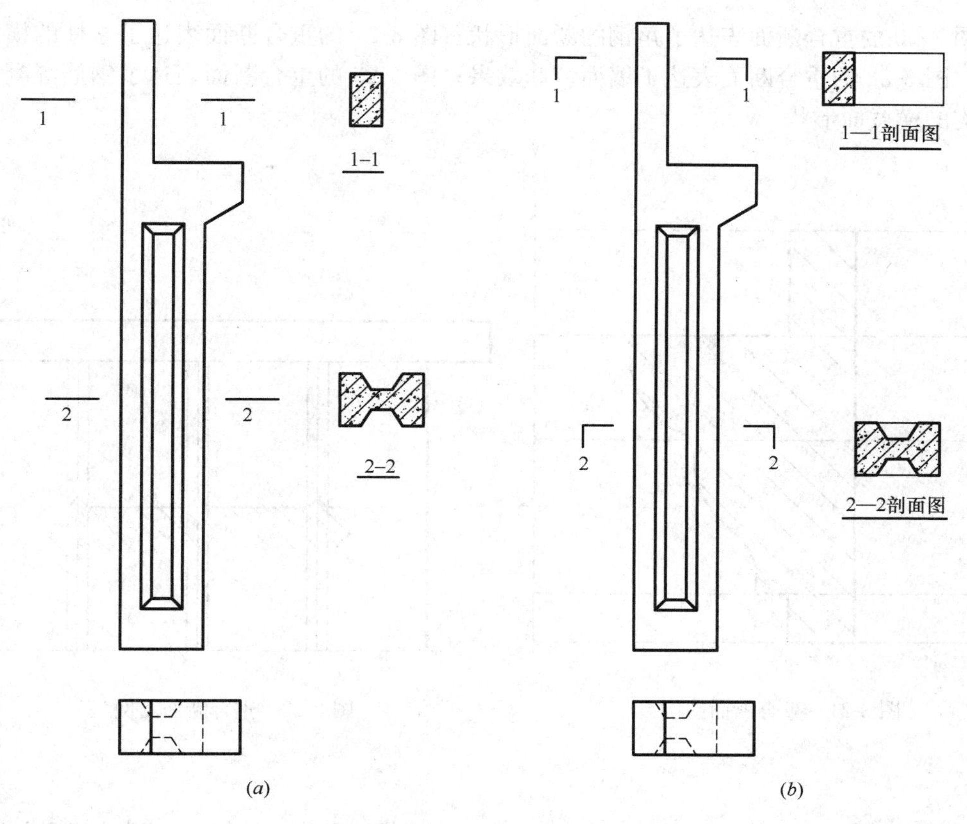

图 3-18　断面图与剖面图

（a）断面图；（b）剖面图

3.3.3　断面图的种类与画法

断面图根据布置位置的不同可分为移出断面图、重合断面图、中断断面图。

1. 移出断面

位于基本视图之外的断面图，称为移出断面。当移出断面图是对称的、它的位置又紧靠原来视图而并无其他视图隔开，即断面图的对称轴线为剖切平面迹线的延长线时，也可省略剖切符号和编号，如图 3-19 所示。

梁、柱等构件比较长，断面形状比较复杂，常采用移出断面。一个形体需要同时画几个断面图表达时，可将断面图整齐地排列在视图的周围，并可用较大比例画出。

2. 重合断面

重叠在基本视图轮廓之内的断面图，称为重合断面图，图 3-20 所示的角钢是平放的，假想把切得的断面图绕铅垂线从左向右旋转后重合在视图内而成。

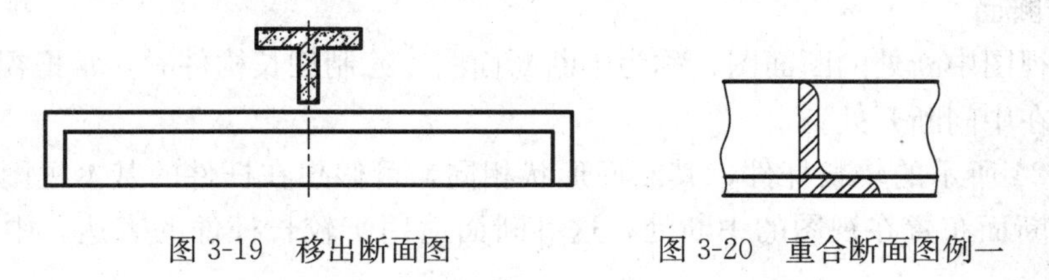

图 3-19　移出断面图　　　图 3-20　重合断面图例一

图 3-20 的重合断面表达了角钢的断面形状；图 3-21 的重合断面表达了立柱的横截面形状；图 3-22 的重合断面表达了墙面装修效果；图 3-23 的重合断面表达了钢筋混凝土屋顶结构的横截面形状。

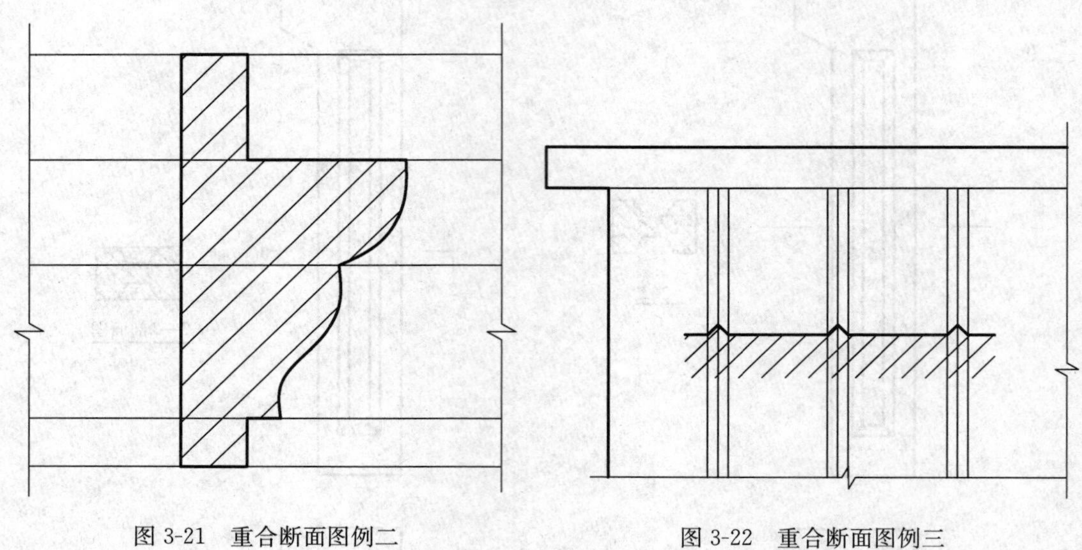

图 3-21　重合断面图例二

图 3-22　重合断面图例三

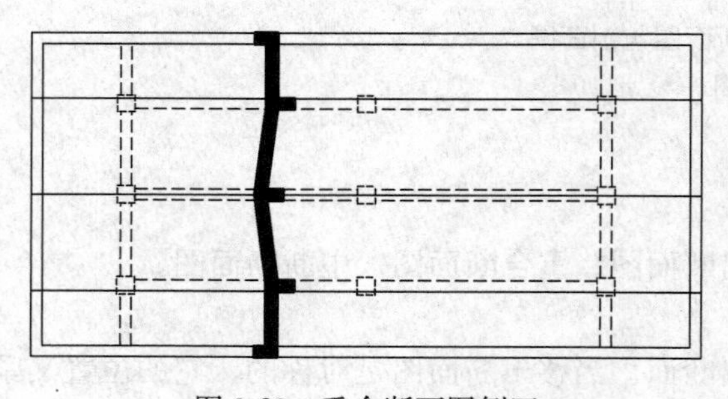

图 3-23　重合断面图例四

断面形状比较简单，可采用重合断面。重合断面比例要与基本视图一致。重合断面不需要标注。在土建图中表示断面的轮廓线应画粗一些，如图 3-22 所示。为了表达明显，机械图中表示断面的轮廓线应画细一些，重合断面图轮廓线用细实线画出，以区别于基本视图的轮廓线，如图 3-20 所示，原来视图中的轮廓线与重合断面图的图形重合时，视图中的轮廓线仍应按完整画出，不应间断，角钢的断面部分画上钢材的图例。

重合断面的断面轮廓有闭合的，如图 3-20 和图 3-21 所示；也有不闭合的，如图 3-22 所示；但均应在断面轮廓内侧加画通用剖面线（45°方向的斜线），如图 3-22 所示。也有些重合断面的尺寸比较小，其轮廓内可以涂黑，如图 3-23 所示，这种情况一般指钢筋混凝土结构。

3. 中断断面

布置在视图中断处的断面图，称为中断断面图。绘制细长构件时，常把视图断开，并把断面图画在中间断开处。

如图 3-24 所示的较长杆件，其断面形状相同，可假想在杆件的基本视图中间截去一段后，再把断面布置在视图的中断处，这种断面适用于较长杆件的表达。中断断面图是直接画在视图内的中断位置处，因此也省略剖切符号及其标注，且比例应与基本视图一致。

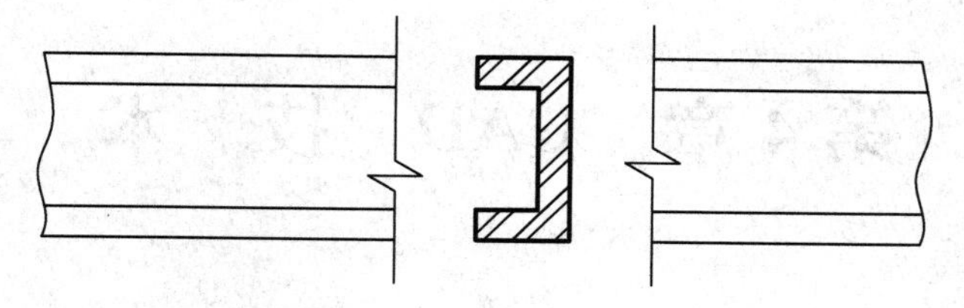

图 3-24　中断断面图示例

第4章 CAD 技 术

4.1 CAD技术的概念

AutoCAD（Autodesk Computer Aided Design）是 Autodesk（欧特克）公司首次于1982年开发的自动计算机辅助设计软件，用于二维绘图、详细绘制、设计文档和基本三维设计，现已经成为国际上广为流行的绘图工具。AutoCAD具有良好的用户界面，通过交互菜单或命令行方式便可以进行各种操作。它的多文档设计环境，让非计算机专业人员也能很快地学会使用。在不断实践的过程中更好地掌握它的各种应用和开发技巧，从而不断提高工作效率。AutoCAD具有广泛的适应性，它可以在各种操作系统支持的微型计算机和工作站上运行。它在全球广泛使用，可以用于土木建筑装饰装潢、工业制图、工程制图、电子信息工业、服装设计等多方面领域。

本教材采用 AutoCAD2016 中文版（以下简称 CAD 或 cad），它是 AutoCAD 计算机辅助设计系列软件中较新的版本，是美国 Autodesk 公司在继承 AutoCAD2015 及原有版本的基础上推出的新产品。

4.1.1 CAD系统

CAD系统是由计算机硬件系统和软件系统组成，软件系统是CAD系统的核心，硬件系统为CAD系统的正常运行提供保障和环境。

1. 计算机硬件系统

计算机硬件系统由计算机主机和外部设备组成，如图4-1所示。

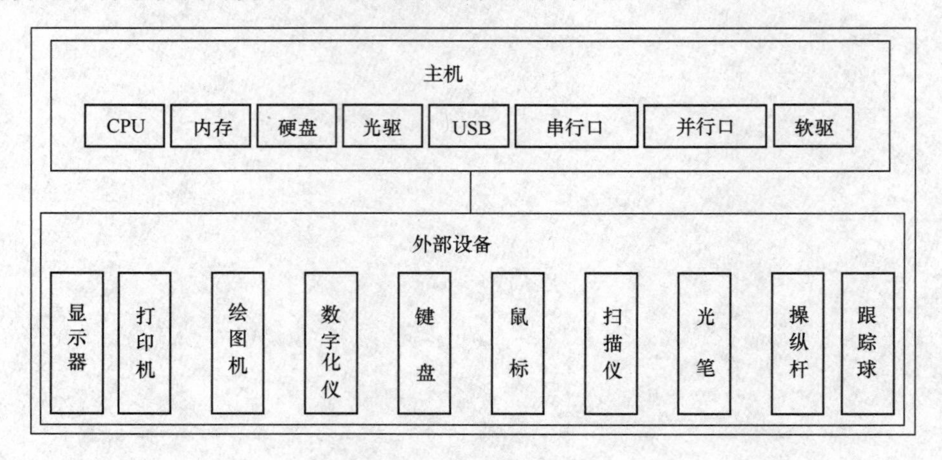

图4-1 CAD硬件系统组成

2. 计算机软件系统

软件系统一般指由系统软件和专业应用软件的组成的系统。

系统软件是CAD系统的重要组成部分，它为CAD提供运行平台，它的功能大小和性能的优劣，直接影响到CAD的运行效率。其中最重要的软件系统就是操作系统，例如：Windows系列的标准版，企业版，专业版；Windows 7企业版，旗舰版，专业版或家庭高级版或Windows XP专业版（SP3或更高版本）它指挥和控制计算机的所有软件和硬件资源。此外，还应安装相应的专业对口的应用软件、支撑软件、工具软件等。

AutoCAD 2016有以下特点：

（1）精简多余组件，保留必需的VB、VC、.Net 4.5.2、DirectX组件运行库。

（2）保留Express扩展工具；可以选择安装；安装完成默认进入AutoCAD经典空间。

（3）默认布局的背景颜色为黑色、调整鼠标指针为全屏，不启动欢迎界面以加快启动速度。

（4）屏蔽并删除AutoCAD通讯中心，防止AutoCAD给Autodesk服务器发送你的IP地址及机器信息。

（5）屏蔽AutoCADFTP中心，防崩溃。

（6）完善一些字体库，通常打开文件不会找不到字体。

（7）体积大幅缩减，64位467M，32位409M。

（8）快捷方式名为“AutoCAD 2016”。

（9）默认保存格式为DWG文件。

（10）不启动开始界面。

图4-2　AutoCAD2016启动过程中的画面

3. AutoCAD2016启动向导

启动AutoCAD2016，有多种方法。最常用的方法是：

（1）双击桌面【AutoCAD2016】图标。见图4-2在AutoCAD2016启动过程中的画面。

（2）单击【开始】下拉菜单，选择【所有程序】→【Autodesk】→【AutoCAD2016 Simplified Chinese】→【AutoCAD2016】子菜单项。

4 . AutoCAD2016 的工作界面

打开【AutoCAD 经典】工作空间，看到其界面主要由菜单栏、工具栏、工具选项板、绘图窗口、文本及命令行窗口、状态栏等组成，如图 4-3（*a*）所示。

AutoCAD2016 的工作界面在默认状态下为：“二维草图与注释”工作空间，所以，这也是最常用的模型空间，如图 4-3（*b*）所示。AutoCAD2016 的工作模式还有“三维建模”、“三维基础”两个界面，如图 4-3（*c*）所示。新版 AutoCAD2016 仍保留了“AutoCAD 经典”模式，将所有功能键混排在一起，没有功能分区，如图 4-3（*a*）所示。

（1）标题栏

标题栏在主窗口最上面，显示的是“Autodesk AutoCAD2016”的系统名称和 AutoCAD2016 默认的图形文件名“Drawing1. dwg”，如图 4-4 所示。右上角是管理窗口按钮 ，即最小化、最大化（还原）及关闭按钮。对 AutoCAD2016 的操作与 Windows 窗口的操作一样，单击左上角显示的是 AutoCAD2016 软件的小图标 ，会显示一个 AutoCAD2016 窗口控制下拉菜单，同样可以执行管理窗口的任务，如图 4-5 所示。

（2）菜单栏

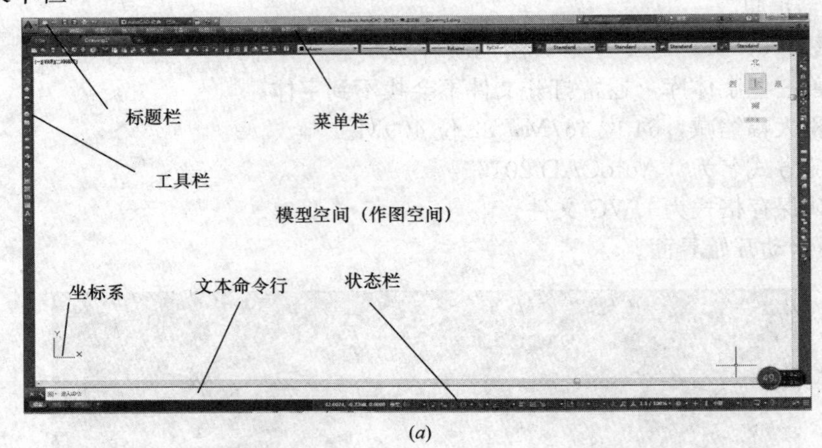

(*a*)

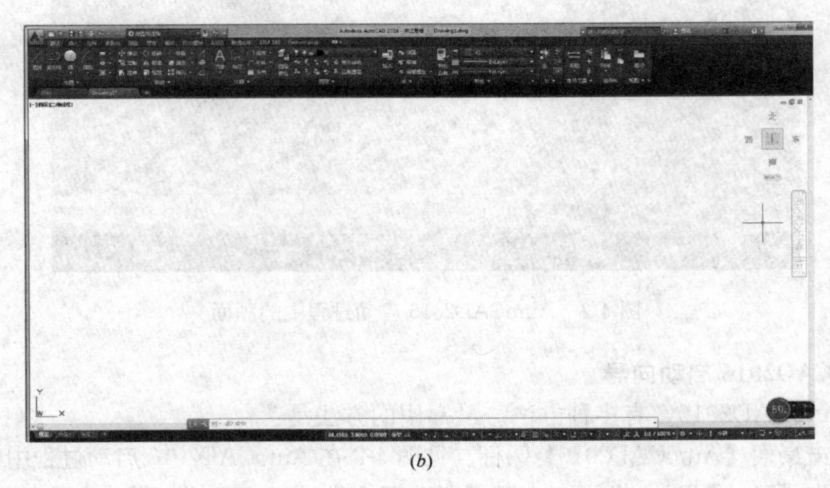

(*b*)

图 4-3　AutoCAD2016 主窗口中（一）

（*a*）AutoCAD2016 经典界面；（*b*）AutoCAD2016 草图与注释界面

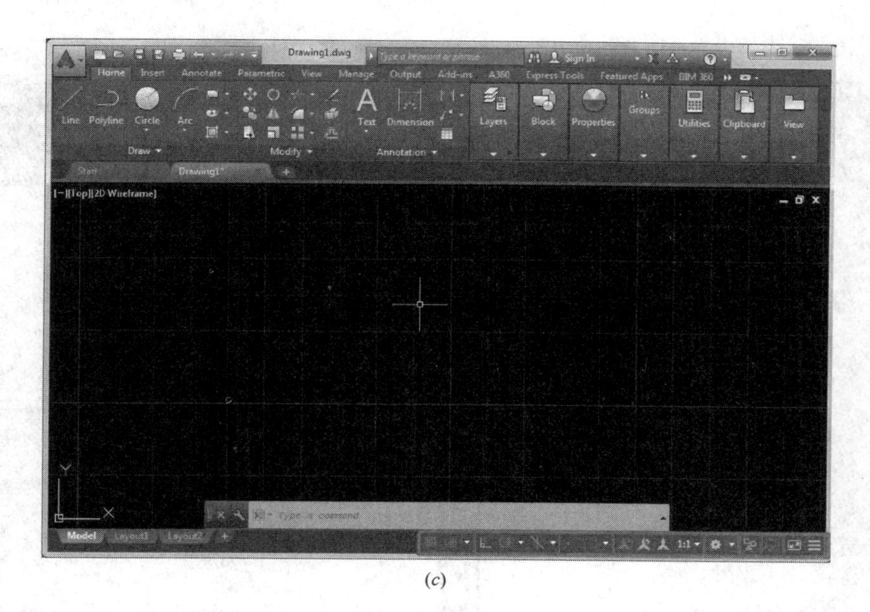

(*c*)

图 4-3　AutoCAD2016 主窗口中（二）

（*c*）AutoCAD2016 英文版草图与注释界面

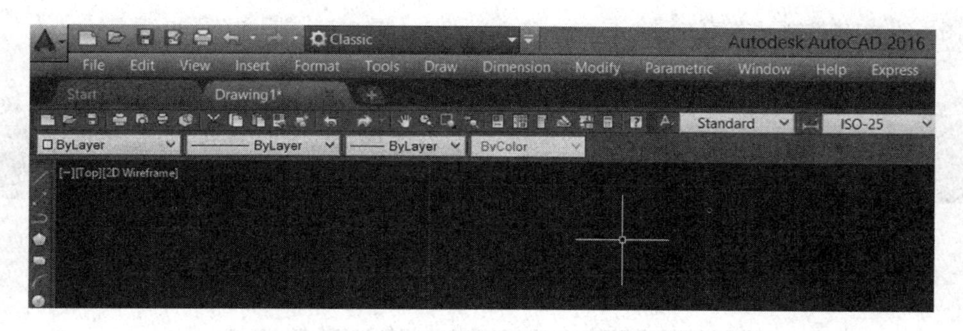

图 4-4　英文版 AutoCAD2016 主窗口中的标题栏

AutoCAD2016 的菜单栏主要是由【文件】、【编辑】、【视图】、【插入】等 12 个下拉菜单组成，这些菜单基本包括了 AutoCAD2016 中的全部功能和命令。所以，使用下拉菜单绘图，基本可以找到所需的功能和命令。图 4-6 所示为 AutoCAD2016 的“视图”下拉菜单。

（3）选项板

选项板用于显示与基于任务的工作空间关联的按钮和控制件，AutoCAD2016 增强了该功能。如图 4-7、图 4-8 所示，选项板均可以在标准工具条和【工具】下拉菜单中获取。AutoCAD2016 的特性面板，如图 4-9 所示。

（4）工具栏

工具栏是 AutoCAD 调用命令的另外一种形式。为了方便用户使用，AutoCAD 将一些常用命令按类别组织到一起。在工具栏上用以形象化的图标按钮表示相应的命令。当鼠标指到某个按钮略停留片刻，鼠标旁就会显示对应的命令提示。这样的工具栏 AutoCAD 提供了 30 多个。默认情况下，【工作空间】和【标准注释】工具栏处于打开状态，图 4-11 所示为 AutoCAD2016 的部分工具栏。

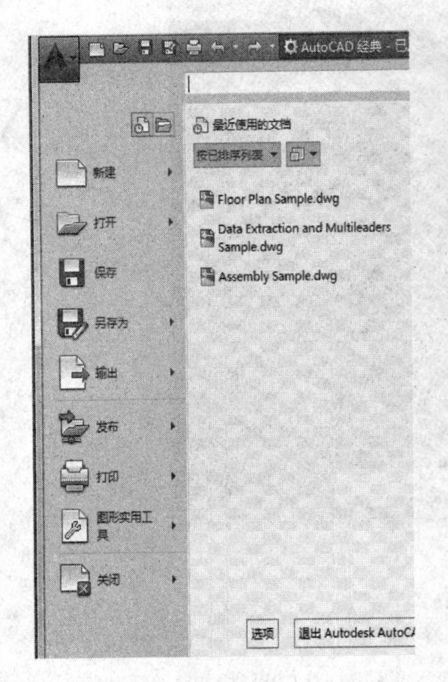

图 4-5　窗口控制下拉菜单

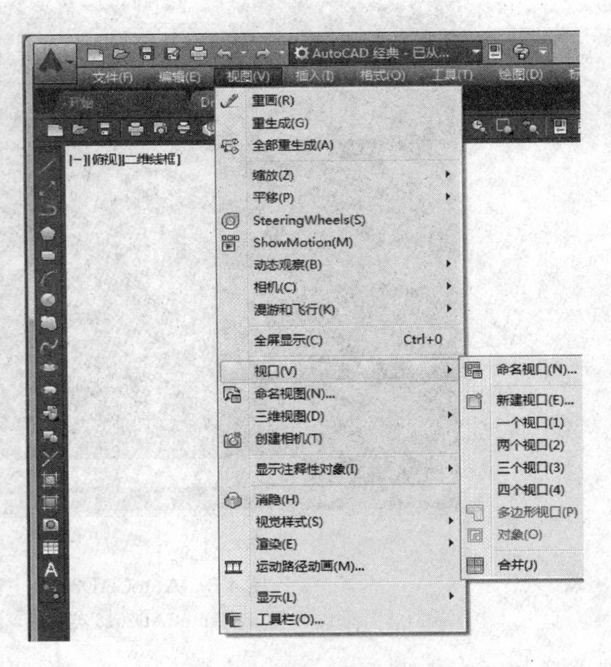

图 4-6　“视图”下拉 菜单

图 4-7　标准工具条

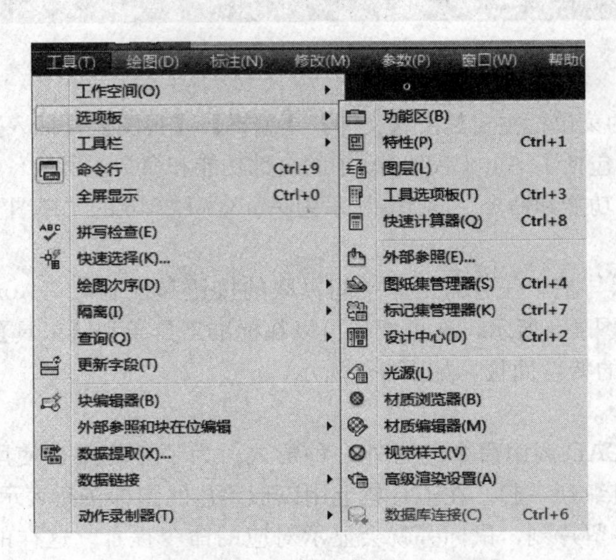

图 4-8　“工具”下拉菜单中的选项板

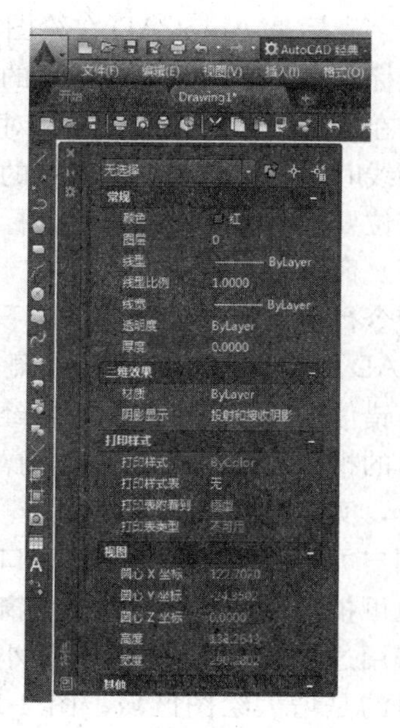

图 4-9 特性面板

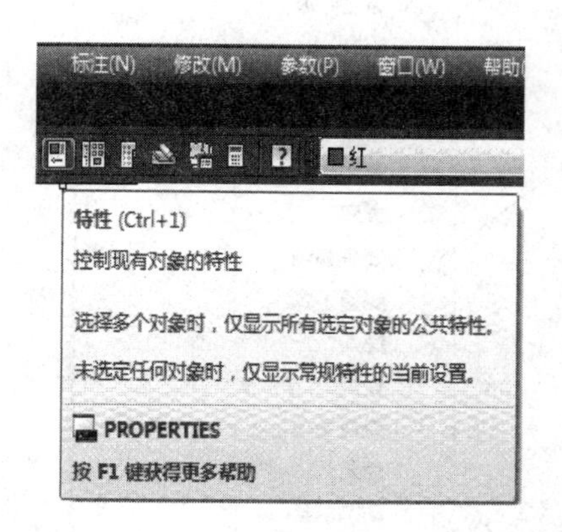

图 4-10 “特性”图标按钮的命令提示

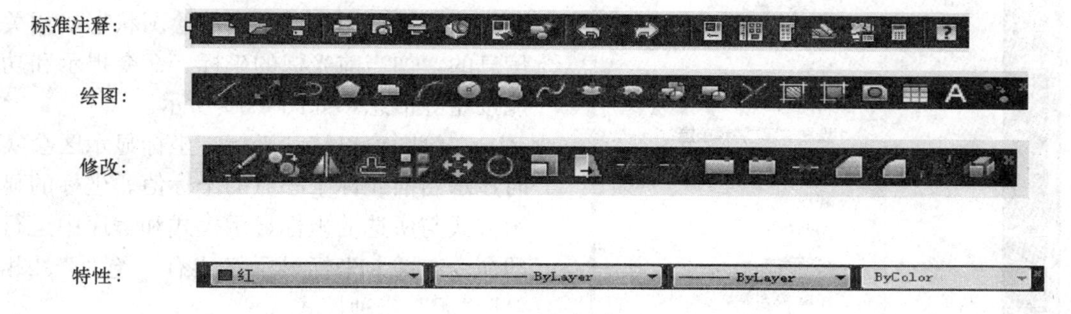

图 4-11 AutoCAD2016 部分工具栏

注意：在任何一个工具栏的空白处点击鼠标右键，弹出管理常用工具栏的快捷菜单。这是一个经常用到的快捷菜单，可以打开关闭的工具栏、打开【自定义用户界面】对话框等，如图 4-12 所示。

（5）绘图窗口

绘图窗口是绘图的工作区域，该区域是没有边界的。用户可以在此进行图形绘制、编辑、显示等操作。并且可以通过下拉菜单【工具】→【选项】→【显示】→【颜色】→【图形窗口颜色-对话框】→【上下文（X）一选项】→【界面元素（E）一选项】→【颜色】操作过程，改变区域的背景颜色。

在绘图窗口中除了显示绘图结果外，还显示当前坐标系类型、坐标原点、X、Y、Z 轴的方向。默认状态下坐标系为世界坐标系（WCS）。

绘图窗口的下方有【模型】和【布局】选项卡，供切换使用。【模型】空间主要用于图形绘制和编辑，【布局】空间主要用于图纸的布局、图形位置的调整以便打印出图。

（6）十字光标

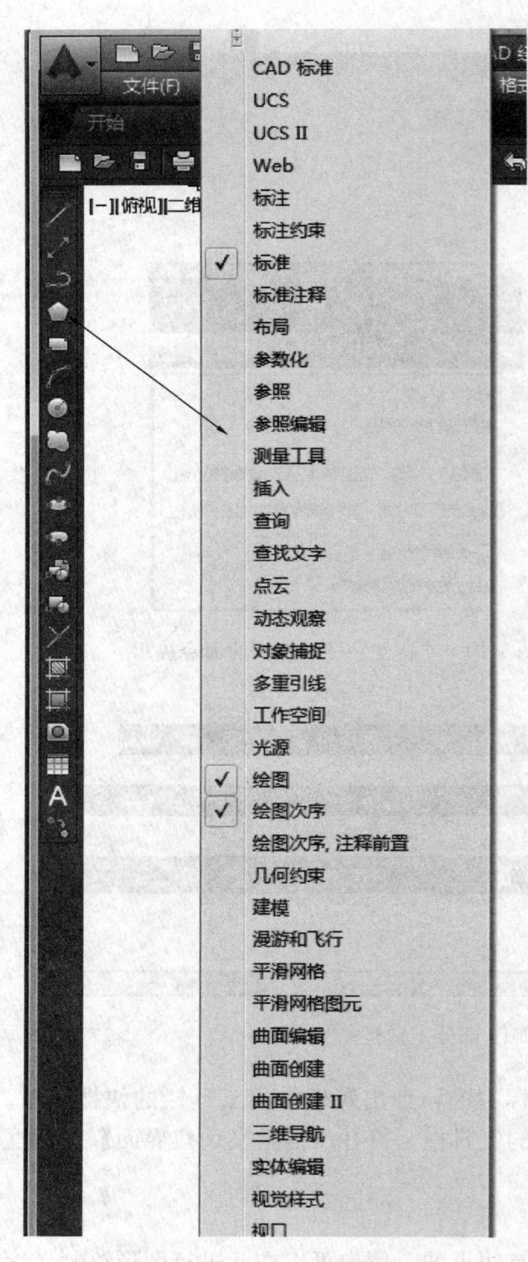

图 4-12　弹出的常用工具栏的快捷菜单

十字光标是 AutoCAD 在绘图区域中显示的光标，是绘图最重要最活跃的成分，它主要是在绘制图形时指定位置和对象。光标为十字线时，其交点为绘图区域的坐标点位置，该位置实时显示在状态栏坐标区中。

（7）命令行

命令行窗口位于绘图窗口的下方，它是 AutoCAD 的输入与显示命令，显示提示信息和出错信息的窗口。绘图时应经常观看这个窗口的指令和提示，避免盲目操作。所谓命令行，实际是一个交互区域。

用户可用鼠标拖动命令行窗口移动其位置，也可扩大和缩小窗口，扩大窗口可以方便查找用过的命令及数据等，缩小命令行窗口的目的是增大绘图区域。图 4-13 所示为 AutoCAD2016 的命令行。

（8）状态栏

状态栏是用来显示当前绘图状态或相关信息的，如当前光标的坐标、命令提示和功能按钮等信息，如图 4-14 所示。

在绘图窗口移动光标，坐标显示区会实时显示当前光标中心点的坐标值。坐标的显示方式与所选的坐标显示模式和程序中运行的命令有关。坐标显示模式有“绝对”“相对”“无”三种模式。

1）功能按钮

状态栏共有十几个功能按钮，分别是【捕捉】、【栅格】等。DUCS 标识说的是动态坐标，主要用 3D 操作，需要按下此标识，DYN 标识说的是动态输入，就是一个有坐标关系的几何体，方便数字直接输入修改。

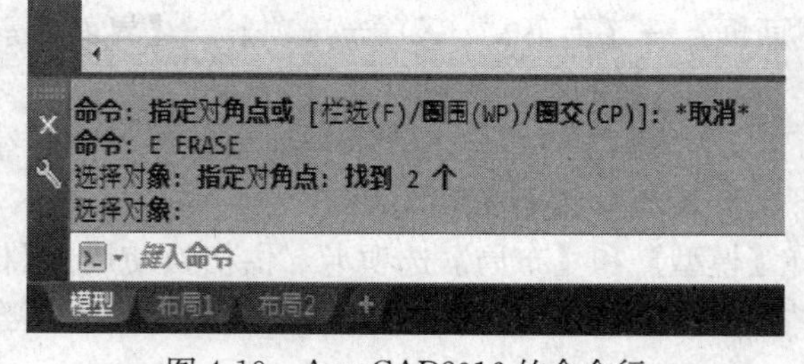

图 4-13　AutoCAD2016 的命令行

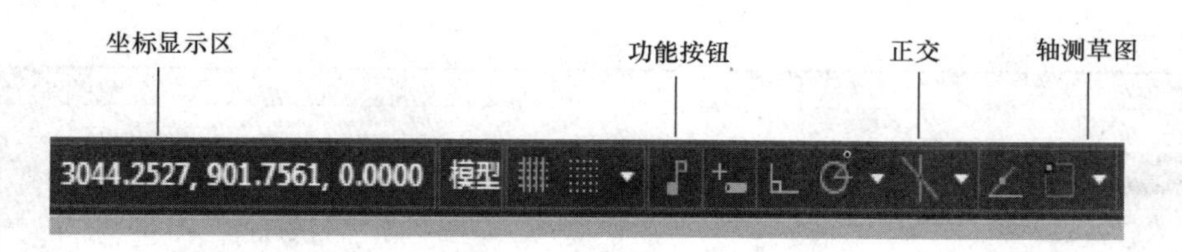

图 4-14　AutoCAD2016 状态栏

2）锁定按钮

锁定按钮用于锁定工具栏和选项板窗口的位置和大小。解锁时右击该按钮弹出锁定快捷菜单进行操作选择解锁。

3）状态栏菜单。单击状态栏中黑三角可打开状态行若干菜单，如图 4-15 所示。用户可在该菜单中选择或取消状态栏中坐标或各功能按钮的显示。当选择“对象捕捉设置二维参照点”选项时，将打开二维捕捉选项板，如图 4-15 所示。

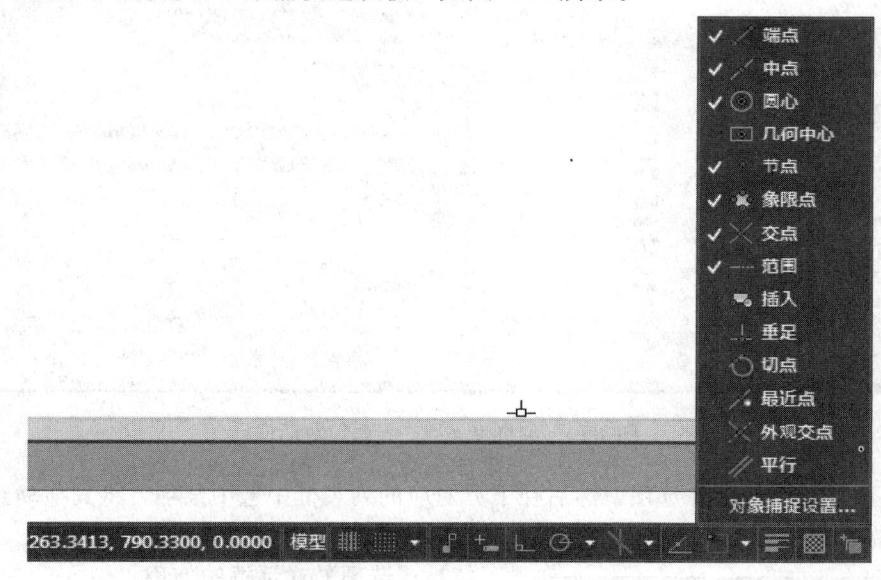

图 4-15　状态栏若干常用工具及二维捕捉选项板

4.1.2　设置必要的 AutoCAD2016 绘图环境

AutoCAD2016 软件启动后经常需要对绘图环境的某些参数进行设置。

1. 自定义工具栏

AutoCAD2016 工具栏设置的内容很多，每一个工具栏一般都有若干个图标按钮组成。为使用户在短时间内熟悉并使用，AutoCAD2016 提供了一套自定义工具栏命令，加快了工作流程，消除屏幕上不必要的干扰。所以，自定义工具栏的方法是：选择【视图】》【工具栏】命令，打开【自定义用户界面】对话框，如图 4-16 所示。

建立个性化工具栏的方法：在【自定义】选项卡选项区域的列表框中右击【工具栏】节点，再弹出的快捷菜单中选择“新建工具栏”命令。在对话框右侧【特性】选项区域内“名称”文本框内输入个性化工具栏名称。在左侧【命令列表】选项区“按类别”下拉

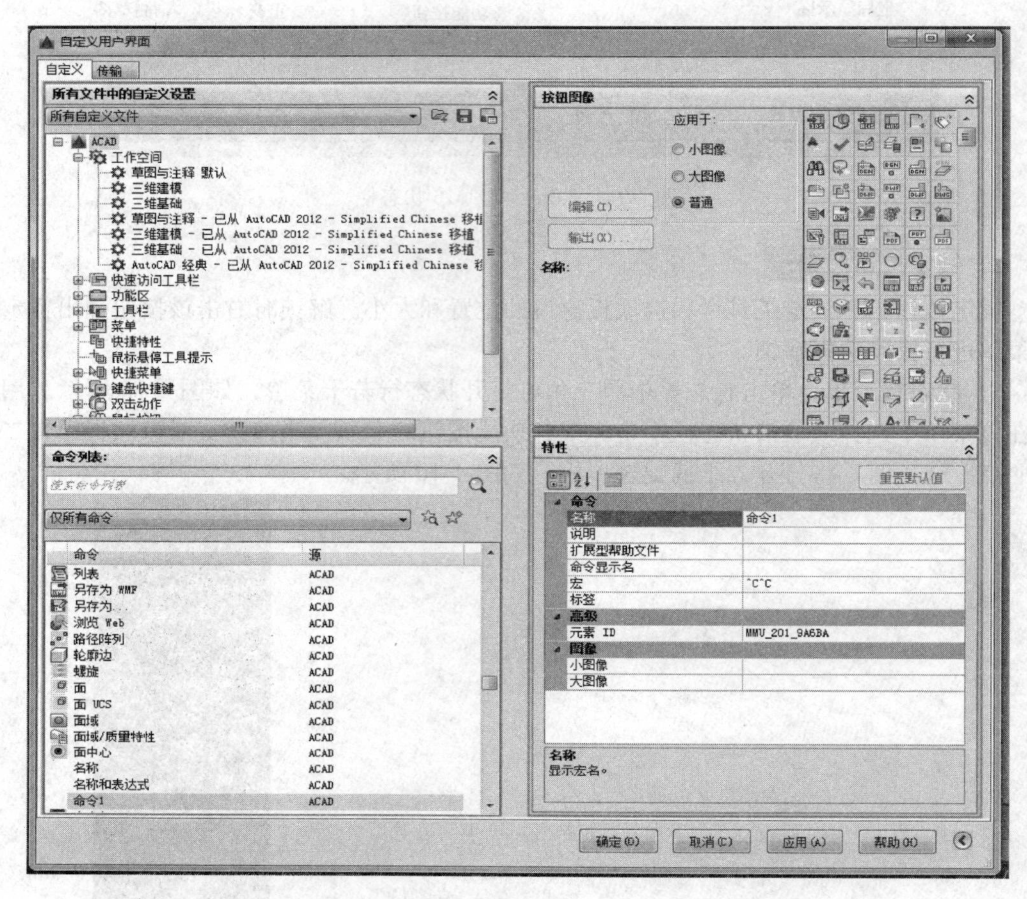

图 4-16 “自定义用户界面”对话框

列表框中选【所有命令】选项，然后在下方对应的列表框中选中某项，将其拖动到个性化工具栏中，如图 4-17 所示。

图 4-17 个性化工具栏

2.【选项】对话框的使用

在 AutoCAD2016 中，【选项】对话框中的内容显得十分重要。打开【工具】下拉菜单→【选项(N)】打开【选项】对话框，如图 4-18 所示。许多实用的必要的操作都从这里实现，比如图形窗口颜色（绘图区域背景色）的选择等。建议初学者对【选项】对话框中的每一项都做一次尝试和了解。

4.1.3 命令和系统变量的使用

1. 命令的调用

在 AutoCAD 中，执行任何操作都需要调用相关的命令，而同一命令的使用又往往有多种不同的方式。用户可用如下方式调用命令。

(1) 用鼠标操作执行命令

当光标移至菜单、工具选项、对话框内进行选择时，它的图案会变成箭头，如图

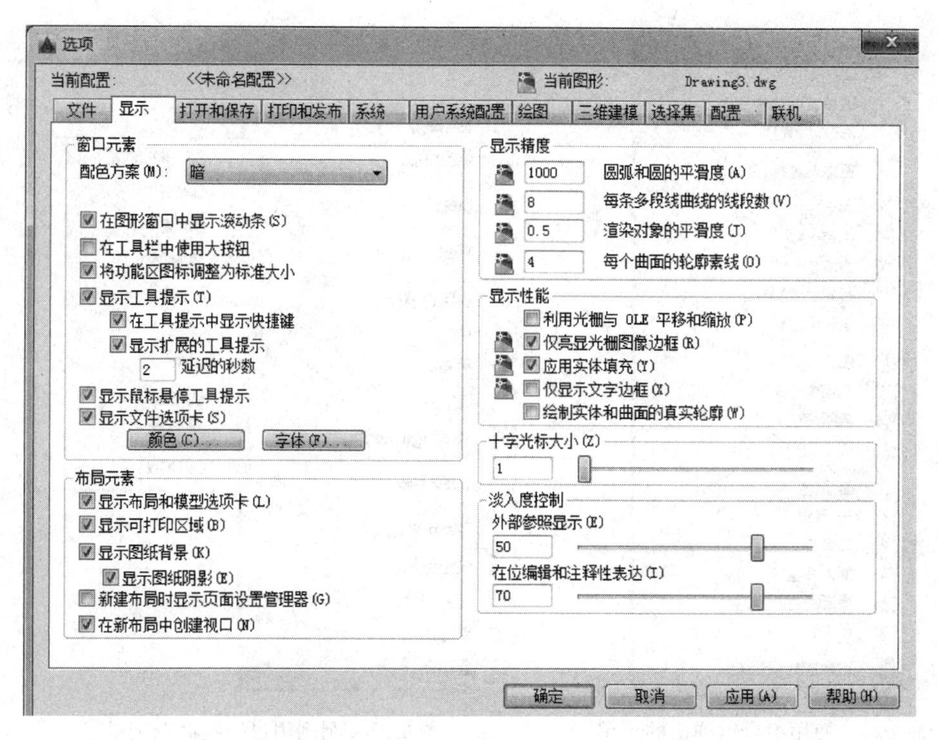

图 4-18 “选项”对话框

4-19（*a*）。在绘图区，二维状态下执行任务时通常显示为的十字光标图，如图 4-19（*b*）所示，在等待执行任务时通常显示为中心带靶框的十字光标，如图 4-19（*c*）所示。

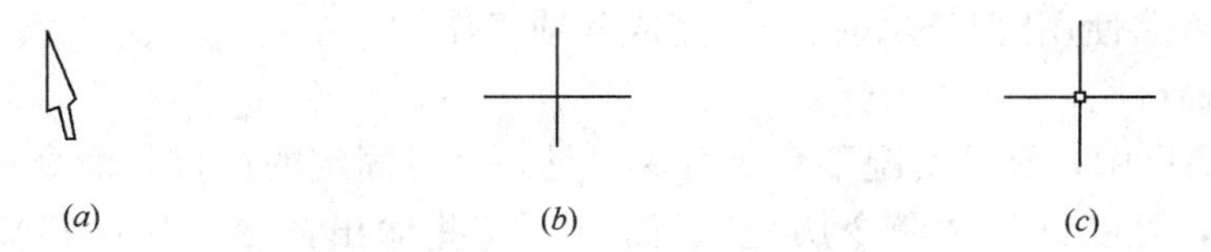

图 4-19 在二维状态下，用鼠标操作执行命令时几种图案的形式

（*a*）选择时的箭头；（*b*）执行任务时的十字光标；

（*c*）等待执行任务时的十字光标

（2）鼠标上的键是按照下述规则定义的：

1）弹出菜单：使用 Shift 键和鼠标右键组合时，系统弹出一个快捷菜单，用于设置捕捉的方法。

如图 4-20 所示。当带靶框的十字光标停留在绘图区时，按下鼠标右键则弹出刚刚用过的一些命令，以方便操作者选择，如图 4-21 所示。

2）如果是三个键的鼠标，通常用中间滚轮键进行组合、放大、缩小、用鼠标左键拾取，左键用于指定绘图区域中的点或选择 AutoCAD 的对象；工具栏按钮和菜单命令等；用鼠标右键回车，它相当于 Enter 键的功能，以结束当前使用的命令，此时系统将根据绘图状态弹出不同的快捷菜单供选择。

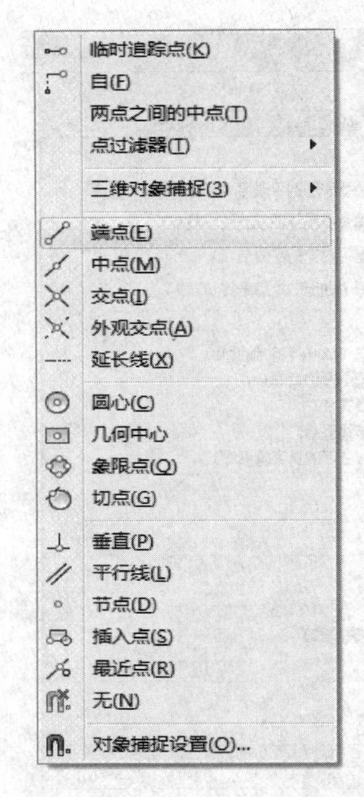

图 4-20　使用组合键弹出的菜单

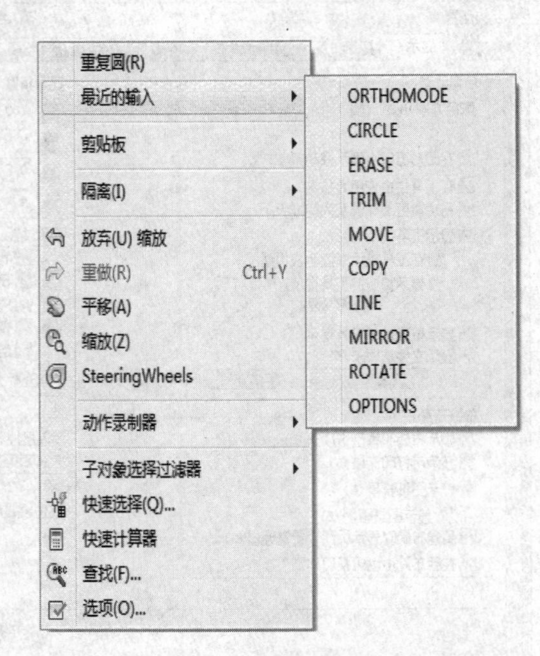

图 4-21　刚刚用过一些命令记录

(3) 使用键盘输入命令

在 AutoCAD 中，大部分的绘图、编辑等都需要使用键盘输入完成。键盘可以输命令、系统变量、文本对象、数值、各种坐标、参数选择等。所以，键盘是主要的输入设备。建议操作者多使用键盘输入指令，完成各项工作。

(4) 使用命令行

在 AutoCAD 中，默认情况下命令行窗口是一个可固定的窗口。命令行可以显示执行完的两条命令，可以称作"命令历史"。而对于一些输出命令，如：TIME、LIST 等命令，则需要在放大的【命令行】或文本窗口中显示。

在【命令行】窗口右击，AutoCAD 显示一个快捷菜单，如图 4-22 所示。通过它可以选择最近使用的 6 个命令；复制选定的文字或全部命令的历史；粘贴文字；打开"选项"对话框等。

2. 系统变量的设置

系统变量可控制某些命令的状态和工作形式，可以设置填充图案的默认比例，可以存储关于当前图形和程序配置的信息，可以打开或关闭捕捉、栅格、正交等绘图模式。

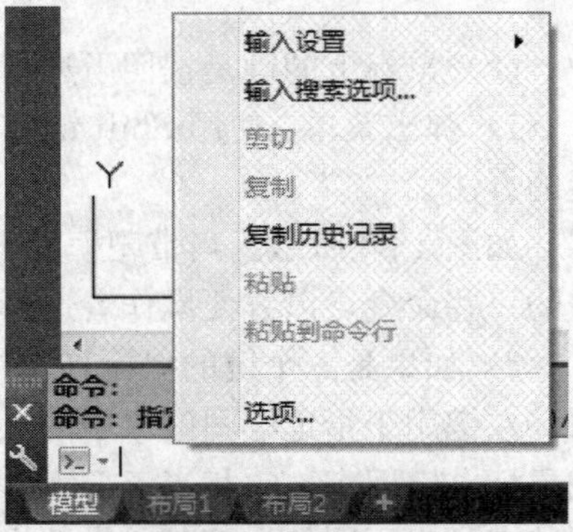

可以在对话框中修改系统变量，也可直接在命令行中修改系统变量。例如要使用 ISOLINES 系统变量修改曲面线框的密度，首先应在命令行里输入系统变量名称即：ISOLINES，按 Enter（回车）键，然后

图 4-22　命令行快捷菜单

输入新的系统变量值，如图 4-23 所示，提示如下：

```
命令：ISOLINES
输入 ISOLINES 的新值 <36>: 60(输入新值60)
```

图 4-23　修改系统变量

3. 重复命令；终止命令；撤销命令

掌握这些基本操作可提高绘图速度。

(1) 直接按 Enter 键或鼠标右键或空格键，均继续执行上次任务。

(2) 鼠标在绘图区右击，在弹出的快捷菜单中选择【重复】。

(3) 鼠标在命令行右击，从显示的快捷菜单中选择【最近使用的命令】子菜单中的一个。

(4) 如果要终止命令，可随时直接按 Esc 键终止任何命令。

(5) 如果要撤销一个或多个命令，简单的方法是在命令的提示下输入 UNDO 命令，然后在命令行中输入要放弃的数目。

4.1.4　坐标系的使用

使用 AutoCAD 软件绘图时，往往需要参照某个坐标系来拾取点的位置，精确定位。

AutoCAD2016 采用笛卡儿直角坐标系，并按右手规则确定 3 根坐标轴的方向，具体规定如下：右手的拇指、食指和中指呈互相垂直的造型，如图 4-24 所示。拇指代表 X 轴的正方向；食指代表 Y 轴的正方向；中指代表 Z 轴的正方向。确定对象旋转方向的右手规则是：张开右手假想握住指定的旋转轴，拇指的指向为指定的旋转轴的正方向，其余四手指的弯曲方向为旋转方向，如图 4-25 所示（此图将一支笔作为旋转轴）。

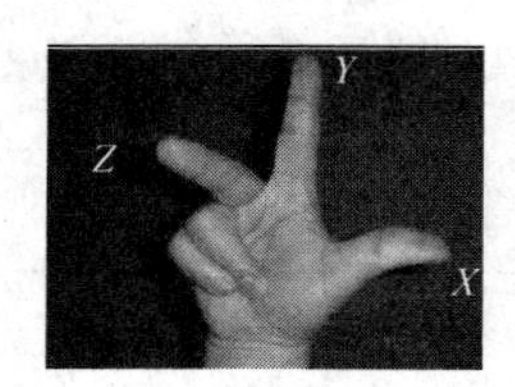

图 4-24　右手确定三个轴的方向

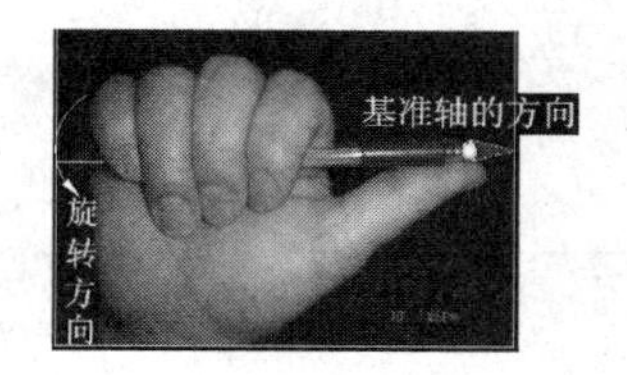

图 4-25　右手确定图形的旋转方向

1. 坐标系的调整

在 AutoCAD 中，坐标系分为通用坐标系也称世界坐标系（WCS）和用户坐标系（UCS）。这两种坐标系都可以精确定位 X、Y 及 X、Y、Z 坐标。

在默认状态下，坐标系为世界坐标系（WCS），它包含 X 轴和 Y 轴；或 X、Y、Z 轴，WCS 坐标系中的两或三坐标轴的交汇处显示出一个“口”的标记，也可以称为靶框，如图 4-26 所示，坐标原点在绘图窗口的左下角，所有的位移都是相对原点进行的。显然，WCS 坐标系不具有绘图的普遍性，有时会给某种绘图任务带来不便，这时则需要将 WCS 坐标系改变为用户坐标系（UCS）。用户坐标系（UCS）的原点，X、Y、Z 轴的轴向都可以移动或旋转，并可由用户指定一个合适的位置。用户坐标系（UCS）轴的交汇处的设计有别于WCS坐标系，它无“口”的标记，如图4-27所示。绘图时用户坐标系选项更多。

通过【工具】下拉菜单→【新建UCS】→【原点】命令，就可以将用户坐标系（UCS）从左下角或某处调入所需要的位置，如图4-28所示。这时的坐标原点也随之改变，X、Y的坐标值均为零。

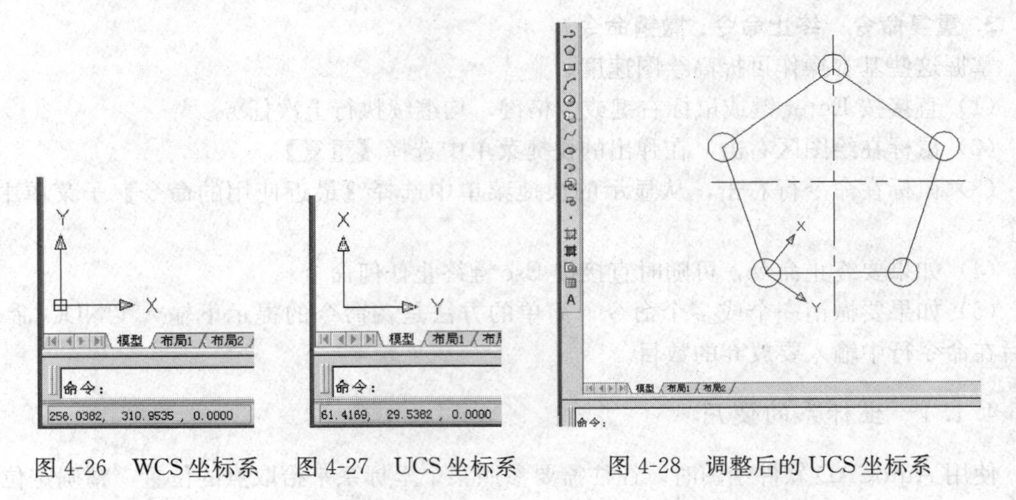

图4-26　WCS坐标系　图4-27　UCS坐标系　图4-28　调整后的UCS坐标系

2. 坐标的表示法

在AutoCAD2016中，坐标点的确定有以下四种方法，分别是：

（1）绝对直角坐标系：是以绘图区左下角（0，0）或（0，0，0）为出发基准的点，如图4-29所示。矩形右上角点b的坐标为（262，162），根据矩形尺寸，显然是以绘图区左下角（0，0）为出发基准的点。

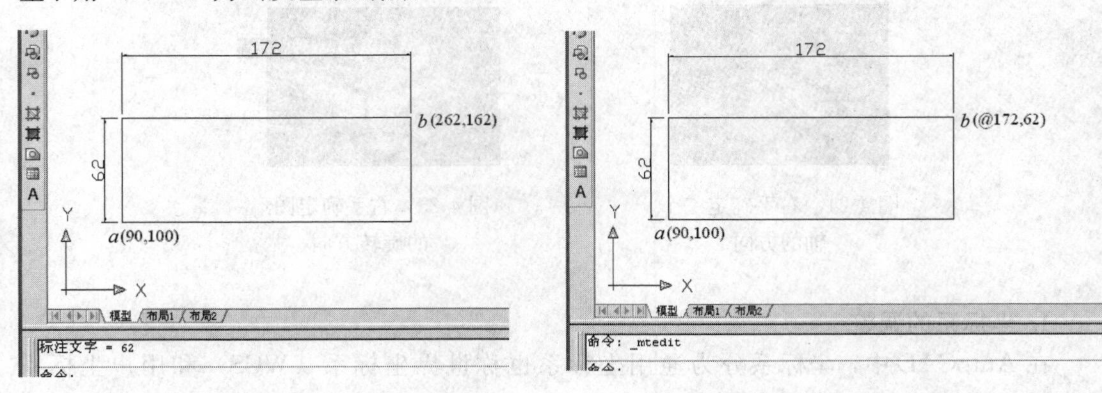

图4-29　用绝对直角坐标系绘矩形　　图4-30　用相对直角坐标系绘矩形

（2）相对直角坐标系：所谓相对坐标是指相对前一点的坐标值，在输入新点坐标时，把前一点的坐标值当作坐标原点处理。所以，相对直角坐标系的原点是由用户确定的，如图4-30所示，矩形右上角点b的坐标为（@172，62），是以矩形左下角（90，100）为基准点，并视坐标（90，100）为（0，0）。输入相对坐标值时一定要在坐标值前加上“@”。

绝对直角坐标系和相对直角坐标系根据用户的需要来确定，在绘图实践中相对直角坐标系使用比较灵活、方便，所以，绘图时均常用相对直角坐标系。

（3）绝对极坐标。绝对极坐标是以绘图区左下角（0，0）或（0，0，0）为出发基准的点，给定距离和角度，而距离和角度用“<”分开，并规定 X 轴的正方向为 0°，Y 轴的正方向为 90°，如图 4-31 所示。例如：坐标点 b 的绝对极坐标值（566<45），其中“566”表示从原点到 b 的线长，“45”表示该线与 X 轴的夹角。

（4）相对极坐标。相对极坐标中新点的坐标数值是相对前一点的线长，以及新点和前一点连线与 X 轴的夹角。如图 4-32 所示。例如：坐标点 b 的相对极坐标值（@424<45），其中“424”表示从 a 点到 b 的线长，“45”表示新点 b 和前一点 a 连线与 X 轴的夹角，也就是对角线 ab 与 X 轴的夹角。

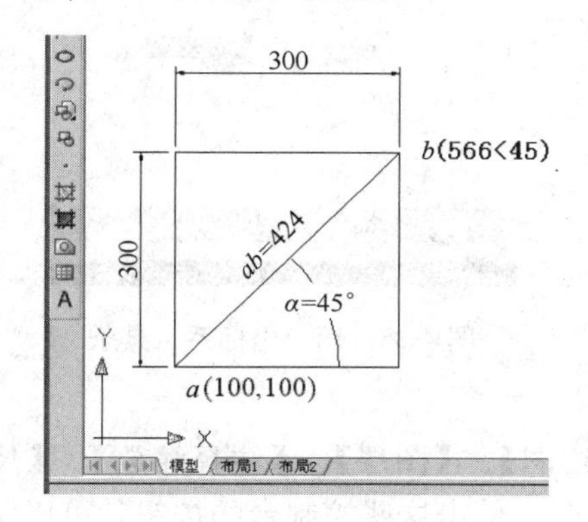

图 4-31　用绝对极坐标绘正方形

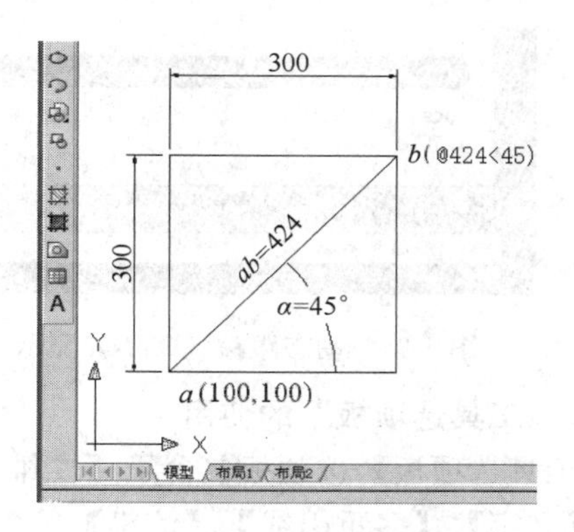

图 4-32　用相对极坐标绘正方形

3. 关于坐标的显示

在状态栏坐标显示区域，坐标数值是否显示，以什么方式显示？这取决于状态栏坐标显示模式。可以根据需要按下 F6 键、Ctrl＋D 组合键或单击状态栏坐标显示区域，在以下三种方式之间切换，如图 4-33 所示。

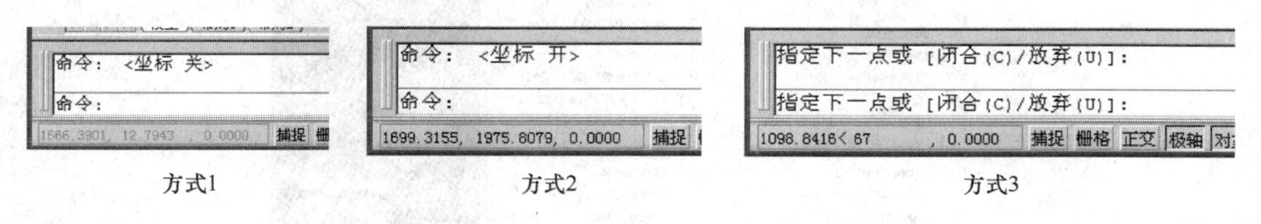

方式1　　方式2　　方式3

图 4-33　坐标的 3 种显示方式

（1）方式 1，将鼠标移到状态栏坐标显示区域，单击左键，即关闭状态栏坐标显示，状态栏坐标显示区域为灰色，指针坐标将不在动态更新，只有在拾取一个新点时，才会更新显示。

（2）方式 2，打开 AutoCAD，默认状态下状态栏坐标显示方式。指针坐标将动态更新。

以上两种方式都是在状态栏坐标显示区域单击左键切换实现。

（3）方式 3，将鼠标移到状态栏“极轴”按钮上左击（打开），系统将显示光标所在位置对于上一个点的距离和角度。当鼠标离开拾取点状态时，系统恢复到方式 2。

4. 坐标在正交状态下的输入模式和动态跟踪（DYNMODE）显示

将鼠标移到状态栏【正交】按钮上左击。启用【正交】输入后，用户可按鼠标移动方向输入一个数据确定坐标点，无论是二维状态还是三维状态都不必输入一组数据。但这种状态下所画的图线之间的夹角都是 90°，鼠标移动方向代表正数值。

将鼠标移到状态栏动态跟踪按钮上左击，激活动态跟踪（DYN）显示，此后的坐标输入，将在输入点附近及时反映与前一点相对的距离、角度数据，如图 4-34 所示。

5. 创建用户坐标系

在 AutoCAD 中，选择菜单【工具】→【新建 UCS】→【子菜单】，子菜单中有 13 个有关创建用户坐标系的选项共选择，方便快捷，如图 4-35 所示。

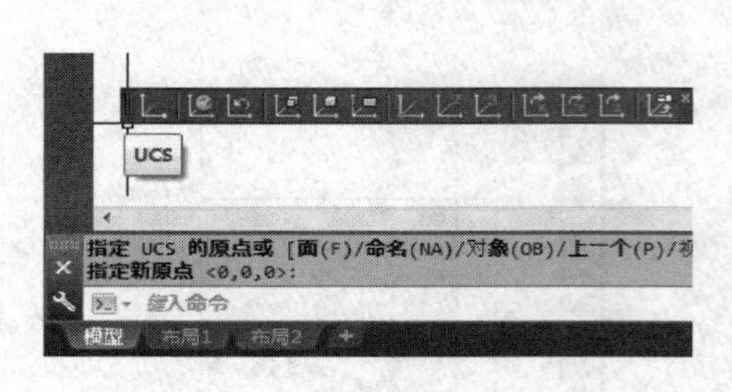

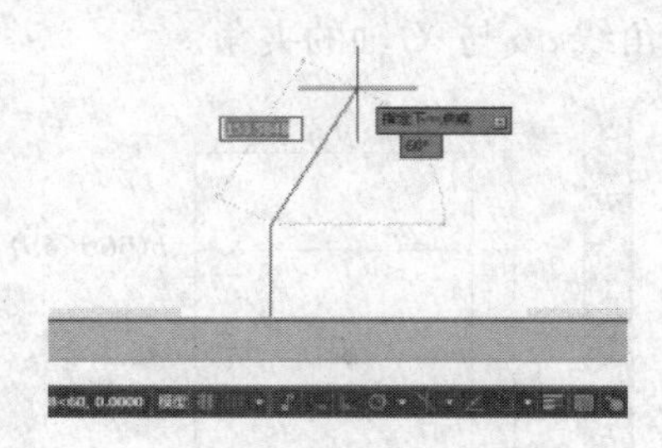

图 4-34　动态跟踪（DYN）显示　　　　图 4-35　用户坐标系工具条

6. “工具选项板”的使用

【工具选项板】选项板包含了【二维、三维绘图】、【图层】、【注释缩放】、【尺寸标注】、【文字】、【多重引线】、【渲染】等多种控制台，单击这些控制台的按钮就可以实现相应的绘制或编辑任务。打开【工具选项板】的步骤：【工具】→【选项板】→【工具选项板】，如图 4-36 所示。

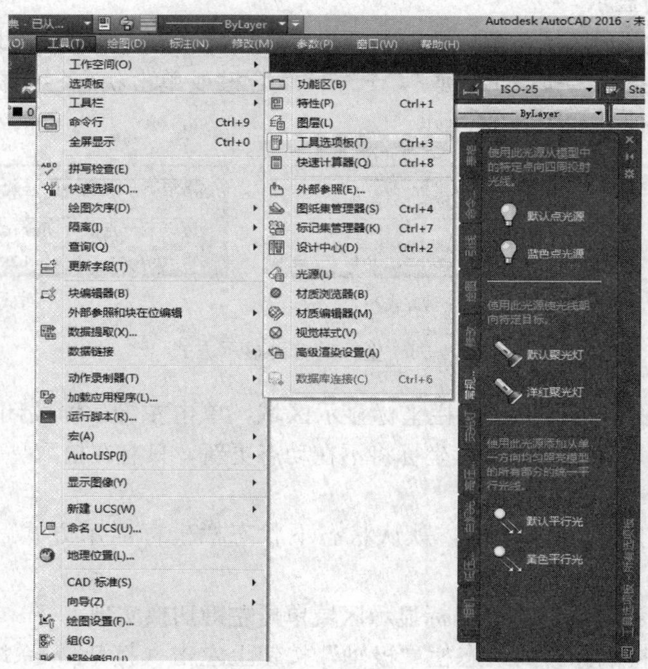

图 4-36　选项板

打开【工具】下拉菜单，选择【选项板】，在它的子菜单上部有若干个选项板，如：【特性】、【工具选项板】、【快速计算（计算器)】等。

4.2 AutoCAD2016 新功能

AutoCAD2016 为用户提供了许多强大的和新颖的使用功能，使图形设计和操作更加高效和方便。初学者可以从菜单栏【帮助】下拉菜单中通过左击【帮助】进入“帮助”窗口，如图 4-37 所示。

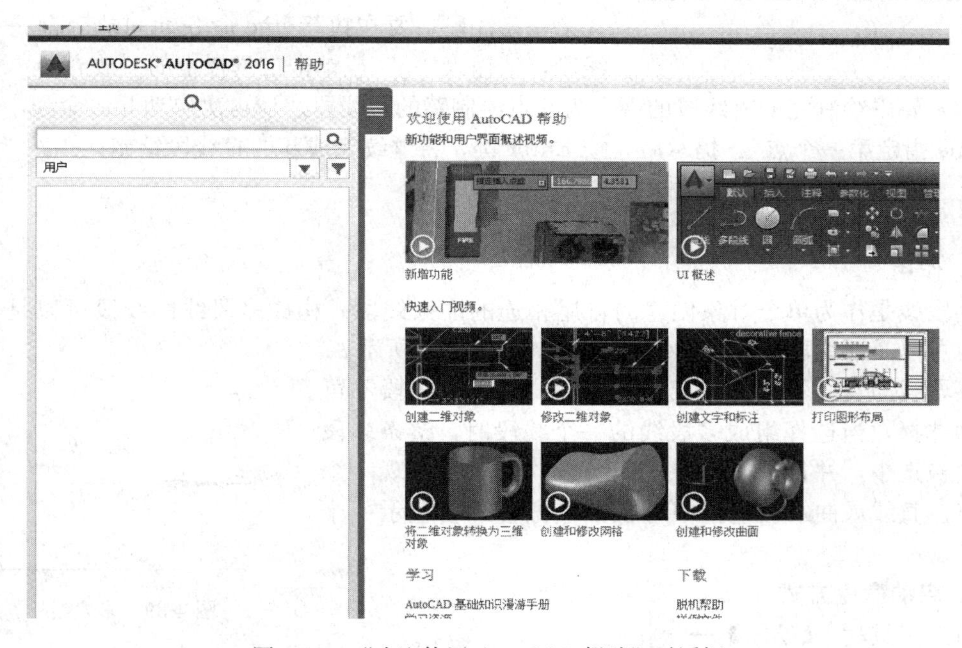

图 4-37 “欢迎使用 AutoCAD 帮助”对话框

4.3 二维图形绘制

无论多复杂的图形对象都是由最基本的点、直线、曲线等基本图形构成的。在 AutoCAD 中，这些基本图形对象都可以通过【绘图】菜单在命令提示下输入坐标值来绘制。在 AutoCAD2016 中，可直接绘制的基本图形有点、直线、多段线、矩形、多边形、多线、圆、椭圆、圆弧、样条曲线、构造线等，也可用“徒手画（sketch)”功能绘制相关图形对象。

4.3.1 绘制直线

1. 启动命令方式

(1) 工具栏：【绘图】→ ；

(2) 菜单：【绘图】→【直线】；

(3) 命令行：【line (l)】(【line (l)】：括号中的 (l) 表示命令的缩写，CAD 输入命

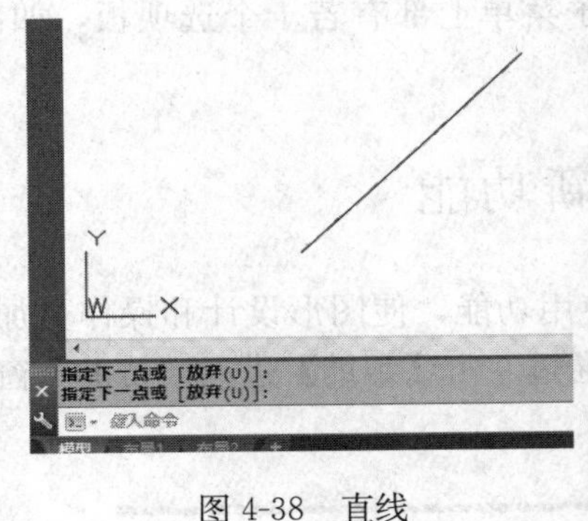

图 4-38　直线

令时不必考虑字母大小写问题，所以，绘制直线命令也可以输入“L”）

2. 操作步骤与选项说明

启动直线（line）命令后，AutoCAD 给出如下提示，如图 4-38 所示：

（1）命令：line 指定第一个点：指定起点，可以使用定点设备，也可以在命令行上输入坐标值；

（2）指定下一点或［放弃（U）］（指定端点以完成第一条线段，要在执行 line 命令期间放弃前一条直线段，请输入“u”或单击工具栏上的“放弃”）；

（3）要以绘制完的直线段的端点为起点绘制新的直线段。请再次启动 line 命令，在出现“line 指定第一个点”：提示后，按 Enter 键，将继续完成新的直线段绘制。

4.3.2　绘制多段线

1. 作用

多段线是作为单个对象创建的首尾相连的序列线段。构成多段线的线段可以是直线段，也可以是弧线段或两者的组合线段，如图 4-39 所示。

多段线与直线不同，组成一条多段线的每一线段不可以单独选择，当选择组成多段线的一个线段时，整条多段线都会被选中，并且只在每个序列线段的首尾各出现一个夹持点。直线或曲线被选择中时在中点位置还会显示一个夹持点。

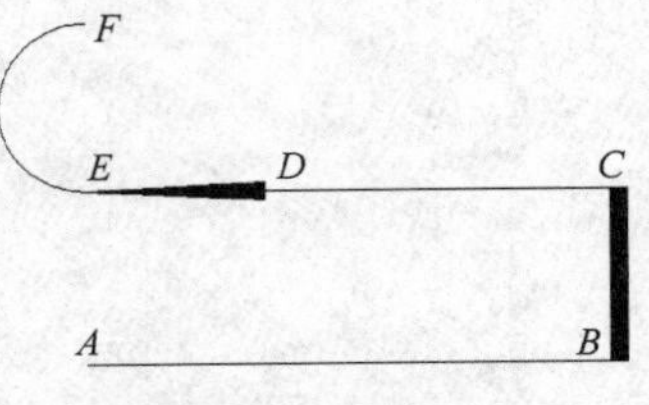

图 4-39　多段线

2. 启动命令方式

（1）工具栏：【绘图】→ ；

（2）菜单：【绘图】→【多段线】；

（3）命令行：【pline（pl）】。

3. 操作步骤与选项说明

启动多段线（PLine）命令后，AutoCAD 给出如下提示，如图 4-40 所示：

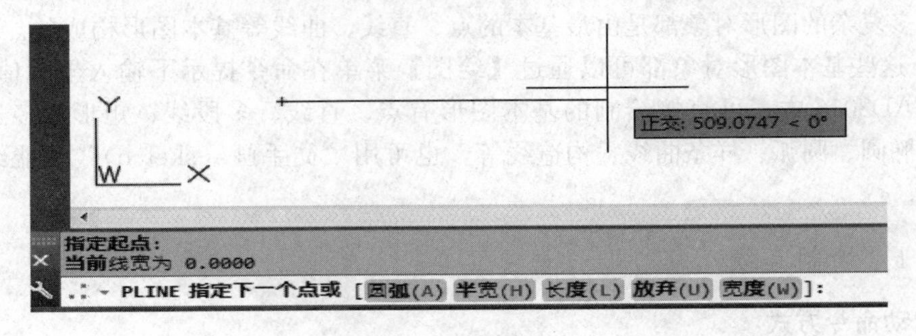

图 4-40　多段线交互

（1）指定起点。当指定起点后，命令行提示如下信息：如：当前线宽为 0.0000，此时，要调整线宽则输入“W”，若需绘制圆弧则输入“A”，如图 4-40 所示。

（2）绘制圆弧，输入“A”（或“a”）。命令行将弹出绘制圆弧的相关选项，如圆弧（A）、圆心（CE）、半径等。

1）圆弧（A）：指定弧线段的从起点开始的包含角；

2）圆心（CE）：指定弧线段的圆心；

3）方向（D）：指定弧线段的起始方向；

4）半宽（H）：指定从宽多段线线段的中心到其一边的宽度。起点半宽将成为默认的端点半宽。端点半宽在再次修改半宽之前将作为所有后续线段的统一半宽。宽线线段的起点和端点位于宽线的中心；

5）长度（L）：在与上一线段相同的角度方向上绘制指定长度的直线段。如果上一线段是圆弧，程序将绘制与该弧线段相切的新直线段；

6）放弃（U）：删除最近一次添加到多段线上的弧线段；

7）宽度（W）：与“圆弧（A）”选择中的“宽度（W）”意思相同。

4.3.3 绘制矩形

1. 作用

在 AutoCAD 中，矩形的本质是矩形形状的闭合多段线。此命令可以创建矩形，并指定长度、宽度、面积和旋转参数。还可以控制矩形上角点的类型（圆角、倒角或直角）。

2. 启动命令方式

（1）工具栏：【绘图】→ ▭；

（2）菜单：【绘图】→【矩形】；

（3）命令行：【rectang（rec）】。

3. 操作步骤与选项说明

启动【矩形（rectangle）】命令后，AutoCAD 给出，如图 4-41 提示：

（1）命令：_ rectang。

（2）指定第一个角点或 [倒角（C）/标高（E）/圆角（F）/厚度（T）/宽度（W）]

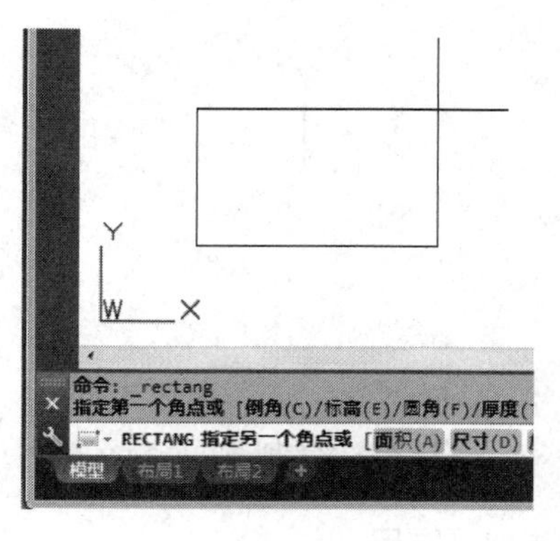

图 4-41 绘矩形

可选择指定角点或输入选项，各选项功能如下：

1）倒角（C）：设置矩形的倒角距离。以后执行矩形（rectangle）命令时此值将成为当前倒角距离。

2）标高（E）：指定矩形的标高。以后执行 rectangle 命令时此值将成为当前标高。

3）圆角（F）：指定矩形的圆角半径。

4）厚度（T）：指定矩形的厚度。以后执行“矩形（rectangle）”命令时此值将成为当前厚度。

5）宽度（W）：为要绘制的矩形指定多段线宽度。以后执行 rectangle 命令时此值将成为当前多段线宽度。

（3）指定另一个角点或 [面积（A）/尺寸（D）/旋转（R）] 各选项功能如下：

1）角点：使用指定的点作为对角点创建矩形。

2）面积（A）：使用面积与长度或宽度创建矩形。如果“倒角”或“圆角”选项被激活，则区域将包括倒角或圆角在矩形角点上产生的效果。

3）尺寸（D）：使用长和宽创建矩形。

4）旋转（R）：按指定的旋转角度创建矩形。

4.3.4 绘制多边形

1. 作用

在 AutoCAD 中，正多边形与矩形一样，其本质是闭合多段线。使用创建正多边形命令可创建具有 3 至 1024 条等长边的闭合多段线。

2. 启动命令方式

(1) 工具栏：【绘图】→ ⬠；

(2) 菜单：【绘图】→【多边形】；

(3) 命令行：【polygon（pol）】

3. 操作步骤与选项说明

命令提供了三种画正多形的方法，如图 4-42 所示：

(1) 指定外接圆的半径来定义正多边形。指定外接圆的圆心（正多边形的中心点）、半径和多边形的边数，正多边形的所有顶点都在此圆周上，如图 4-42（*a*）所示。

(2) 指定从正多边形中心点到各边中点的距离来定义正多边形。指定正多边形的中心点、中心点到各边中点的距离（外切圆的半径）和多边形的边数，正多边形各边均与圆相切，如图 4-42（*b*）所示；

(3) 通过指定第一条边的端点来定义正多边形。由某两端点确定的正多边形的某一边，并指定正多边形的边数，如图 4-42（*c*）所示。

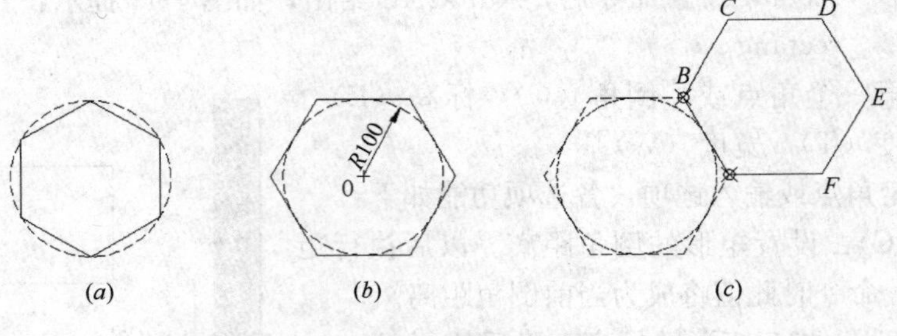

图 4-42 绘制正多边形

4.3.5 绘制圆

1. 作用

圆是 AutoCAD 的一种基本对象，circle 命令提供多种方法绘制圆。

2. 启动命令方式

(1) 工具栏：【绘图】→ ⊙；

(2) 菜单：【绘图】→【圆】；

（3）命令行：【circle（c）】。

3. 操作步骤与选项说明

要创建圆，可以指定圆心、半径、直径、圆周上的点和其他对象上的点的不同组合。AutoCAD2016 提供了 6 种画圆的方法，如图 4-43 所示。

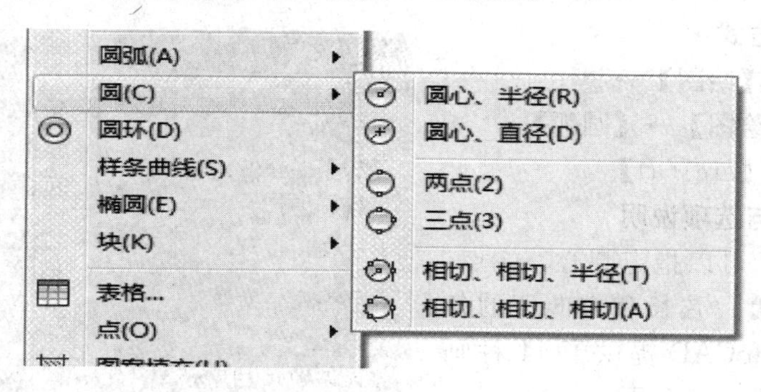

图 4-43 “圆”子菜单

（1）圆心、半径：基于圆心和半径绘制圆，这是圆命令的默认方法，如图 4-44（*a*）所示；

（2）圆心、直径：基于圆心和直径绘制圆，如图 4-44（*b*）所示；

（3）两点：基于圆直径上的两个端点绘制圆，如图 4-44（*c*）所示；

（4）三点：基于圆周上的三点绘制圆，这三点应不在同一条直线上，如图 4-44（*d*）所示；

（5）相切、相切、半径：基于指定半径和两个相切对象绘制圆，如图 4-44（*e*）所示；

（6）相切、相切、相切画圆：基于三个相切对象绘制圆，这种绘图方式不可在命令行实现，只可在菜单栏中实现，如图 4-44（*f*）所示。

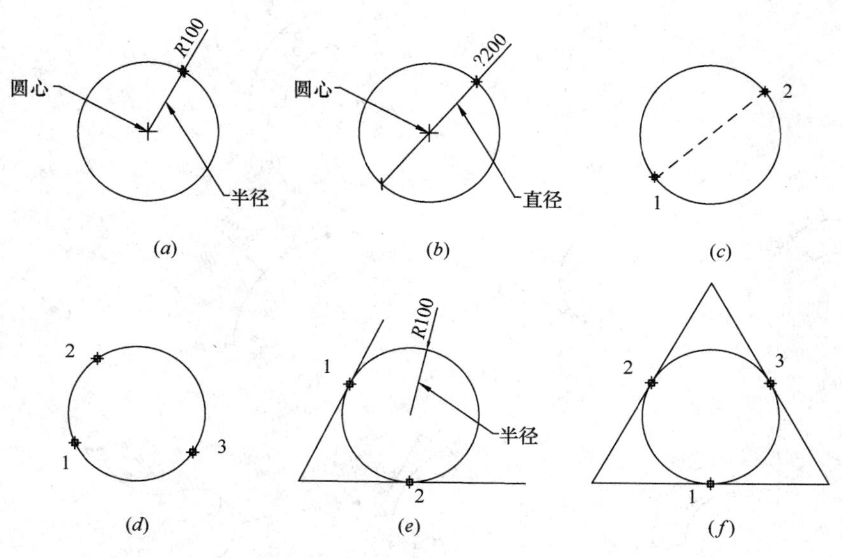

图 4-44 画圆的 6 种方法

4.3.6 绘制圆弧

1. 作用

圆弧 arc 命令用于绘制圆弧。圆弧是圆的一部分，它所包含的角度在 0～360°之间。

2. 启动命令方式

（1）工具栏：【绘图】→ ；

（2）菜单：【绘图】→【圆弧】；

（3）命令行：【arc（a）】。

3. 操作步骤与选项说明

要绘制圆弧，可以指定圆心、端点、起点、半径、角度、弦长和方向值的各种组合形式。AutoCAD 提供了 11 种画圆弧的方法，如图 4-45 所示。

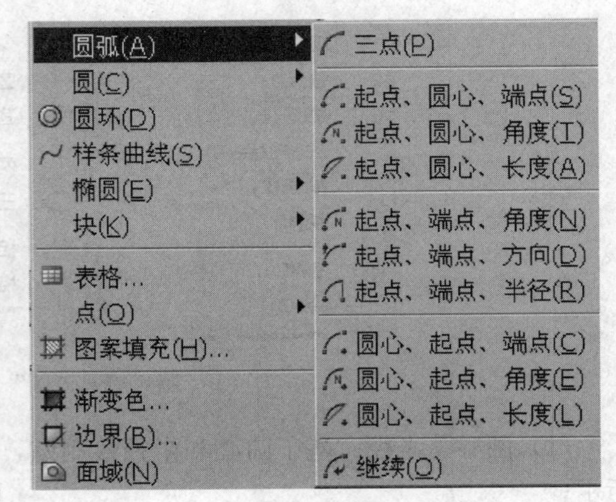

图 4-45 “圆弧”子菜单

（1）三点：通过指定三点绘制圆弧，如图 4-46（*a*）所示；

（2）起点、圆心、端点：如果已知起点、圆弧所在圆的圆心和端点，就可以通过首先指定起点或圆心来绘制圆弧，如图 4-46（*b*）、图 4-46（*h*）所示；

（3）起点、圆心、角度：如果存在可以捕捉到的起点和圆心，并且已知包含角，如图 4-46（*i*）所示；

（4）起点、圆心、长度：如果存在可以捕捉到的起点和中心点，并且已知弦长，可以

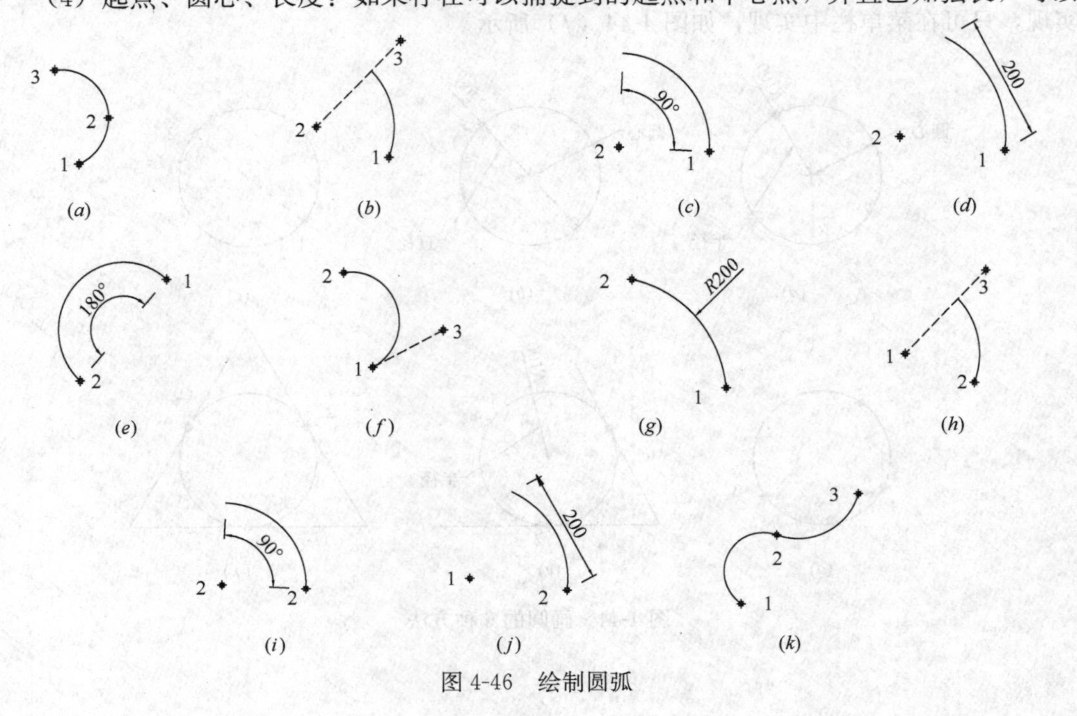

图 4-46 绘制圆弧

使用“起点、圆心、长度”或“圆心、起点、长度”画圆弧，如图 4-46（*d*）、图 4-46（*j*）所示；

（5）起点、端点、角度：如果已知两个端点但不能捕捉到圆心，可以使用本方法，如图 4-46（*e*）所示；

（6）起点、端点、方向：如果存在起点和端点，并可确定起点切线，可以使用本方法，如图 4-46（*f*）所示；

（7）起点、端点、半径：如果存在起点、端点和圆弧所在圆的半径，可以使用本方法如图 4-46（*g*）所示；

（8）继续：完成圆弧或直线的绘制后，通过菜单栏中的【绘图（D）】→【圆弧（A）】→【继续（O）】，可以立即绘制一端与原圆弧或直线相切的圆弧，如图 4-46（*k*）所示。

除第一种方法外，其他方法都是从起点到端点逆时针绘制圆弧。

4.3.7 绘制椭圆

1. 作用

椭圆 ellipse 命令用于绘制椭圆。椭圆由定义其长轴和短轴决定。

2. 启动命令方式

（1）工具栏：【绘图】→ ；

（2）菜单：【绘图】→【椭圆】；

（3）命令行：【ellipse（el）】。

3. 操作步骤与选项说明

创建椭圆的关键是确定中心点、长轴和短轴。AutoCAD 提供了多种画椭圆的方法，如图 4-47 所示。

（1）通过指定椭圆的中心点、一轴端点和另一轴长度定义椭圆，如图 4-48（*a*）所示；

（2）通过指定一轴的两端点和另一轴长度定义椭圆，如图 4-48（*b*）所示；

（3）在上述两种画椭圆的基础上再增加一个角度定义椭圆弧。如图 4-48（*c*）所示；

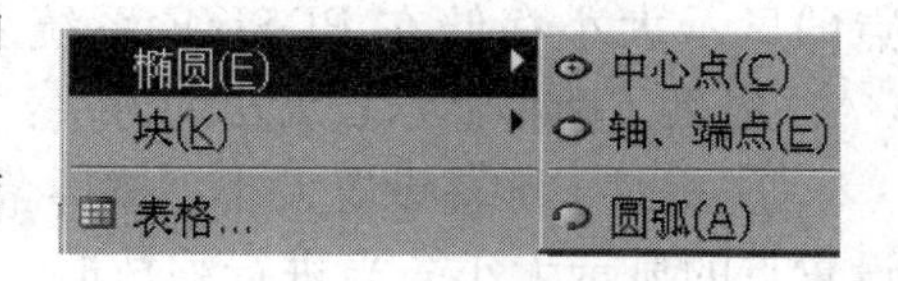

图 4-47　椭圆子菜单

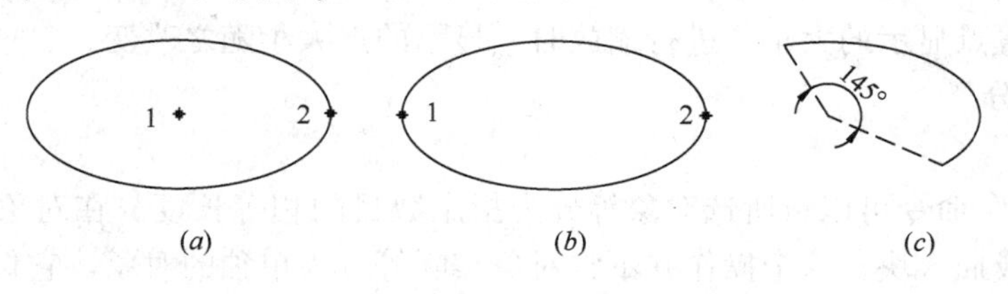

图 4-48　椭圆的不同画法

4.3.8 绘制点对象

1. 作用

点可以作为捕捉对象的节点。可以指定点的全部三维坐标。如果省略 *Z* 坐标值，则假定为当前标高。作为节点或参照几何图形的点对象可用于对象捕捉和相对偏移。更为重要的是，利用点命令可以将指定的线段定数等分或定距等分。

通过【绘图（D）】菜单栏→【点（O）】中，提供了4种画点的方法，如图4-49所示。

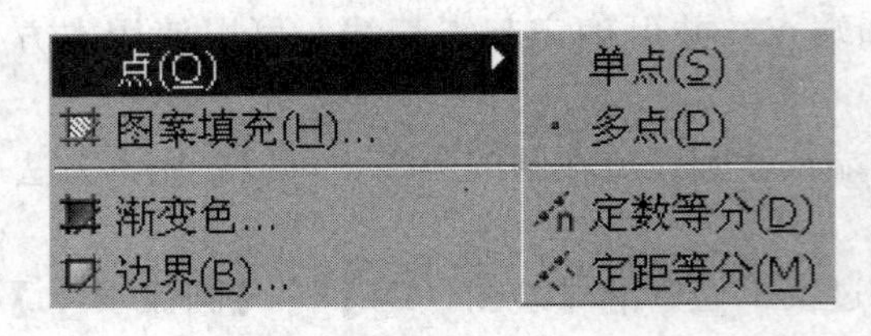

图4-49 “点”子菜单

2. 启动命令方式

（1）工具栏：【绘图】→ ；

（2）菜单：【绘图】→【点】→【单点】或【多点】；

（3）命令行：【point（po）】。

3. 调出【点样式】对话框

点对象的外观由PDMODE和PDSIZE系统变量控制。PDMODE的值控制点的显示样式，PDSIZE控制点图形的大小。用下列两种方式之一可以调出【点样式】对话框，如图4-50所示。

（1）在菜单栏中，选择【格式（O）】→【点样式（P）】；

（2）在“命令”提示下，输入“ddptype”后按回车键。

（3）【点样式】对话框各部分说明如下：

1）点样式图标。对话框上部的点样式图标用于指定点对象在工作区的样式。点样式存储在PDMODE系统变量中。

2）点大小。【点大小】用于设置点的显示大小。点的显示大小存储在PDSIZE系统变量中。AutoCAD提供了两种显示点大小的方法：

① 相对于屏幕设置大小：按屏幕尺寸的百分比设置点的显示大小。当进行缩放时，点的显示大小并不改变。

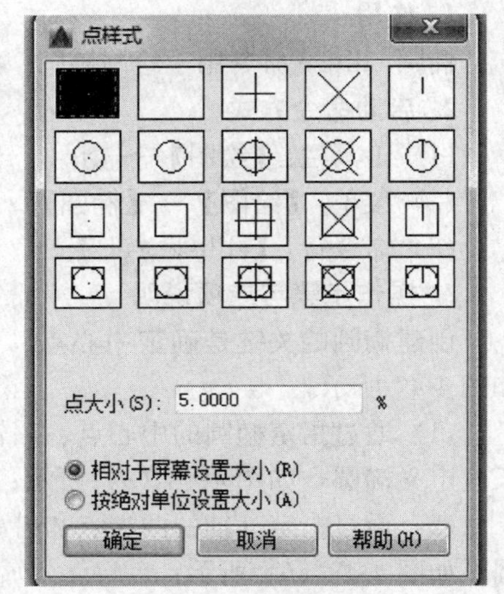

图4-50 “点样式对话”

② 按绝对单位设置大小：按【点大小】下指定的实际单位设置点显示的大小。进行缩放时，显示的点大小随之改变。

4. 定数等分

（1）作用

“定数等分”命令可以将所选对象等分为指定数目的相等长度。在对象上按指定数目等间距创建点或插入块。这个操作并不将对象实际等分为单独的对象，它仅仅是标明定数等分的位置，以便将它们作为几何参考点。

（2）启动命令方式：

1）菜单：【绘图】→【点】→【定数等分】；

2）命令行：【divide（div）】

3）操作步骤与选项说明

（3）执行定数等分后，命令行显示如下提示：

1）选择要定数等分的对象：（使用对象选择方法选定对象）

2）输入线段数目或【块（B）】：（选择输入线段数目或放置块）

（4）示例

绘制如图4-51所示的直线，用【定数等分】命令在其上面标记5等分点。操作步骤如下：

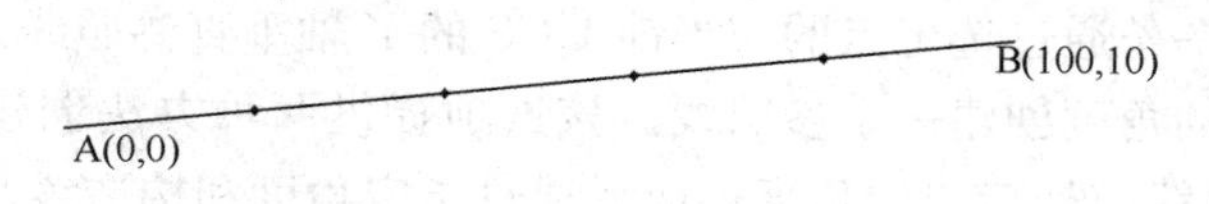

图4-51　定数等分直线

1）按图4-52所示坐标画直线

2）命令：_divide

3）选择要定数等分的对象：（执行【绘图（D）】→【点（O）】→【定数等分（D）】命令后，再选择直线）

4）输入线段数目或【块（B）】：5（命令自行结束）

5. 定距等分

（1）作用

【定距等分】命令可以在所选对象上按指定长度等间距创建点或插入块。

（2）启动命令方式：

1）菜单：【绘图】→【点】→【定距等分】；

2）命令行：【measure（me）】。

（3）操作步骤与选项说明

执行【定距等分】命令后，命令行显示如下提示：

1）选择要定距等分的对象：（使用对象选择方法选定对象）；

2）输入线段长度或【块（B）】：（选择输入线段长度或放置块）。

4.3.9　绘制构造线和射线

构造线和射线均是无限延伸的直线，但构造线向两个方向无限延伸、射线向一个方向无限延伸，两者均可用作创建其他对象的参照。如构造线可用于查找三角形的中心、准备同一个项目的多个视图或创建临时交点用于对象捕捉。

1. 绘制构造线

（1）作用

创建向两端无限延伸的构造线。构造线可以放在三维空间的任何地方。

（2）启动命令方式：

1）工具栏：【绘图】→ ；

2）菜单：【绘图】→【构造线】；

3）命令行：【xline（xl）】。

（3）操作步骤与选项说明：

启动构造线命令后，AutoCAD给出如下提示：

命令：_xline

指定点或[水平(H)/垂直(V)/角度(A)/二等分(B)/偏移(O)]：可选择指定点或输入选项）

（4）各选项功能如下：

1）指定点：用无限长直线所通过的两点定义构造线的位置。

2）水平：创建一条通过选定点的与当前 UCS 的 X 轴平行参照线。

3）垂直：创建一条通过选定点的与当前 UCS 的 Y 轴垂直参照线。

4）角度：指定的角度创建一条参照线。该选项提供两种方法创建构造线。选择一条参考线，指定那条直线与构造线的角度；或者通过指定角度和构造线必经的点来创建与水平轴成指定角度的构造线。

5）二等分：创建一条参照线，它经过选定的角顶点，并且将选定的两条线之间的夹角平分。

6）偏移：创建平行于指定基线的构造线。指定偏移距离，选择基线，然后指明构造线位于基线的哪一侧。

构造线对缩放没有影响，并被显示图形范围的命令所忽略。和其他对象一样，无限长线也可以移动、旋转和复制。

2. 射线

（1）菜单：【绘图】→【射线】；

（2）命令：【ray】→【指定起点】→【指定通过点】。

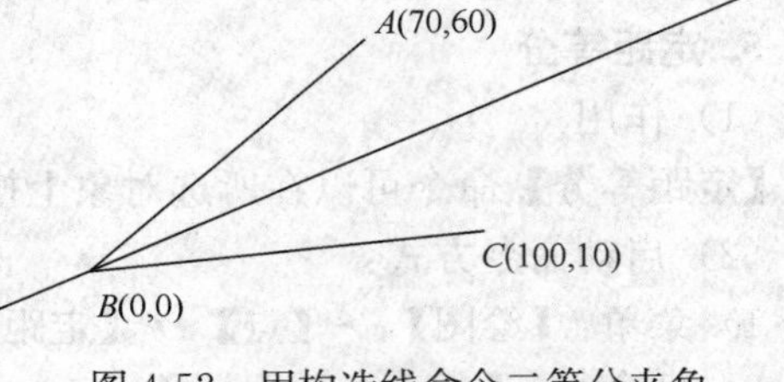

图 4-52　用构造线命令二等分夹角

3. 示例

绘制一个如图 4-52 所示的直线 AB 和 BC，再用“构造线（xline)”命令绘其角平分线。

4.3.10　创建修订云线

1. 作用

修订云线是由连续圆弧组成的多段线。用于在检查阶段提醒用户注意图形的某个部分，如图 4-53 所示。

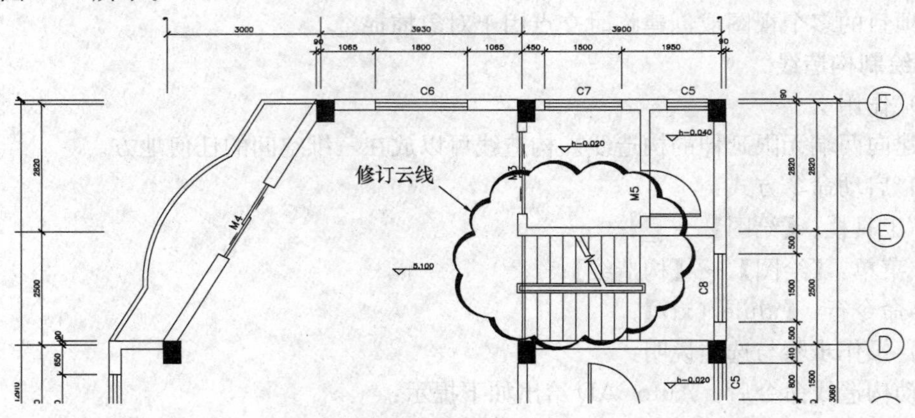

图 4-53　云线的应用

2. 启动命令方式

(1) 工具栏：【绘图】→ ；

(2) 菜单：【绘图】→【修订云线】；

(3) 命令行：【revcloud】。

3. 操作步骤与选项说明

启动修订云线命令后，命令行给出如下提示：

(1) 最小弧长：15　最大弧长：15　样式：手绘；

(2) 指定起点或[弧长(A)/对象(O)/样式(S)]＜对象＞：(可选择指定云线起点或输入选项)。

各选项功能如下：

1) 弧长：分别指定云线中最小弧长和最大弧长的长度。最大弧长不能大于最小弧长的三倍。

2) 对象：指定要转换为云线的某一闭合对象（圆、椭圆、多段线或样条曲线），可以将闭合对象转换为修订云线。

3) 样式：指定修订云线的样式，包括普通，如图 4-54（*a*）所示，手绘样式，如图 4-54（*b*）所示。

图 4-54　修订云线的样式
（*a*）普通样式；（*b*）手绘样式

4.3.11　徒手画

1. 作用

徒手画（sketch）命令用于创建自由的线条。徒手画由许多条线段组成。每条线段都可以是独立的对象或多段线。可以设置线段的最小长度或增量。线段越小精度越高，但会明显增加图形文件的大小，建议尽量少使用此命令画图。徒手画（sketch）命令对于创建不规则边界或使用数字化仪追踪非常有用。绘图空间常用绘图工具条里没有这个图标按钮。

徒手绘图时，定点设备（如鼠标）就像画笔一样。单击定点设备将把“画笔”放到屏幕上，这时可以进行绘图，再次单击将提起画笔并停止绘图，如图 4-55 所示。

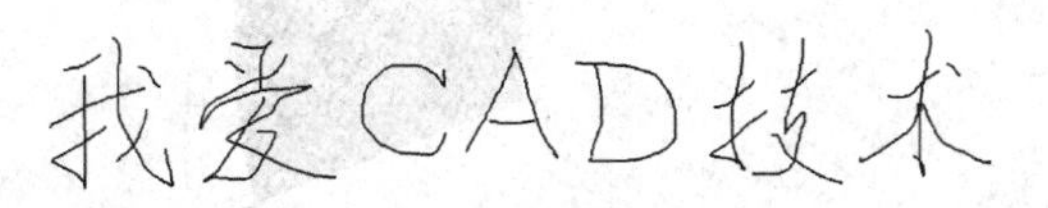

图 4-55　徒手画命令的应用

2. 启动命令方式

命令行：【sketch】。

3. 操作步骤与选项说明

启动【徒手画】命令后，命令行给出如下提示。

(1) 记录增量：＜1.0000＞：(指定距离或按 ENTER 键选用默认值 1.0000)

(2) 徒手画：画笔(P)/退出(X)/结束(Q)/记录(R)/删除(E)/连接(C)(在工作区单击鼠标开始徒手画，或输入选项)。

(3) 各选项含义如下：

1)“记录增量”：记录的增量值定义直线段的长度。定点设备移动的距离必须大于记录增量才能生成线段。

2）“画笔（P）”：（拾取按钮）提笔和落笔。在用定点设备选取菜单项前必须提笔。

3）“退出（X）”：记录及报告临时徒手画线段数并结束命令。

4）“结束（Q）”：放弃从开始调用“徒手画（sketch）”命令或上一次使用“记录”选项时所有徒手画临时线段，并结束命令。

5） “记录（R）”：永久记录临时线段，不改变画笔的位置，也不退出“徒手画（sketch）”命令。

6）“删除（E）”：删除临时线段的所有部分，如果画笔已落下则提起画笔。

7）“连接（C）”：落笔，继续从上次所画的线段的端点或上次删除的线段的端点开始画线。

8）“·”：（句点）落笔，从上次所画的直线的端点到画笔的当前位置绘制一条直线，然后提笔。

4.3.12 绘制二维填充

1. 作用

“二维填充”命令用于创建实体填充的三角形和四边形。

2. 启动命令方式

（1）菜单：【绘图】→【建模】→【二维填充】；

（2）命令行：【solid】。

3. 操作步骤与选项说明：

启动【二维填充】命令后，AutoCAD给出如下提示：

（1）命令：_ solid 指定第一点：

（2）指定第二点：

（3）指定第三点：

（4）指定第四点或<退出>：

依次指定多边形的角点。如果在“指定第四点”提示下按回车键将提示创建一个填充三角形；在“指定第四点”提示下指定第四点，程序将创建一个四边形。

4. 示例

用【二维填充】命令绘制，如图4-56所示所示，操作步骤如下：

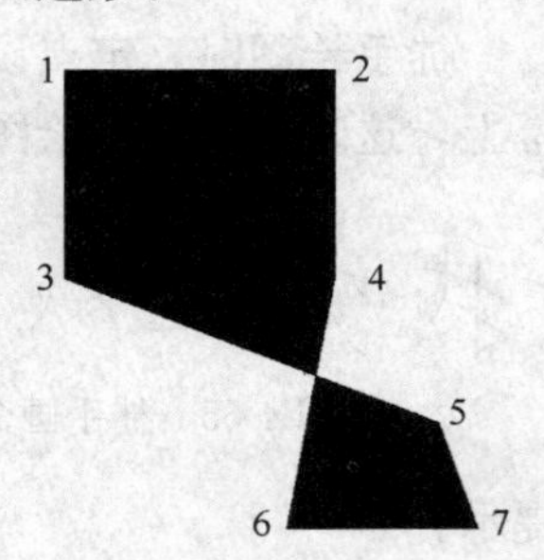

图4-56 画椭圆弧练习

（1）命令：【SOLID】；

（2）指定第一点： （指定点1）

（3）指定第二点： （指定点2）

（4）指定第三点： （指定点3）

（5）指定第四点或<退出>： （指定点4）

（6）指定第三点： （指定点5）

（7）指定第四点或<退出>： （指定点7）

（8）指定第三点： （指定点7）

（9）指定第四点或<退出>： （按回车键画三角形）

（10）指定第三点：　　　　　　（按回车键结束命令）

4.3.13　绘制样条曲线

1. 作用

样条曲线命令用于创建样条曲线。样条曲线是经过或接近一系列给定点的光滑曲线。可以控制曲线与点的拟合程度。可以使用以下两种方法创建样条曲线。

（1）使用样条曲线命令创建样条曲线，即 NURBS 曲线（非一致有理 B 样条曲线）。

（2）使用 PEDIT 命令的“样条曲线”选项创建样条曲线。

样条曲线 PEDIT 命令在指定的公差范围内把光滑曲线拟合成一系列的点。还可以将样条曲线拟合多段线转换为真正的样条曲线。

2. 启动命令方式

（1）工具栏：【绘图】→ ；

（2）菜单：【绘图】→【样条曲线】；

（3）命令行：【spline（spl)】。

3. 操作步骤与选项说明

启动【样条曲线】命令后，命令行给出如下提示：

指定第一个点或[对象(O)]：

该命令各选项含义如下。

“指定第一点”：执行【指定第一个点】选项，命令行给出如下提示：

指定下一点：

输入点一直到完成样条曲线的定义为止。输入两点后，显示以下提示：

指定下一点或[闭合(C)/拟合公差(F)]<起点切向>：

上述提示中各选项含义如下：

（1）“指定下一点”：连续地输入点将增加附加样条曲线线段，直到选定其他选项。直接按回车键将执行【起点切向】选项。

（2）“闭合”：将最后一点定义为与第一点一致并使它在连接处相切，这样可以闭合样条曲线。命令行将提示用户指定一点来定义切向矢量。

（3）“拟合公差”：公差表示样条曲线拟合所指定的拟合点集时的拟合精度。公差越小，样条曲线与拟合点越接近。公差为 0，样条曲线将通过该点。在绘制样条曲线时，可以改变样条曲线拟合公差以查看效果。

“拟合公差”选项可修改拟合当前样条曲线的公差。根据新公差以现有点重新定义样条曲线。不管选定的是哪个控制点，被修改的公差会影响到所有控制点。

（4）“起点切向”：用于定义样条曲线的第一点的切向。执行该选项后，将提示用户：

指定起点切向：

指定点或按回车键确定起点切向后，将提示用户：

指定端点切向：

端点切向提示指定样条曲线最后一点的切向。指定点或按回车键确定端点切向，命令结束。

（5）“对象（O)”：【对象】选项用于将二维或三维的二次或三次样条拟合多段线转换

成等价的样条曲线并删除多段线（取决于 DELOBJ 系统变量的设置）。

4. 示例

用【样条曲线】命令绘制，如图 4-57 所示雨伞，操作步骤如下。

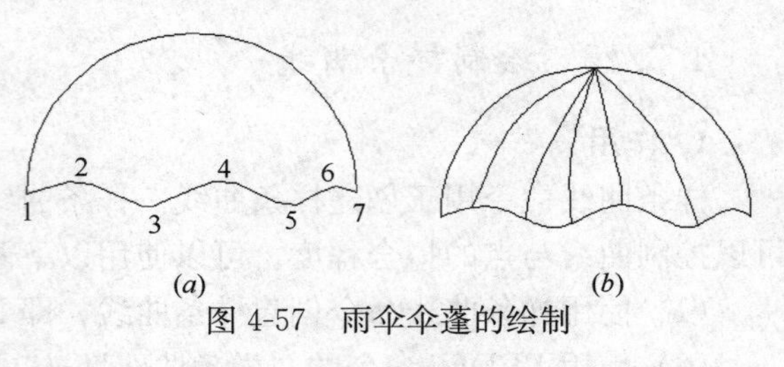

图 4-57 雨伞伞蓬的绘制

(1) 用【圆弧（Arc)】命令绘制半圆弧；用【样条曲线】命令绘制如图 4-57 (*a*) 所示的样条线，图中所标数字为选定点的顺序。【拟合公差（F)】设置为 0。

(2) 用【样条曲线】命令绘制，如图 4-57 (*b*) 所示的样条线。此处要用到【对象捕捉】中的【捕捉到最近点】，以保证新建的竖向样条曲线相交与横向样条曲线。

4.3.14 绘制多线

多线由 1 至 16 条平行线组成，这些平行线称为元素。

1. 启动命令方式

(1) 菜单：【绘图】→【多线】；

(2) 命令行：【mline (ml)】。

2. 操作步骤与选项说明

启动【多段线（MLINE)】命令后，给出如下提示：

当前设置：对正＝上，比例＝20.00，样式＝STANDARD

指定起点或[对正(J)/比例(S)/样式(ST)]:

各选项含义如下：

(1) “指定起点”：用于指定多线的顶点。执行该选项后，给出如下提示：

指定下一点：

该命令的操作与“直线”命令相似，如果指定两点，则提示将包括【放弃（U)】选项，如果指定了两点以上，提示将包括【闭合（C）/放弃（U)】选项，即：

指定下一点或［闭合（C）/放弃（U)]:

(2) “对正”：用于确定将在光标的哪一侧绘制多线，或者是否位于光标的中心上。提供“上（T）/无（Z）/下（B)”三种对正方式。

(3) “上”：是在光标下方绘制多线，因此在指定点处将会出现具有最大正偏移值的直线，如图 4-58 (*a*) 所示。

(4) “无”：是将光标作为原点绘制多线，【多线样式（mlstyle)】命令中【元素特性】

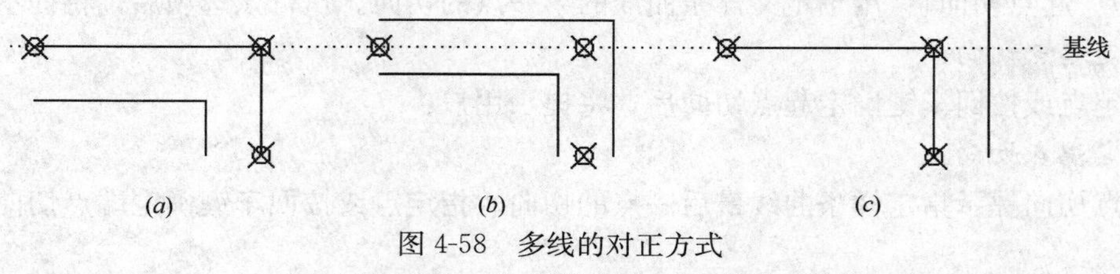

图 4-58 多线的对正方式

(*a*)“上”对正；(*b*)“无”对正；(*c*)“下”对正

的偏移（0.0）将在指定点处，如图 4-58（*b*）所示。

（5）“下（B）”：是在光标上方绘制多线，因此在指定点处将出现具有最大负偏移值的直线，如图 4-58（*c*）所示。

（6）“比例”：用于控制多线的全局宽度。这个比例基于在多线样式定义中建立的宽度。如当比例因子为 2 时，绘制多线的宽度是样式定义的宽度的两倍。从右向左绘制多线时，偏移最小的多线绘制在底部；从左至右绘制多线时，偏移最小的多线绘制在顶部，如图 4-59 所示。如果比例因子为负数时，将翻转偏移线的次序。负比例因子的绝对值也会影响比例。比例因子为 0 将使多线变为单一的直线。

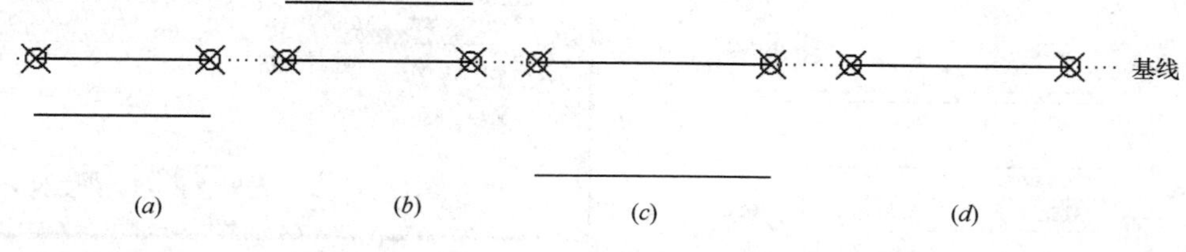

图 4-59　比例和绘图方向对多线的影响（对正＝上）

（*a*）比例＝20；（*b*）比例＝－20；（*c*）比例＝40；（*d*）比例＝－40

（7）“样式”：用于指定多线的样式（多线样式见下节）。执行该选项后，给出如下提示：

输入多线样式名或［?］：

【样式名】用于指定已加载的样式名或创建的多线库（MLN）文件中已定义的样式名。【?】选项用于列出已加载的多线样式名。

3. 多线样式

【多线样式】命令用于控制多线元素的数目和每个元素的特性，还控制背景色和每条多线的端点封口。在【格式】下拉菜单中选取【多线样式】对话框选项，如图 4-60 所示【多线式】对话框。

【多线样式】对话框各选项含义如下：

（1）“当前多线样式”：显示当前多线样式的名称。在创建多线中用到的默认样式即为 STANARD 样式。

（2）“样式”：显示已加载到图形中的多线样式列表。列表中可以包含外部参照的多线样式，即存在于外部参照图形中的多线样式。

（3）“说明”：显示选定多线样式的说明。

（4）“预览”：显示选定的多线样式的名称和图像。

（5）“置为当前”：【置为当前】项按钮用于设置创建多线时用到的默认样式。从【样式】列表中选择一个名称，然后单击 置为当前(U) 按钮。

（6）“新建”：可以创建多线的命名样式，以控制元素的数量和每个元素的特性。单击 新建(N)... 按钮，显示【创建新的多线样式】对话框，从中可以创建新的多线样式，如图 4-61 所示。

在“新样式名”中输入名称，在下拉列表框中选定【基础样式】，继续弹出【修改多线样式】对话框，如图 4-62 所示。

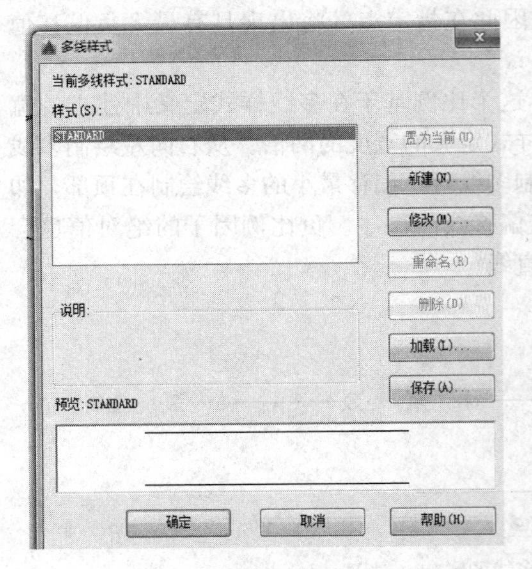

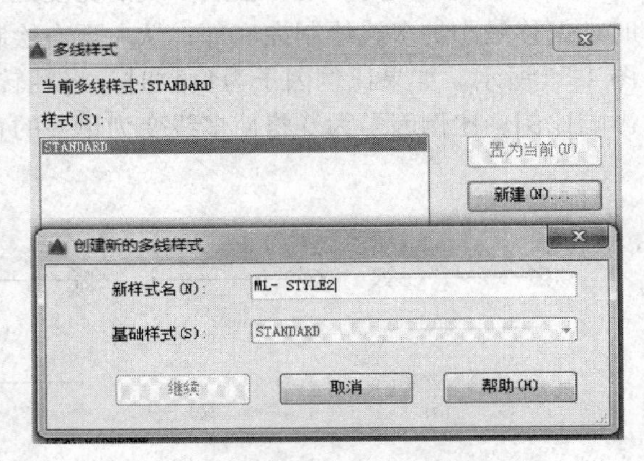

图 4-60 【多线样式】对话框

图 4-61 【创建新的多线样式】对话框

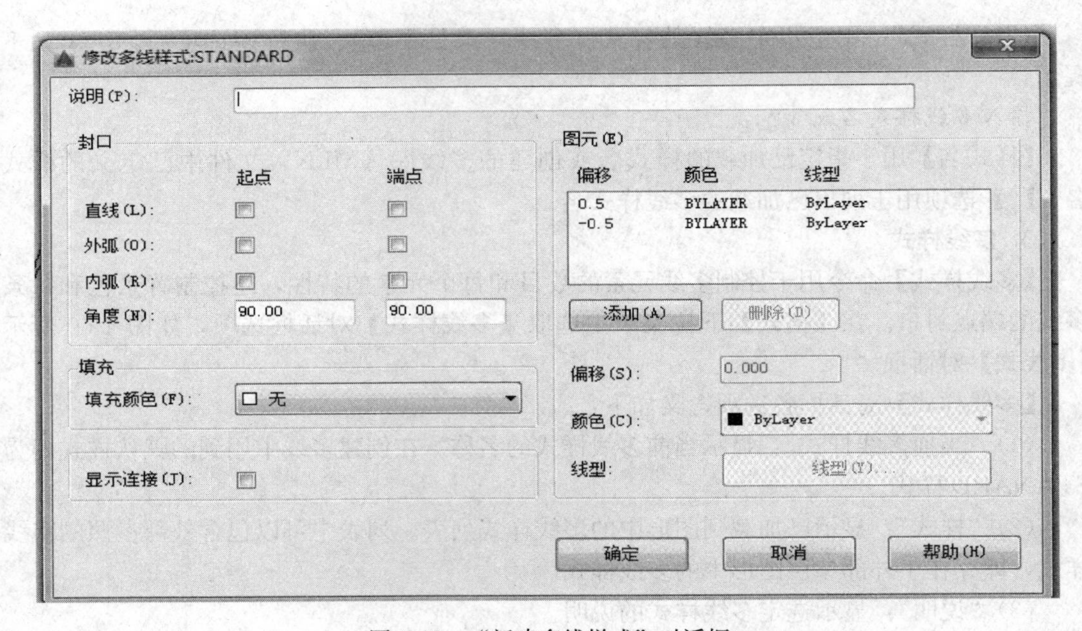

图 4-62 “新建多线样式”对话框

本对话框各选项含义如下：

（7）“说明”：为多线样式添加说明。最多可以输入 255 个字符（包括空格）。

（8）“封口”：用于控制多线起点和端点封口。【直线】是显示穿过多线每一端的直线段，如图 4-63（*a*）所示；【外弧】显示多线的最外端元素之间的圆弧，如图 4-63（*b*）所示；【内弧】显示成对的内部元素之间的圆弧，如图 4-63（*c*）所示。【角度】用于指定端点封口的角度，如图 4-63（*d*）所示。

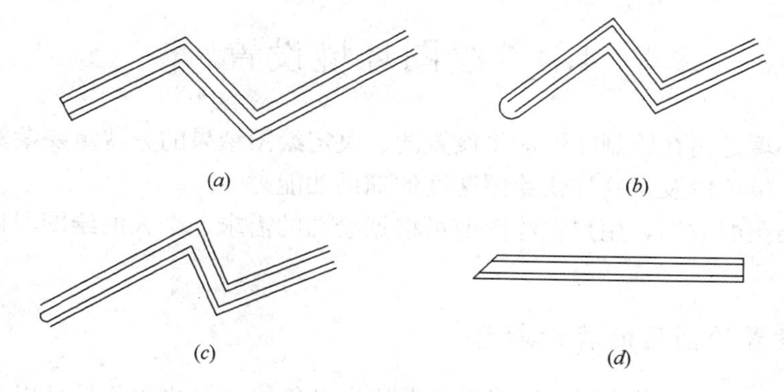

(a)

(b)

(c)

(d)

图 4-63　多线封口形式

（a）起点有直线，端点无直线；（b）起点有外弧，端点无外弧；

（c）起点有内弧，端点无内弧；（d）起点角度＝45°，端点角度＝90°

（9）“填充”：用于控制多线的背景填充的颜色。

（10）“显示连接”：控制每条多线线段顶点处连接的显示，如图 4-64 所示。

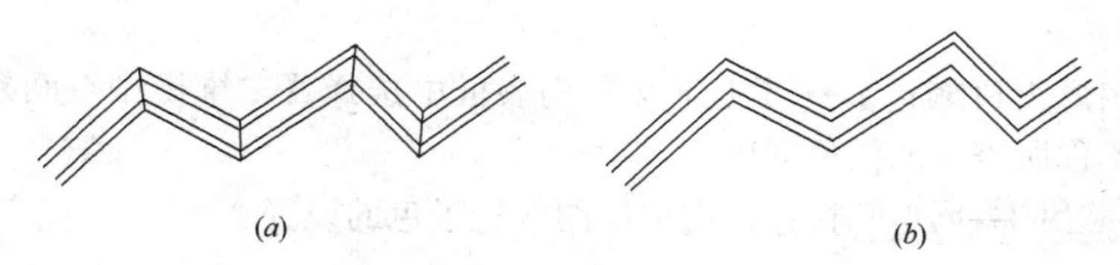

(a)

(b)

图 4-64　显示连接

（a）“显示连接”打开；（b）“显示连接”关闭

（11）“图元”：用于设置新的和现有的多线元素的偏移、颜色和线型等元素特性。【偏移】选项为多线样式中的每个元素指定偏移值。【颜色】选项显示并设置多线样式中元素的颜色。【线型】显示并设置多线样式中元素的线型，如图 4-65 所示。

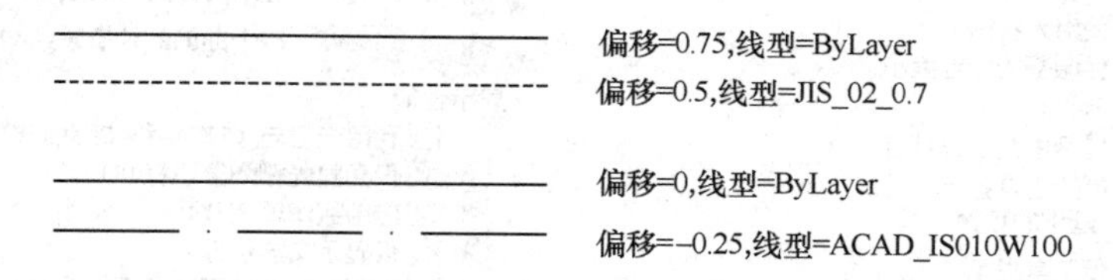

图 4-65　偏移和线型

最多可以为一个多线样式添加 16 个元素。带有正偏移的元素出现在多线段中间的一条线的一侧，带有负偏移的元素出现在这条线的另一侧。

（12）“修改”：显示【修改多线样式】对话框，从中可以修改选定的多线样式。【修改多线样式】对话框和【新建多线样式】对话框基本相同。

（13）“重命名”：重命名当前选定的多线样式。

（14）“删除”：从【样式】列表中删除当前选定的多线样式。此操作并不会删除多线库（MLN）文件中的样式。

4.4 绘图环境设置

设置绘图环境是指在绘制图形前将设置的、决定绘图结果的一些重要参数，比如：图形的绘制范围、单位以及一些加快绘图速度的辅助功能。

为了提高绘图的效率，用户在绘图前可根据绘图的需求、个人的绘图习惯对绘图环境进行设置。

4.4.1 设置绘图区的背景颜色

在 AutoCAD 中，图形绘制区的背景色默认为黑色的，但此颜色是可以改变的，通常我们使用的主要黑、白两色。需要改变背景的颜色时步骤如下：

(1) 单击【工具】菜单→【选项】对话框，切换到【显示】选项卡，如果图 4-66 所示。

(2) 在【窗口元素】选项组中点 颜色(C)... 按钮，弹出“图形窗口颜色”对话框，如图 4-67 所示。

(3) 在【图形窗口颜色】→【上下文】列表框中选择【二维模型空间】，在【颜色】下拉列表中选择你所需要的颜色即可。

(4) 单击 应用并关闭(A) 按钮，完成绘图区背景色的设置。

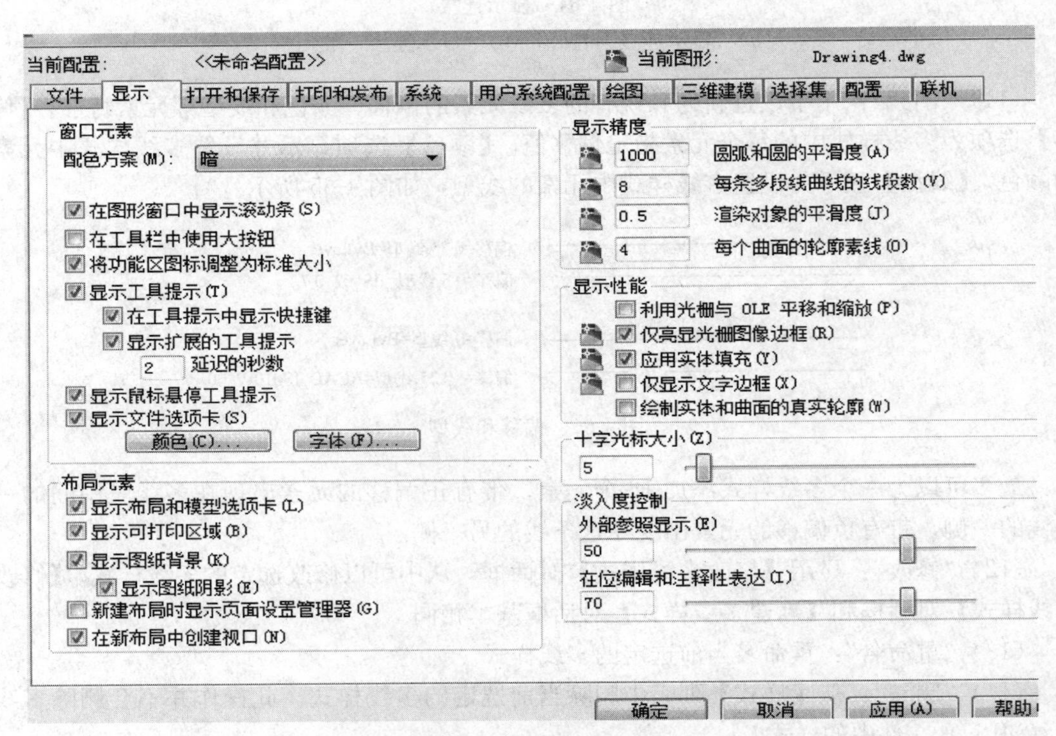

图 4-66 【选项】对话框

4.4.2 设置显示的线宽

在工程制图中，图形的线宽是有相应的国家标准的，为了使我们在 AutoCAD 中所绘制的图形效果更接近真实效果，我们可以在 AutoCAD 中对显示的线宽参数进行修改。

比如当前线宽为 0.25mm（如图 4-67 所示），要修改线宽为 0.5mm，其操作步骤如下：

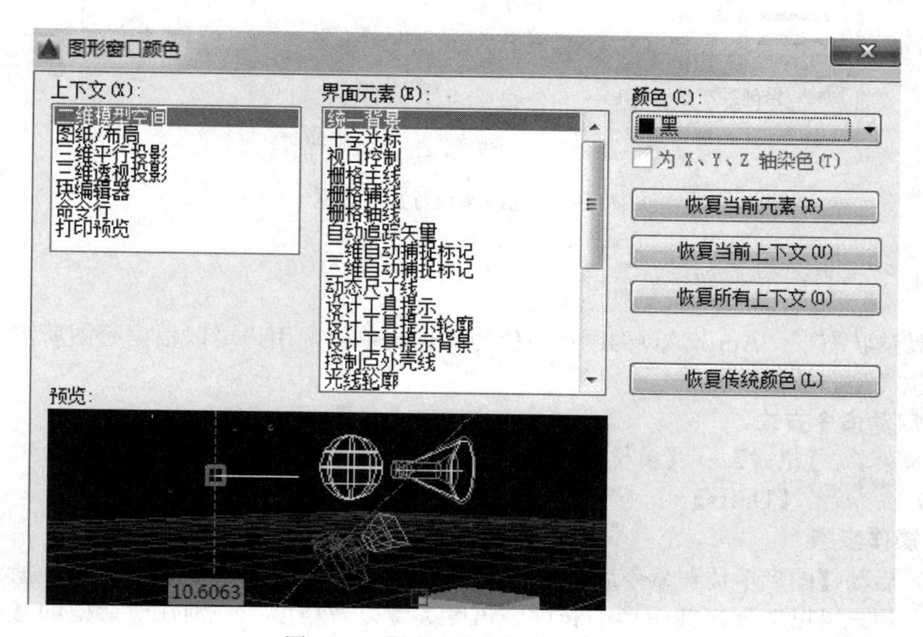

图 4-67 【图形窗口颜色】对话框

（1）单击【格式】→【线宽】打开【线宽设置】对话框，如图 4-68 所示。

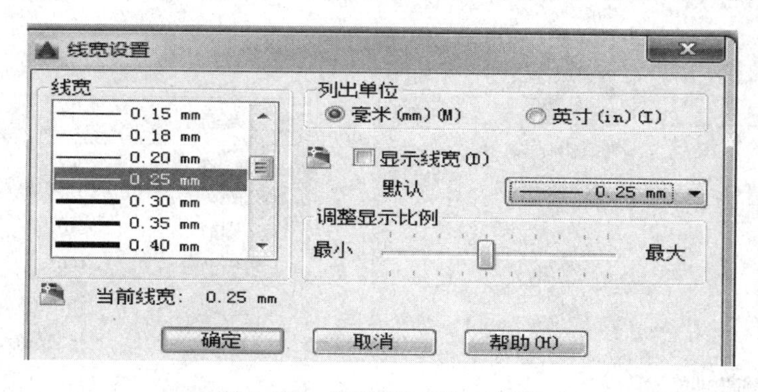

图 4-68 【线宽设置】对话框

（2）选中【显示线宽】复选框，选择所要的线宽，拖动【调整显示比例】到合适位置，单击 确定 ，完成设置，如图 4-69 所示，这时，绘图空间所有线宽都显示为 0.5mm。

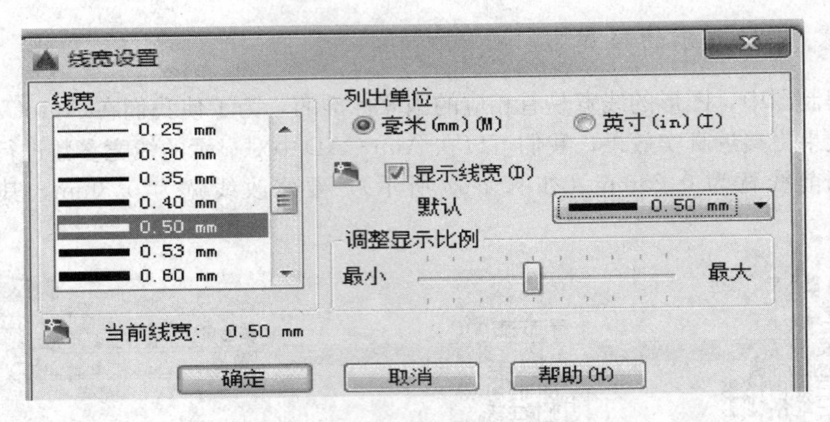

图 4-69 【线宽设置】对话框

4.4.3 设置图形单

在默认状态下，AutoCAD的图形单位为十进制单位，用户可以根据绘图所需要重新设置单位类型和数据精度。

1. 启动命令方式

(1) 菜单：【格式】→【单位】;

(2) 命令行：【Units】。

2. 操作步骤

(1) 启动【图形单位】命令后，出现【图形单位】对话框，如图 4-70 (*a*) 所示。对话框中，用户可以选择当前图形的长度、角度类型以及精度，分别在对话框的【长度】、【角度】等下拉列表中选取，这两个下拉列表的功能如下：

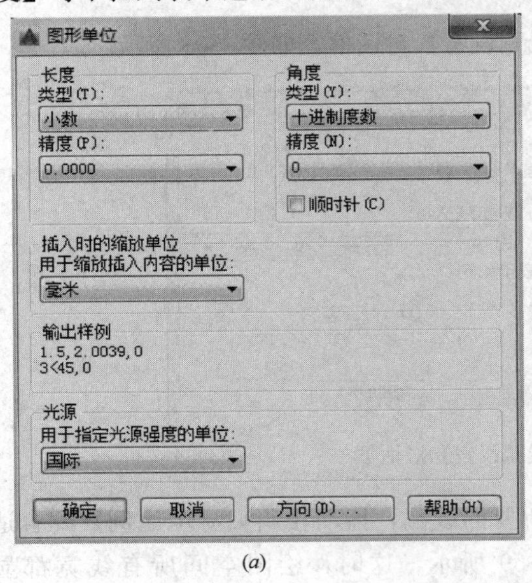

(*a*)

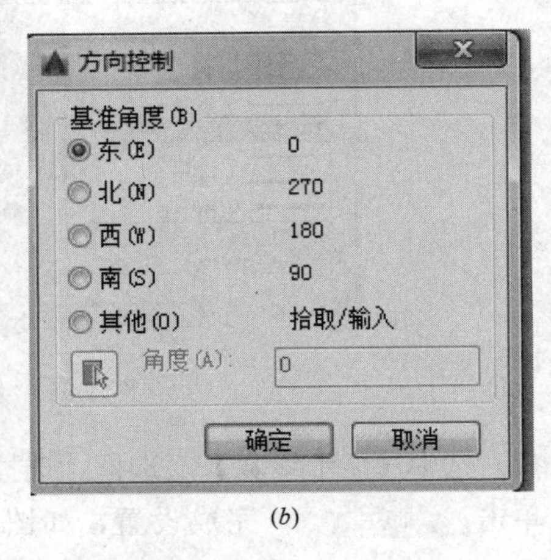

(*b*)

图 4-70 【图形单位】与【方向控制】对话框

(*a*) 图形单位；(*b*) 方向控制

1）设置长度单位时，【类型】下拉列表框中有如下五个选项可供选择：

2）“科学”：科学计数；

3）“小数”：十进制单位。这是系统默认的设置；

4）“工程”：工程单位。数值单位用小数表示；

5）“建筑”：建筑单位。数值单位用分数表示；

6）“分数”：分数单位。小数部分用分数表示。

（2）设置角度单位时，【类型】下拉列表框有如下 5 个选项：

1）“十进制度数”：是系统的默认单位，如 90°、270°等。

2）“度/分/秒”：按六十进制划分。

3）“弧度”：用弧度表示法，180°为 π。

4）“勘测单位”：勘测角度。角度从正北方向开始测量。

5）“百分度”：AutoCAD 中规定在百分度格式中，直角为 100°。

（3）“精度”下拉列表框，设置长度或角度的精度。当我们对长度、角度单位及其精度进行设置之后，状态栏上的坐标值会发生相应的变化。

（4）在“图形单位”对话框下部，有一个【方向】按钮，单击它可以打开【方向控制】对话框，如图 4-70（*b*）所示。用户可以在此设置角度测量的起始位置。

4.4.4 设置栅格和捕捉

在工程制图中，一般要求图形的尺寸准确，AutoCAD 所提供的捕捉模式、栅格显示、正交模式、对象的捕捉及对象追踪捕捉等一些绘图辅助功能就是帮助我们精确的绘制图形的有力工具。

栅格是一种可见的位置图标，它类似于坐标纸，是用户可以调整控制但不能打印出来的一些点所构成的精确的网格，如图 4-71 所示。把栅格和捕捉结合起来使用，可以大大提高绘图速度和精度。

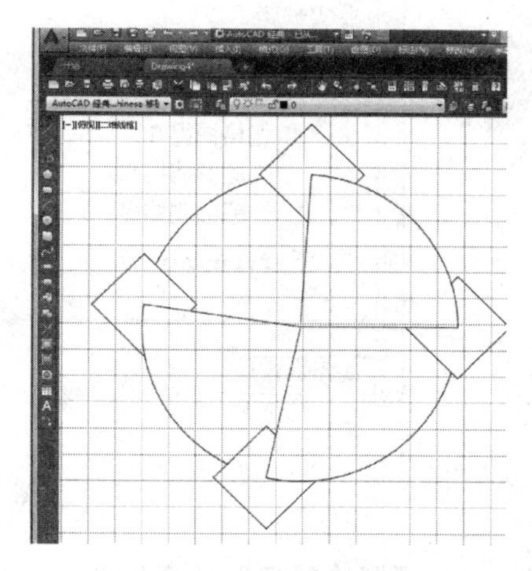

图 4-71 显示图形栅格

1. 栅格的显示

AutoCAD 只在绘图界限内显示栅格，所以栅格的显示和我们设置的图形界限的大小有关。使用栅格可以很直观地显示对象之间的距离，如图 4-71 所示。

在绘图过程中可以随时打开或关闭栅格。当放大或缩小图形时，需要重新调整栅格的间距，以适合新的缩放比例。

打开栅格显示的方法有以下几种：

（1）单击状态栏上的【栅格】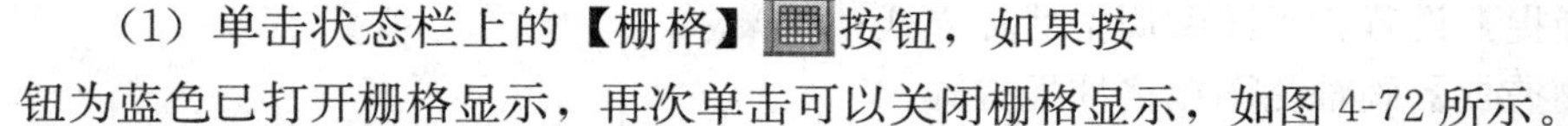按钮，如果按钮为蓝色已打开栅格显示，再次单击可以关闭栅格显示，如图 4-72 所示。

（2）按下快捷键【F7】，可以在显示与关闭栅格之间切换，如图 4-72 所示。

（3）【工具】→【草图设置】对话框的【捕捉和栅格】选项卡中，选中【启用栅格】复选框，然后单击【确定】按钮。

（4）使用【Ctrl+G】组合键。

（5）在命令行输入【Grid】命令，在提示下输入【ON】显示栅格，输入【OFF】关闭栅格。

（6）在命令行中输入【Gridmode】命令，在提示下，输入变量值，1 则显示栅格，0 为不显示栅格，如图 4-71 所示为显示栅格状态。

2. 栅格间距的设置

栅格间距可以调整，栅格就像一张坐标纸，我们可以调整它的间距，以方便做图，以达到精确绘图的目的。栅格密度调整如图 4-72 所示，调出图 4-73 对话框方法，用鼠标右键点击状态栏栅格图标即弹出 4-73 草图设置对话框。

图 4-72 栅格的显示

（1）【草图设置】对话框左下部的【捕捉类型和样式】选项组是用来设置捕捉类型；

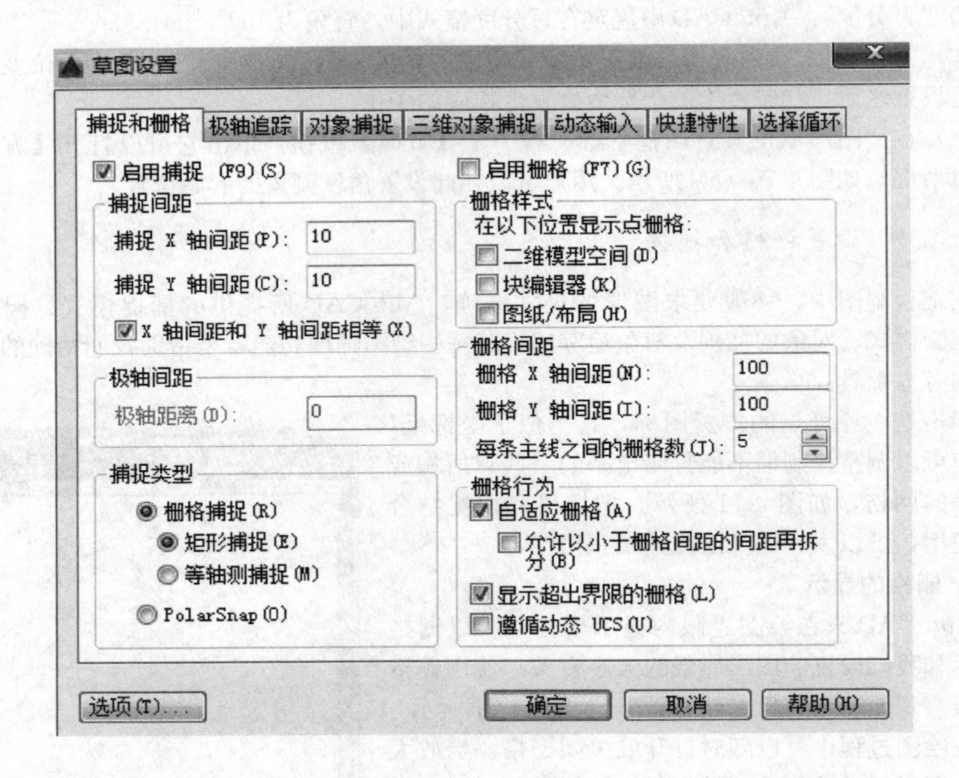

图 4-73 草图设置对话框

（2）【栅格捕捉】单选按钮用来控制栅格捕捉的类别；

（3）【矩形捕捉】设置为平图图栅格捕捉方式；

（4）【等轴测捕捉】画轴测图栅格捕捉方式；

（5）【极轴捕捉】单选按钮用来控制极坐标捕捉方式。

3. 设置栅格捕捉

栅格它只是提供给我们一个做图的坐标背景，而捕捉（Snap）则是控制鼠标移动的工具，捕捉功能用来设定鼠标移动的步长值，从而使光标在绘图区中 X 方向或 Y 方向的移动总是呈步长的倍数，从而提高我们做图的精确度和效率。

一般情况下，栅格和捕捉是配合使用的，捕捉和栅格的值设置是成倍数的，例如：栅格的 X 轴值设为 10，那捕捉的 X 值一般设为 5、10、20 等，以便鼠标能精确地捕捉相应的坐标。

当我们把捕捉打开时，就会发现鼠标的移动是有规律的，只会落在我们设置的捕捉间距相应的坐标上。

捕捉间距的设置也是在【草图设置】对话框中完成，设置的方式与栅格的设置相同。

完成捕捉间距的设置后，我们就可以使用捕捉了，打开或关闭捕捉方式的方法有：

(1) 系统默认方式捕捉为关闭状态。单击状态栏上的【捕捉】按钮，捕捉为打开状态。

(2) 按 F9 功能键在开/关捕捉状态下切换。

4.4.5 正交模式的设置

AutoCAD 提供的正交模式，在正交模式下绘制的直线不是水平的就是垂直的，绘制十分简单。

启动命令方法如下：

(1) 单击状态栏上正交模式的按钮，变蓝色为正交模式被打开。白色关闭，如图 4-74 所示。

(2) 在命令提示区中输入命令：Ortho，回车，在提示中输入 ON 用打开正交模式，OFF 为关闭正交模式。

(3) 按下功能键 F8，循环改变正交打开或关闭状态。

(4) 修改系统变量 Orthomode 的值，0 是关闭状态，1 为打开正交模式状态。

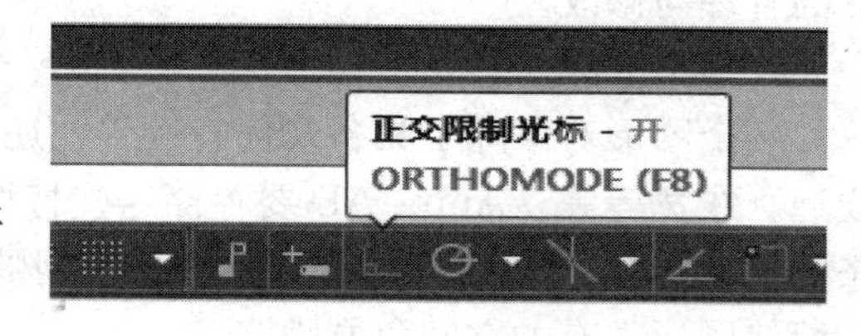

图 4-74　正交显示

4.4.6 线型的设置

线型是指在绘图时所使用的线。在绘图过程中要用到不同的线型，例如虚线、点画线等。默认状态下线型为“Continuous”(实线型)，因此我们要根据实际情况修改线型，同时我们还可设置线型比例以显示虚线和点画线。

设置线型的具体方法如下：

(1) 菜单：【格式】→【线型】，弹出【线型管理器】对话框，如图 4-75 所示。单击其右上角的【显示细节】按钮，可将线型设置的参数显示出来。

(2) 在【线型管理器】→【加载】，弹出【加载或重载线型】对话框，如图 4-76 所示。

(3) 在对话框的列表中可选择所需要的线型，选择完成后按【确定】退出，完成选择，回到【线型管理器】对话框，如图 4-75 所示。

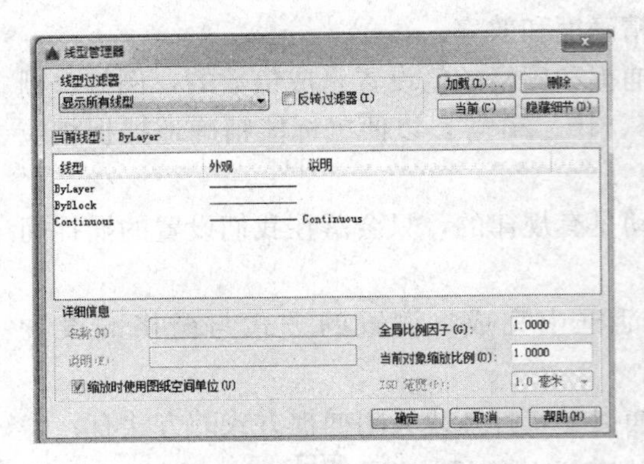

图 4-75 【线型管理器】对话框

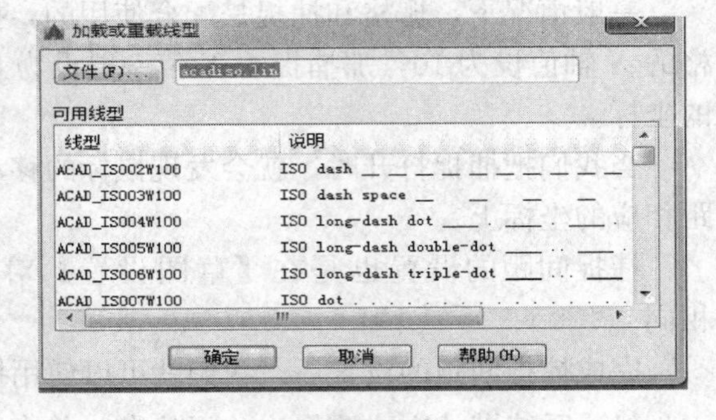

图 4-76 【加载或重载线型】对话框

（4）在该对话框右下角的【全局比例因子】文本框中可输入线型的缩放比例值，此比例值用于调整虚线和点划线的线段长度与空格的比例（注意在此对话框中，要点开“显示细节”对话框，【全局比例因子】文本框才可见）。

（5）单击【确定】，完成线型的设置。

4.4.7 图层的管理

在绘制较复杂的图形时，用户应使用图层来管理、组织图形。在绘制图形前先设置好图层，不同的对象放置在不同的图层中，对象的所有的属性都随当前的图层，以方便对图形的管理与修改。

1. 认识图层

一个图形对象除了具备几何特性外，还要包括一些非几何的特性，例如对象的颜色、线型、线宽等等。AutoCAD 要存储这些特性信息都必须占用一定的存储空间。如果在一张图纸上含有大量的具有相同颜色、线型的对象时，AutoCAD 就会重复存储这些数据，从而使图形占有的空间急剧膨胀。

为了解决这个问题就引入了图层这种概念，我们可以把图层想象为一张张透明的图纸，我们可以在不同的透明纸上分别绘制不同的实体，然后将这些透明的图层叠加起来，从而得到最终所要的图形。图 4-77 就是假想在不同的图层上绘制了两个图形，图 4-78 就两个图层上的图形叠加之后的效果。

在 AutoCAD 中，图层是以图层名来标识的。在同一个文件中，图层名是唯一的，在不同的图层中设置不同的颜色有助于区分图形中的对象。AutoCAD 允许建立无限多个图层，用户可以根据需要建立图层，并给予每一个图层相应的名称、线型、颜色等。图层的运用，可以大大提高我们的做图质量和效率。打印任何一张工程图都离不开图层功能。

2. 图层的控制

在 AutoCAD 中，我们对图层的控制包括设置建立新图层、删除已有的图层、设置当前图层、为图层设置相应的属性、控制图层的状态等。

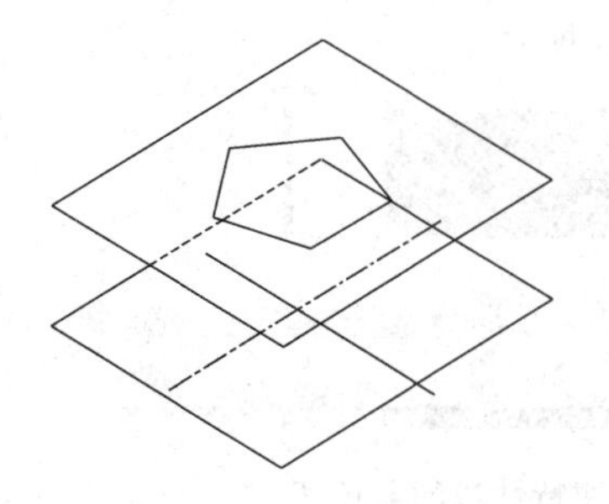
图 4-77　假想在不同图层上绘制图形

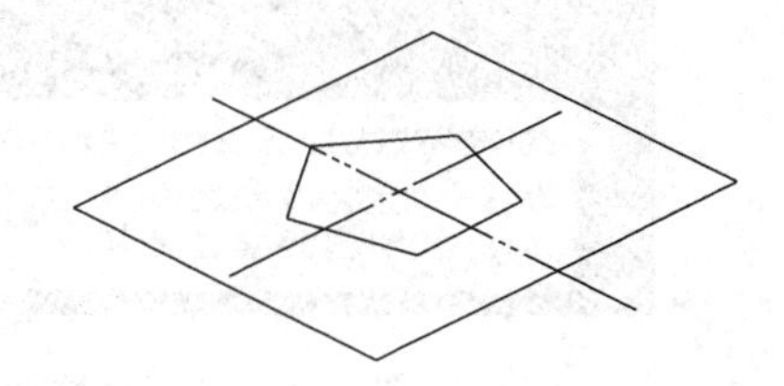
图 4-78　图形叠加之后的效果

在 AutoCAD 中，我们正在使用的图层称为当前图层，我们所绘制的图形都在当前图层，如果想在别的图层上绘制图形，必须更换当前图层。

如需对图层进行控制，可通过【图层特性管理器】对话框来进行。

3. 启动命令方式

(1) 工具栏：【图层】→ ；

(2) 菜单：【格式】→【图层】；

(3) 命令行：【Layer】→【回】。

命令执行之后，将打开如图 4-79 所示的【图层特性管理器】对话框。

在此【图层特性管理器】对话框中，用户可以建立新的图层、删除已有的图层、转换当前图层及有关图层属性的设置。

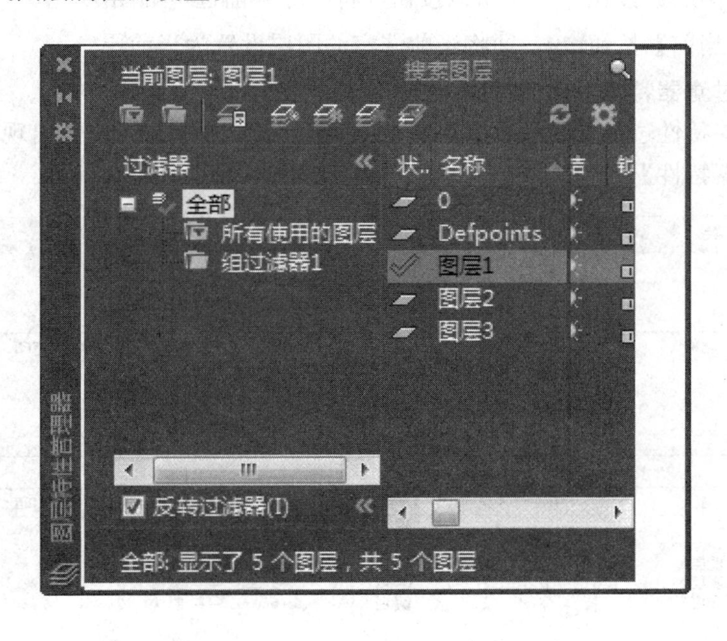

图 4-79　图层特性管理器对话框

4. 在此对话框中各按钮的作用

(1) 新建特性过滤器按钮 ：单击后显示【图层过滤器特性】对话框，从中可以基于一个或多个图层特性创建图层过滤器，如图 4-80 所示。

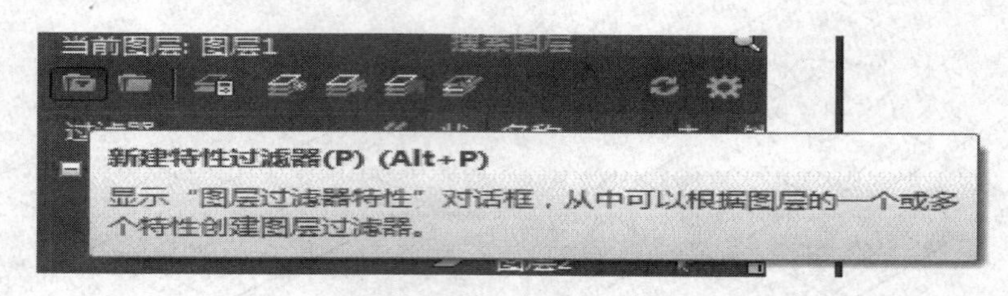

图 4-80　图层特性管理器中新建特性过滤器按钮

(2)【创建一个图层过滤器】按钮：在此用户将选定的图层添加到过滤器中从而创建一个新的图层过滤器。

(3)【图层状态管理器】按钮：单击后出现【图层状态管理器】对话框，在此对话框中用户可以将图层当前的属性设置保存到命名图层状态中，以后可以再恢复这些设置。

(4)【创建新图层】按钮：单击后用户将创建一个新的图层，我们可以将该图层命名（系统支持中文图层名）。新图层将继承图层列表中当前选定的图层的特性（包括颜色、线型等）。

(5)【冻结视窗】按钮：单击该按钮将创建在所有的视口中都被冻结的新图层视口。

(6)【删除图层】按钮：单击该按钮，将删除当前选定的图层。

(7)【置为当前】按钮：即将当前选定的图层设置为当前层。

5.【图层过滤器特性】对话框

单击【图层特性过滤器】中的【新建特性过滤器】图标按钮，会出现如图 4-81 所示的【图层过滤器特性】对话框，该对话框各选项按钮的功能如下：

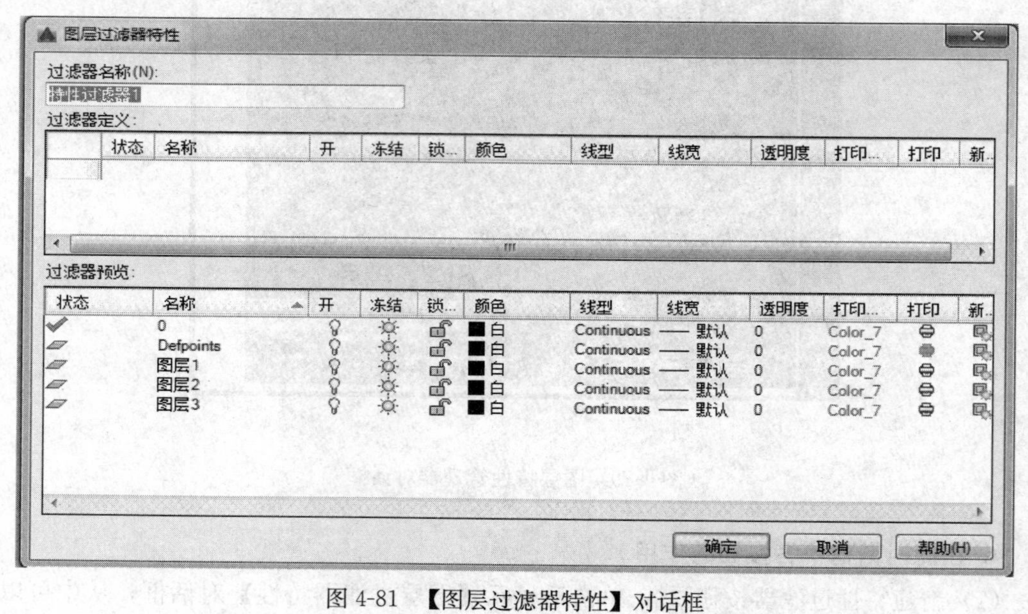

图 4-81　【图层过滤器特性】对话框

（1）过滤器名称：用户在此输入新的图层过滤器的名称。

（2）过滤器定义：在此设置过滤器所包含的图层的属性，如显示所有正在使用的且颜色为黄色的图层。各项的含义：

1）状态：在此可以选择【正在使用】图标或【未使用】图标；

2）名称：输入所要选择的图层，在此可以使用通配符，例如，输入 * anno *，即那些所有的包含了 anno 的图层；

3）开：选择【开】或【关】图标；

4）冻结：可选择【冻结】或【解冻】图标；

5）锁定：可选择【锁定】或【解锁】图标；

6）颜色：可选择图层的颜色；

7）线型：可选择图层的线型。

6. 新建图层与设置当前图层

在绘图过程中，可以随时建立新的图层，并可改变图层的属性。创立新图层的步骤如下：

（1）单击【图层特性管理器】中的【创建新的图层】按钮。则在【图层特性管理器】中产生一个新的图层，如图 4-82 所示。

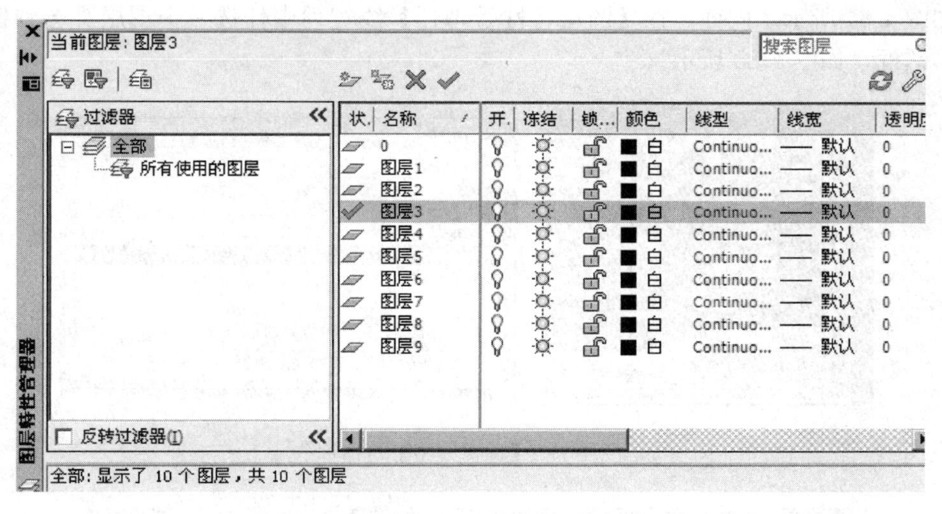

图 4-82 【图层特性过滤器】对话框

（2）设置当前图层。用户只能在当前图中完成所绘制的图形，在绘图过程中我们可以随时变化当前图层，设置当前图层的方法有：

1）在【图层特性管理器】对话图层列表框中，选择要设置为当前图层按钮，使其亮显。

2）单击【图层】工具栏中将对象置为当前的按钮，然后选择某个图形对象，即可把该对象所在的图层设为当前层，如图 4-83 所示。

（3）图层属性的设置

颜色的设置：为了方便图形的编辑，建议用户将不同的层设置为不同的颜色，图层颜

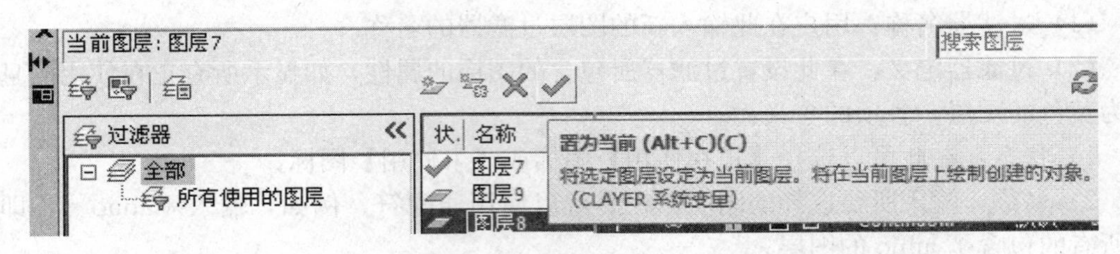

图 4-83　设置当前图层

色的设置方法如下：

1）在【图层特性管理器】对话框的图层列表中选择所需设置颜色的图层。

2）点击【颜色】图标，可打开【选择颜色】对话框，选择所需的颜色，按【确定】按钮即可。

（4）线型的设置：在默认的情况下，图层的线型为实线型，AutoCAD 允许用户为图层设置不同的线型，AutoCAD 提供了多种线型，全部存放在 acad. lin 和 acadiso. lin 文件中，用户使用之前必须将所需的线型加载到当前的图形中，方可使用。加载线型的方法如下：

在【图层特性管理器】对话框线型列中选择任一个图层都会弹出【选择线型】对话框，如图 4-84 所示。同样，在【图层特性管理器】线宽列中任选一个图层都会弹出【线宽】对话框，如图 4-85 所示。

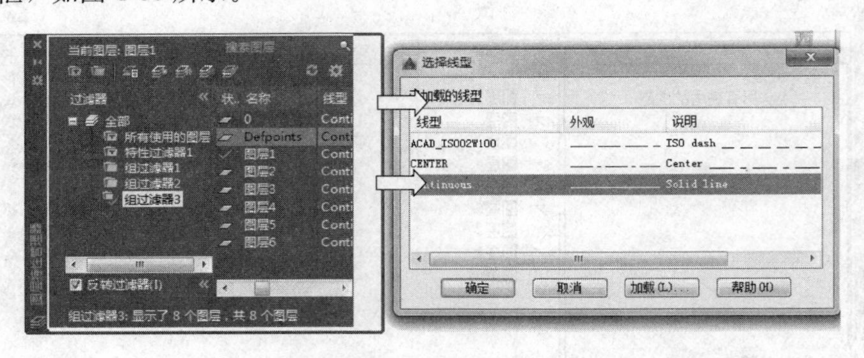

图 4-84　【选择线型】对话框

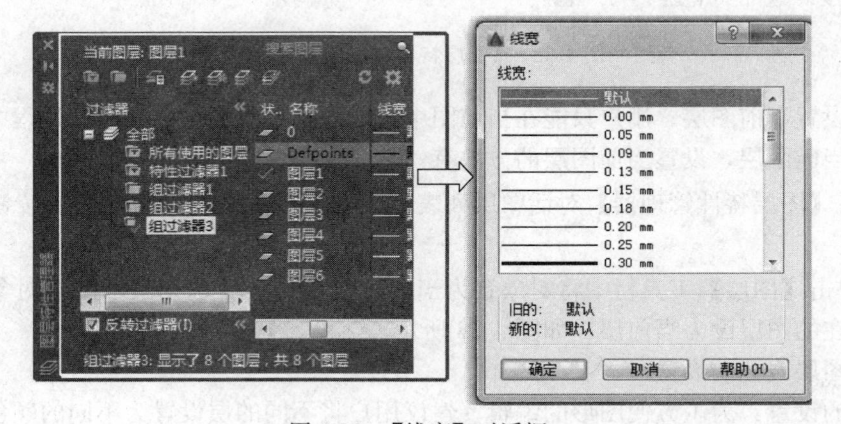

图 4-85　【线宽】对话框

（5）图层状态的控制

打开格式下拉菜单，在【图层工具】子菜单里选取所需的【图层工具】子菜单里选取所需的选项，如图 4-86 所示。

图 4-86　图层状态控制

4.5　目标对象捕捉与自动追踪

使用 AutoCAD 绘图能够绘制出精确度很高的图形，这是 AutoCAD 绘图的优点之一，为了绘制出高精确度的图形，我们可采用目标对象的捕捉功能及自动追踪功能。

在作图过程中我们为了方便绘图，常常需要将某一部分的绘图区放大或缩小来方便做图，AutoCAD 采用了视图缩放和平移来方便我们的此类操作。

4.5.1　目标对象的捕捉

在我们绘制工程图时，常常碰到要找寻某个对象的中点、圆心、交点等等特殊点的情况，AutoCAD 提供了目标对象捕捉功能，使用户很方便地完成此类操作。

目标对象捕捉在 AutoCAD 绘图中是一个十分有用的功能，在我们的绘图中时常要用到。它的作用就是利用十字鼠标指针准确定位已存在的实体上的某个特定位置或特定点，例如：我们要找出一个圆的圆心，只要将鼠标靠近圆周，就可以准确定位出圆心。

1. 设置单一对象捕捉方式

设置单一对象捕捉可以在工具栏上单击鼠标右键，在弹出的菜单中选择 AutoCAD》【对象捕捉】命令，打开【对象捕捉】工具栏，如图 4-87 所示。

图 4-87 【对象捕捉】工具栏

【对象捕捉】工具栏的功能如下：

（1）临时追踪点按钮：创建对象捕捉时使用的临时捕捉点。

（2）捕捉自按钮：从临时参考点偏移到所要捕捉的地方。

（3）捕捉到端点按钮：捕捉直线或圆弧等对象的端点。

（4）捕捉到中点按钮：捕捉直线或圆弧等对象的中点。

（5）捕捉到交点按钮：捕捉直线、圆等实体相交的点。

（6）捕捉到外观交点按钮：捕捉在当前视图上看起来相交的点，但实际上两个实体不在同一平面上。

（7）捕捉到延长线按钮：捕捉延长线上的点。

（8）捕捉到圆心按钮：捕捉圆或圆弧的圆心。

（9）捕捉到象限点按钮：捕捉圆或圆弧上象限点。

（10）捕捉到切点按钮：捕捉圆或圆弧的切点。

（11）捕捉到垂足按钮：捕捉垂直于直线、圆、圆弧上的点。

（12）捕捉到平行线按钮：捕捉与指定线平行的线上的点。

（13）捕捉到插入点按钮：捕捉块、文字、外部引用等的插入点。

（14）捕捉到节点按钮：捕捉由 POINT 等命令绘制的点。

（15）捕捉到最近点按钮：捕捉直线、圆、圆弧等对象上最靠近光标方框中心的点。

（16）无捕捉按钮：关闭单一捕捉方式。

（17）对象捕捉设置按钮：设置自动捕捉方式。

当命令行中要求输入点时，在绘图区中同时按下 Shift＋鼠标右键出现快捷菜单，如图 4-88 所示，也可以设置单一的对象捕捉。

此快捷菜单上的各功能如同上所述。

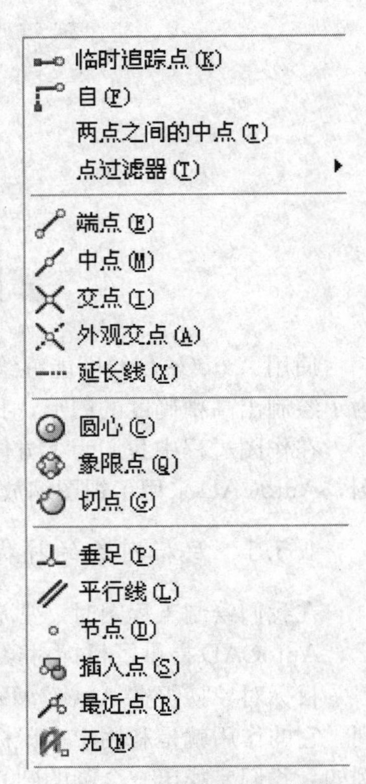

图 4-88 对象捕捉快捷菜单

2. 设置自动对象捕捉方式

在 AutoCAD 中，使用最方便的捕捉模式是自动捕捉，即事先设置好一些捕捉模式，当光标移动到符合捕捉模式的对象上时，屏幕上会显示出相应的标记和提示，实现自动捕捉。这样我们无须再输入命令或者再设置单一的捕捉，可以大大加快绘图的速度。自动对象捕捉可以一次设置多种捕捉方式。但为了制图方便，建议用户一次不要设置太多种捕捉方式，以免在制图中无法显示我们所需要的那种捕捉方式。

自动捕捉的方式我们可以通过以下几种方式完成：

通过【草图设置】对话框来设置：鼠标右键单击状态栏上的【对象捕捉】，然后选择"设置"打开【草图设置】对话框进行设置；单击状态栏上的【对象捕捉】；功能键 F3；此键在开/关自动捕捉模式之间切换；在【草图设置】对话框中的【对象捕捉】选项卡上进行设置，如图 4-89、图 4-90 所示；将【启用对象捕捉】复选框勾上；设置系统变量 Osmode 的值，当值=1 时打开自动捕捉功能，当值=0 时，关闭自动捕捉功能。

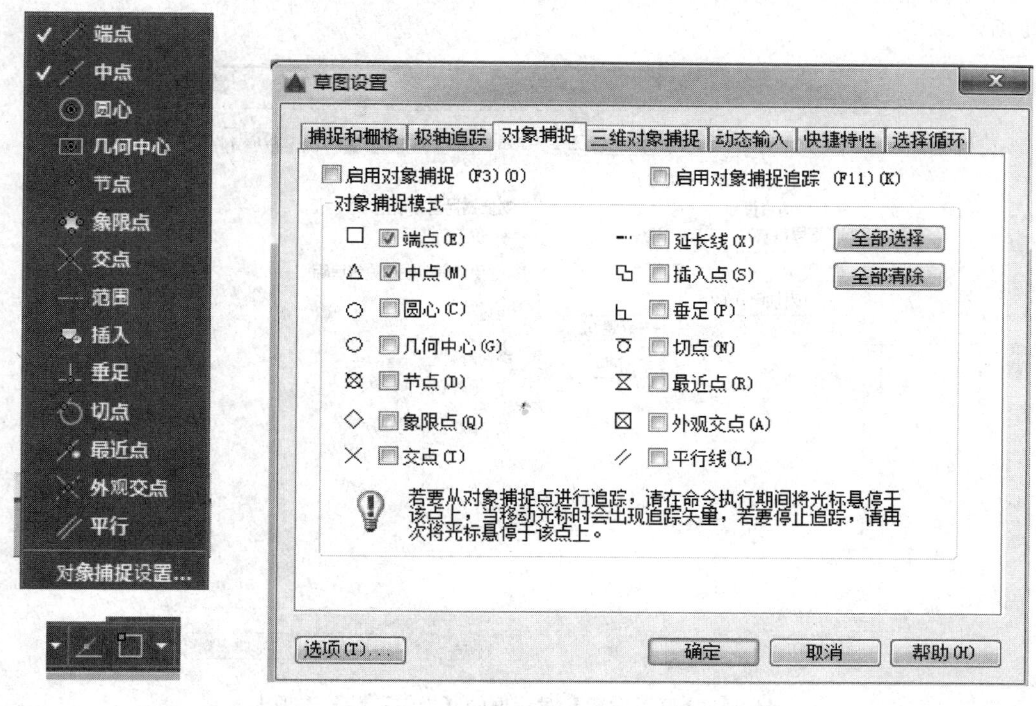

图 4-89 【对象捕捉】快捷菜单

图 4-90 【对象捕捉】选项卡

4.5.2 自动追踪功能

自动追踪功能是绘图中常常用到的一个十分有利的工具。所谓自动追踪，就是自动追踪同一命令执行过程中鼠标指针所经过的捕捉点，以其中的某一捕捉点的 X 或 Y 坐标控制用户所需要选择的定位点。

AtuoCAD 提供了两种自动追踪功能：对象捕捉追踪和极轴追踪。

使用自动追踪功能可以指定角度绘制对象，或者绘制与其他对象有特定关系的对象。

1. 启动对象捕捉追踪命令方式

（1）按下【F11】功能键；

（2）单击状态栏上的【对象捕捉追踪】按钮∠；

（3）【草图设置】→【对象捕捉】选项卡中选定【启用对象追踪按钮】复选框。

对象捕捉追踪是指从对象的捕捉点进行追踪，它必须与【对象捕捉】一起使用。

用户启动对象捕捉功能后，可以执行一个绘图命令或编辑命令，然后鼠标指针移到一个对象捕捉点处作为临时定位点（注意：不要单击它），只要停顿片刻就可以获取。已获取的点显示一个小加号（+），一次最多可以获取七个点，如图 4-91 所示。

2. 极轴追踪

使用极轴追踪，光标将按指定角度、指定增量进行移动。

（1）极轴追踪的极轴角增量可以在【草图设置】→【极轴追踪】选项卡中设置，如图 4-91 所示。

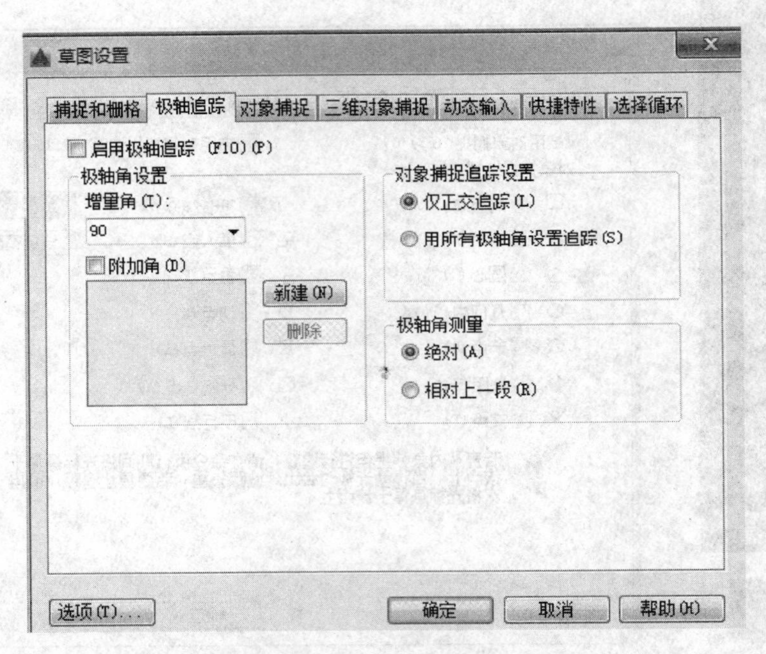

图 4-91 【草图设置】对话框的【极轴追踪】选项卡

（2）在【增量角】下拉列表中，我们可以选择 90°、60°、45°、30°、22.5°、18°、15°、10°和 5°的极轴角增量进行极轴追踪。

【例 4-1】 如图 4-92 所示，要画一条与水平线夹角为 18°的直线，首先在增量角上设

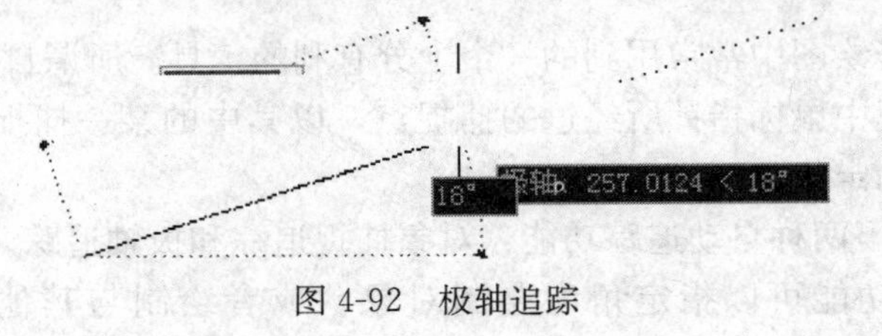

图 4-92 极轴追踪

置 18°，点取直线的起始点后，AutoCAD 将显示对齐路径和工具栏提示。

（1）启动命令方式：

1）单击状态栏下的【极轴】按钮；

2）按下功能键 F10，可以在打开或关闭极轴追踪之间切换；

（2）使用自动追踪绘制图形。例如：用户将绘制如图 4-93（*a*）所示的图形，其步骤如下：

1）打开【极轴追踪】，增加一个附加角 123°（90°＋33°），如图 4-93（*b*）所示。

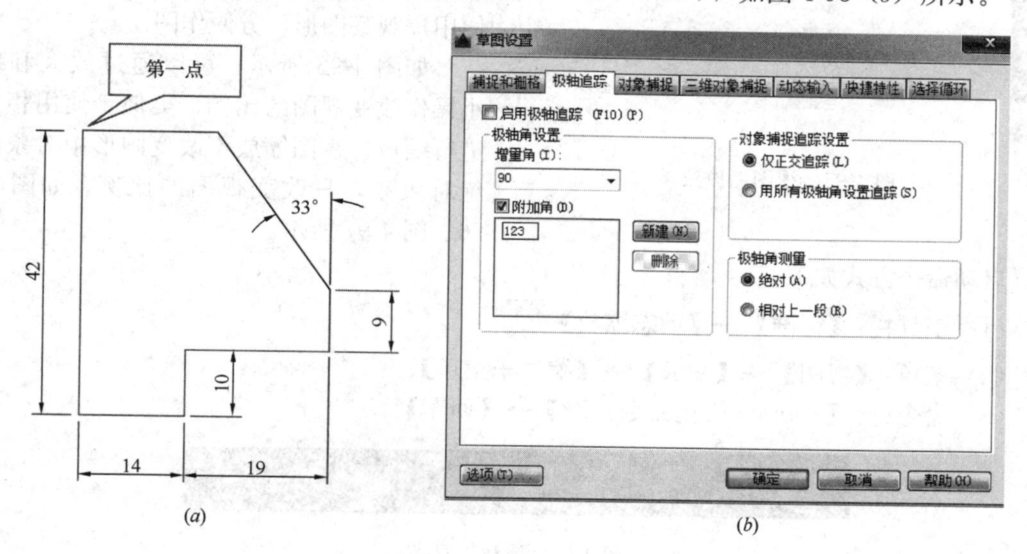

图 4-93　自动追踪绘制图形

（*a*）用自动追踪绘制图形（*b*）增加附加角

2）打开正交模式。

（3）命令：【L（绘直线命令缩写）】→【回车】；

1）指定第一个点：（点取左上角为第一个点），回车

2）指定下一个点：42（向下垂直移动鼠标，输入长度为 42，回车）

3）指点下一个点：14（向右水平移动鼠标，输入长度为 14，回车）

4）指定下一个点：10（向上垂直移动鼠标，输入长度为 10，回车）

5）指点下一个点：19（向右水平移动鼠标，输入长度为 19，回车）

6）指定下一个点：9（向上垂直移动鼠标，输入长度为 9，回车）

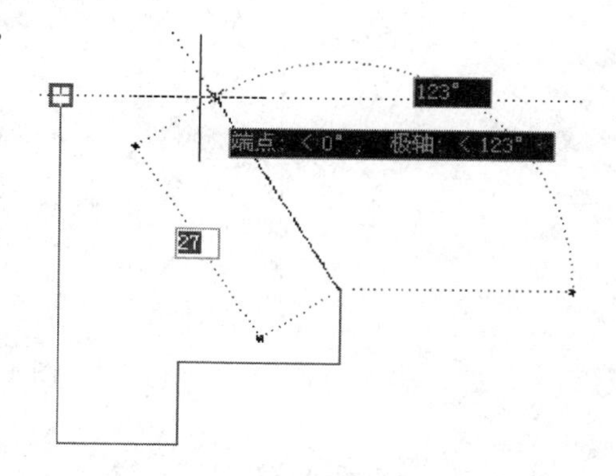

图 4-94　极轴追踪绘制直线

7）指定下一个点：将鼠标移动到起始点捕捉到第一个点，然后鼠标向右水平移动，当移动到极轴角显示为 123°时，单击，如图4-94 所示。

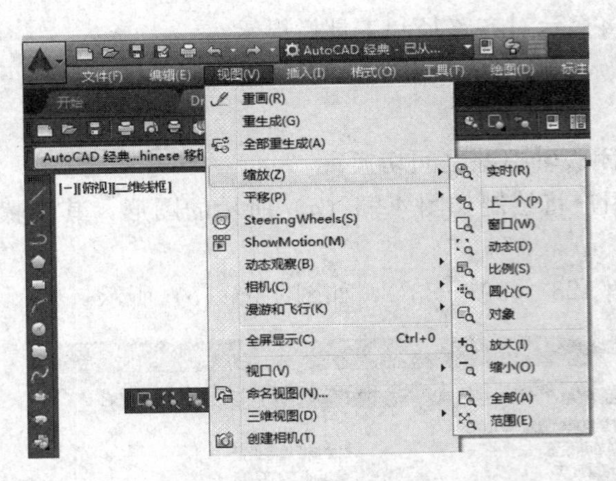

图 4-95　视图缩放菜单

8）指定下一个点：C，回车，完成整个图形的绘制。

4.5.3　视图缩放

在绘图中所能看到的图形都处于视图中。利用 AutoCAD 的视图缩放功能，可以改变对象在视窗中显示的大小，从而方便用户观察图形，方便作图。

如图 4-95 所示，可以通过放大和缩小操作改变视图的比例，类似于使用相机进行缩放。视图缩放不改变图形中对象的绝对大小，只改变视图的比例，如图 4-96、图 4-97 所示。

启动命令方式如下：

（1）工具栏：【标准】→【动态缩放】；

（2）菜单：【视图】→【缩放】→【缩放子菜单】；

（3）命令行：【Zoom（简化命令：Z)】→【回车】。

图 4-96　缩放工具条

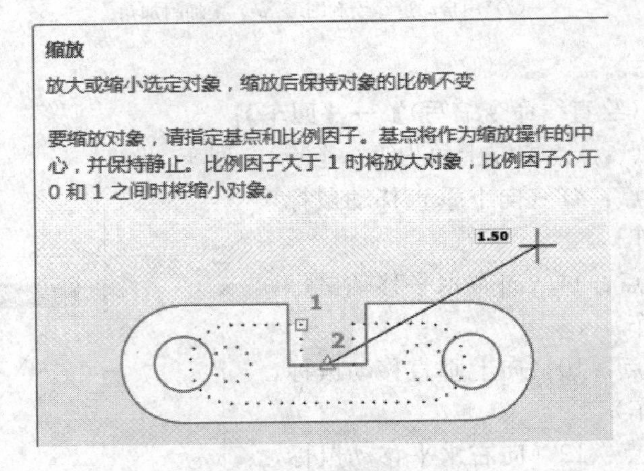

图 4-97　缩放样式

4.5.4　视图平移

与使用相机平移镜头一样，平移视图只是把图纸在屏幕上的显示位置移动一下，而不改变图形中对象的位置或大小，使用视图平衡可以方便地观看图纸的其他部分。

启动命令方式如下：

（1）工具栏：【标准】→【实时平移】；

（2）菜单【视图】→【平移】→【实时】；

（3）命令行：【Pan（P）】→【回车】。

以上命令执行后，在屏幕上鼠标会变成一个“小手”，拖动“小手”，就会发现屏幕上的图形随着小手的移动而移动了。平移操作方法如图 4-98 所示，平移操作示意如图 4-99 所示。

缩放与平移命令皆为透明命令，透明命令是指在执行一个命令时，可以同时执行的命令。比如输入“line”的时候，再输入“end”就可以捕捉端点，这个就是透明命令。

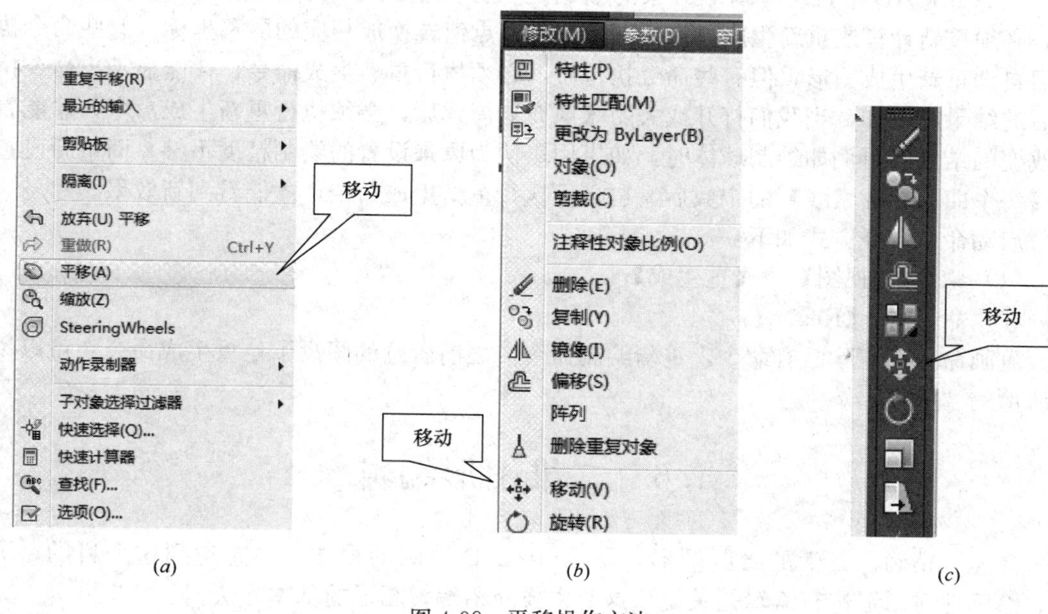

图 4-98　平移操作方法

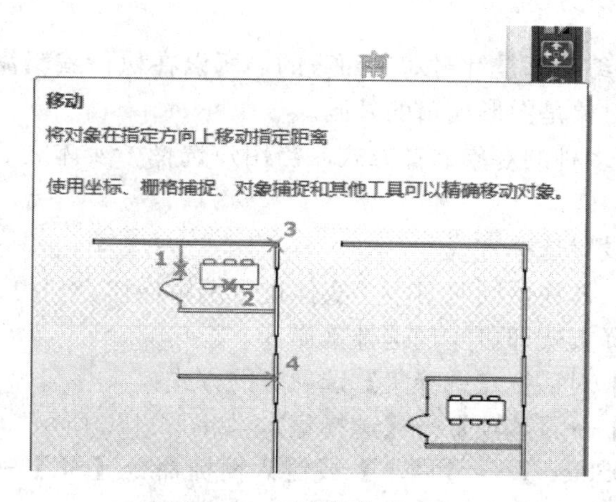

图 4-99　平移操作示意

4.5.5 重画视图

使用 AutoCAD 绘图，屏幕上会留下一些标志，利用 redraw（重画）命令可以删除进行某些编辑操作时留在显示区域中的加号形状的标记（点标记）。

启动命令方式如下：

（1）菜单：【视图】→【重画】；

（2）命令行：【Redraw（R）】→【回车】。

4.5.6 重新生成图形

在 AutoCAD 中，所有图形对象的数据是以浮点值的形式保存的，有时在绘图过程中，必须重新计算或重新生成浮点数据，并将浮点值转换成相应的屏幕坐标，有些命令执行后自动重新生成图形，但有些命令执行后，必须执行重新生成命令，才能显示出命令执行后的结果，例如，当我们打开或关闭【填充】模式后，必须执行重新生成命令，才能看到改变的结果。再例如绘制球体时，如果用户认为原来设置的绘制精度不够，而重新设置了【每个曲面轮廓索线】的个数后，也必须执行重新生成命令，才能看到新效果。

启动命令命令方式如下：

（1）菜单：【视图】→【重生成】；

（2）命令行：【Regen】。

重画命令：清除已有命令，重新绘制命令，之前所画的图没了；重生成命令：可以说是所谓的“刷新”。

4.6 二维图形编辑

高速、精确、灵活的绘制图形，是 AutoCAD 绘图的根本。要想达到这个目的，灵活、熟练地对图形进行编辑是关键。这节主要介绍编辑图形的基本方法。

4.6.1 对象选择方式

AutoCAD 图形的编辑都是针对对象而言的，所以在执行编辑命令前一般都要选择目标，正确快速地选择对象是图形编辑的基础。

AutoCAD 提供了多种的对象选择方式。当用户选择了实体之后，组成实体的边界线变成虚线表示。

（1）利用对话框设置选择方式

对于复杂的图形，往往要同时对多个实体进行编辑操作。利用【对象选择设置】对话框设置恰当的目标选择方式即可实现这种操作。

（2）打开【选项】对话框【选择集】选项卡的方式：

1）菜单：【工具】→【选项】→【选择集】，如图 4-100 所示。

2）命令行：【DDSelect】→【回车】或键入简捷命令【SE】→【回车】弹出草图设置对话框，单击其左下端【选项】按钮 选项(T)... 。

3）在状态栏的对象捕捉按钮上右击，选择【设置】→【草图设置】对话框左下角，单击【选项】按钮，可打开【选项】→【选择集】选项卡。

(3) 利用【选择集】选项卡可以进行与对象选择方式相关的设置，如设置拾取框的大小、颜色等。【选择集】选项卡主要由三部分组成，如图 4-100 所示。

1)【拾取框大小】：拖动滑块可调整拾取框的大小，如图 4-100 所示。

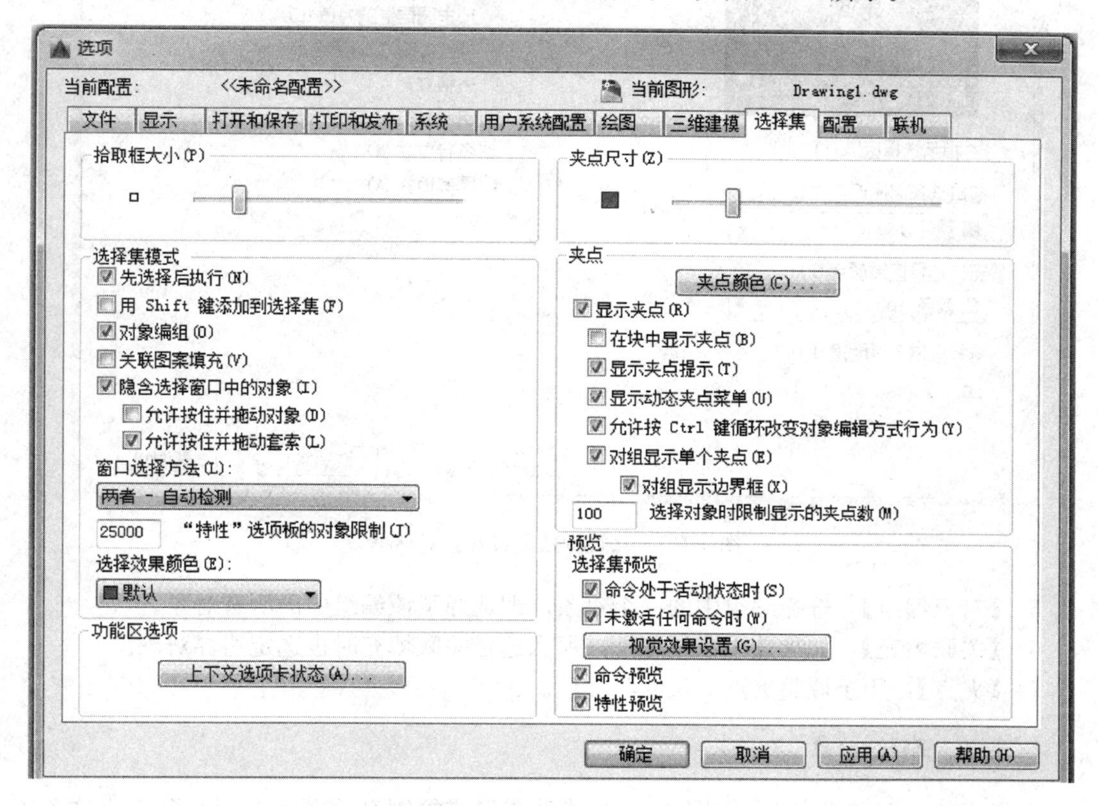

图 4-100 "选择集"选项卡

2) 点击图 4-100 中【视觉效果设置】按钮，弹出【视觉效果设置】对话框，在此可以对视觉效果进行设置，如图 4-101 所示。

(4)【选择集模式】提供了六种选择模式，可以使用户更方便、更灵活地选择对象。可以任意组合打开或关闭选择模式下提供的设置，其中的【先选择后执行】、【隐含选择窗口中的对象】和【对象编组】三个选项是默认设置。

1)【先选择后执行】选中该选项，允许用户先选择对象再执行命令。但要注意的是，不是所有命令都可以先选择后执行的。

2)【用 shift 键添加到选择集】：按 Shift 键并选择对象，向选择集中添加或从选择集中删除对象。若选择了此选项，用户一次选择一个实体，如果要选择多个实体，必须按着 Shift 键。

3)【按住并拖动】：如果选中此选项，此后要通过选择一点然后拖动鼠标至第二点来选择窗口。而不选此选项，只要点了第一点，再到第二点单击就行了，无须拖动鼠标。

4)【隐含窗口】：从左到右地创建选择窗口，可选择完全位于窗口内的对象。而从右向左创建靠近窗口，可选择窗口边界内和与边界相交的对象。

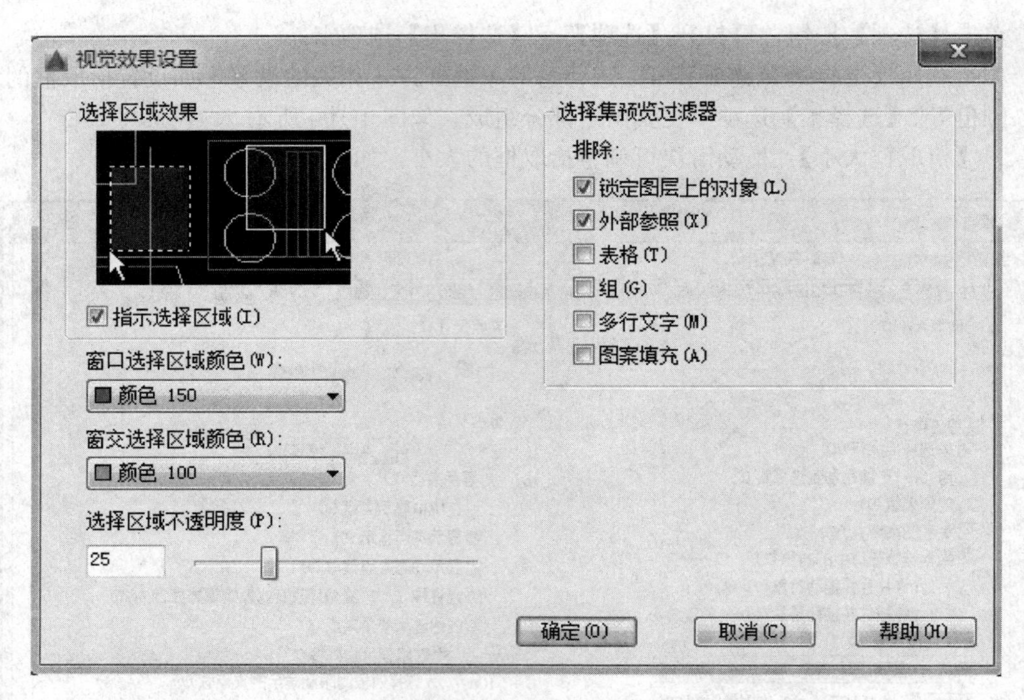

图 4-101 【视觉效果设置】对话框

5)【对象编组】：选择编组中的一个对象，即选择了该编组中的所有对象。

6)【关联填充】：如果选中该复选框，那么选择关联填充时也选定边界对象。

7)【夹点】：用于调整夹点的尺寸与颜色。

4.6.2 删除对象

在我们的绘图过程中常要删除掉一些辅助图形或绘制有问题的图形。要完成这个工作，就要运用删除命令。

(1) 启动命令方式：

1) 工具栏：【修改】→【删除】；

2) 菜单：【修改】→【删除】；

3) 命令行：【Erase (E)】→【回车】。

(2) 启动删除命令后，AutoCAD 会在命令提示区中提示用户选择要删除的对象，用户可以按我们前面讲到的各种选择方式来选择要删除的实体。选择完毕后，回车确认，刚被选择的实体集则从图形中删除掉了。

4.6.3 复制对象

在我们的绘图过程中，常常有一些重复的图形，或只是在原实体稍做修改的图形，AutoCAD 提供的复制命令能使我们很轻松的完全这些重复工作。

1. 启动命令方式

(1) 工具栏：【修改】→【复制】；

(2) 菜单：【修改】→【复制】;
(3) 命令行：【Cope (Cp)】→【回车】。

2. 复制过程（图 4-102）

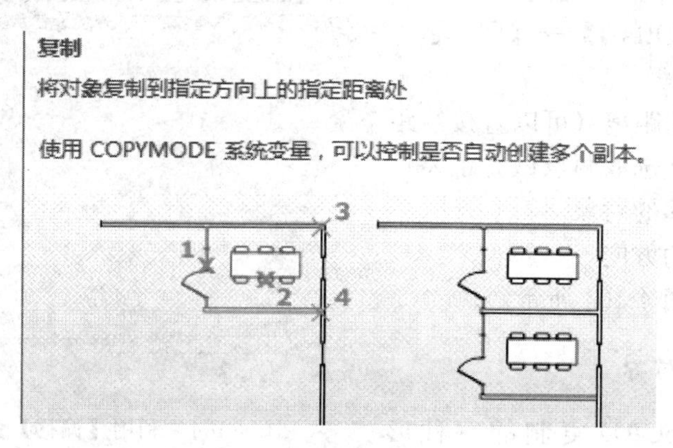

图 4-102 复制完成后的图形

4.6.4 镜像对象

在我们绘图过程中，常常有些图形是对称的或基本对称的，AutoCAD 提供了镜像命令，用户只需绘制一半的图形，另一半通过镜像命令复制出来。

1. 启动命令方式

(1) 工具栏：【修改】→【镜像】;

(2) 菜单：【修改】→【镜像】;

(3) 命令行：【Mirror (MI)】→【回车】;

2. 镜像命令的执行过程

(1) 启动镜像命令：mi

(2) 选择要镜像的对象：(指定镜像线的第一点：指定镜像线的第二点：由此两点确定镜像对称线，镜像时以此线为轴进行复制。)

(3) 要删除源对象吗？[是(Y)/否(N)]<N>：(在此确定源实体是否要保留。)

镜像效果如图 4-103 所示。

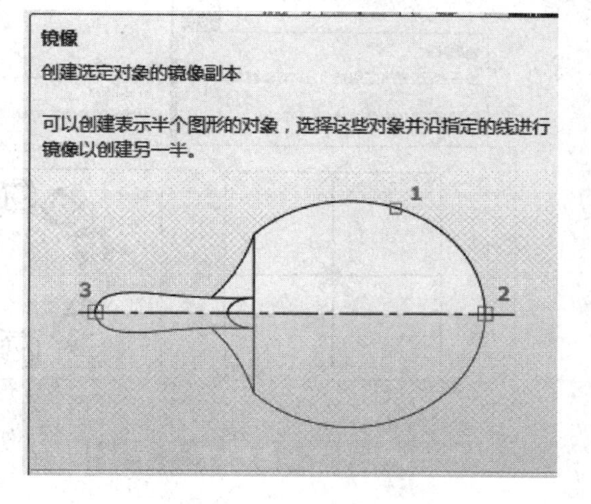

图 4-103 镜像效果

4.6.5 偏移对象

使用【偏移】命令可以对圆、圆弧、椭圆、用矩形命令绘制的矩形、多边形命令绘制的多边形、多线段绘制的闭合图形做同心偏移复制。也可以对直线等做平行偏移的复制。

1. 启动命令方式

（1）工具栏：【修改】→【偏移】；

（2）菜单：【修改】→【偏移】；

（3）命令行：【Offset】→【回车】。

2. 启动命令过程

（1）给定偏移的距离（可以直接给距离，也可以在图形上选取两点做为距离）。

（2）选择要偏移的对象。

（3）给出偏移的方向。

应用实例，如图 4-104 所示。

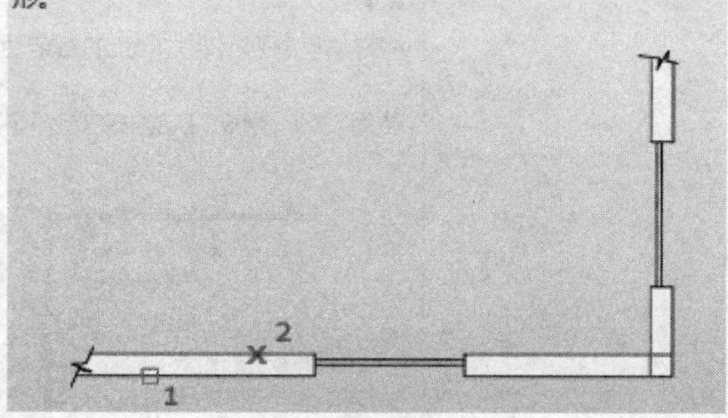

图 4-104　利用【偏移】命令复制图形

4.6.6　阵列对象

阵列也是 AutoCAD 复制的一种形式，在进行有规律的多重复制时，阵列往往比单纯的复制更为实用。AutoCAD 的阵列命令，使用户要复制规律分布的实体对象变得十分方便。

启动命令的方式如下：

（1）工具栏【修改】→【阵列】；

（2）命令行中输入：【Array（Ar）】→【回车】。

（3）【修改】菜单→【阵列】；

如图 4-105 所示。

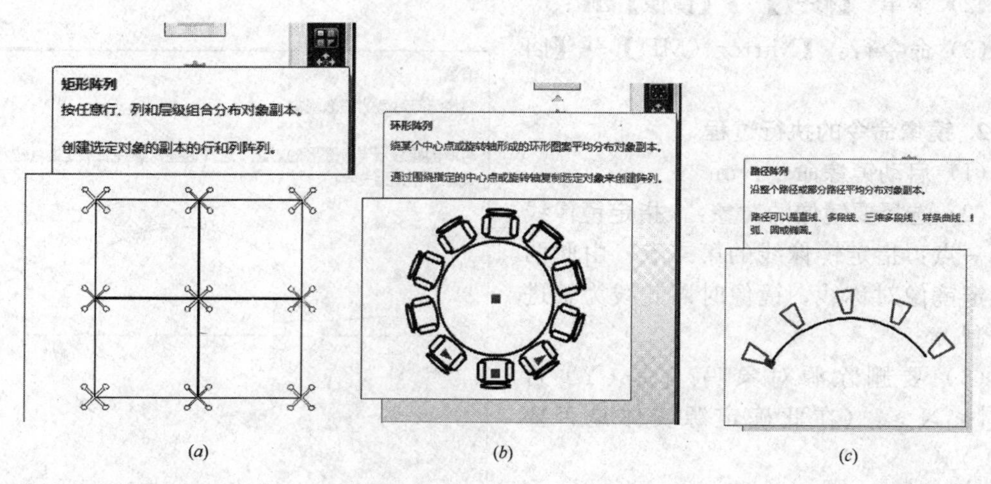

图 4-105　三种阵列示意

（a）矩形阵列；（b）环形阵列；（c）路径阵列

4.6.7　移动对象

移动命令可以将用户所选择的一个或多个对象平移到其他位置，但不改变对象的方向和大小。

1. 启动命令的方式

（1）工具栏：【修改】→【移动】；

（2）菜单：【修改】→【移动】；

（3）命令行：【Move（M）】→【回车】。

2. 移动对象（图 4-106）

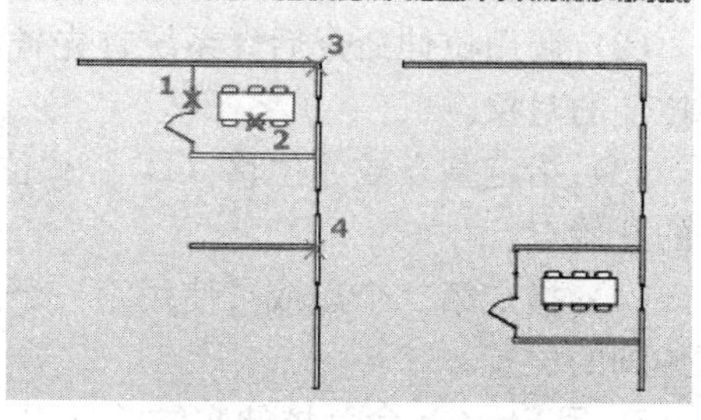

图 4-106　移动对象

4.6.8　旋转对象

旋转命令可以改变用户所选择的一个或多个对象的方向（位置）。用户可通过指定一个基点和一个相对或绝对的旋转角来对选择对象进行旋转。

1. 启动命令的方式

（1）工具栏：【修改】→【旋转】；

（2）菜单：【修改】→【旋转】；

（3）命令行：【rotate】→【回车】。

2. 启动 rotate 命令

调用该命令后，系统首先提示 UCS 当前的正角方向，并提示用户选择对象：

（1）UCS 当前的正角方向：ANGDIR＝逆时针 ANGBASE＝0。

选择对象：用户可在此提示下构造要旋转的对象的选择集，并回车确定。

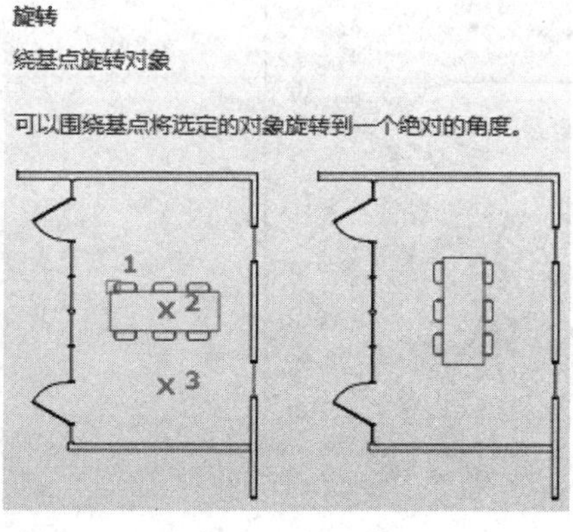

（2）系统进一步提示：指定基点：用户首先需要指定一个基点，即旋转对象时的中心点；

（3）系统进一步提示：指定旋转角度，或［复制（C）/参照（R）］<0>：

指定旋转的角度有两种方式可供选择：

1）直接指定旋转角度：即以当前的正角方向为基准，按用户指定的角度进行旋转。

2）选择参照：选择该选项后，系统首先提示用户指定一个参照角，然后再指定以参照角为基准的新的角度。

图 4-107　旋转对象

3. 旋转对象

旋转对象（如图 4-107）。

4.6.9　拉伸对象

拉伸命令，可以使用户方便的对图形进行拉伸或压缩。

1. 启动命令方式

（1）【修改】工具栏→【拉伸】；

(2) 命令行中输入：【Stretch (S)】→【回车】；

(3)【修改】菜单→【拉伸】。

2. 命令的执行过程

(1) 启动命令。

(2) 调用拉伸命令后，系统首先告诉用户该命令只能用交叉窗口或交叉多边形来选择要拉伸的对象。

(3) 指定基点或［位移 (D)］＜位移＞：用户首先需要指定一个基点，即进行拉伸时的开始点。

(4) 指定第二个点或＜使用第一个点作为位移＞：用户在此给出拉伸的终点，即对象拉伸到的位置。

3. 用 Stretch 命令拉伸实体的过程（图 4-108）

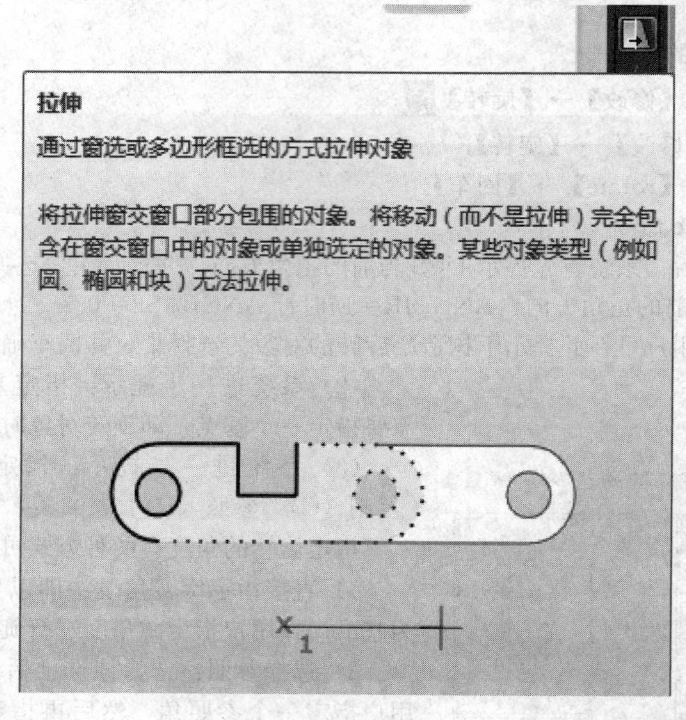

图 4-108　拉伸对象

4.6.10　拉长对象

AutoCAD 的拉长命令可以使用户修改对象的长度和圆弧的包含角。该命令只能用点取的方式选择对象，且一次只能选择一个对象。

该命令可以调整对象大小使其在一个方向上或是按比例增大或缩小。还可以通过移动端点、顶点或控制点来拉长某些对象。

1. 启动命令方式

(1) 工具栏：【修改】→【拉长】；

（2）菜单：【修改】→【拉长】；

（3）命令行：【LENGTHEN（Len）】→【回车】。

2. 命令的执行过程

图 4-109 所示为一条原线段，如果想将原线段加长 100，如图 4-109（*b*）所示，修改的过程如下：

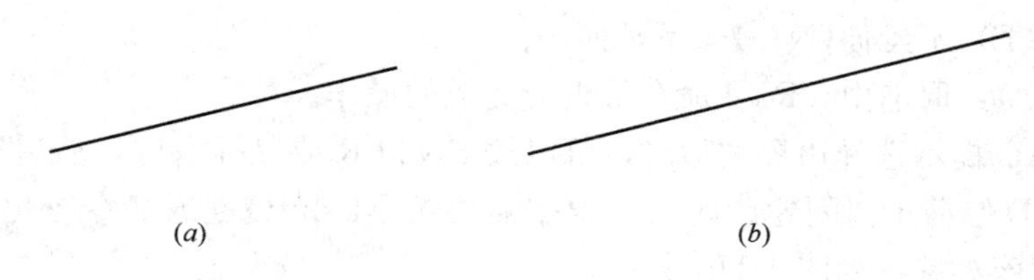

图 4-109　拉长对象

（*a*）原线段；（*b*）加长了 100 后的线段

（1）激活命令。

（2）在系统提示：选择对象或[增量(DE)/百分数(P)/全部(T)/动态(DY)]：下选择增量：DE，并回车。

（3）在系统提示：输入长度增量或[角度(A)]<50.0000>：下输入要增加的量 100，回车。

（4）选取直线，完成拉长的操作。

4.6.11　修剪对象

AutoCAD 提供的修剪命令，使用户可以方便地利用边界对图形进行快速的修剪，使线段等精确地终止于由其他对象定义的边界。

对象既可以作为剪切边，也可以是被修剪的对象。

可以修剪的对象包括圆弧、圆、椭圆弧、直线、开放的二维和三维多段线、射线、样条曲线和参照线。

有效的剪切边对象包括二维和三维多段线、圆弧、圆、椭圆、布局视口、直线、射线、面域、样条曲线、文字和构造线。TRIM 将剪切边和待修剪的对象投影到当前用户坐标系（UCS）的 XY 平面上。

1. 启动命令方式

（1）工具栏：【修改】→【修剪】；

（2）菜单：【修改】→【拉长】命令；

（3）命令行：【TRIM（TR）】→【回车】。

2. 启动命令提示

（1）当前设置：投影＝无　边＝无；

（2）选择剪切边；

（3）选择对象（此时用户可以选择一个或多个对象作为剪切边）；

（4）选择剪切边完成后，系统会进一步提示，选择要修剪的对象，或按 SHIFT 键的同时选择延伸对象，或输入选项。

3. 各选项的功能

【投影(P)】：确定命令执行的投影空间。键入“P”，执行该选项后，系统提示输入投影选项【无(N)/UCS(U)/视图(V)]】<UCS>：

4. 选择适当的修剪方式

(1) 边 (E)：该选项用来确定修剪边的方式。执行该选项后，系统提示输入隐含边延伸模式【延伸(E)/不延伸(N)]】<不延伸>：

(2) 放弃(U)：取消由 TRIM 命令最近所完成的操作。

当 AutoCAD 提示选择边界的边时，可以按 ENTER 或鼠标右键，然后选择要修剪的对象。AutoCAD 修剪不封闭轮廓时，可根据需要按下【shift】键或命令行里提示的【投影(P)】P，来修剪该对象，如图 4-110 所示。

5. 修剪的过程

如图 4-111 所示，首先按下鼠标左键点击 1、2 背修剪的墙边界，回车（按下鼠标右键），再用鼠标左键点击要修剪掉的墙 3、4。

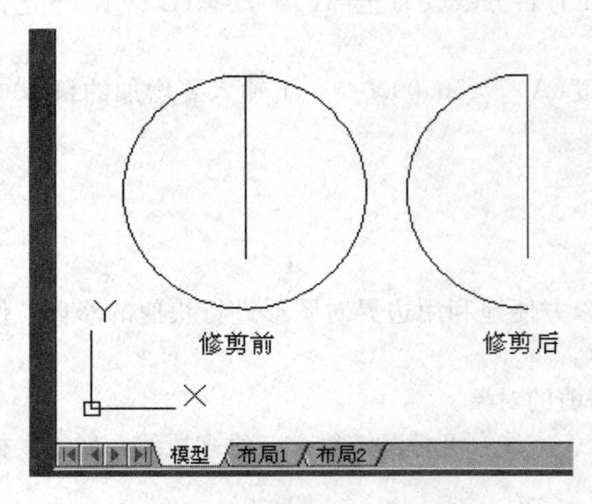

图 4-110 利用“修剪”命令修剪的图形

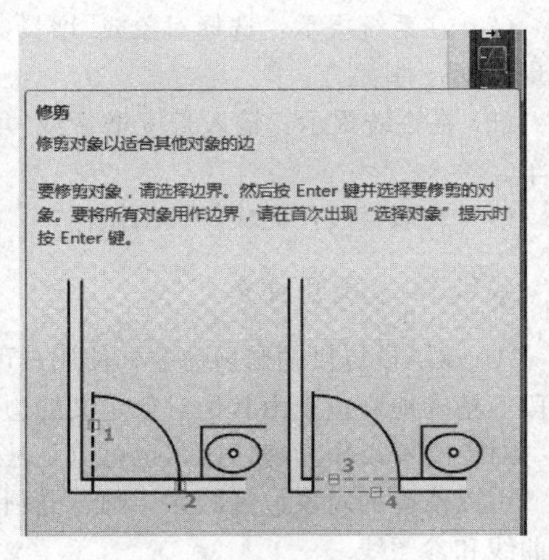

图 4-111 修剪的过程

4.6.12 延伸对象

延伸（EXTEND）命令用于将指定的对象延伸到指定的边界上。通常能用延伸命令延伸的对象有圆弧、椭圆弧、直线、非封闭的二维和三维多段线、射线等。如果以一定宽度的二维多段线作为延伸边界，AutoCAD 会忽略其宽度，直接将延伸对象延伸到多段线的中心线上。

1. 启动命令的方式

(1) 工具栏：【修改】→【延伸】；

(2) 菜单：【修改】→【延伸】；

(3) 命令行：【EXTEND (EX)】→【回车】。

2. 延伸的过程（图 4-112）

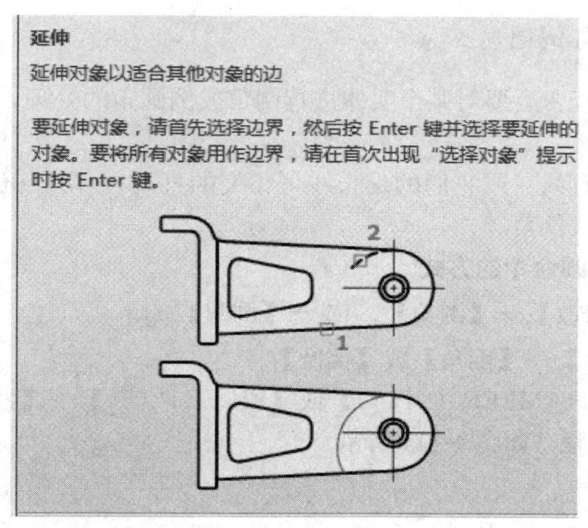

图 4-112　延伸的过程

4.6.13　打断对象

在我们绘图过程中，有时需要把某条直线或圆从某点断开，或者从中截掉一部分，这时就要用到打断命令。

打断命令可以把对象上指定两点之间的部分删除，当指定的两点相同时，则对象分解为两个部分。

这些对象包括直线、圆弧、圆、多段线、椭圆、样条曲线和圆环等。

1. 启动命令方式

(1) 工具栏：【修改】→【打断】或者→【打断于点】；

(2)【修改】菜单→【打断】；

(3) 命令行中输入：【BREAK (BR)】→【回车】。

2. 打断过程（如图 4-113 所示）

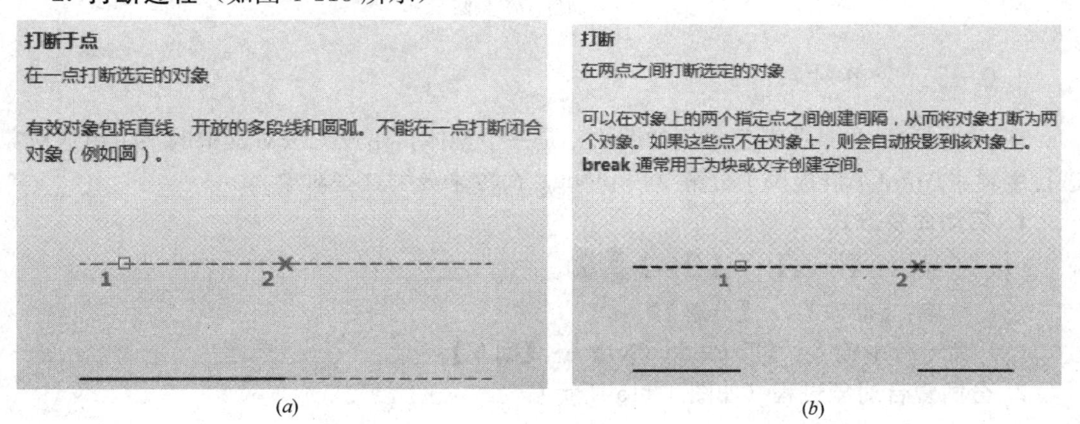

(a)　(b)

图 4-113　打断示例

(a) 打断于点；(b) 打断

4.6.14 倒角与倒圆

在工程制图中，经常会要对某个实体进行倒角或倒圆角的处理，在 AutoCAD 中提供了这两个命令。

对于两条相交的直线（或它们的延长线可相交的直线），用户就可以用 Chamfer（倒角）命令对这两条直线倒角。

1. 启动倒角、倒圆命令的方式

（1）工具栏：【修改】→【倒角】或→【倒圆】；

（2）菜单：【修改】→【倒角】或【倒圆】；

（3）命令行：【CHAMFER（CHA）】或【FILLET（F）】→【回车】。

2. 倒角、倒圆过程（如图 4-114 所示）

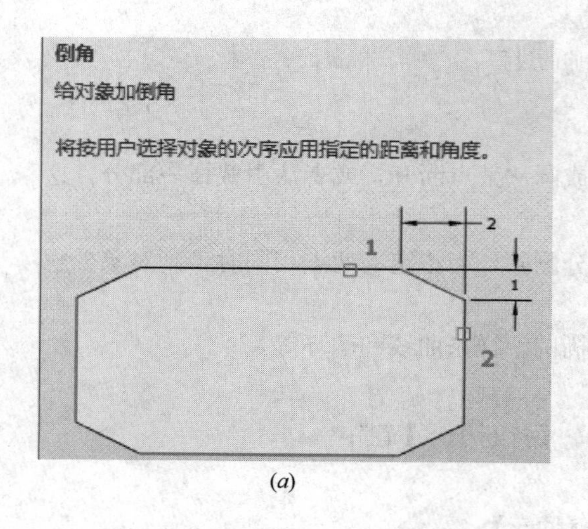

(*a*)

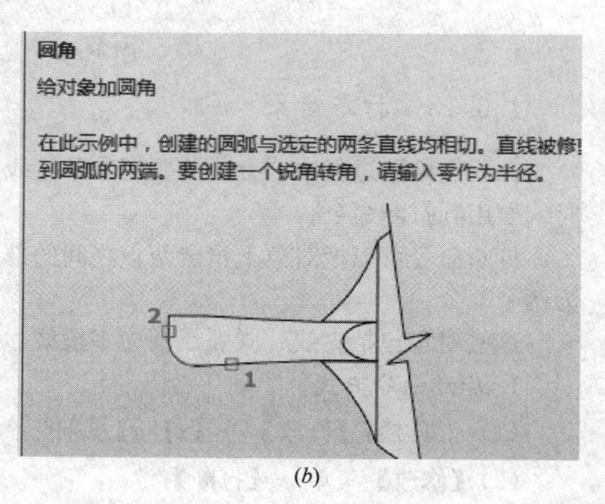

(*b*)

图 4-114　倒角、倒圆示意

（*a*）倒角（*b*）倒圆

4.6.15 分解对象

在 AutoCAD 中某些对象（例如图块）是一个整体，用户无法对其中的某个组成对象进行编辑，AutoCAD 提供了分解（Explode）命令来分解这些对象。

1. 启动命令方式

（1）工具栏：【修改】→【分解】；

（2）菜单：【修改】→【分解】；

（3）命令行中输入：【Explode（X）】→【回车】。

2. 分解复合对象过程（如图 4-115 所示）

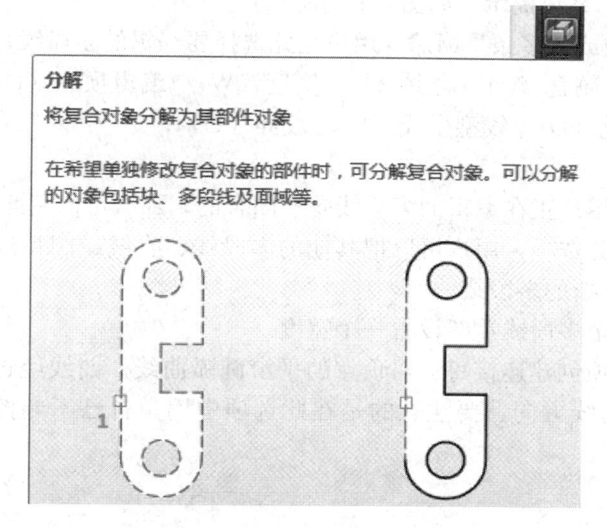

图 4-115　分解示意

4.6.16　编辑二维多段线

多段线是一种特殊的线条，它是集直线、弧于一身的整体。在我们的工程制图中，大部分图形都是由直线和弧组成，所以熟练的运用多段线可以使我们的工作达到事半功倍的效果。

1. 启动二维多段线命令的方式

（1）工具栏：【工具】→【工具栏】→【AutoCAD】→【修改Ⅱ】→【分解】，如图 4-116 所示；

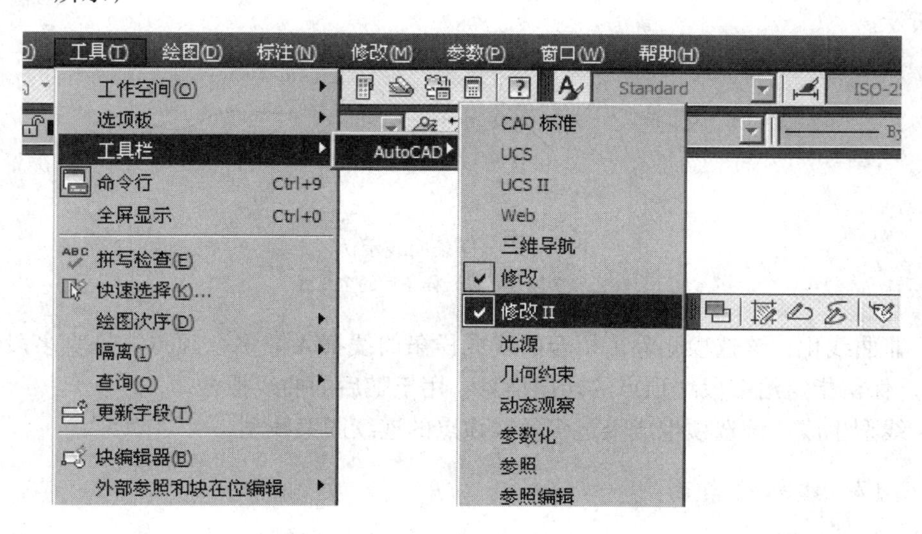

图 4-116　编辑二维多段线

（2）菜单：【修改】→【对象】→【多段线】。

（3）命令行：【Pedit（PE)】→【回车】。

2. 激活命令后，系统提示（如图 4-117 所示）

（1）选择多段线或【多条（M）】（用户在此选择要编辑的多段线）；

（2）输入选项［闭合（C）/合并（J）/宽度（W）/编辑顶点（E）/拟合（F）/样条曲线（S）/非曲线化（D）/线型生成（L）/放弃（U）］；

（3）各选项的作用如下：

1）闭合：如果用户正在编辑的多段线是非闭合的，那么可以用此选项使多段线闭合。

2）合并：利用此选项，用户可以把其他的多段线、直线或圆弧连接到正在编辑的多段线上，合并成一条新的多段线。

3）宽度：为整个多段线重新设置一个宽度。

4）拟合：该选项创建连接每一对顶点的平滑圆弧曲线。曲线经过多段线的所有顶点并使用任何指定的切线方向。要注意的是在此选项中用户自己不能控制多段线的拟合方式，如图 4-117 所示。

图 4-117　拟合示例

（*a*）原多段线；（*b*）拟合后的多段线

5）样条曲线：使用选定多段线的顶点作为近似 B 样条曲线的曲线控制点或控制框架。该曲线（称为样条曲线拟合多段线）将通过第一个和最后一个控制点，除非原多段线是闭合的。曲线将会被拉向其他控制点但并不一定通过它们。在框架特定部分指定的控制点越多，曲线上这种拉拽的倾向就越大。可以生成二次和三次拟合样条曲线多段线，如图 4-118 所示。

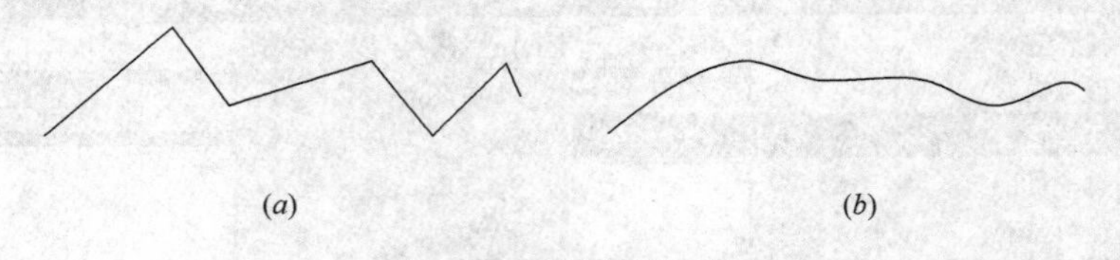

图 4-118　样条曲线示例

（*a*）原多段线；（*b*）样条后的多段线

6）非曲线化：该选项删除由拟合曲线或样条曲线插入的多余顶点，拉直多段线的所有线段。保留指定给多段线顶点的切向信息，用于随后的曲线拟合。

7）线型生成：该选项生成经过多段线顶点的连续图案线型。

4.6.17　编辑样条曲线

在 AutoCAD 中，可以通过 splinedit 命令来编辑绘制的样条曲线。

1. 启动命令方式

（1）工具栏：【修改Ⅱ】→【编辑样条曲线】；

(2) 菜单：【修改】→【对象】→【样条曲线】；

(3) 命令行：【Splinedit (PE)】→【回车】。

2. 启动命令后，命令提示区显示提示

(1) 选择样条曲线：用户在这里选择要编辑的样条曲线，选择之后，拟合点出现夹点。

(2) 输入所需要的选项【拟合数据(F)/闭合(C)/移动顶点(M)/精度(R)/反转(E)/放弃(U)】：编辑绘制样条曲线如图 4-119 所示。

4.6.18 编辑多线

AutoCAD 提供的多线编辑只有固定的 12 种。

(1) 启动命令方式：

1) 菜单：【修改】→【对象】→【多线】。

2) 命令行：【mledit】→【回车】。

(2) 激活命令后，AutoCAD 打开【多线编辑工具】对话框，如图 4-120 所示。

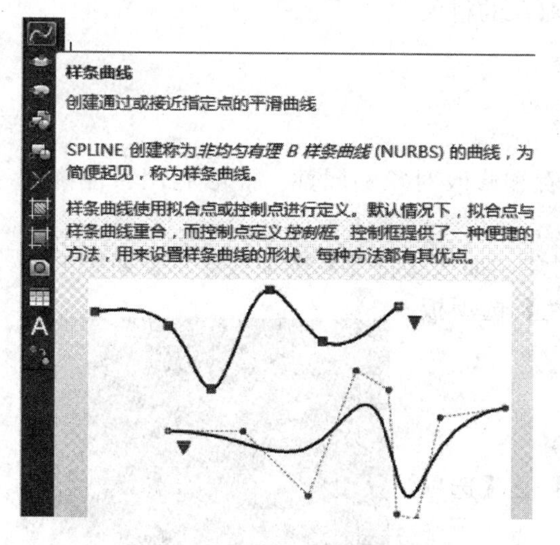

图 4-119 编辑绘制样条曲线

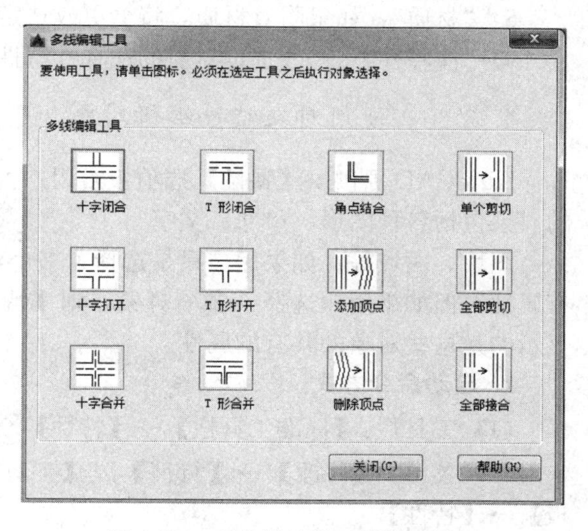

图 4-120 【多线编辑工具】对话框

1) 用户在对话框中选择绘图所需相对应的工具后，再回到绘图区选择要编辑的多线即可。

2) 在此用户要注意选择多线时的顺序，它决定了多线编辑的最后结果。

4.6.19 修改对象

修改命令 chang 可以修改所选择对象的点的位置以及图层、颜色等。

1. 启动修改对象方式

命令行：【Change】→【回车】。

2. 命令启动后，命令提示区显示

(1) 选择对象（在这用户选择要修改的对象）；

(2) 指定修改点或【特性 (P)】:

1) 如果用户在屏幕上选择一点，则将距离修改点最近的选定直线的端点移动到新点)

如果选择 P 选项，系统进一步提示用户:

2) 输入要更改的特性【颜色 (C) /标高 (E) /图层 (LA) /线型 (LT) /线型比例 (S) /线宽 (LW) /厚度 (T) /材质 (M) /注释性 (A)】:

(3) 各选项的功能如下:

1) “颜色”: 改变对象显示的颜色。用户可以英文的各种颜色名，也可以输入颜色代码，从 1～255 色。

2) “标高”: 修改二维对象的 Z 向标高。

3) “图层”: 改变对象所处的图形。

4) “线型”: 改变对象的线型 (要在图形中已加载了的线型才能使用)。

5) “线型比例”: 重新设置线型比例因子。

6) “线宽”: 给对象重新设置一个宽度。

7) “厚度”: 修改二维对象的 Z 向厚度。

8) “材质”: 如果附着材质，将会更改选定对象的材质。

9) “注释性”: 修改选定对象的注释性特性。

4.6.20 使用对象特性编辑对象

AutoCAD 提供了【特性】选项板给用户查看和修改对象的属性。能够利用特性修改的对象包括各种图形、尺寸、文字、

图块、面域等。如果用户只是选择了一个对象，那么【特性】选项板显示该对象的特有属性，但如果用户选择了多个对象，则【特性】选项板显示的是这些对象的共有的属性。

1. 启动命令方式

(1) 工具栏:【标准工具栏】→【特性】;

(2) 菜单:【修改】→【特性】或【工具】→【选项板】→【特性】;

(3) 命令行:【Properties】→【回车】。

2. 在绘图区选择对象

【特性】选项板就会显示该对象的属性，如图 4-121 所示。特性选项板显示了所选择的对象 (五边形) 的所有特性，包括五边形所处的图形、颜色、几何坐标等等，这些特性有些可以在【特性】选项板编辑，有些不可以。

3. 修改对象的特性

首先要选择要修改的对象，使其特性显示在【特性】选项板中。

4. 改的方法

1) 直接在相应的位置输入新值。

2) 从列表中选择值 (比如修改图层)。

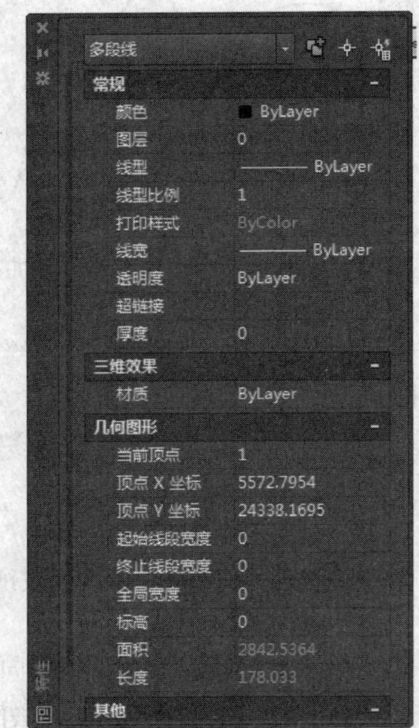

图 4-121 特性选项板

3）在对话框中修改特性值。

4）可以用在绘图区中选择点来修改坐标值。

5.【特性】选项板分类

（1）【常规】：在此列出了对象的一些基本属性。包括颜色、图层、线型等，对这部分属性的修改用户只要选取了要修改的属性，比如颜色，就会出现一个下拉列表的箭头，用户可以通过此选择所需的颜色。

（2）【三维效果】：在此给出对象的材质。同样点取【材质】也会出现下拉列表供用户选择。

（3）【几何图形】：在此用户可以修改对象的坐标点等属性，以改变对象的形状。选择顶点，会出现向左或向右的箭头，用户可以在此选择要修改的顶点。

（4）【其他部分】：这部分对有些实体是没有的，如直线。

6.【特性】选项板的最大优点

其他优点在于，不仅仅可以对某个特定对象方便地进行属性，几何尺寸的修改，还可以对多个对象的共性进行修改，比如用户选择了多个不同图层的实体，可以用【特性】选项板一次将这些对象修改到同一图层中去。

7. 用【特性】选项板修改对象的特性

如图 4-122 所示的图形中的填充，原来在图层 3 中，现在要将它所处的图层改为图层 1，同时改变填充的图案。首先要选择填充图案，然后在【特性】选项板进行有关的修改，修改数据如图 4-123 所示。

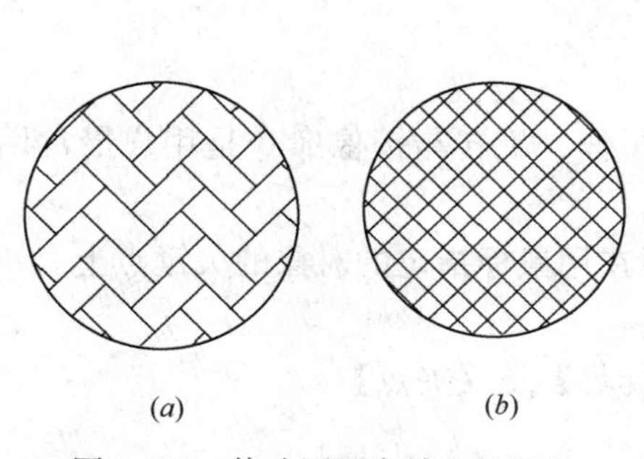

图 4-122　修改图图案填充的属性

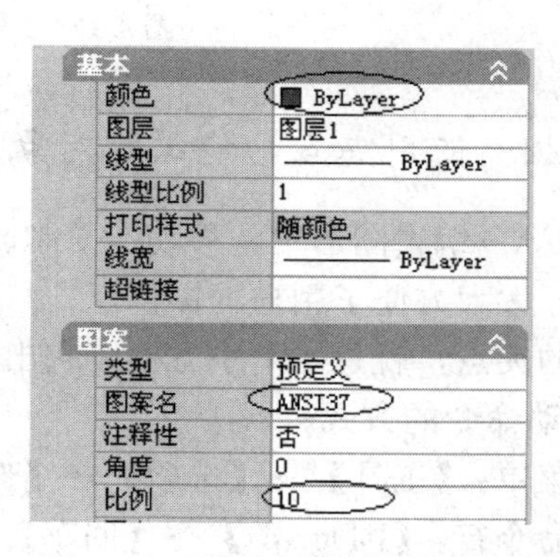

图 4-123　修改图案填充的参数

4.6.21　特性匹配

特性匹配就是把所选择的对象的属性应用于其他对象上去。它能快速方便的改变对象的属性。

1. 启动命令方式

（1）工具栏：【标准工具栏】→【特性匹配】；

（2）菜单：【修改】→【特性匹配】；

（3）命令行：【Matchprop（或 Painter）】→【回车】。

2. 启动命令之后，系统给出提示

（1）选择源对象：（在此用户选择要复制其特性的对象）

(2) 当前活动设置：颜色、图层、线型比例、线宽、厚度、打印样式、标注、文字、填充图案、多段线、视口、表格材质、阴影显示、多重引线。

(3) 选择目标对象或 [设置 (S)]：

(在此用户选择要复制的一个或多个目标对象)，如在上面的选项中选择 S，会出现一个【特性设置】对话框，如图 4-124 所示。

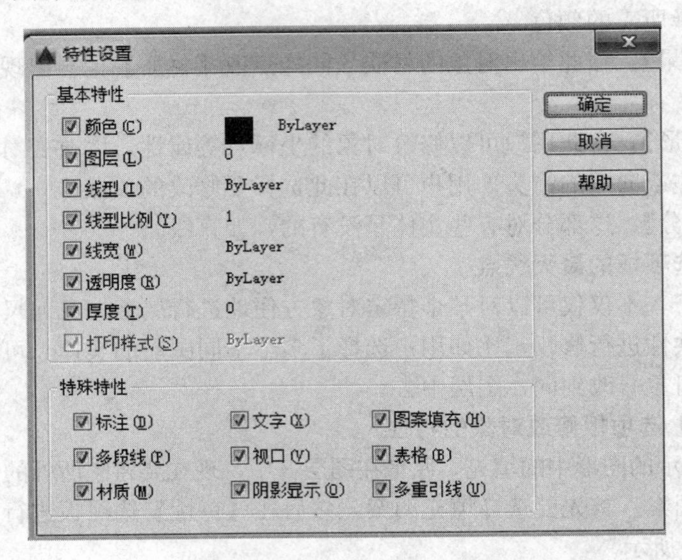

图 4-124 【特性设置】对话框

4.6.22 使用夹点功能编辑对象

AutoCAD 编辑图形中，移动、复制、拉伸、旋转与镜像命令是用户最常用到的五个编辑命令，大大方便了用户的操作。

所谓的夹点，就是一个小方框，它出现在用鼠标指定的对象的关键点上。

1. 启动命令的方式

(1) 菜单：【工具】→【选项】→【选择集】→【夹点】；

(2) 命令行：【DDgrips】→【回车】。

2. 对夹点的有关属性进行设置

启动命令出现【选项】对话框，在此我们可对夹点的有关属性进行设置，如图 4-125 所示。

在此对话框中，用户可以设置夹点的大小，夹点在各种状态下的颜色等。这在以前的篇幅中我们都有介绍。

3. 用【夹点】拉伸对象

在不输入任何命令的时候，用户直接选择对象，就会在对象上显示其夹点，然后单击其中一个夹点作为编辑的基点，这时进入了拉伸编辑状态，系统提示：

* * 拉伸 * *

指定拉伸点或[基点(B)/复制(C)/放弃(U)/退出(X)]：

以上各参数说明如下：

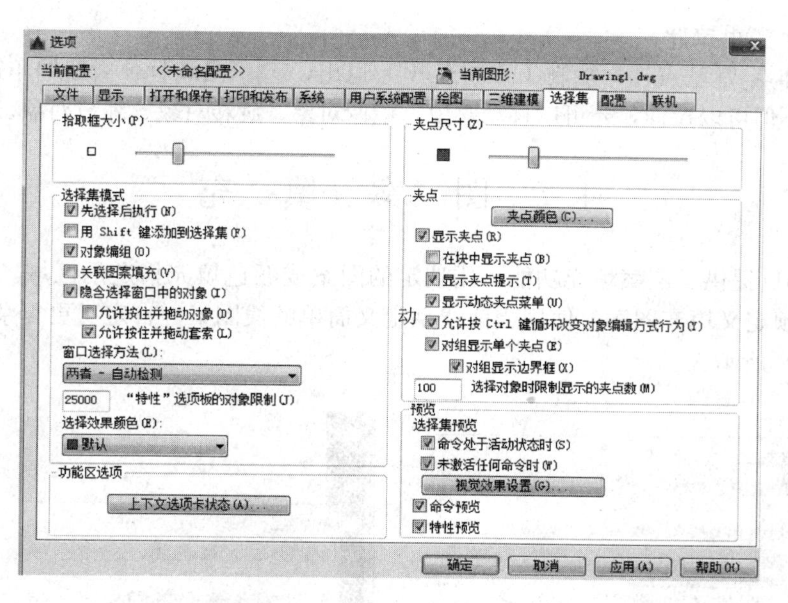

图 4-125 【选项】对话框

(1) 基点：重新确定拉伸的基点。

(2) 复制：允许用户确定一系列的拉伸点，以实现多次拉伸。

(3) 这种夹点编辑方式可以快速地拉伸对象。

如图 4-126 所示，用户可以单击并拖动圆的象限点来调整圆的半径并可以对其进行同心圆的复制。

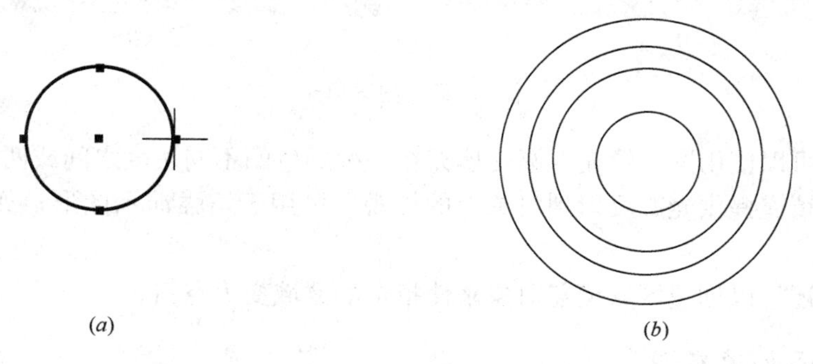

图 4-126 拉伸示例

(a) 拉伸前的图形；(b) 拉伸后的图形

4. 操作过程

(1) 选择圆。这时出现在夹点上点选任一个夹点（该点选中后颜色为红色，其他未选中的夹点为蓝色）。

(2) 命令行提示：

* * 拉伸 * *

指定拉伸点或［基点（B）/复制（C）/放弃（U）/退出（X）］：用户按下 Ctrl 键或选择 C 选项，同时拖动鼠标指定拉伸到的位置。

(3) ＊＊多重拉伸＊＊

指定拉伸点或[基点(B)/复制(C)/放弃(U)/退出(X)]：完成拉伸后按回车键结束命令。用夹点编辑不但可以拉伸，还可以移动对象，镜像对象、旋转对象、缩放对象。

4.7 图 案 填 充

AutoCAD 提供了图案填充功能，用选定的图案或颜色填充指定的区域。用于填充的图案包括：预定义填充图案、使用当前线型定义简单的线图案、自定义更复杂的图案，如图 4-127（*a*）所示。

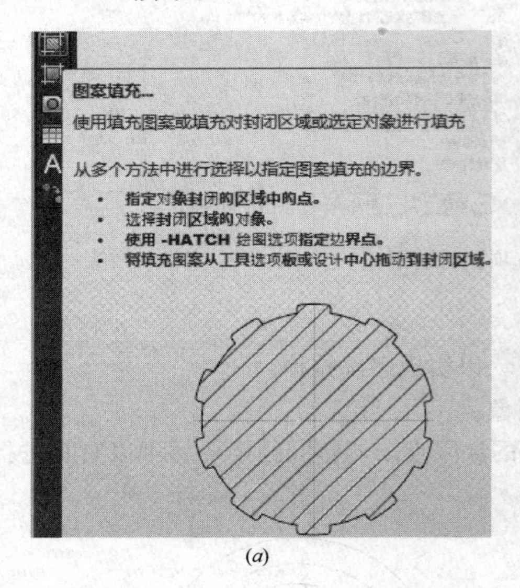

(*a*)

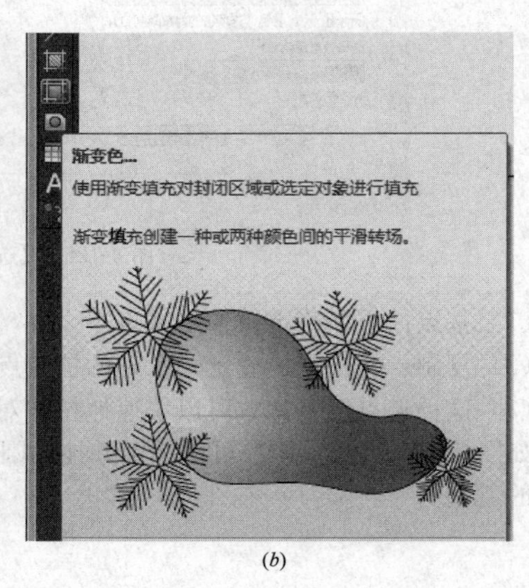

(*b*)

图 4-127 图案填充

另外，还可以使用渐变填充。渐变填充在一种颜色的不同灰度之间或两种颜色之间使用过渡。渐变填充提供光源反射到对象上的外观，可用于增强演示图形，如图 4-127（*b*）所示。

图案填充还可以创建区域覆盖对象来使指定的区域变为空白。

4.7.1 添加填充图案

AutoCAD 提供了如下几种方法向图形中填充图案：

1. 启动命令方式

(1) 工具栏：【绘图】→【图案填充】；

(2) 菜单：【绘图】→【图案填充】或【工具】→【选项板】→【工具选项板-所有选项板】→【图案填充标签】；

(3) 命令行：【hatch】，如图 4-128 所示。

2. 按下列步骤完成图案填充操作

(1) 选择上述方法之一，启动图案填充命令；

（2）在弹出的【图案填充和渐变色】对话框中，选择【边界】项下【拾取点】或【选择对象】的方法之一确定填充边界；

（3）选择需要的填充类型和图案；

（4）根据需要，调整角度、比例、孤岛显示样式等填充参数；

（5）单击【预览】查看填充效果。按 Enter 键或单击鼠标右键以返回对话框并进行调整；

（6）如果对调整结果满意，在【图案填充和渐变色】对话框中单击【确定】创建图案填充。

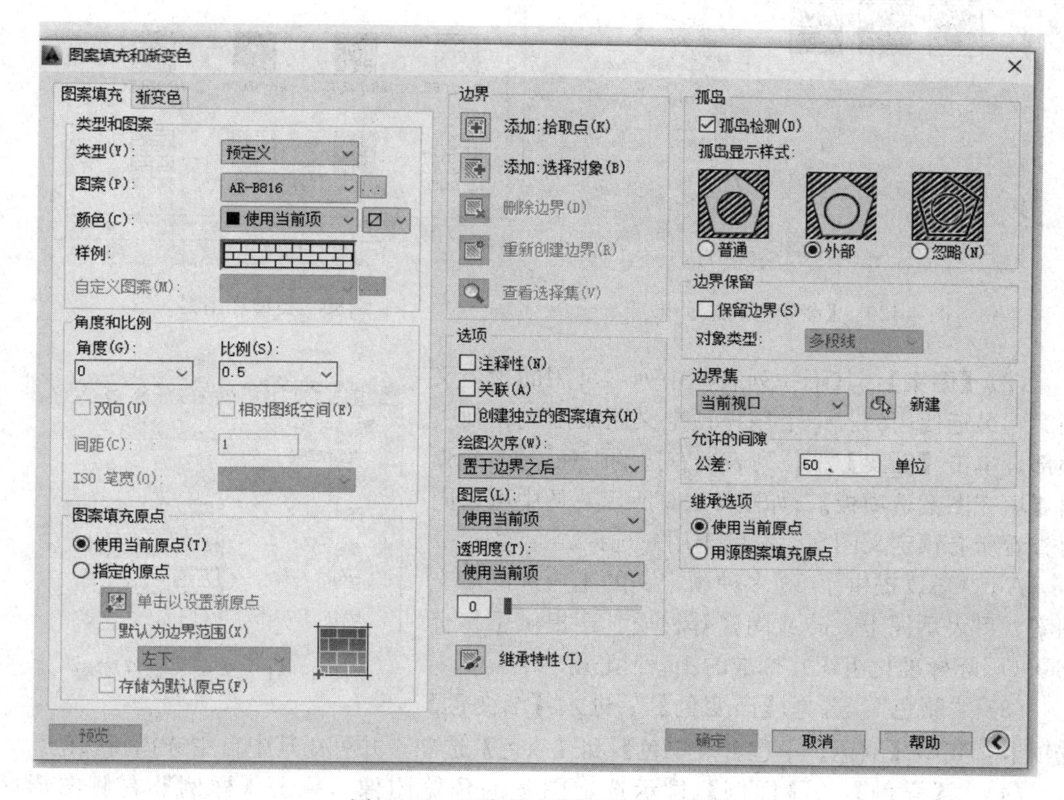

图 4-128　图案填充和渐变色对话框

4.7.2　【图案填充和渐变色】对话框

启动图案填充命令后，弹出【图案填充和渐变色】对话框，如图 4-128、图 4-129 所示。如果弹出的对话框中没有显示最右边一列，可按对话框右下角【更多选项】按钮 展开对话框，如图 4-128 就是展开后的情景。下面介绍【图案填充和渐变色】对话框中各部分内容。

1. 类型和图案

【类型和图案】项目下有【类型】、【图案】、【样例】和【自定义图案】等选项，各类选项功能介绍，如图 4-129 所示。

（1）【类型】：用于设置图案类型。下拉列表框中有【预定义】、【用户定义】和【自定义】三种填充类型。

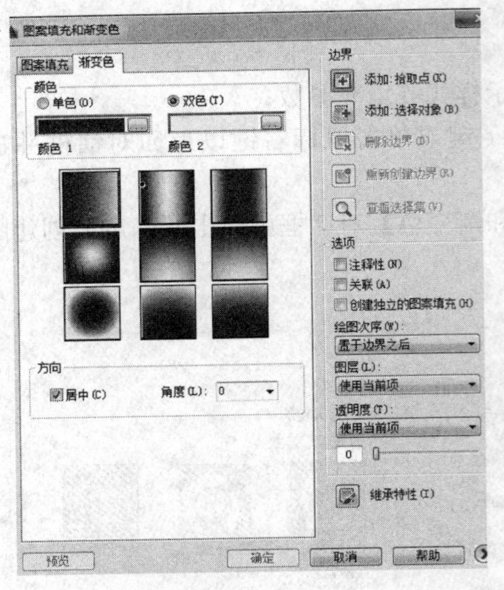

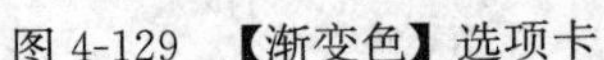

图 4-129 【渐变色】选项卡

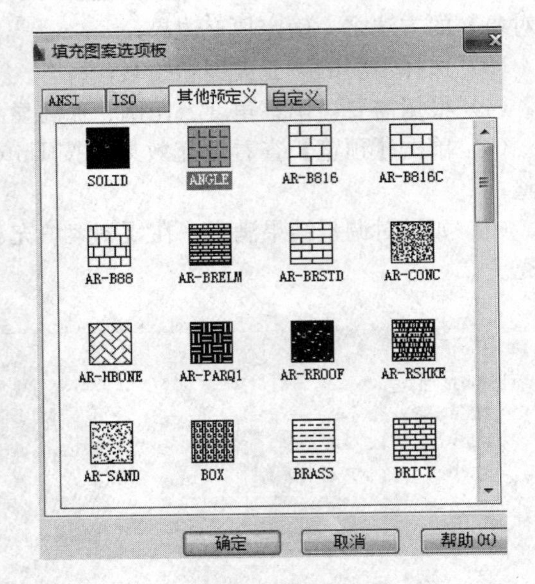

图 4-130 类型和图案

(2)【图案】：其下拉列表框中列出可用的预定义图案，最近使用的若干个用户预定义图案出现在列表顶部。单击【图案】下拉列表框右边的按钮[...]，会弹出【填充图案选项板】，如图 4-130 所示。从中可以同时查看所有预定义图案，有助于用户选择。

AutoCAD 提供了 50 多种预定义的工业标准填充图案，可表示泥土、砖或陶瓷等材质。还提供了符合 ISO（国际标准化组织）标准的 14 种填充图案。

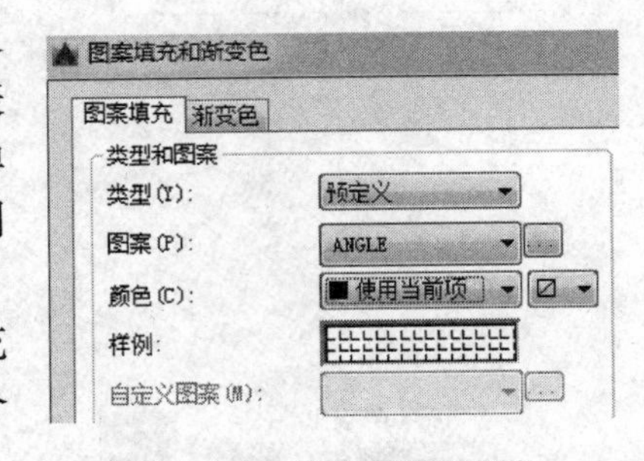

图 4-131 填充图案选项板

(3)“颜色”：选择【渐变色】后进入【渐变色】选项卡，其中【颜色】中包含【单色】和【双色】选项，并可在其中自主选择新颜色。

(4) 【样例】：【样例】显示选定图案的预览图像。单击【样例】右侧图形区[样例图形]也会弹出，如图 4-131 所示填充图案选项板。

(5)“自定义图案”：【自定义图案】选项卡中列出可用的自定义图案。只有在【类型】中选择了【自定义】，【自定义图案】选项才可用。

2. 角度和比例

【图案填充和渐变色】对话框中，【角度和比例】项目的选项有：

(1)“角度”：用于指定填充图案相对当前 UCS 坐标系的 X 轴的角度，如图 4-132 所示。

(2)“比例”：【比例】选项用于指定放大或缩小预定义或自定义图案。只有将【类型】设置为【预定义】，【比例】选项才可用。

(3)“双向”：只有将【图案填充】选项卡上的【类型】设置为【用户定义】时，此选项才可用。选用本项时，将以互为 90°角的二组交叉直线填充对象。

(4)“相对图纸空间”：该选项仅适用于布局。选用此项，则相对于图纸空间单位缩放填充图案，可很容易地做到以适合于布局的比例显示填充图案。

(5)“间距”：只有将【图案填充】选项卡上的【类型】设置为【用户定义】，此选项才可用。用于指定用户定义图案中的直线间距。

(6)“ISO 笔宽”：只有将【图案填充】选项卡上的【类型】设置为【预定义】，并将【图案】设置为可用的 ISO 图案的一种，此选项才可用。笔宽决定了 ISO 图案中的线宽。

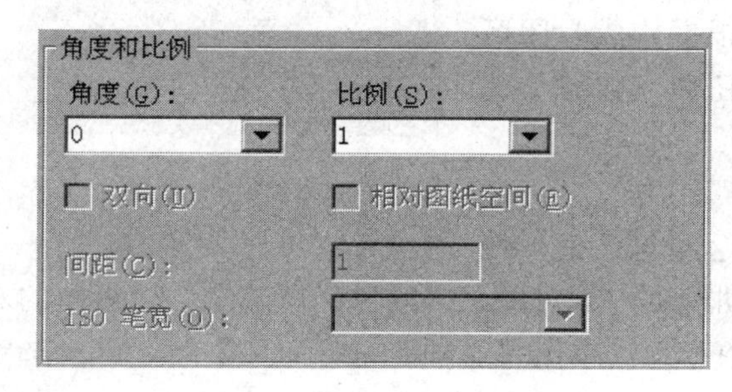

图 4-132　角度和比例

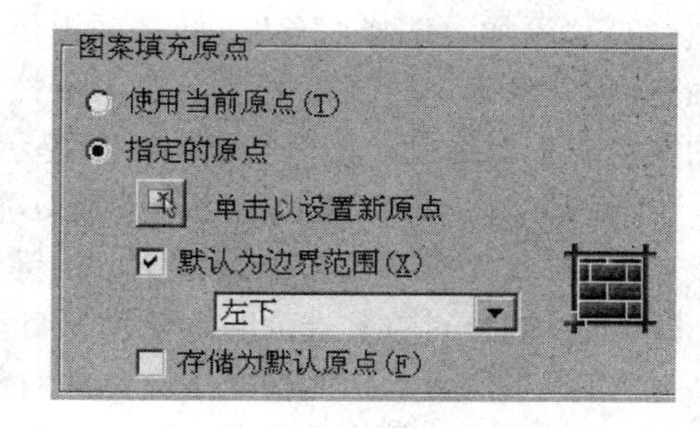

图 4-133　图案填充原点

3. 图案填充原

用于控制填充图案生成的起始位置，如图 4-134 所示。某些图案填充（例如砖块图案）需要与图案填充边界上的一点对齐。

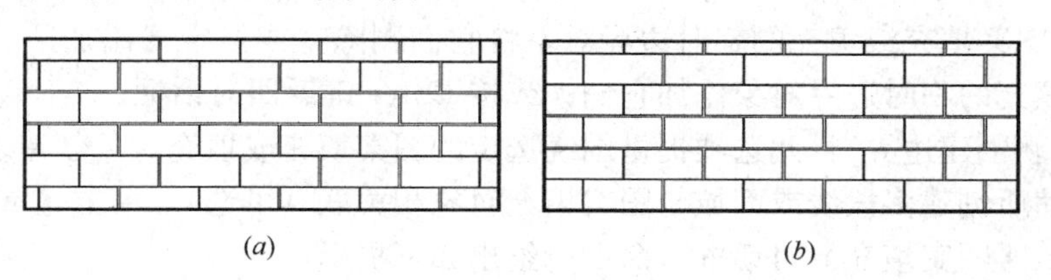

图 4-134　改变填充原点

(1)“使用当前原点”：默认情况下，所有图案填充原点都对应于当前的 UCS 原点，如图 4-134（*a*）所示。

(2)“指定的原点”：此选项提供为图案指定新的填充原点的方法。此选项被选中后，其下面的其他选项才可使用。单击设置新原点按钮，可在图形中直接指定新的图案填充原点。选择【默认为边界范围】选项后，可在其下方的下拉列表框中选择图案填充对象边界的矩形范围的四个角点及其中心。如图 4-134（*b*）所示，为分别使用【当前原点】和【设置左下原点】时，矩形区的填充效果。

(3)“存储为默认原”：此选项被选中，则将新图案填充原点的值存储在 HPORIGIN 系统变量中。

4. 边界

AutoCAD 允许通过选择要填充的对象或通过定义边界，然后指定内部点来创建图案填充，如图 4-135 所示。图案填充边界可以是形成封闭区域的任意对象的组合，例如直线、圆弧、圆和多段线。

通过对【边界】下各选项的操作，可确定要填充的区域。

(1)“添加：拾取点”：此选项提供根据围绕指定点构成封闭区域的现有对象确定边界的方法。单击该按钮后，暂时关闭【图案填充】对话框，命令行给出如下提示：

拾取内部点或[选择对象(S)/删除边界(B)]：

单击要进行图案填充或填充的区域，或指定选项，或按 Enter 键返回对话框。

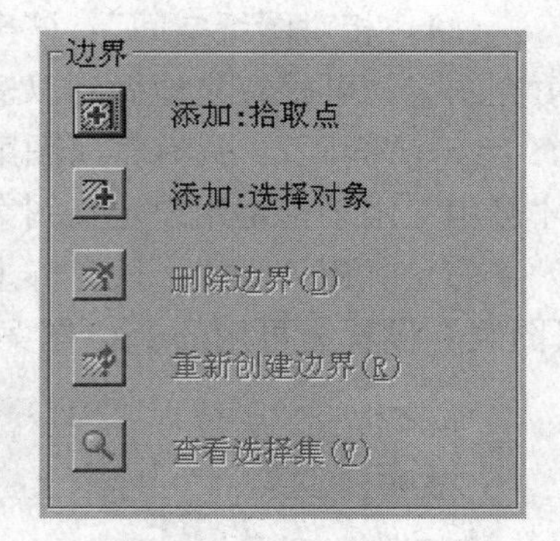

图 4-135 边界

(2)“添加：选择对象”：此选项提供根据构成封闭区域的选定对象确定边界的方法。单击该按钮后，暂时关闭【图案填充】对话框，命令行给出如下提示：

选择对象或[拾取内部点(K)/删除边界(B)]：

选择对象或指定选项，或按 Enter 键返回对话框。使用【添加：选择对象】选项时，软件不自动检测内部对象。必须选择所选定的边界内的对象，以按照当前孤岛检测样式填充这些对象。每次单击【添加：选择对象】时，已经选定的用于填充的选择集将被清除。

(3)“删除边界”：此选项提供从边界定义中删除以前添加到选择集的任何对象的方法。

1）单击【删除边界】时，暂时关闭【图案填充】对话框，命令行给出如下提示：

选择对象或［添加边界（A)]：

2）选择图案填充或填充的临时边界对象将它们删除；或指定【添加边界】选项选择图案填充或填充的临时边界对象添加它们；或按 Enter 键返回对话框。

(4)“重新创建边界”：此选项提供围绕选定的图案填充或填充对象创建多段线或面域的方法。可使所创建多段线或面域与图案填充对象相关联（可选）。单击【重新创建边界】后，暂时关闭【图案填充】对话框，命令行给出如下提示：

1）命令：【_hatchedit】；

2)输入边界对象的类型[面域(R)/多段线(P)]＜多段线＞：(输入 R 或 P 选择是创建面域还是创建多段线)；

3）要重新关联图案填充与新边界吗？［是（Y）/否（N)]＜N＞：（输入 Y 或 N 选择是否确定是否关联图案填充与新边界)；

4）“查看选择集”：暂时关闭对话框，并使用当前的图案填充或填充设置显示当前定义的边界。如果未定义边界，则此选项不可用。注意：仅可以填充与当前 UCS 的 XY 平面平行的平面上的对象。

5. 选项

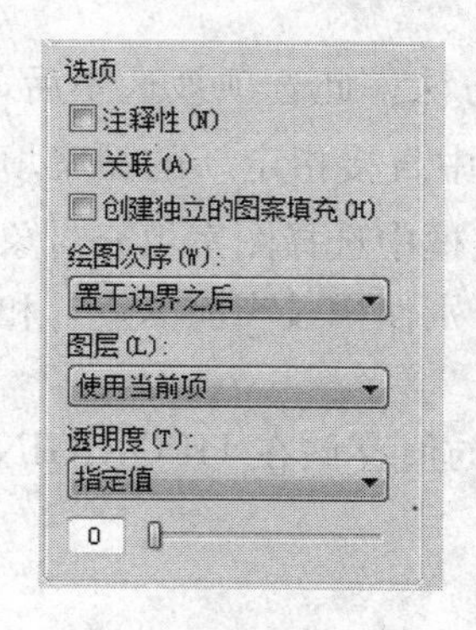

图 4-136 选项

“选项”提供了【注释性】、【关联】、【创建独立的图案填充】和【绘图次序】等控制图案填充的选项，如图 4-136 所示。

(1)“注释性”：用于创建单独的注释性填充对象，也可以创建注释性填充图案。使用注释性图案填充可象征性地表示材料（砂子、混凝土、钢筋等）。

(2)“关联”：用于控制图案填充或填充的关联。关联的图案填充或填充在用户修改其边界时将会更新。

(3)“创建独立的图案填充”：用于控制当指定了几个单独的闭合边界时，是创建单个图案填充对象，还是创建多个图案填充对象。

(4)“绘图次序”：提供了为图案填充指定绘图次序的方法。通过图案下拉列表式对话框，可决定填充放在所有其他对象之后、所有其他对象之前、图案填充边界之后或图案填充边界之前。

6. 孤岛

孤岛是指图案填充边界中的封闭区域。用户可以选用图 4-137 所示的三种填充样式之一填充孤岛。

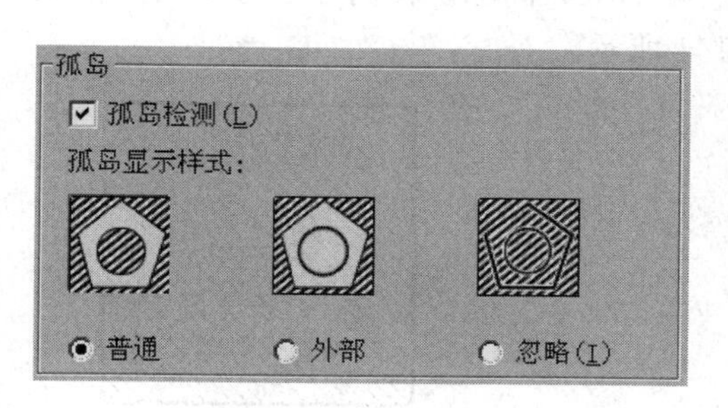

图 4-137　孤岛

(1)“孤岛检测”：选项控制是否检测内部闭合边界，即孤岛。

(2)“普通”：是 AutoCAD 的默认填充样式，将从外部边界向内填充。如果填充过程中遇到内部边界，填充将关闭，直到遇到另一个边界为止，即孤岛中的孤岛将被填充。

(3)“外部”：填充样式也是从外部边界向内填充，并在下一个边界处停止。与“普通”填充样式不同的是，此选项只对结构的最外层进行图案填充或填充，而结构内部保留空白。

(4)“忽略”：填充样式将忽略内部边界，填充整个闭合区域。

7. 边界保留

此项目用于指定是否将边界保留为对象，并确定应用于这些对象的对象类型，如图 4-138 所示。【对象类型】提供【多段线】和【面域】两种边界类型供选择。

8. 边界集

默认情况下，使用【添加：拾取点】选项来定义边界时，【图案填充】命令通过分析当前视口范围内的所有闭合的对象来定义边界。

在复杂的图形中可能耗费大量时间。要填充复杂图形的小区域，可以在图形中定义一个对象集，称作边界集。【图案填充】不会分析边界集中未包含的对象，这样，在该图形中填充小的区域可以节省时间。

下拉列表框中的【当前视口】项是默认选项，图案填充命令将根据当前视口范围中的所有对象定义边界集，选择此选项将放弃当前的任何边界集。

使用【边界集】下的【新建】按钮选定的对象定义边界集后，下拉列表框中出现的【现在集合】选项，如图 4-139 所示。

图 4-138　边界保留

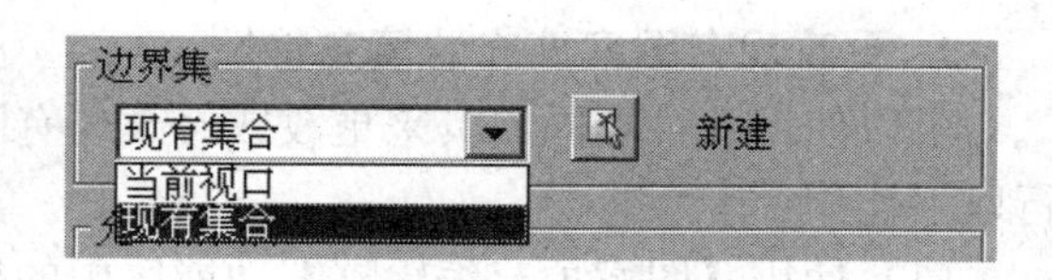

图 4-139　边界集

9. 允许的间隙

当要填充边界是未完全闭合的区域，该区域是否被填充由【允许的间隙】下【公差】的大小决定，如图 4-140 所示。“公差”设置将对象用作图案填充边界时可以忽略的最大间隙。任何小于等于指定值的间隙都将被忽略，并将边界视为封闭，如图 4-141 所示。

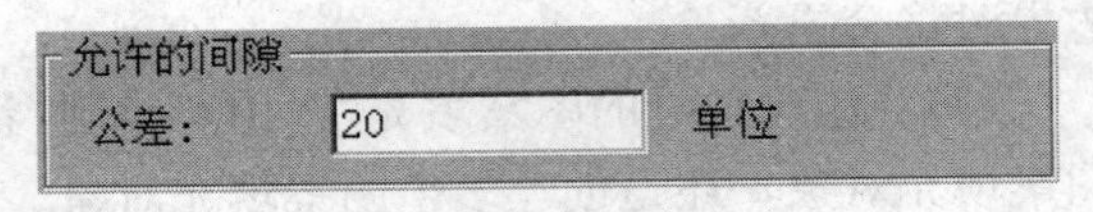

图 4-140 允许的间隙

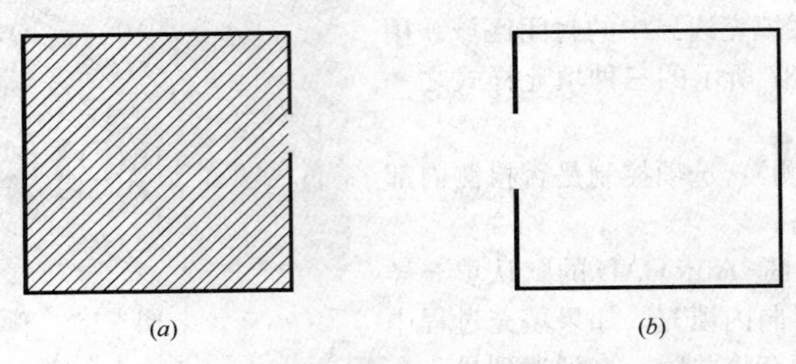

图 4-141 允许的间隙公差设为 20 时的填充效果

(a) 可填充（间隙距离=15）；(b) 不可填充（间隙距离=30）

10. 【继承特性】和【继承选项】

【继承特性】提供了使用选定图案填充对象的图案填充特性对指定的边界进行图案填充的方法，如图 4-142 所示。

使用【继承特性】创建图案填充时，【继承选项】下的设置将控制图案填充原点的位置。【使用当前原点】被选中时，使用当前的图案填充原点设置；【使用源图案填充的原点】被选中时，使用源图案填充的图案填充原点。

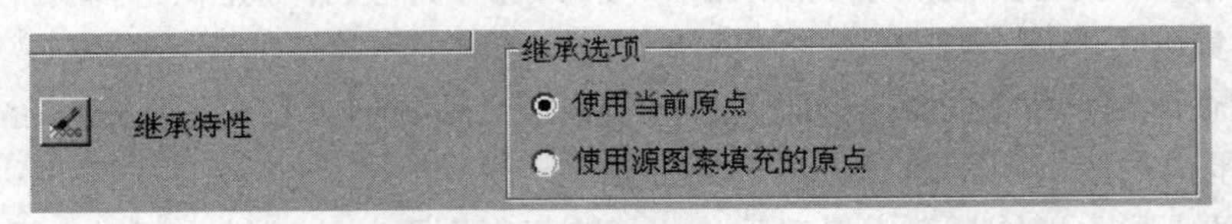

图 4-142 继承特性和继承选项

11. 预览

各参数确定后，单击【图案填充和渐变色】对话框左下角 预览 按钮，程序关闭【图案填充】对话框，并使用当前图案填充设置临时显示当前定义的边界。单击图形或按 ESC 键返回对话框，单击鼠标右键或按 ENTER 键接受图案填充或填充。

4.7.3 修改图案填充

1. 更改现有图案填充的填充特性

可以使用几种不同工具来更改或修改现有图案的特性。一旦选中图案填充对象，可执行以下操作：

（1）使用【图案填充编辑器】功能区中的控件完成操作。

（2）将光标悬停在图案填充控制夹点上以显示动态菜单。可以使用该动态菜单快速更改图案原点、角度和比例。

(3) 双击待修改的填充对象，或选中待修改的填充对象后单击鼠标右键，在弹出的快捷菜单中选择【图案填充编辑】选项即可弹出【图案填充编辑】对话框。

(4) 使用【特性】选项板进行修改。

2. 修改填充边界

图案填充边界可以被复制、移动、拉伸和修剪等。与处理其他对象一样，使用夹点可以拉伸、移动、旋转、缩放和镜像填充边界以及和它们关联的填充图案。如果所做的编辑保持边界闭合，关联填充会自动更新。如果编辑中生成了开放边界，图案填充将失去任何边界关联性，并保持不变。

图案填充的关联性取决于是否在【图案填充和渐变色】和【图案填充编辑】对话框中选择了【关联】选项。当原边界被修改时，非关联图案填充将不被更新。

可以随时删除图案填充的关联，但一旦删除了现有图案填充的关联，就不能再重建。要恢复关联性，必须重新创建图案填充或者必须创建新的图案填充边界并且边界与此图案填充关联。

要在非关联图案填充周围创建边界，请在【图案填充和渐变色】对话框【渐变色】选项卡，如图 4-128 所示，使用【重新创建边界】选项。也可以使用此选项指定新的边界与此图案填充关联。

4.7.4 渐变填充

渐变填充是实体图案填充，能够体现出光照在平面上产生的过渡颜色效果。可以使用渐变填充在二维图形中表示实体。

渐变填充中的颜色可以从浅色到深色再到浅色，或者从深色到浅色再到深色平滑过渡。在两种颜色的渐变填充中，是从浅色过渡到深色，从第一种颜色过渡到另一种颜色。

1. 启动命令方式

(1) 工具栏：【绘图】→【渐变色】；

(2) 菜单：【绘图 (D)】→【渐变色…】；

(3) 命令行：【gradient】→【回车】。

2. 按下列步骤完成渐变填充

(1) 选择上述方法之一，启动渐变色 Gradient 命令打开“图案填充和渐变色”对话框，如图 4-143 所示。

(2) 在“图案填充和渐变色”对话框“渐变色”选项卡中选择“单色”或“双色”，选择合适的颜色。

(3) 在“图案填充和渐变色”对话框的“渐变色”选项卡中选择“边界”项下的“添加：拾取点”或“添加：选择对象”确定填充边界。

(4) 根据需要，调整角度、方向、孤岛显示样式等填充参数。

(5) 单击“图案填充和渐变色”对话框右下方的“预览”按钮查看渐变填充的外观效果。按 Enter 键或单击鼠标右键以返回对话框并进行调整。

(6) 如果对调整结果满意，在“图案填充和渐变色”对话框中单击“确定”创建渐变填充。

3.【渐变色】选项卡

启动渐变色命令后，弹出【图案填充和渐变色】对话框（图 4-128）。【渐变色】选项卡定义要应用的渐变填充的外观。下面介绍【渐变色】选项卡的各部分功能。

（1）【颜色】：有“单色”和“双色”两种类型。“单色”指定使用从较深着色到较浅色调平滑过渡的单色填充。“双色”指定在两种颜色之间平滑过渡的双色渐变填充。可以选择 AutoCAD 颜色索引（ACI）颜色、真彩色或配色系统颜色。

选择“单色”时，在选项卡中显示随着“染色”滑块移动而变化的颜色样本。

选择“双色”时，选项卡中显示“颜色 1”和“颜色 2”的颜色样本。

（2）【渐变图案】：【渐变色】选项卡中部显示用于渐变填充线性扫掠状、球状和抛物面状三类共 9 种固定图案。

（3）【方向】：【方向】下的“居中”和“角度”选项用于指定渐变色的角度以及其是否对称。“居中”指定对称的渐变配置。如果没有选定此选项，渐变填充将朝左上方变化，创建光源在对象左边的图案。“角度”用于指定渐变填充相对当前 UCS 的角度。

4.7.5 区域覆盖

区域覆盖对象是一块多边形区域，它可以使用当前背景色屏蔽底层的对象。使用区域覆盖命令可以在现有对象上生成一个空白区域，用于添加注释或详细的蔽屏信息。区域覆盖对象由区域覆盖边框进行绑定，可以打开区域覆盖对象进行编辑，也可以关闭区域覆盖对象进行打印。

通过使用一系列点来指定多边形的区域可以创建区域覆盖对象，也可以将闭合多段线转换成区域覆盖对象，其步骤示例如图 4-143 所示。

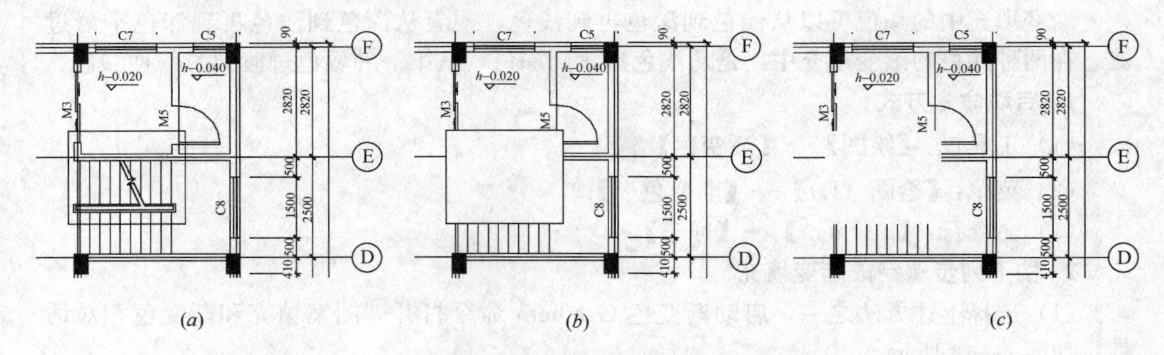

图 4-143　闭合多段线转换成区域覆盖对象

（a）创建闭合多段线；（b）转换成区域覆盖对象；（c）禁止显示区域覆盖边框

1. 启动命令方式

（1）工具栏【绘图（D）】→【区域覆盖（W）】；

（2）命令行：输入【wipeout】→【回车】。

2. 操作步骤与选项说明

启动区域覆盖命令后，AutoCAD 给出如下提示：

指定第一点或［边框（F）/多段线（P）］＜多段线＞：

可选择指定第一点或输入选项，该命令各选项功能如下。

（1）“第一点”：根据一系列点确定区域覆盖对象的多边形边界。选定第一点后，命令行提示“指定下一点”，直至形成一封区域。

（2）“边框”：确定是否显示所有区域覆盖对象的边。执行该选项后，命令行显示如下提示：输入模式［开（ON）/关（OFF）］<ON>：

输入“on”将显示所有区域覆盖边框。输入“off”将禁止显示所有区域覆盖边框。

（3）“多段线”：根据选定的多段线确定区域覆盖对象的多边形边界。执行该选项后，命令行给出如下提示：

选择闭合多段线：（选择一闭合多段线）

是否要删除多段线？［是(Y)/否(N)］<否>：输入 Y 将删除用于创建区域覆盖对象的多段线。输入 N 将保留多段线。

4.8 文字、字段和表格

一幅完整的工程图样中除了有图形元素外，还可能出现文字、表格以及尺寸标注。比如，用文字表达图名、构配件的材料及做法、施工要求等；用表格来说明门窗、钢筋等的使用情况；用尺寸标注准确、清晰地表达出建筑物及细部的尺寸大小，作为施工的依据。以上内容都是工程图中的重要组成部分，AutoCAD 为此提供了强大的、方便的支持功能。

4.8.1 设置文字样式

在 AutoCAD 中，标注文字前应该先设置文字样式，所有的文字都是在当前文字样式下创建的。所谓的文字样式就是包含文字“字体”“高度”“宽度因子”“倾斜角度”等参数的文字格式。

1. 启动命令方式

（1）工具栏：【样式】→【文字样式】。

（2）菜单：【格式】→【文字样式】。

（3）命令行：【style（st）】。

启动命令后系统将弹出“文字样式”对话框，如图 4-144 所示。

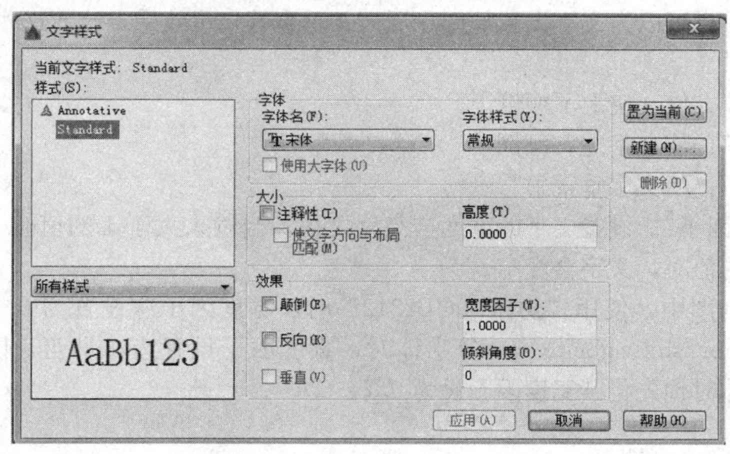

图 4-144 “文字样式”对话框

2. 管理文字样式

在“文字样式”对话框各选项功能如下：

(1)“样式”：列出当前文件中所有已创建的文字样式。对于一个新文件，只有默认的一种样式：“Standard”。此样式名不能被修改。

(2)“置为当前”：单击此按钮，可以将选择的文字样式设置为当前使用的文字样式。

(3)“新建”：单击该按钮，将打开“新建文字样式”对话框，如图4-145所示。默认样式名为“样式1”，可以根据需要修改此样式名。

(4)“删除”：单击该按钮，可以删除所选文字样式。但当前样式和默认的“Standard”样式不能被删除。

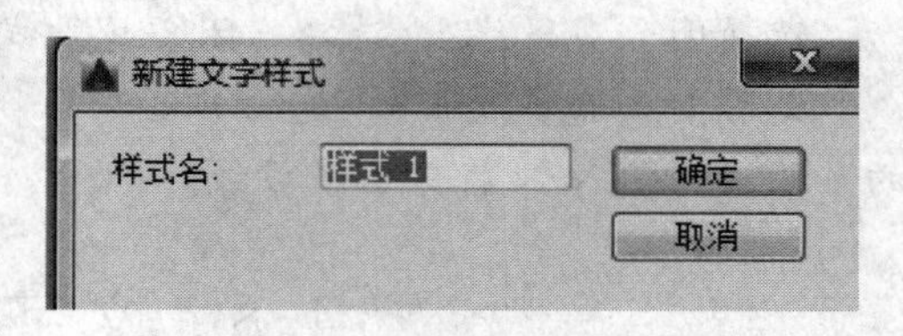

图4-145 “新建文字样式”对话框

3. 设置字体

(1)“字体名”：此下拉列表框用于选择字体。

按照国家标准，工程制图中所用汉字为长仿宋体，在AutoCAD中可选择“仿宋_GB2312”或大字体gbcbig.shx，都能满足制图要求。西文标注还可选用gbenor.shx、gbeitc.shx两种字体。

(2)“字体样式”：该下拉列表框可以设置当前字体的字体样式，它只对TrueType字体有效。不同的TrueType字体出现的样式是不同的。当选择某些TrueType字体如“Times New Roman”字体时，可以有四种样式选择：粗体、粗斜体、斜体和常规。而有的只有常规一种样式。

(3)“大字体”：只有在【字体名】下拉列表框中指定了扩展名为“.shx”的字体时，此选项才能使用。勾选“使用大字体”后，“字体样式”将变为“大字体”，可以从下拉列表框中选中一种大字体。

(4)“注释性”：选择此项，被选中文字样式将具有注释性，从而能通过调整文字的注释比例使其以正确的大小在图纸上显示或打印。

(5)“高度”：设置文字的高度。

4. 设置文字效果

在“效果”栏可以为文字设置颠倒、反向、垂直等显示效果，改变这些选项可在预览区看到更改效果。

(1)“颠倒”：使文字上下颠倒。

(2)“反向”：使文字左右颠倒。

(3)“垂直”：使文字垂直书写。

(4)“宽度因子”：设置文字的宽度与高度之比。当输入大于1的值时，文字会变扁，而输入小于1的值时，文字会变窄。

(5)工程制图中，使用“仿宋_GB2312”时，宽度因子应设置为0.7；而使用gbcbig.shx、gbenor.shx、gbeitc.shx等字体时，宽度因子设置为1即可，因为AutoCAD在设计这些字体时预先将其宽度因子设为0.7。

4.8.2 创建与编辑单行文本

单行文本每一行就是一个对象，主要用于创建简短的文字内容，并且可以对每行文字单独进行编辑。

1. 启动命令方式

(1) 工具栏：【文字】A；

(2) 菜单：【绘图】→【文字】→【单行文字】；

(3) 命令行：【text (dt)】。

2. 执行该命令后，命令窗口出现提示

当前文字样式："Standard" 文字高度：2.5000 注释性：指定文字的起点或［对正(J) /样式 (S)］。

3. 指定文字的起点

文字起点是指文字对象的开始点。AutoCAD 对文字设定了 4 条假想的定位线：顶线、中线、基线、底线，如图 4-146 所示。默认情况下，开始点是指单行文本行基线的起点，而文字的对正方式为左对齐，其位置的"默认点"如图 4-147 中所示。指定一个点后，命令窗口继续出现以下提示：

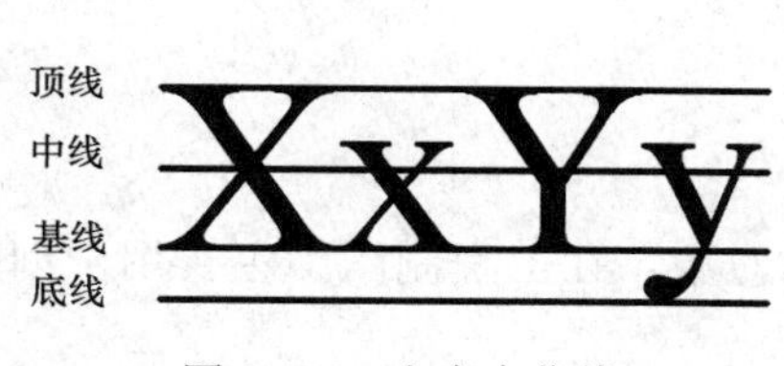

图 4-146 文字定位线

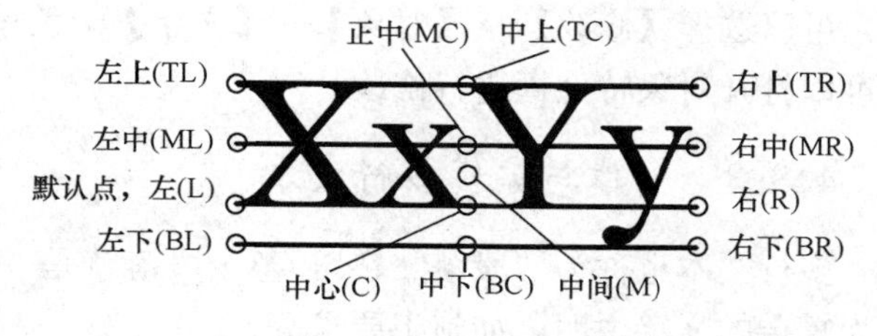

图 4-147 文字对正方式

指定高度<2.5000>：(指定文字的高度)

(1) 设置文字的高度：只有"文字样式"对话框中使用默认高度 0 时，才出现该提示。

(2) 指定文字的旋转角度<0>：

指整行文本对象绕对正点旋转的角度。

当指定以上内容后，将出现单行文本的"在位文字编辑器"，用户即可输入文字。输入完一行后可以按 Enter 键，继续下一行文本的输入，但每行文本是一个独立的对象。在输入单行文本的过程中，如果想改变后面输入文本的位置时，只需先将光标移到新位置并按左键，"在位文字编辑器"就会移到新位置，接着可继续输入文字。若要结束创建文本，可以按两次 Enter 键。

4. 设置对正方式

如果在"指定文字的起点或［对正(J)/样式(S)］："提示后输入"j"，就可以设置文字的对正方式。进入该项后命令窗口会出现如下提示：

输入选项［对齐(A)/调整(F)/中心(C)/中间(M)/右(R)/左上(TL)/中上(TC)/右上(TR)/左中(ML)/正中(MC)/右中(MR)/左下(BL)/中下(BC)/右下(BR)］：

“对齐”：选择该项后，会要求指定首行文本基线上的两个端点，这两点间的距离将确定每行文本的宽度，当每行文本的字数不同时，将会自动调整文字的高度，但不改变文字的宽度因子，从而保证每行文本的宽度相同。

“调整”：选择该项后，也会要求指定首行文本基线上的两个端点，这两点间的距离同样将确定每行文本的宽度，另外还会要求指定文字高度。当每行文本的字数不同时，文字的高度仍保持不变，只改变文字的宽度因子，从而保证每行文本的宽度相同。

其他对正方式：选择其他选项后，会要求为首行文本指定相应的点，各种对正方式所对应的点如图 4-147 所示。其他行文本将会相应地左对齐、右对齐或中间对齐。

5. 设置当前文字样式

如果在“指定文字的起点或[对正(J)/样式(S)]：”提示后输入“s”，就可以设置当前文字样式。进入该项后命令窗口会出现如下提示：

输入样式名或［?］<Standard>：

用户可以直接输入样式名称。当不清楚有哪些样式或样式名称是什么时，也可以输入“?”进行查询。

6. 编辑单行文本

可以选择【修改】→【对象】→【文字】子菜单中的命令进行单行文本的重新编辑。也可以打开对象特性框进行修改。

4.8.3 创建与编辑多行文本

多行文本也称为“段落文字”，整个段落就是一个对象，在工程制图中主要用于创建较为复杂的文字说明，如施工要求等。

1. 启动命令方式

(1) 工具栏：【绘图】→ A ；

(2) 菜单：【绘图】→【文字】→【多行文字】；

(3) 命令行：【mtext (mt、t)】。

2. 执行命令

执行该命令后，命令窗口出现如下提示：

当前文字样式：" Standard" 文字高度：2.5 注释性：否

指定第一角点：

此时通过指定两对角点来指定矩形区域，用于确定多行文本的位置。用户可以在绘图窗口中拖动鼠标来指定这个区域。然后弹出【文字格式】工具栏和多行文本的【在位文本编辑器】，如图 4-148 所示。

3. 使用【文字格式】工具栏

通过【文字格式】工具栏，可以设置文字样式、字体、高度、加粗、斜体、颜色、分栏、对正等等，其含义与 WORD 文本编辑软件类似。

图 4-149【符号】菜单来自图 4-148 工具条【符号】@ 按钮。

图 4-150【字符映射表】来自图 4-148【符号】菜单最后选项【其他 (o) .....】；

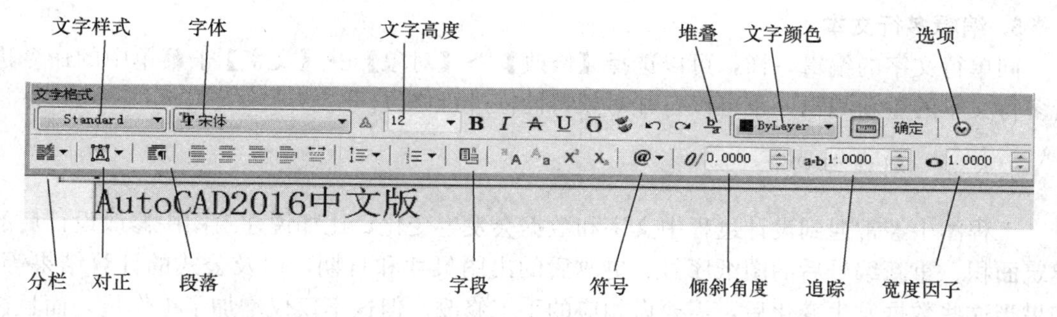

图 4-148　“文字格式”工具栏和多行文本“在位文本编辑器”

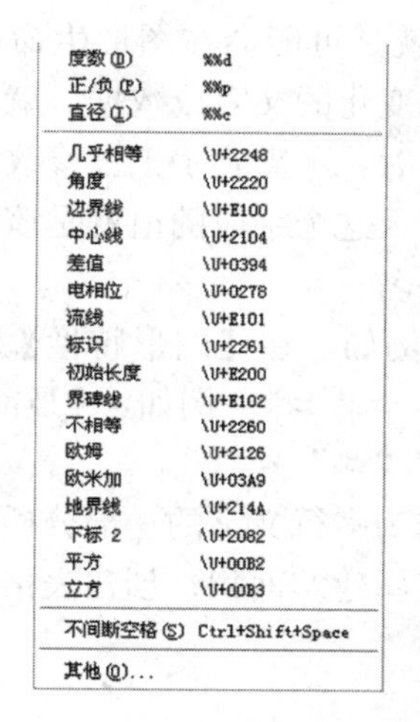

图 4-149　“符号”菜单

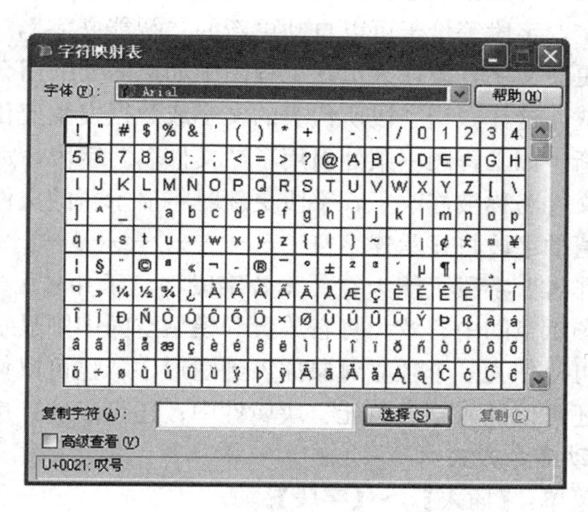

图 4-150　“字符映射表”

4. 使用选项菜单

（1）在【文字格式】工具栏中单击【选项】按钮，可以打开选项菜单对多行文本进行更多的设置，如图 4-151 所示。

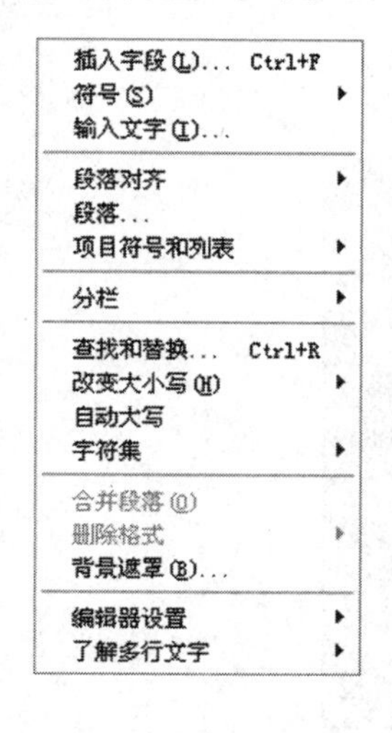

图 4-151　多行文本选项菜单

（2）“输入文字”：用于将其他文字编辑程序中保存的扩展名为“.txt”或“.rtf”的文件导入到当前文本中。

（3）“背景遮罩”：执行该选项将弹出图 4-152 所示的对话框，可以为多行文本设置背景色，使其背景为不透明的。

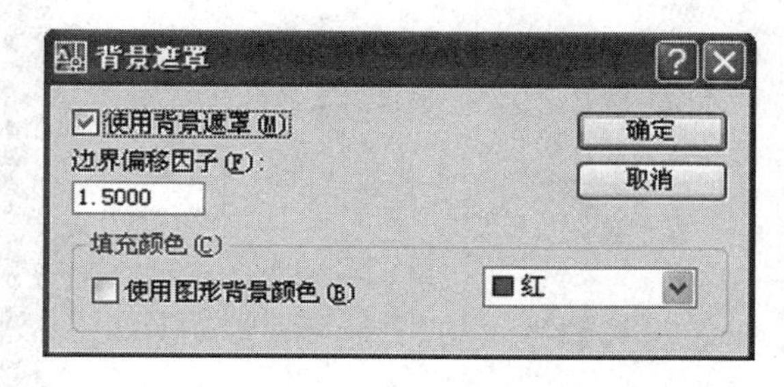

图 4-152　“背景遮罩”对话框

5. 编辑多行文本

同单行文字的编辑一样，可以选择【修改】→【对象】→【文字】子菜单中的命令进行多行文本的重新编辑。也可以打开对象特性框进行修改。

4.8.4 创建字段

工程图中经常遇到设计过程中文字和数据会发生变化，比如说建筑图中修改设计后的建筑面积、重新编号后的图纸序号、更改后的出图尺寸和日期，以及公式的计算结果等。如果当这些数据发生变化后，需要做相应的手工修改。但这不仅仅增加了工作量，而且往往容易漏改一些数据，这样在工程图纸就出现错误。所以 AutoCAD 引入了字段概念。字段也是文字，字段等价于可以自动更新的“智能文字”，就是可能会在图形生命周期中修改数据的更新文字，设计人员在工程图中如果需要引用会变化的文字或数据，就可以采用字段的方式，这样，当字段所代表的文字或数据发生变化时，不需要手工去修改它，字段会自动更新。如工程图中某处引用了“文件名”字段，那么这个字段的值就是该文件的名称，当该文件名称被修改了，字段更新时将显示新的文件名。

没有值的字段将显示连字符“—————————”。例如，在【图形特性】对话框中设置的“作者”字段可能为空。无效字段将显示井号（＃＃＃＃）。例如，“当前图纸名”字段仅在图纸空间中有效，将它放置到模型空间中则显示“＃”号。

字段可以作为一个独立对象插入到图形中，也可以作为多行文字的一部分插入到多行文字中，还可以插入到表单元、块属性中；还可以统计房屋建筑面积；创建表格等。

1. 启动命令方式

(1) 菜单：【插入】→【字段】。

(2) 命令行：【field】。

启动多行文本命令，在弹出的【在位文本编辑器】（图 4-148）中，单击选项按钮或单击右键在弹出的快捷菜单中选择【插入字段】，如图 4-153 所示。也可在表格创建过程中，选中单元格后按以上方法启动【字段】命令，命令启动后系统将弹出“字段”对话框，如图 4-154 所示。

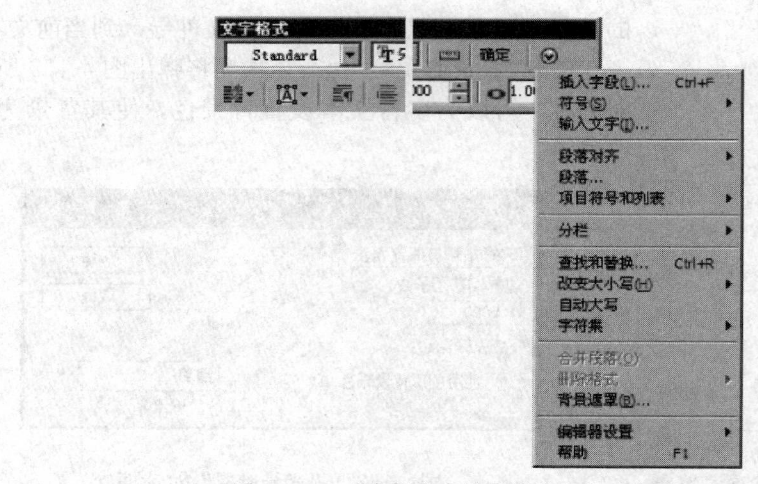

图 4-153 “多行文本编辑器”中启动字段命令

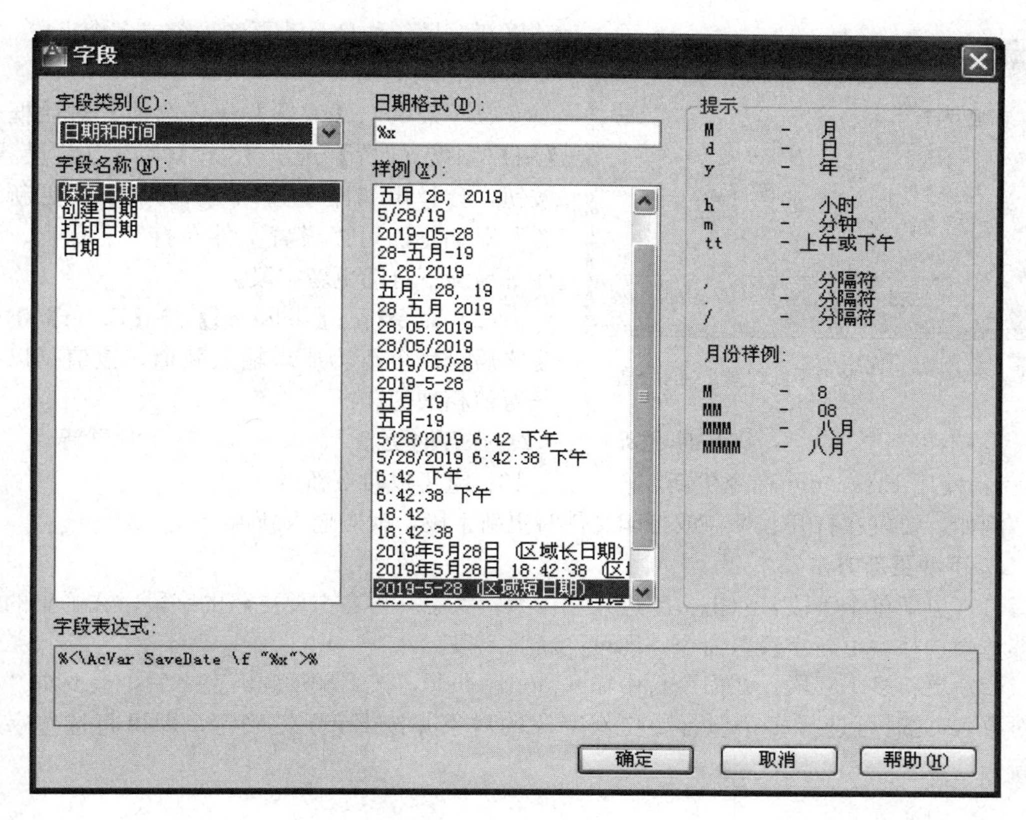

图 4-154 “字段”对话框

2. “字段”设置

在【字段】对话框中，以下选项可以对【字段】进行设定，其功能分别介绍如下：

(1)“【字段类别】下拉列表框”：可以选择字段的类别，有打印、对象、其他、全部、时间和日期、图纸集、文档、已链接。

(2)“字段名称”：这里将显示所选类别包含的字段名称，用户可在此选择需要的字段，所选字段不同该对话框右侧设置将相应发生变化。以选中【保存日期】字段为例，如图 4-154 所示，对话框右侧【样例】会显示时期的不同表达样式，可以从中选择一种需要的样式。

(3)“字段表达式”：显示说明字段的表达式。字段表达式无法编辑，但可以通过查看此部分了解字段的构造方式。

(4) 如果是创建的一个独立字段对象，按“确定”后命令行会继续出现以下提示；

当前文字样式：“Standard” 文字高度：2.5000

指定起点或[高度(H)/对正(J)]:

各选项的含义与单行文本命令中的选项相同。

如果字段只是作为多行文字、表单元、块属性的一部分，字段将遵从他们的设置。

4.8.5 更新字段

字段对象创建之后，根据需要可及时对其进行更新。字段更新方式有两种：一种是自

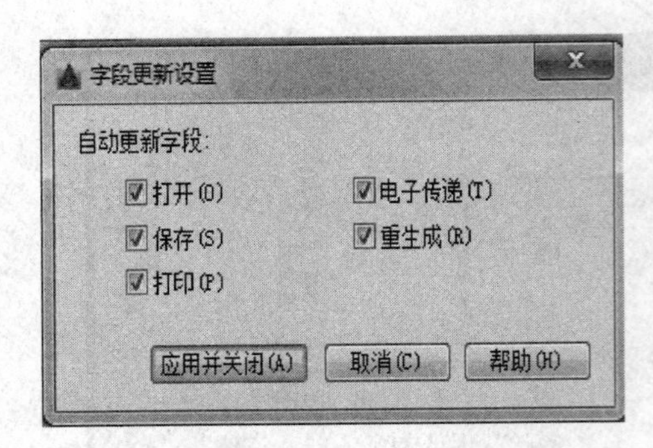

图 4-155 "字段更新设置"对话框

动更新，另一种是手动更新一个或多个字段。

1. 自动更新

(1) 菜单：【工具】→【选项】对话框→【用户系统 配置】选项卡→【字段更新设置】按钮，会弹出如图 4-155 所示的"字段更新设置"对话框。可以设置文件在打开、保存、打印等情况下自动更新字段。

(2) 命令行：【fieldeval】→【Enter】键确定之后，命令行会要求输入新值，该值是以下任意值相加的和：

0：不更新　　1：打开时更新　　2：保存时更新　　4：打印时更新

8：使用 Etransmit 命令更新　　16：重生成时更新

例如，要仅在打开、保存或打印文件时更新字段，就应输入新值 7。

2. 手动更新方法

(1) 更新单个字段：双击文字进入在位编辑状态，再右击要更新的字段，在弹出的快捷菜单中选择"更新字段"命令，即可更新此字段。

(2) 更新多个字段：在命令行中输入 updatefield，按 Enter 键确定之后，会要求"选择对象"，此时可选择多个包含要更新字段的对象并按 Enter 键确定，即可将这些字段更新。

4.9 图块、属性与外部参照

在绘图过程中常常会碰到一些重复使用的图形，比如我们在绘制建筑图时，常要绘制门，在电路图中常出现的电阻，机械图中出现的螺母等，这些对象在一幅图中常常是多次重复出现，如果每个对象全要用户一笔一笔画起来，无疑是大大增加了用户的工作量，造成了工作效率的低下。为了解决这个问题，AutoCAD 提供了一个十分完美的解决方案，这就是"图块"的引用，简称为"块"。

"块"，及其"属性定义"和外部参照是 AutoCAD 特有的对图形中对象进行管理的高级模式。"块"：即是将一些经常重复使用的对象组合起来，形成一个"块对象"，然后将其保存起来，在以后的绘图中能够轻松的引用。它可以大大提高作图的精确度和速度，减小文件的大小。外部参照就是一个图形对另一个图形的引用，这种引用方式对目前大规模的多人合作绘图十分方便。

"块"是一个或多个对象结合在一起形成的对象体，在 AutoCAD 中块是作为一个整体存在的，尽管也许在这一个对象中包含了在不同层中的实体。用户可以对块进行缩放、复制、移动等的操作。如图 4-156 所示，图中所有的坐厕，只要用户画好一次后，存成块文件

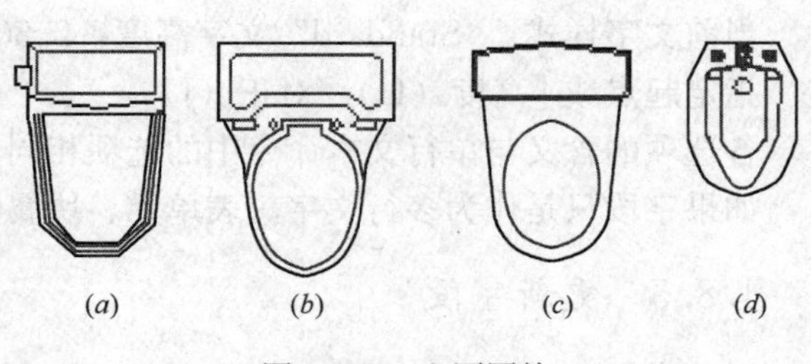

图 4-156 坐厕图块

就可以在以后的绘图工作中重复作用。

4.9.1 定义块

引用块之前，必须把对象定义成块，定义块的方式有两种：

将块保存在当前图形中（这种方式定义的块只能在当前图形中使用）；将块单独以图形文件保存（这种方式定义的块可以在所有的图形中插入作用）。

1. 在当前图形中保存块

在定义块之前，我们首先要把想要定义成块的对象绘制好。

在当前图形中保存块的方法有以下三种：

（1）工具栏：【绘图】→【创建块】；

（2）菜单【绘图】→【块】→【创建】；

（3）命令行输入：【block（b）】。

启动命令后将打开块定义对话框，如图 4-157 所示。

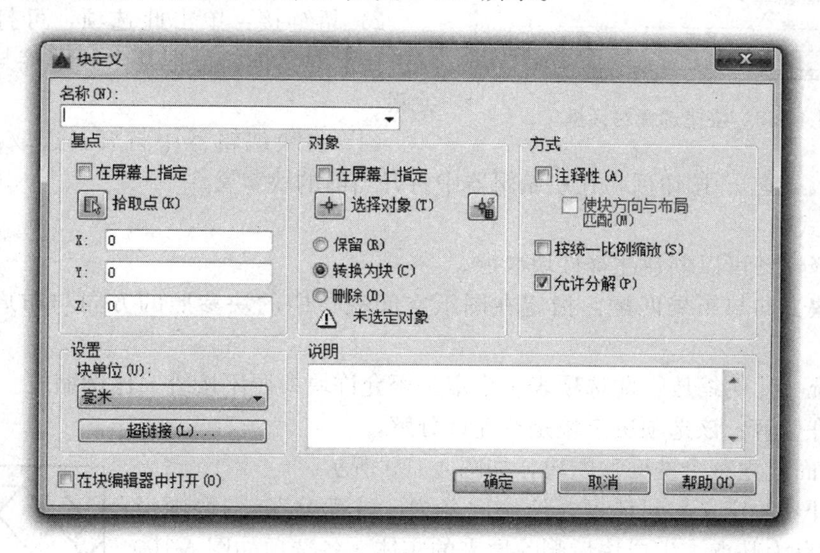

图 4-157 块定义对话框

2. 块定义对话框中各选项的意义

（1）"基点"：指定块的插入基点，默认插入点坐标值为（0，0，0)，【在屏幕上指定】关闭对话框时，将提示用户指定基点。

【拾取点】按钮：将暂时关闭块定义对话框，在当前图形中拾取插入基点。

（2）"对象"：指定块中要包含的对象，以及当创建块之后是删除这些实体，还是保留或者转换成块。

1）在屏幕上指定：关闭对话框时，将提示用户指定对象。

2）"选择对象"按钮：单击【选择对象】按钮，可以暂时关闭【块定义】对话框，可以回到绘图区中选择要创建成块的对象。完成选择后回车，又可以回到【块定义】对话框。

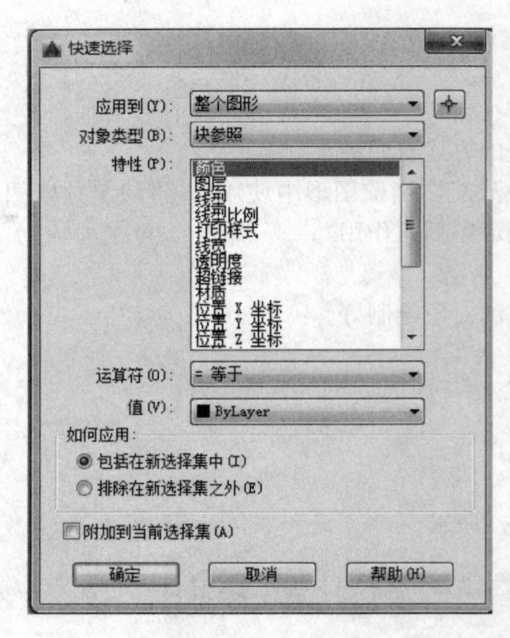

图 4-158　快速选择对话框

3）“快速选择”按钮：单击【快速选择】按钮，会弹出【快速选择】对话框，如图 4-158 所示，用户可以通过该对话框进行快速过滤来选择满足一定条件的实体。

4）“保留”：选中此选项，所选取的实体在生成块后仍保持原状。

5）“转换为块”：选中此选项，所选取的实体生成块后在原图形中也转换成块。

6）“删除”：选中此选项，所选取的实体在生成块后，原实体被删除。

（3）“设置”选项：

1）“块单位”：在下拉菜单中可指定块参照的插入单位。

2）超链接：单击此选项，可打开【插入超链接】对话框，可把某个超链接与块定义相关联。

（4）在块编辑器中打开：选取该选项后，表示当单击 确定 按钮后，在块编辑器中打开当前的块定义。

（5）方式：

1）注释性：可以创建注释性块参照。

2）全块方向与布局匹配：指定在图纸空间视口中的块参照的方向与布局的方向相匹配。

3）按统一比例缩放：此选项表示指定是否允许块参照不按统一比例缩放。

4）允许分解：该选项决定块是否允许分解。

（6）下面建立一个洗面盆图块，如图 4-159 所示。

1）打开【块定义】对话框，给块取名为“洗面盆”，选取图形左上角的交点为基点，生成块后删除原来的实体，各选项如图 4-160 所示。

2）单击【选择对象】按钮，在图中选择洗面盆图形，然后单击 确定 ，一个洗面盆块就定义好了。

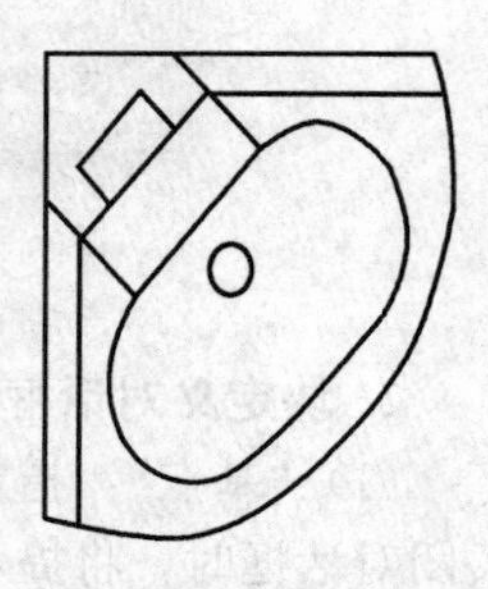

图 4-159　洗面盆块

（7）将块保存为单独的文件

用以上方法制作的块只能在当前图形中使用。如果用户希望在其他的图形中也要使用以上的块，必须将块做为一个单独的文件保存。

在命令提示行中输入：wblock，回车，将弹出图 4-161 所示的【写块】对话框。【写块】对话框中各功能如下：

1）“源”：指定块和对象，将其保存为文件并指定插入点。

2）“块”：指定要保存为文件的现有块，可从块列表中选取名称。

3）“整个图形”：将当前的整个图形作为一个块文件保存。

4）“对象”：指定块的基点，选择对象，此过程与上面制作块的过程相同。

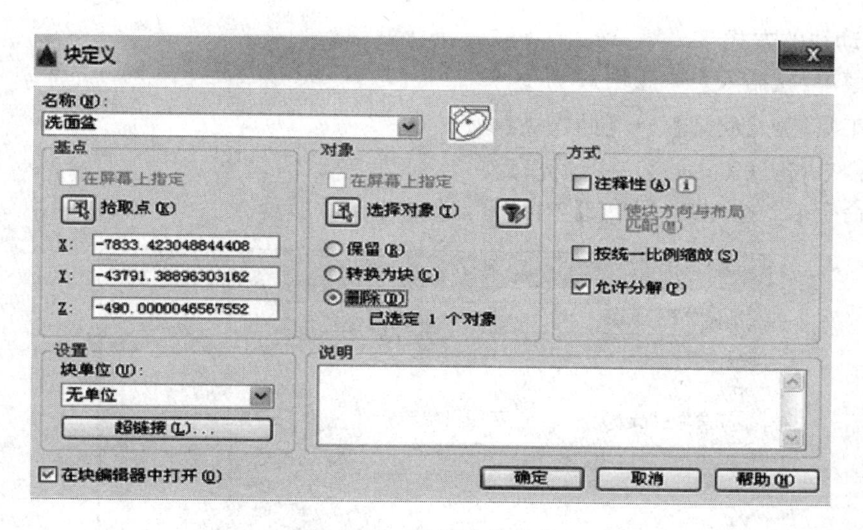

图 4-160　洗面盆块定义

图 4-161　【写块】对话框

5）“基点”：指定块的插入基点。

6）“对象”：指定新块中所要包含的对象，及创建块后如何处理这些对象。

7）“目标”：指定文件放置的路径及文件名。

4.9.2　图块的插入

制作了块是为了在将来的绘图中使用这些块，以加快绘图的速度与精度，而要调用块就要在图形中插入块。

1. 启动块的方式

(1) 菜单:【插入】→【块】;

(2) 工具栏:【绘图】→【插入块】;

(3) 命令行:【insert,】→【回车】。

执行命令后,会出现【插入】对话框,如图 4-162 所示。

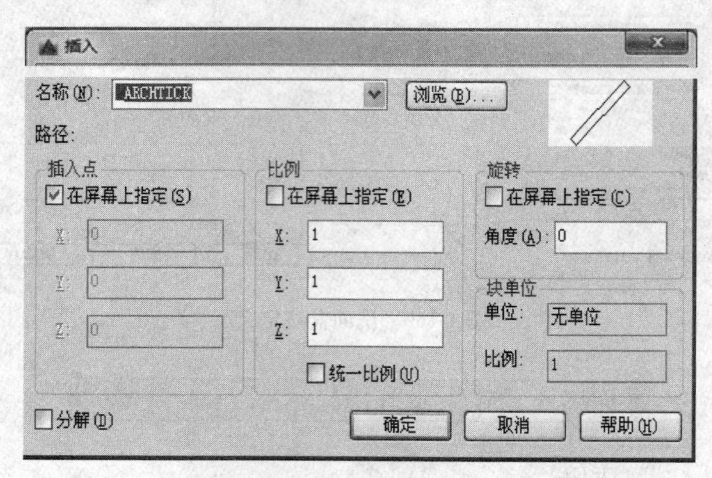

图 4-162 【插入】对话框

2.【插入】对话框各功能

(1)"名称":指定要插入的图块名称,或通过浏览选择要作为块插入的文件名。

(2)"路径":要插入的块文件的路径。"插入点":在屏幕上指定块的插入点,如果不选择【在屏幕上指定】复选框,则可以用键盘输入插入点的坐标。

(3)"比例":输入块的插入比例,可以在屏幕上指定,也可以在对话框中给定。

(4)"旋转":输入块插入时的旋转角度。

(5)"统一比例":X、Y、Z 采用相同的比例因子插入。

4.9.3 属性

属性是附加块上的文字说明。属性值可以是可变的,也可以固定的。在插入一个带有属性的块时,AutoCAD 将把固定值随块加到图形文件中,并提示进去非固定的值。

1. 启动【属性定义】对话框方式

(1) 菜单:【绘图】→【块】→【定义属性】。

(2) 命令行:【Attdef】→【回车】。

启动命令后,可以打开【属性定义】对话框,如图 4-163 所示。

2.【属性定义】对话框各功能

(1)"模式":在图形中插入块,设置与块有关的属性值选项。

1)"不可见":指定块插入块时不显示或打印属性值。

2)"固定":在插入块时,赋予块以固定的值

3)"验证":插入块时提示验证属性值 是否正确。

4)"预置":插入包含预置属性值的块时,将属性设置为默认值。

5）“锁定位置”：锁定块参照中属性的位置。

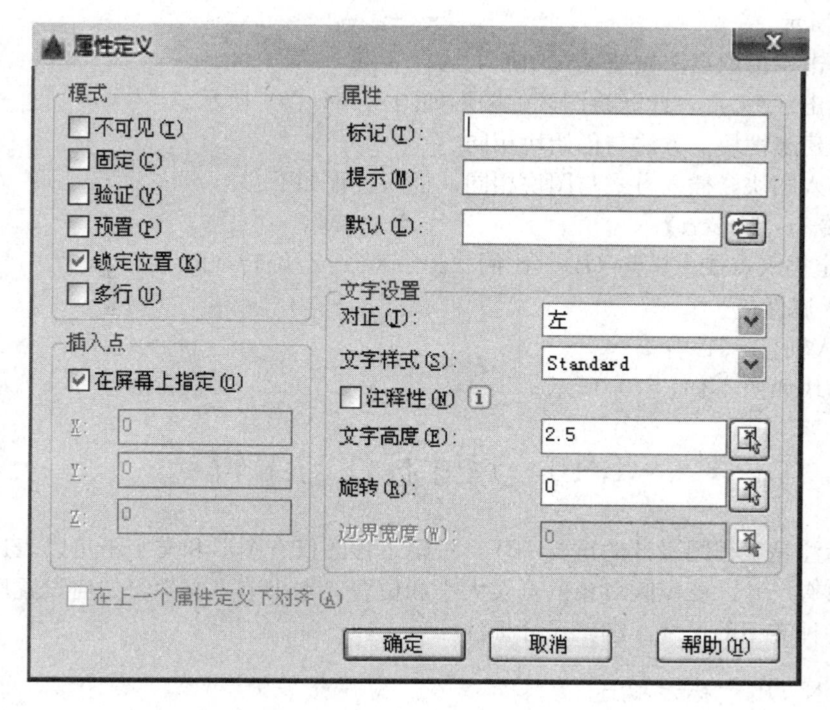

图 4-163 【属性定义】对话框图

6）“多行”：指定属性值可以包含多行文字。

（2）“属性”：在此设置属性数据。

1）“标记”：在图形中标识属性。属性标记可以包含除空格或惊叹号之外的任何字符。如果是小写字符会自动转换成大写字符。

2）“提示”：指定在插入包含该属性定义的块时显示的提示。如果在模式中选择了“固定”模式则不显示此选项。

3）“默认”：指定默认值。指定在插入包含该属性定义的块时显示的提示。如果不输入提示，属性标记将用作提示。如果在模式中选择了“常数”模式，该选项将不可用。

（3）“插入点”：指定属性的位置。

（4）“文字设置”：设置属性文字的对齐方式、样式、高度和旋转角度。

3. 给块创建属性的步骤

（1）绘制如图 4-164（*a*）所示的图形。

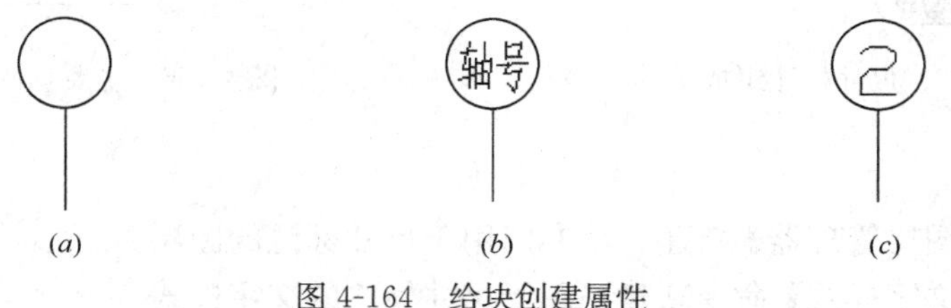

图 4-164 给块创建属性

(2) 选择【绘图】→【块】→【定义属性】，打开【属性定义】对话框，设置成如图4-164 (*b*) 所示。

(3) 单击“拾取点”按钮。在图形上选择一点。

(4) 单击 确定 ，此时绘图区的图形如图 4-164 (*b*) 所示。

(5) 创建属性块，方法与创始块相同。

(6) 插入图块，插入方式与图块相同，插入过程如下：

1) 命令行:【insert】

2) 指定插入点或[基点 (B) /比例 (S) /X/Y/Z/旋转 (R)]:

3) 输入属性值

4) 输入轴号 <1>: 2

插入的块如图 4-164 (*c*) 所示。

4.10 尺寸标注与编辑

尺寸标注是工程图设计的重要一环，一幅工程图仅有图形和文字不足以表达清楚设计的意图，只有尺寸才能反映对象的真实大小和位置。本小节主要学习如何设置尺寸标注样式，标注各种类型的尺寸，编辑尺寸标注。

4.10.1 尺寸标注概述

在进行尺寸标注以前，需要先了解尺寸的组成、类型以及标注步骤。

1. 尺寸标注组成

尺寸标注是由直线、箭头、文字等图形对象组成的图块，它是由一些标准的尺寸标注元素：尺寸数字、尺寸界线、尺寸线、尺寸起止符号组成，如图 4-165 所示。

2. 标注类型

AutoCAD 提供了十多种标注工具，能进行线性、对齐、直径、半径、角度、连续、基线、圆心、坐标等标注，如图 4-166 所示。

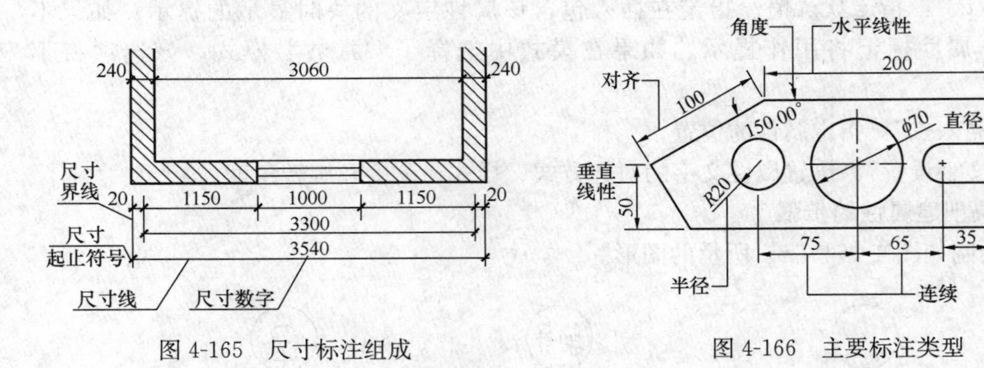

图 4-165 尺寸标注组成　　图 4-166 主要标注类型

3. 标注步骤

(1) 通过【图层管理器】新建一个专门用于尺寸标注的图层。

(2) 通过【文字样式】命令新建一用于尺寸标注的文字样式。

(3) 通过【标注样式】命令新建一尺寸标注样式。

(4) 通过【对象捕捉】准确指定点，从而对图形中的对象进行尺寸标注。

4.10.2 设置尺寸标注样式

要标注尺寸首先要创建合适的尺寸标注样式。尺寸标注样式的设置比较复杂，涉及【线】、【符号和箭头】、【文字】、【调整】、【主单位】、【换算单位】和【公差】7个选项卡的内容。

1. 启动命令方式

(1) 工具栏：【样式】或【标注】；

(2) 菜单：【标注】→【标注样式】或【格式】→【标注样式】；

(3) 命令行：【dimstyle (d、dst、ddim)】。

启动命令后系统将弹出【标注样式管理器】对话框，如图 4-167 所示。

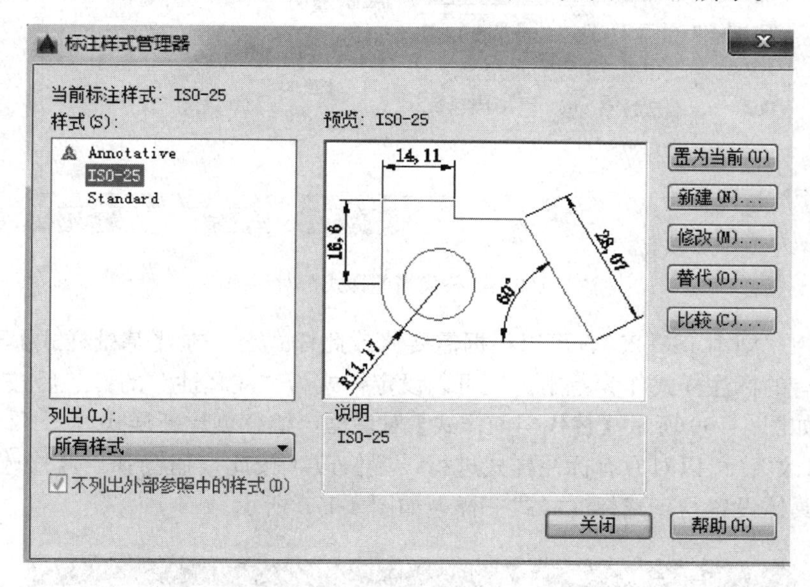

图 4-167 “标注样式管理器”对话框

2. 管理标注样式

在【标注样式管理器】对话框中，以下选项可以对标注样式进行管理：

(1) “样式(S)”：列出当前文件中所有已创建的标注样式。对于一个新文件，只有默认的一种样式：ISO-25，此样式名可以重命名。选中某样式后按右键，会弹出一快捷菜单，可以进行置为当前、重命名和删除操作。ISO-25 和当前样式不能被删除。

(2) “置为当前”：单击此按钮，可将选择的标注样式设置为当前使用的样式。

“新建”：单击该按钮，将打开【创建新标注样式】对话框，如图 4-168 所示。

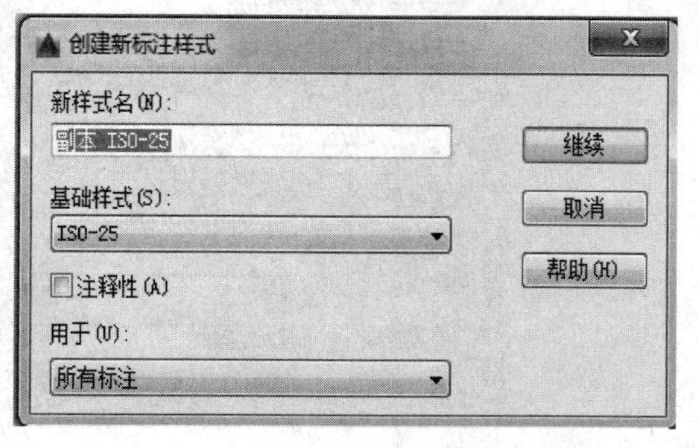

图 4-168 “创建新标注样式”对话框

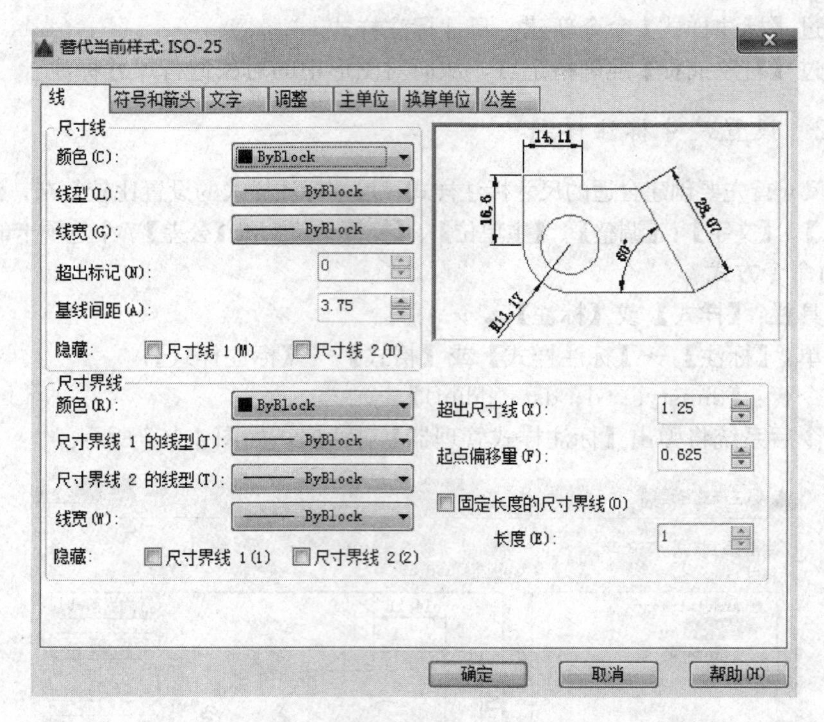

图 4-169 “替代当前样式”对话框

默认样式名为“副本 ISO-25”，可以根据需要修改此样式名。在【基础样式】下拉列表框可以选择已有的标注样式作为范本。还可以设定样式为“注释性”的。然后按【继续】按钮将会弹出如图 4-169 所示【替代当前样式】对话框，继续创建新样式。

（3）“修改”：可以对原有标注样式进行设置修改，按此按钮会弹出【修改标注样式】对话框，其具体设置与新建标注样式一样，如图 4-170 所示。

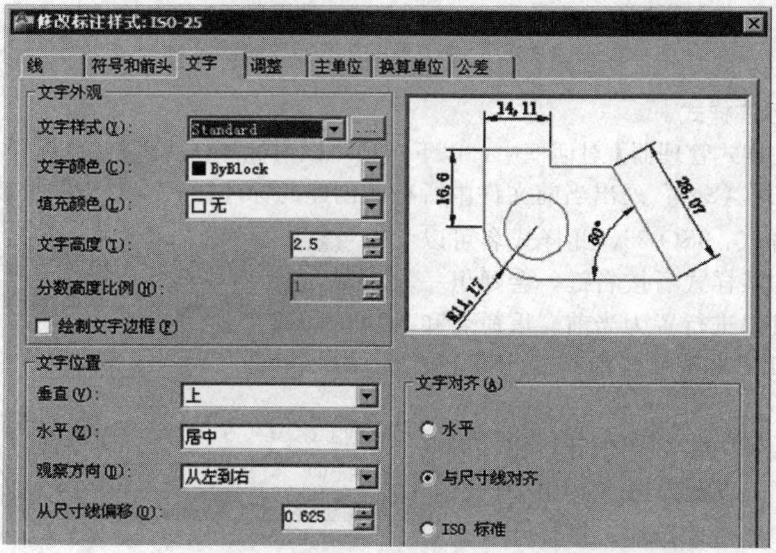

图 4-170 “修改标注样式”对话框

（4）“替代”：此选项用于新建一个当前标注样式的临时子样式【样式替代】，它可以对当前标注样式的设置进行修改，临时性地替代当前标注样式进行标注，而已经用当前样式标注的尺寸不会受到影响。其具体设置也与新建标注样式一样。

（5）“比较”：用于对已有的标注样式进行两两比较，列出它们不同之处。点击此按钮将会出现如图 4-171 所示的对话框。

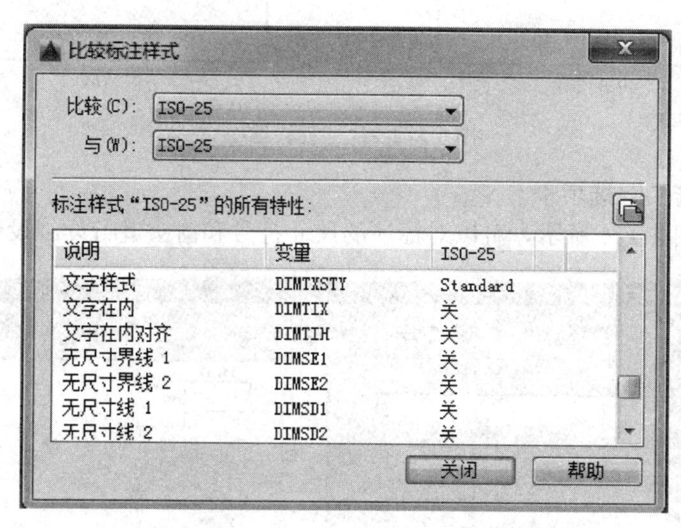

图 4-171　“比较标注样式”对话框

3. “线”选项卡

此选项卡可以对尺寸线、尺寸界线进行详细设置，如图 4-171 所示。

（1）“尺寸线”：该区域可以对尺寸线的颜色、线型、线宽、超出标记等进行设置。所谓【超出标记】是指当尺寸箭头为建筑标记、小点、倾斜等符号时，可以设置如图 4-172（*a*）所示的这段距离。【基线间距】是指进行基线尺寸标注时可以设置平行的尺寸线之间的距离，如图 4-172（*b*）所示。而【隐藏】选项则可以通过隐藏“尺寸线 1”或“尺寸线 2”不显示部分尺寸线。

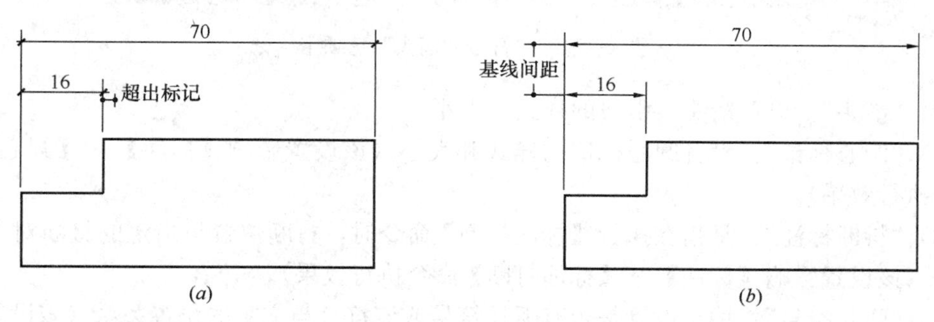

图 4-172　尺寸线选项

（2）“尺寸界线”：该区域可以设置尺寸界线的颜色、线型、线宽、隐藏等设置，与【尺寸线】设置相似。【超出尺寸线】用于设置尺寸界线超出尺寸线的距离，如图 4-173（*a*）所示。【起点偏移量】则是指尺寸界线的起点与标注时所指定的点之间距离，如图 4-173（*b*）所示。【固定长度的尺寸界线】是指尺寸界线长度为一固定值。

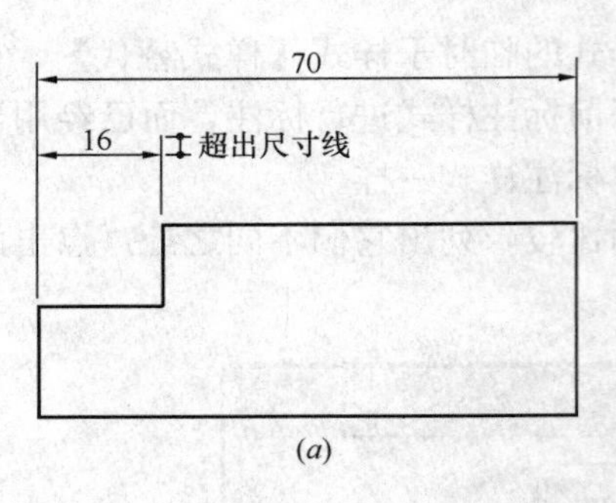

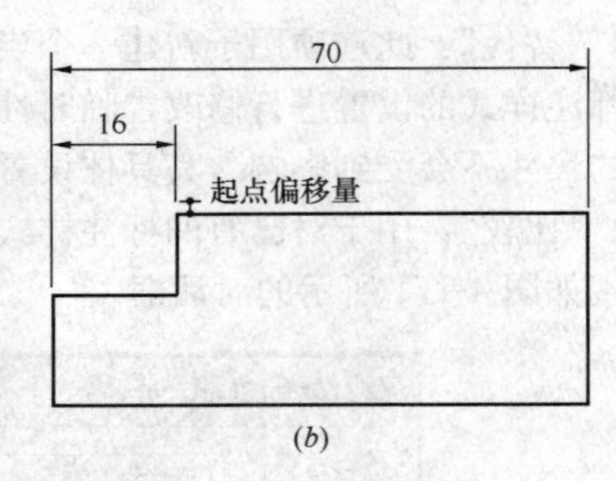

图 4-173　尺寸界线选项

4. “符号和箭头”选项卡

此选项卡如图 4-174 所示，可以对标注的尺寸符号和箭头进行详细设置。

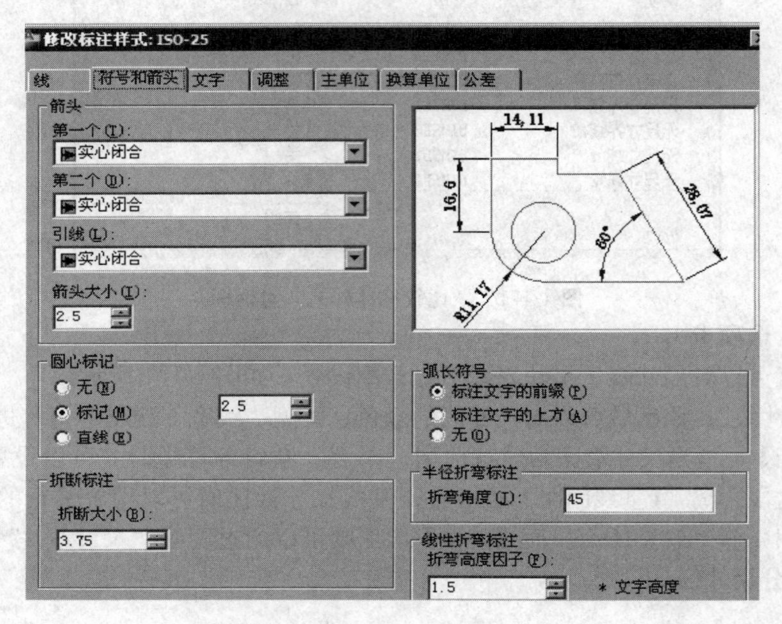

图 4-174　“符号和箭头”选项卡

(1)“箭头”：设置箭头、引线的样式，大小。

(2)“圆心标记”：设置圆心标记的样式和大小（该设置影响【标注】→【圆心标记】命令的执行效果）。

(3)“折断标注”：是指在执行【标注打断】命令时，打断位置与指定的打断对象之间的距离（该设置影响【标注】→【标注打断】命令执行效果）。

(4)“弧长符号”：用于设置是否有弧长符号或该符号与文字的位置关系（该设置影响【标注】→【弧长】命令执行效果）。

(5)“折弯角度”：用于设置半径折弯标注的角度（该设置影响【标注】→【折弯】命令执行效果）。

(6)“折弯高度因子”：用于调整线性折弯标注的大小（该设置影响【标注】→【折弯线性】命令执行效果）。

5. “文字”选项卡

此选项卡如图 4-175 所示，可以对标注文字进行外观、位置、对齐等详细设置。

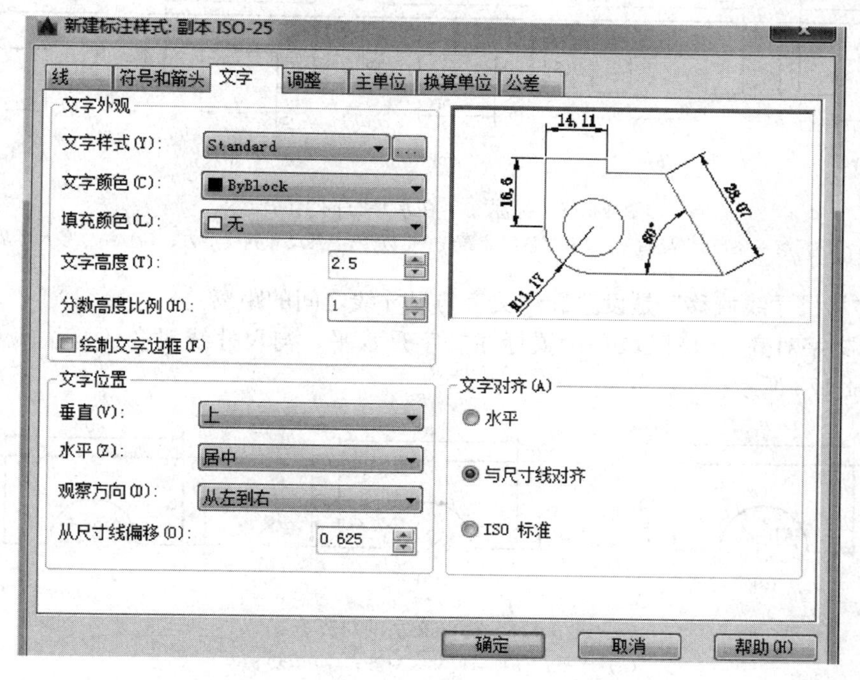

图 4-175 “文字”选项卡

(1)“文字外观”：该区域可以设置文字样式、颜色、高度等内容。其中【分数高度比例】是当【主单位】选项卡中【单位格式】设为分数时，此框才能修改。该比例表示标注文字中分数相对于其他标注文字的比例。【绘制文字边框】是给标注文字加上一个矩形框。

(2)“文字位置”：该区域用于设置标注文字的位置，如图 4-176 所示。

(3)“垂直”是指标注文字相对于尺寸线在垂直方向上的位置。共有四个选项。【居中】、【上方】、【外部】和【JIS】，其中【居中】：如图 4-176（*a*）所示，将标注文字放在尺寸线的中间；【上方】：如图 4-176（*b*）所示，将标注文字放在尺寸线的上方；【外部】：如图 4-176（*c*）所示，将标注文字放在离标注对象最远的一边；【JIS】：如图 4-176（*d*）所示，按照日本工业标准（JIS）来放置标注文字。

(4)“水平”是指标注文字相对于尺寸线和尺寸界线在水平方向上的位置。其共有【居中】、【第一条尺寸界线】、【第二条尺寸界线】、【第一条尺寸界线上方】和【第二条

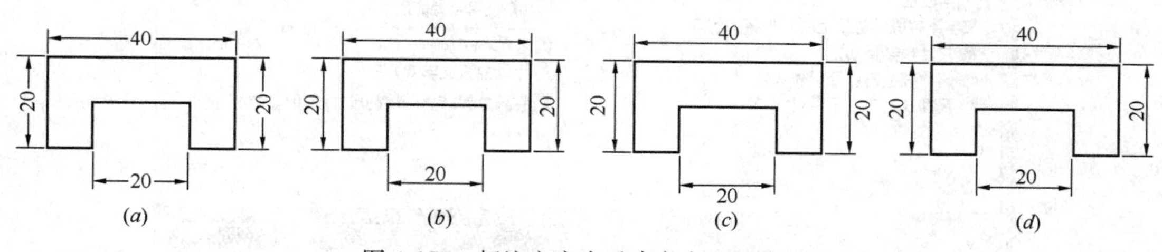

图 4-176 标注文字在垂直方向上的位置

(*a*) 居中；(*b*) 上方；(*c*) 外部；(*d*) JIS

尺寸界线上方】五个选项，如图 4-177 所示。

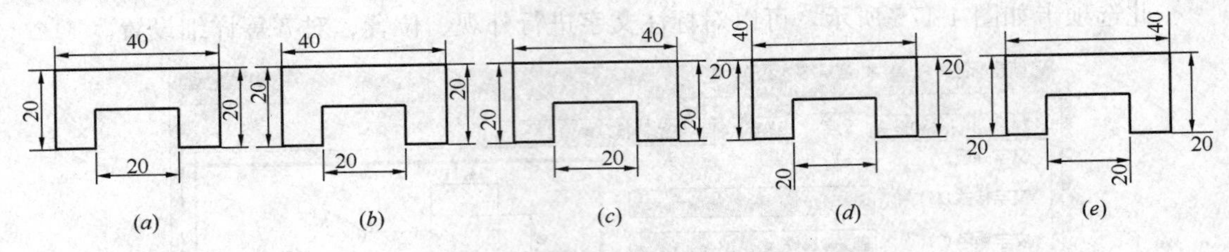

图 4-177　标注文字在水平方向上的位置

(a) 居中；(b) 第一条尺寸界线；(c) 第二条尺寸界线；(d) 第一条尺寸界线上方；(e) 第二条尺寸界线上方

(5)“从尺寸线偏移”是设置标注文字与尺寸线之间的距离。

(6)“文字对齐”：该区域是设置标注文字是水平、与尺寸线对齐还是按 ISO 标准处理，如图 4-178 所示。

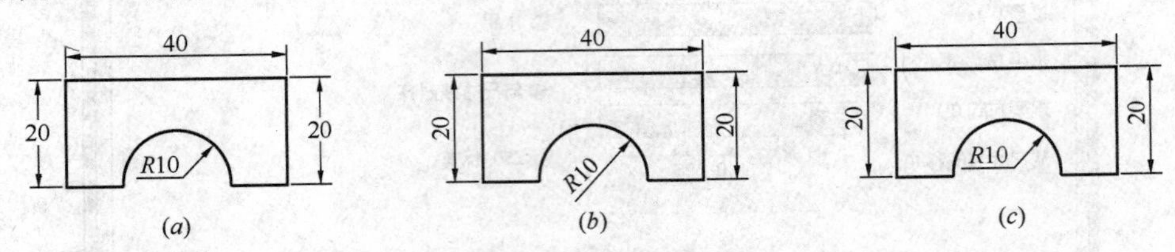

图 4-178　标注文字的对齐方式

(a) 水平；(b) 与尺寸线对齐；(c) ISO 标准

6. “调整”选项卡

此选项卡如图 4-179 所示，可以设置标注文字、箭头、尺寸线在一些特殊情况下的位置。

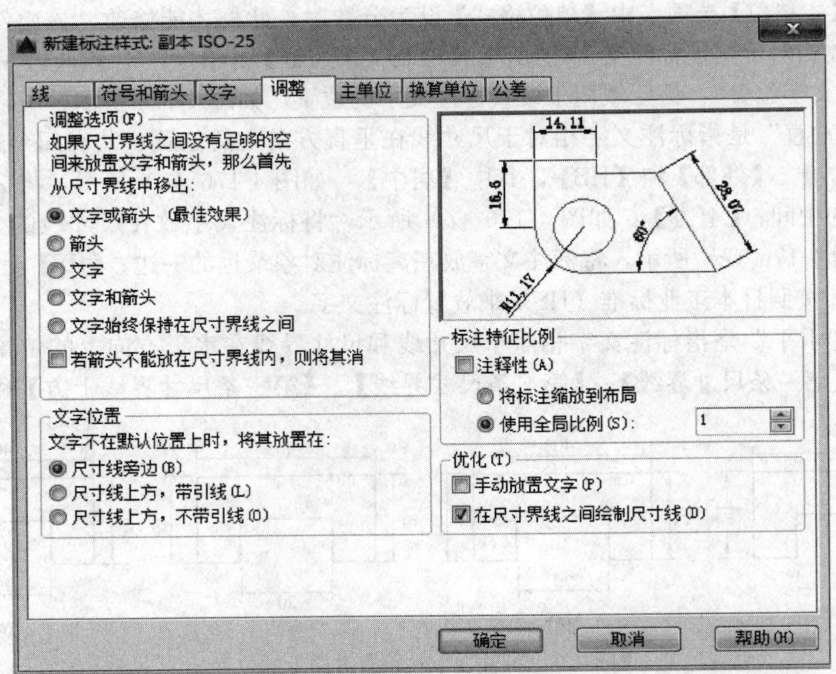

图 4-179　“调整”选项卡

（1）“调整选项”：该区域可以设置在尺寸界线之间没有足够的空间同时放置标注文字和箭头时，为了表示清楚，如何将标注文字和箭头移到其他位置。其共有6种选择。

（2）“文字位置”：该区域用于设置标注文字不在默认位置时如何将其放置。

（3）“标注特征比例”：该区域是用于设置尺寸线、尺寸界线、箭头、标注文字、偏移量、超出量等尺寸标注外观大小，对以上这些内容的外观按此比例缩放。

（4）“注释性”：用于设定此标注样式是否具有“注释性”。

（5）“将标注缩放到布局”：是指在布局空间中会自动根据当前模型空间视口和图纸空间的比例来确定标注缩放比例，以确保布局中标注外观不受视口缩放比例的影响。

（6）“使用全局比例”：为所有的尺寸标注设置缩放比例。

（7）“优化”：用于对标注文字和尺寸线进行微调。【手动放置文字】是指在标注时可把标注文字放在用户指定的位置上。【在尺寸界线之间绘制尺寸线】是指当尺寸箭头放置在尺寸界线之外时，也可在尺寸界线之内绘制出尺寸线。

7.“主单位”选项卡

此选项卡如图4-180所示，可以设置主单位格式、测量单位比例、消零等内容。

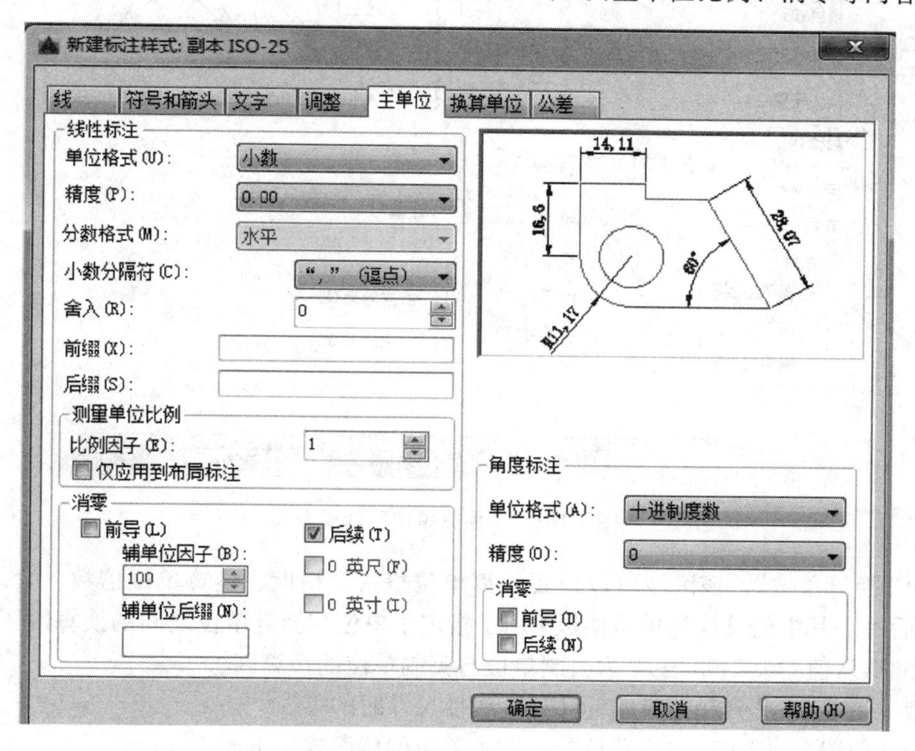

图4-180 “主单位”选项卡

（1）“线性标注”：该区域可以设置单位格式、精度、分数格式、小数分隔符、舍入、前缀、后缀。

（2）“测量单位比例”：该区域用于设置实际标注的值与测量出的真实值之间的比例关系。

（3）“比例因子”：用于指定一个比例，那么实际标注出的尺寸值就是测量出的真实值与这个比例的乘积。【仅应用到布局标注】是指在布局空间中标注出来的尺寸值才受以上【比例因子】的影响，面对模型空间中标注的尺寸无效。

（4）“消零”：控制是否消除尺寸数字前面或后面的零，如【16.60】在选中【后续】选项后则会标注成“16.6”。

（5）“角度标注”：该区域设置角度标注的单位格、精度及是否消零。

8. “换算单位”选项卡

此选项卡如图 4-181 所示，可以将主单位换算成其他单位格式的值，或者是公制与英制单位进行换算。在标注文字中，换算出的值会标注在主单位旁的［ ］中。

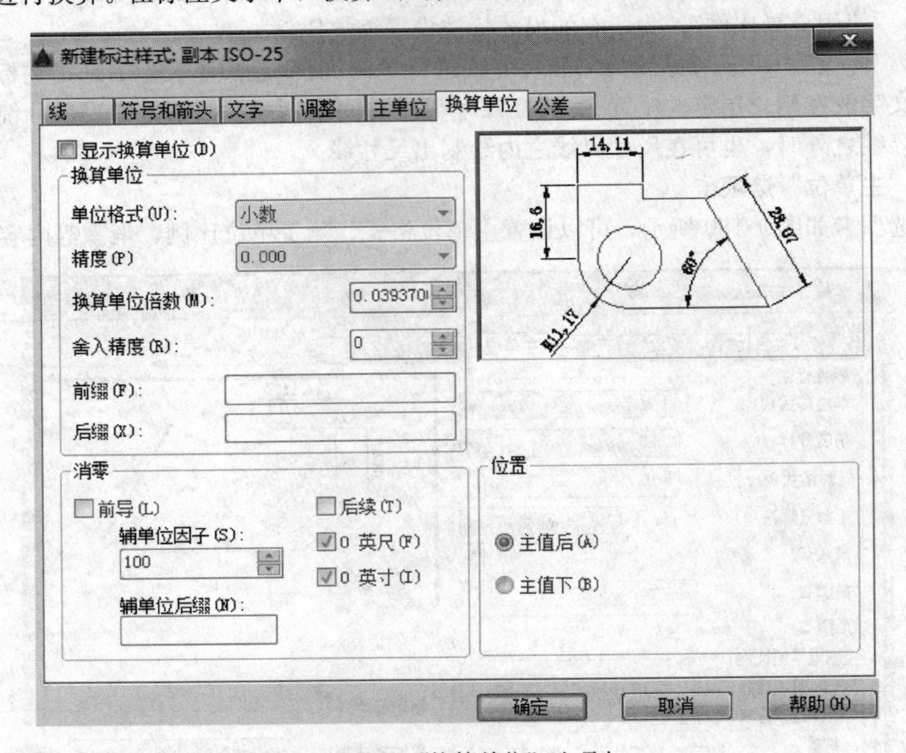

图 4-181 “换算单位”选项卡

（1）“换算单位”：该区域可以设置换算单位格式、精度、换算单位倍数、舍入精度、前缀、后缀。其中的【换算单位倍数】用于指定主单位与换算单位之间的换算因子。该文本框中的默认值“0.03937…”为公制单位与英制单位的换算因子。

（2）“消零”：选择是否省略标注换算线性尺寸时的零。

（3）“位置”：用于设置换算单位放在主单位的后面或是下面。

4.10.3 线性标注

用于标注水平、垂直和旋转尺寸，如图 4-182、图 4-183 所示。

1. 启动命令方式

（1）工具栏：【标注】→ ⊢⊣ ；

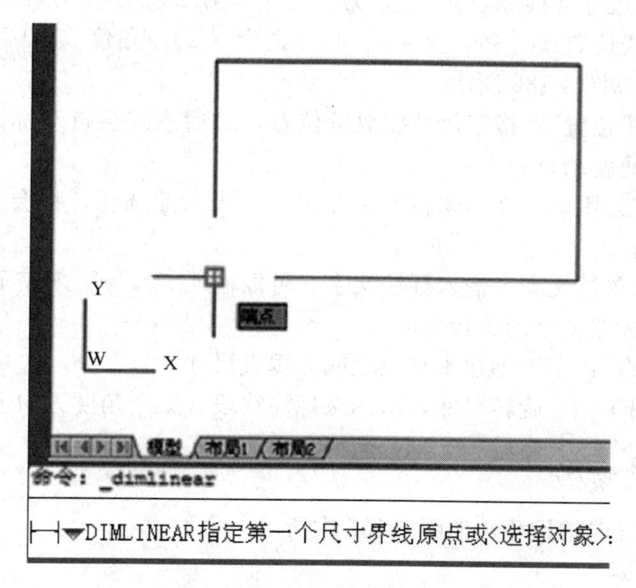

图 4-182　线性标注尺寸界限提示

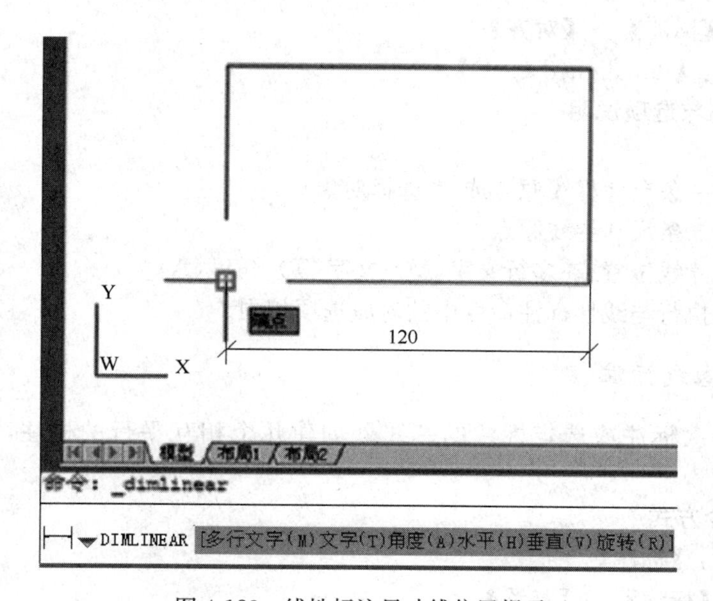

图 4-183　线性标注尺寸线位置提示

（2）菜单：【标注】→【线性】；

（3）命令行：【dimlinear（dli）】。

2. 操作步骤与选项说明

（1）启动命令。命令行给出如图 4-182、图 4-183 的提示：

1）指定第一条尺寸界线原点或 ＜选择对象＞：（指定一点作为第一条尺寸界线的起点或直接按 Enter 键接受“选择对象”，如果是接受“选项对象”则接下来会要求选择被标注对象，然后进入下一步。）

2）指定第二条尺寸界线原点：（指定另一点作为第二条尺寸界线的起点）

（2）指定尺寸线位置或［多行文字（M）/文字（T）/角度（A）/水平（H）/垂直（V）/旋转（R）］：如图 4-182 所示。

1）“指定尺寸线位置”：指定尺寸线放置位置，然后系统会自动标注测量出尺寸界线间的距离。命令到此就结束。

2）“多行文字”：用多行文本来输入标注文字。进入此选项，将会弹出【多行文本编辑器】并可输入文字。

3）“文字”：用单行文本来输入标注文字。可以输入“<>”来表示测量值。

“角度”：设定标注文字的旋转角度。

4）“水平和垂直”：用于创建水平尺寸或者垂直尺寸。

5）“旋转”：用于创建旋转尺寸，即用来标注线段在某个角度方向上的投影长度。

4.10.4 对齐标注

用于标注倾斜方向的尺寸，如图 4-166 中所示。

1. 启动命令方式

（1）工具栏：【标注】→ ；

（2）菜单：【标注】→【对齐】；

（3）命令行：【dimaligned（dal）】。

2. 操作步骤与选项说明

启动命令。

（1）指定第一条尺寸界线原点或 <选择对象>：

（2）指定第二条尺寸界线原点：

（3）指定尺寸线位置或[多行文字(M)/文字(T)/角度(A)]：

以上步骤的执行与线性标注命令中的对应选项相同。

4.10.5 基线标注

用于从前一次标注或选定标注的基线处创建几个相互平行的标注，如图 4-166 中所示。

1. 启动命令方式

（1）工具栏：【标注】→ ；

（2）菜单：【标注】→【基线】；

（3）命令行：【dimbaseline（dba）】。

2. 操作步骤与选项说明

（1）启动命令。

1）指定第二条尺寸界线原点或［放弃（U）/选择（S）］<选择>：

2）“指定第二条尺寸界线原点”：此选项将直接把前一标注的第一条尺寸界线的起点作为基线标注的基准。当指定了点后，会绘制出一个基线标注并重复显示上面的提示。

（2）“选择”：此选项将要求指定一个已有的尺寸标注，直接以这个尺寸界线作为基线标注的基准。当选择了某个尺寸标注后，也将重复显示上面的提示。

4.10.6 连续标注

用于创建首尾相连的标注，即前一次标注的第二条尺寸界线作为下一个标注第一条尺寸界线的起点，如图 4-166 中所示。

1. 启动命令方式

（1）工具栏：【标注】→ ；

（2）菜单：【标注】→【连续】；

（3）命令行：【dimcontinue（dco）】。

2. 操作步骤与选项说明

（1）启动命令。

（2）指定第二条尺寸界线原点或［放弃（U）/选择（S）］＜选择＞：

以上各选项的含义与操作均与基线标注相同。

4.10.7 半径和直径标注

用于标注圆和圆弧的半径、直径尺寸，如图 4-166 中所示。

1. 启动命令方式

（1）工具栏：【标注】→【半径】或【直径】；

（2）菜单：【标注】→【半径】或【直径】；

（3）命令行：【半径 dimradius（dra）】或【直径 dimdiameter（ddi）】。

2. 操作步骤与选项说明

（1）启动命令。

选择圆弧或圆：（选择要标注的圆或圆弧）

（2）指定尺寸线位置或［多行文字（M）/文字（T）/角度（A）］：（选择其中的一个选项，各项的含义与线性标注命令中的相同）

（3）选择了圆或圆弧后，会标注测量出的半径或直径的大小，并在半径值前标注上“R”，在直径值前标注“ϕ”。

4.10.8 折弯标注

用于创建大圆弧的折弯半径标注（也称为缩放半径标注），如图 4-184 中所示。

1. 启动命令方式

（1）工具栏：【标注】→ ；

（2）菜单：【标注】→【折弯】；

（3）命令行：【dimjogged（djo）】。

2. 操作步骤与选项说明

启动命令。

（1）选择圆弧或圆：（选择要标注的圆或圆弧）。

（2）指定图示中心位置：（指定任意点代替原半径标注所

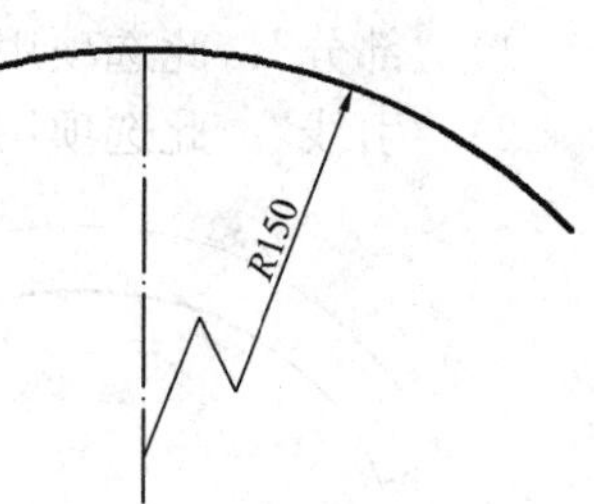

图 4-184 折弯标注

指向的圆心位置）。

（3）指定尺寸线位置或［多行文字（M）/文字（T）/角度（A）］：（与半径标注中的相同）。

（4）指定折弯位置：（指定折弯处的位置以标注尺寸）。

4.10.9　角度标注

用于创建角度尺寸，可以标注圆弧的圆心角、两条线的夹角、三点之间的夹角等，如图 4-166 所示。

1. 启动命令方式

（1）工具栏：【标注】→ ；

（2）菜单：【标注】→【角度】；

（3）命令行：d【imangular（dan）】。

2. 操作步骤与选项说明

启动命令。

（1）选择圆弧、圆、直线或＜指定顶点＞：（选择要标注的圆、圆弧或直线，或按 Enter 键接受默认选项“指定顶点”，选择不同对象后面的操作有差异）

（2）当选择某一选项后，需要关注命令行中的提示，请准确选择下一级选项。

4.10.10　弧长标注

用于标注圆弧或多段线圆弧的弧线长度，如图 4-185 所示。

1. 启动命令方式

（1）工具栏：【标注】→ ；

（2）菜单：【标注】→【弧长】；

（3）命令行：【dimarc（dar）】。

2. 操作步骤与选项说明

（1）启动命令。

1）选择弧线段或多段线弧线段：（选择要标注的圆弧或多段线弧线段）

2）指定弧长标注位置或［多行文字（M）/文字（T）/角度（A）/部分（P）/引线（L）］：

（2）以上选项的含义与线性标注命令相同，“部分”与“引线”的含义如下：

1）“部分”：此选项用于指定圆弧上部分弧长，如图 4-185（*b*）所示。

2）“引线”：此选项用于在弧长标注中添加引线，如图 4-185（*c*）所示。

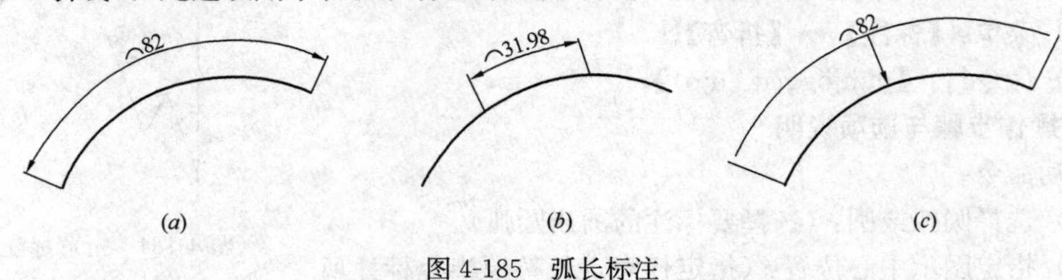

图 4-185　弧长标注

（*a*）默认；（*b*）部分；（*c*）引线

4.10.11 坐标标注

用于标注某点的 X 坐标和 Y 坐标，如图 4-186 所示。

1. 启动命令方式

(1) 工具栏：【标注】→ ；

(2) 菜单：【标注】→【坐标】；

(3) 命令行：【dimordinate (dor)】。

2. 操作步骤与选项说明

启动命令。

(1) 指定点坐标：(指定要标注的点)。

(2) 指定引线端点或 [X 基准 (X) /Y 基准 (Y) /多行文字 (M) /文字 (T) /角度 (A)]。

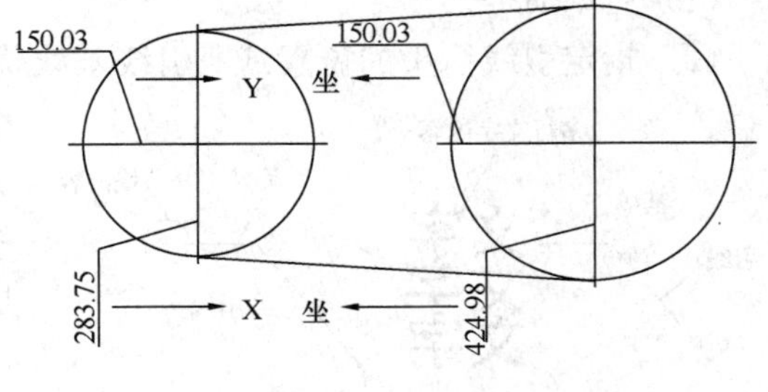

图 4-186 坐标标注

默认情况下指定引线的端点位置后，系统自动标注出该点的坐标。“X 基准”与“Y 基准”分别为标注该点的 X 坐标和 Y 坐标；其他选项的含义与线性标注命令相同。

4.10.12 圆心标记

用于标注圆和圆弧的圆心符号，如图 4-187 中所示。

1. 启动命令方式

(1) 工具栏：【标注】→ ；

(2) 菜单：【标注】→【圆心标记】；

(3) 命令行：【dimcenter (dce)】。

2. 操作步骤与选项说明

(1) 启动命令。

(2) 选择圆弧或圆：(指定要标注的圆或圆弧)。标注样式中的【符号与箭头】选项卡中的圆心标记有无、标记和直线三种形式，此处会按标注样式的设置来标注圆心符号，如图 4-188 所示。

4.10.13 多重引线

用于创建引线和注释，如图 4-188 所示。

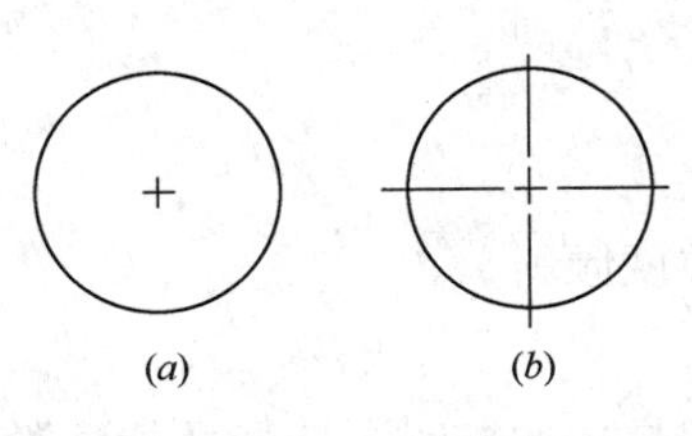

图 4-187 圆心标记

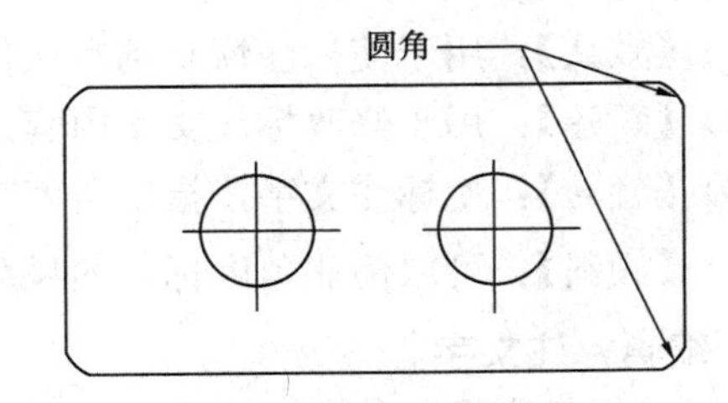

图 4-188 多重引线

1. 启动命令方式

(1) 工具栏：【多重引线】→ ；

(2) 菜单:【标注】→【多重引线】;

(3) 命令行:【mleader】。

2. 操作步骤与选项说明

(1) 启动命令。

(2) 指定引线箭头的位置或[引线基线优先(L)/内容优先(C)/选项(O)]＜引线基线优先＞:引线标注一般分为两种:带文字和带块的,这两种类型都是由箭头、引线、基线、内容四部分构成,如图 4-189 所示。

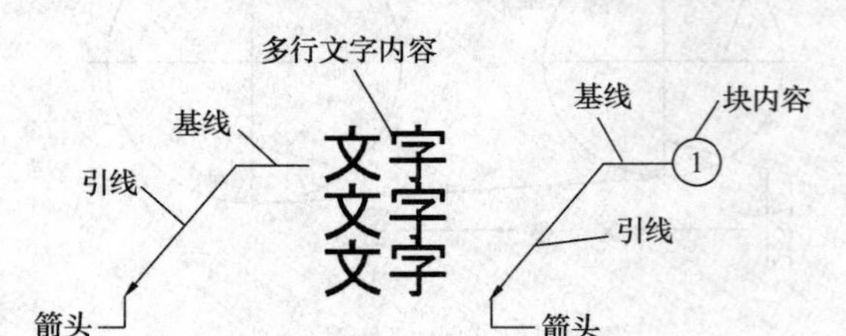

图 4-189 引线组成

4.10.14 快速标注

可以快速创建或编辑一系列标注,一次创建出多个连续、并列、基线等尺寸。

1. 启动命令方式

(1) 工具栏:【标注】→ ;

(2) 菜单:【标注】→【快速标注】;

(3) 命令行:【qdim】。

2. 操作步骤与选项说明

(1) 启动命令。

(2) 选择要标注的几何图形:(指定要标注的对象)。

(3) 指定尺寸线位置或[连续(C)/并列(S)/基线(B)/坐标(O)/半径(R)/直径(D)/基准点(P)/编辑(E)/设置(T)]＜连续＞:(可以选择所需要的标注选项来进行尺寸标注)。

4.10.15 编辑尺寸标注

1. 编辑标注

用于编辑已有标注的文字内容和尺寸界线等。标注工具栏的 按钮或命令字"dimedit"可以启动此命令。会出现"输入标注编辑类型[默认(H)/新建(N)/旋转(R)/倾斜(O)]＜默认＞:"的提示。

(1)【默认】:用于使标注恢复到默认位置和方向。

(2)【新建】:用于修改标注文字内容。

(3)【旋转】:使标注文字按指定角度旋转。

(4)【倾斜】:可以使非角度标注的尺寸界线按此角度倾斜 。

2. 编辑标注文字

用于编辑已有标注的文字位置和角度。点击标注工具栏的按钮、选择【标注】菜单→【对齐文字】或输入命令"dimtedit"可以启动此命令。启动后接着会出现"指定标注文字的新位置或[左(L)/右(R)/中心(C)/默认(H)/角度(A)]:"的提示。

(1)【左、右、中心】:使标注文字放置在尺寸线的左边、右边或中间。

（2）【默认】：按默认位置、方向放置标注文字。

（3）【角度】：将标注文字按角度旋转。

3. 标注间距

用于修改已有标注的尺寸线之间距离。标注工具栏的按钮、【标注】菜单→【标注间距】或命令字“dimspace”可以启动此命令。当出现“选择基准标注：”的提示后选择第一个标注；接着出现“选择要产生间距的标注：”时可以选择其他多个标注。结束选择后，命令行出现“输入值或［自动（A）］＜自动＞：”提示。

（1）【输入值】：重新设定尺寸线的间距值。

（2）【自动】：基于在选定基准标注的标注样式中指定的文字高度自动计算间距。所得的间距值是标注文字高度的两倍。

4.10.16 应用实例

为如图 4-190 所示的建筑平面图标注尺寸。

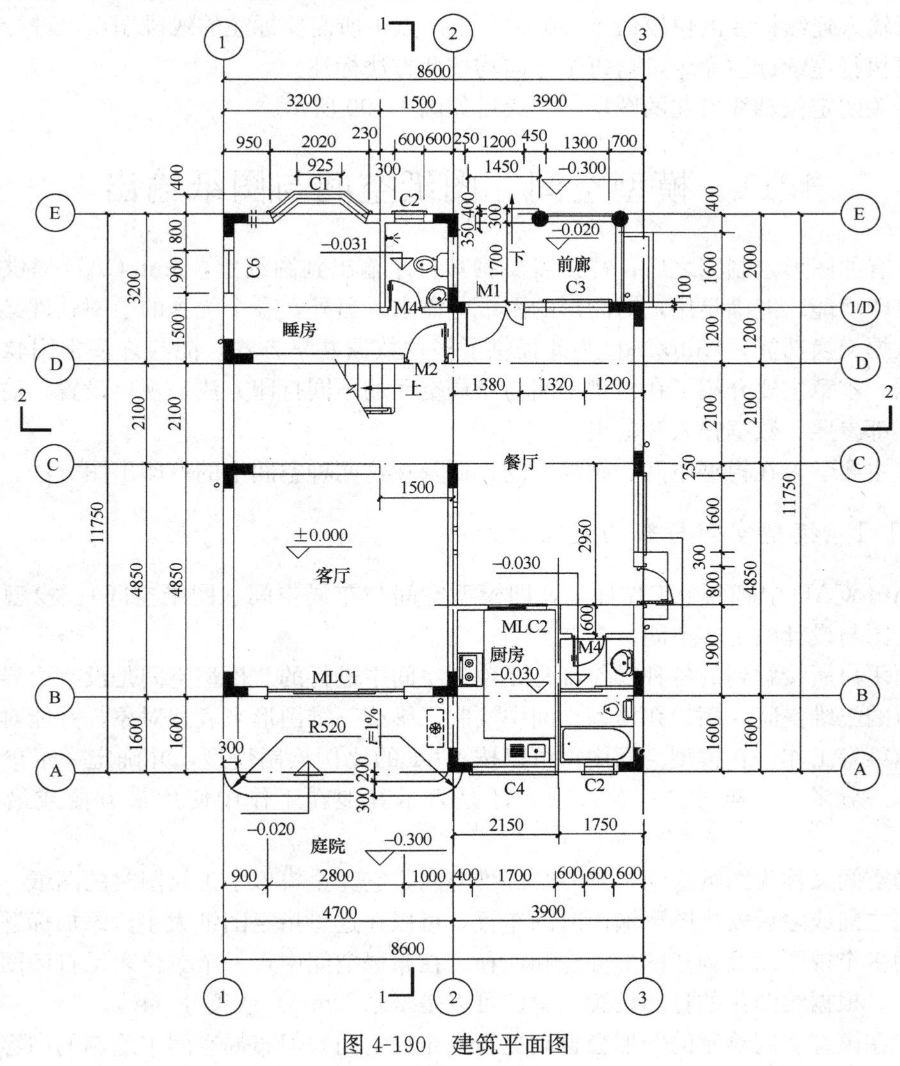

图 4-190 建筑平面图

(1) 首先打开已绘制好图形的建筑平面图，如图 4-190 所示。

(2) 命令行：【dimstyle (d)】→【回车】。弹出“标注样式管理器”对话框，新建一标注样式名为“dimn”，置为当前样式。按之前图 4-165 到图 4-166 样式设置标注样式的各选项。

(3) 打开定位轴线所在的图层，以便进行尺寸标注。

(4) 命令行：【dli】→【回车】(启动线性标注命令)。

反复执行此线性标注命令，对第一道细部尺寸全部进行标注。

(5) 命令行：【dba】→【回车】(启动基线标注命令，目的在于保持各道尺寸间距一致)。

首先选择某个方向的第一道尺寸，使用基线标注命令标注最外侧的第二道轴线间尺寸(暂时先标注一个，后面再用连续标注命令标注其他的第二道尺寸)，和第三道外轮廓总尺寸。反复执行此基线标注命令，对每个方向均按此方法标注。

(6) 输入命令：dco (启动连续标注命令)。首先完成某个方向尺寸链的第一个尺寸标注，然后输入连续标注的快捷命令“dco”，依次点击所需要标注的线段端点，进行连续标注。反复执行连续标注命令，对每个方向均按此方法标注。

(7) 关闭定位轴线所在的图层，完成后如图 4-190 所示。

4.11 模型空间、图纸空间与图纸输出

当所有的图形绘制完之后，往往需要将其打印输出到图纸上，AutoCAD 提供了强大的图形打印功能，能满足用户对图形的图纸化需求。另外，一个优秀的绘图软件必须具有强大的数据交换功能，AutoCAD 为此提供了多种数据共享方式，能与许多常用软件方便交换数据。本章主要介绍了在模型空间与布局空间的不同打印方法、视口设置、输出选项设置、外部参照、数据输入和输出。

本节主要学习在模型空间、布局空间，以及在这两种空间中的打印出图方法。

4.11.1 模型空间与布局空间

在 AutoCAD 中有两个工作环境，即模型空间与布局空间 (图纸空间)。模型空间就是完成绘图与设计的工作空间。

前面用户所接触到的各种操作都是在模型空间中进行的。模型空间是没有边界的，是一个虚拟的三维空间。用户在模型空间中绘制二维或三维图形来表达对象，并能对三维模型进行渲染等工作。在模型空间中，可以按 1∶1 的比例绘制模型，并确定一个单位表示一毫米、一分米、一英寸、一英尺或者还是表示其他在工作中使用最方便或最常用的单位。

布局空间又称为图纸空间，是一个二维空间，它完全模拟手工绘图时的图纸，主要用于在绘图之前或之后安排图形输出时的布置，可以在这里指定图纸大小、添加标题栏、显示模型的多个视图以及创建图形标注和注释。在布局空间中，一个单位表示打印图纸上的图纸距离。根据绘图仪的打印设置，单位可以是毫米 (mm) 或英寸 (in)。

用户在模型空间绘制的图形会自动更新到布局空间，但布局空间中绘制的内容却不会

显示在模型空间中。两种空间的外观如图 4-191 所示。

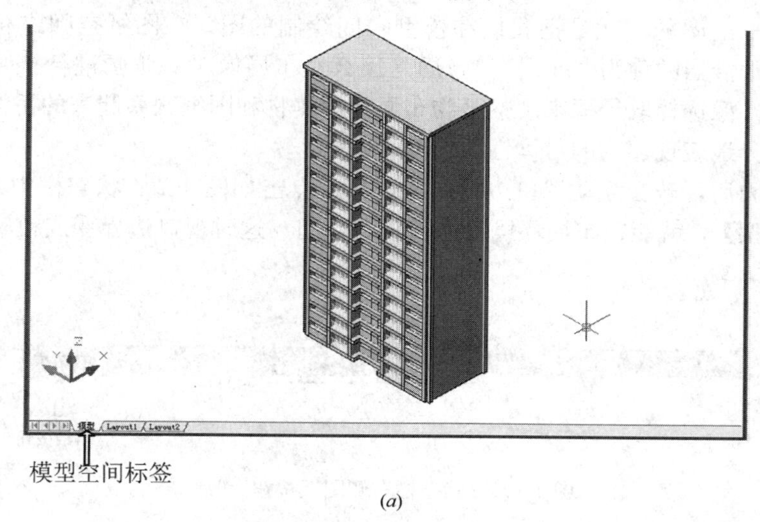

(a)

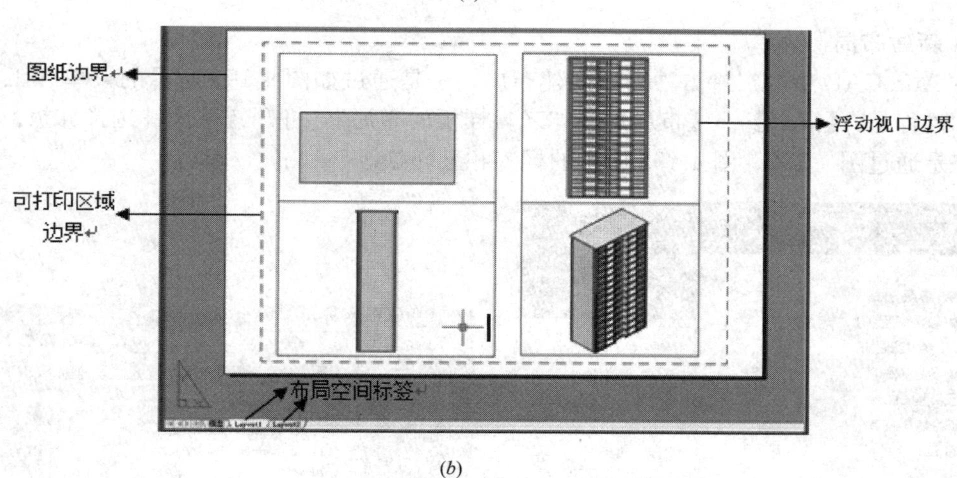

(b)

图 4-191　模型空间与布局空间

(a) 模型空间；(b) 布局空间

1. 模型空间与布局空间的切换

AutoCAD 默认的模型空间与布局空间切换按钮在状态栏中，如图 4-192 所示。按下“模型”按钮就进入“模型”空间，按下“布局 1”按钮就进入“布局 1”空间，点击布局 2 右侧“＋”按钮，就会增加新的布局空间。

在状态栏屏幕坐标值右侧设有模型空间与图纸空间相互转换按钮，如图 4-193 所示。图纸空间可以理解为覆盖在模型空间上的一层不透明的纸，需要从图纸空间看模型空间的内容，必须进行开“视口”操作。

图 4-192　模型空间与布局空间按钮

图 4-193　模型空间与图纸空间相互转换

图纸空间是一个二维空间，三维操作的一些相关命令在图纸空间不能使用。图纸空间主要的作用是用来出图的，就是把我们在模型空间绘制的图，在图纸空间进行调整、排版，这个过程非常恰当的称为“布局”。布局是什么？布局像对一张画进行裱装，像对一个展品加配标签，像选择取景框来观察事物布局是把实物和图纸联系起来的桥梁，通过这种过渡，更加充分地表现实物的可读性。

进入布局空间后，若在浮动视口边界内双击，或点击如图 4-194 状态栏中【图纸】按钮使其变成【模型】，就能在布局环境中进入模型空间，这时视口边界变成粗实线。

图 4-194　状态栏右侧图纸按钮

2. 新建布局

在 AutoCAD 中有二种方法可以新建布局，一是通过如图 4-195 所示的菜单和工具栏创建。过程是：【插入】→【布局】→“来自样板的布局”，打开【从文件选择样板】对话框。二是通过图 4-192、图 4-193 所示的标签相互转换。

图 4-195　布局下拉菜单和工具栏

如图 4-196 所示，从【插入】下拉菜单【布局】选项子菜单【创建布局向导】衍生出来的创建布局一系列对话框，直至进入“完成”阶段的操作，均对打印出图起到至关重要作用，如图 4-196 所示。

3. 视口

当所绘的图形比较复杂或者绘制三维模型时，为了便于同时观察图形的不同部分或不

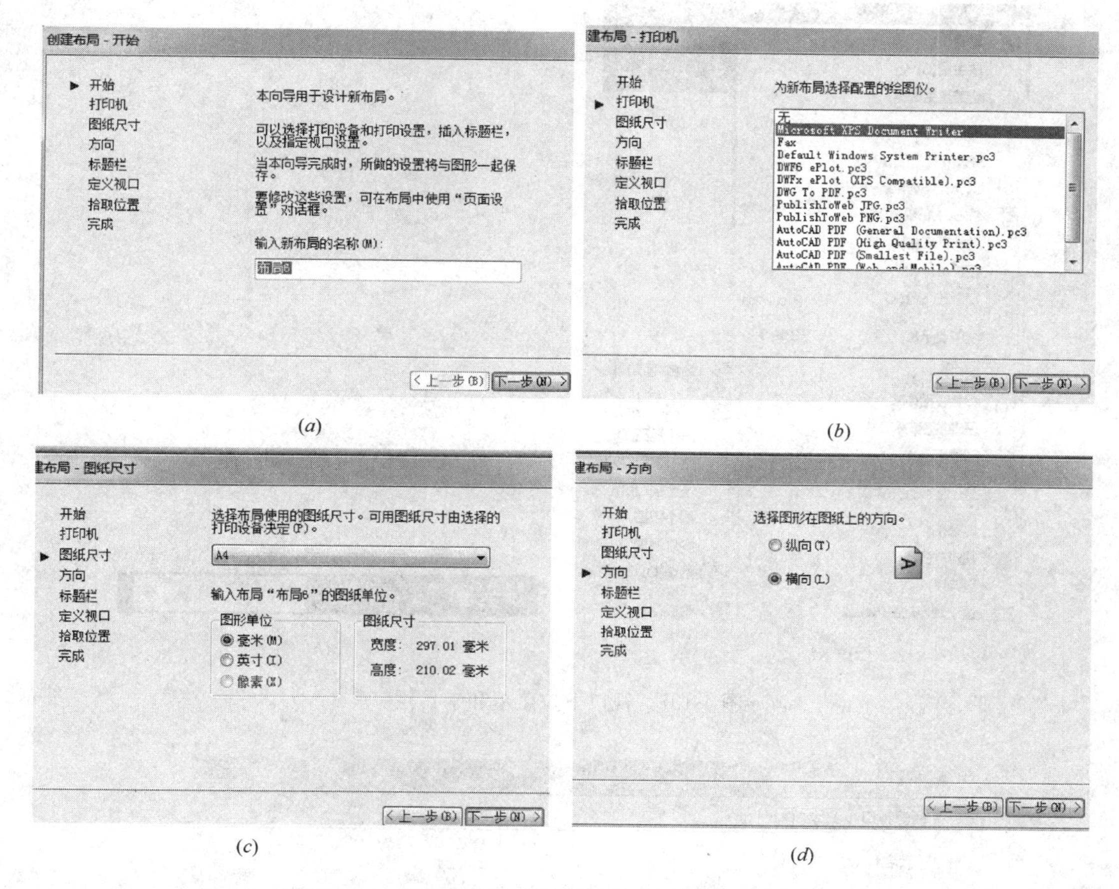

(a) (b) (c) (d)

图 4-196 创建布局向导衍生出来的创建布局对话框

同侧面，可以将绘图区域划分多个视口，这些视口就好似多部相机在拍摄同一物体，只不过选择不同的视角和焦距。并且显示不同的视图可以缩短在单一视图中缩放或平移的时间。另外，在一个视图中出现的错误可能会在其他视图中表现出来。

在模型空间中，用户可以执行创建视口命令创建多个不重叠的视口以展示图形的不同视图。但是在模型空间中，AutoCAD 中不能将这些视图打印在一张图纸上。布局空间同样可以创建一个或多个视口，这多个视口的位置可自行移动，并能实现同时打印多个视图功能。所以布局空间主要用于打印出图。模型空间中创建的视口称为平铺视口，布局空间中的称为浮动视口。视口的相关命令在如图 4-197 所示的菜单和工具栏中。

4. 模型空间中的平铺视口

模型空间可以设置有多个视口时，但只有一个视口为当前视口，当前视口的边框显示为粗黑实线，可以用鼠标单击来切换当前视口。用户只能在当前视口中绘制和编辑图形，做出修改后，其他视口也会立即更新。模型空间划分的平铺视口只能是固定大小和位置的视口，各视口间必须相邻，且视口只能为标准的矩形。

在模型空间中可以通过【视图】菜单→【视口】→【新建视口】打开如图 4-198 所示的视口对话框，可以在这里创建新视口。

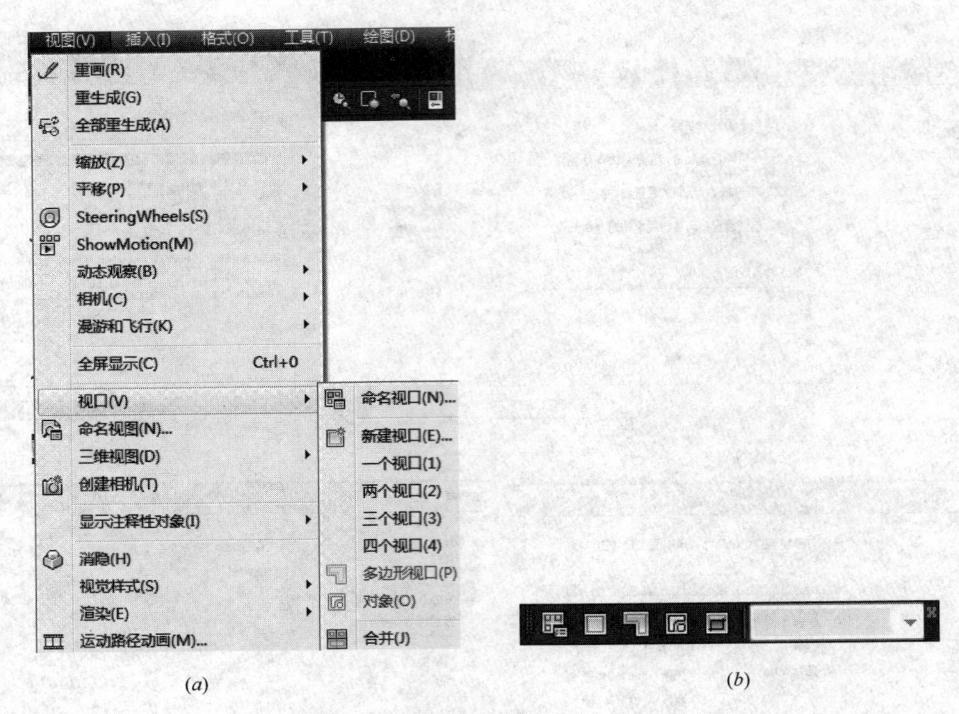

(a)　　　　　　　　　　　　(b)

图 4-197　视口下拉菜单和工具栏

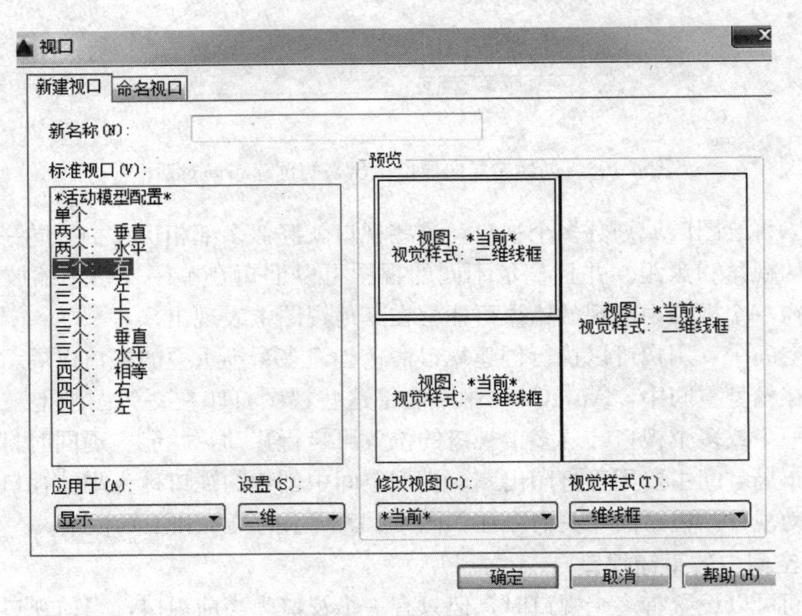

图 4-198　视口对话框

例如打开一幅建筑图，在【视口】对话框中选择【三个：右】，并点击【确定】，则会得到如图 4-199（*a*）所示结果，再对每个视口中视图进行缩放调整，就得到图 4-199（*b*）图中的样子，它可以全面地清楚反映出该建筑正立面的不同部位。

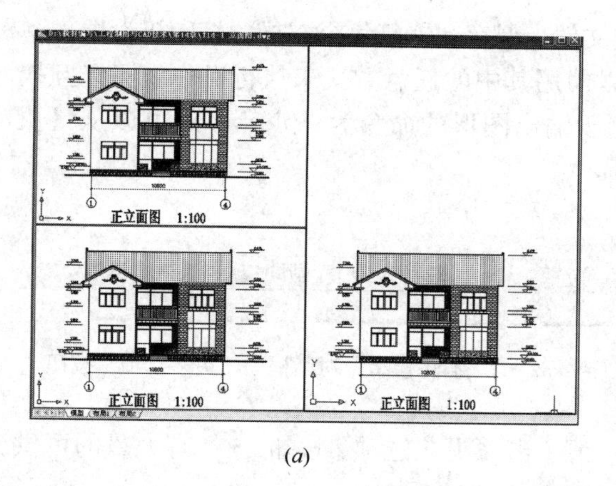

(*a*)

(*b*)

图 4-199 模型空间视口创建

（*a*）创建三个视口后；（*b*）对三个视口视图调整后

4.11.2 打印及绘图仪管理

在打印出图时有两个重要的设置，一是打印机或绘图仪的，另一个是关于打印样式的。

1. 绘图仪管理器

当打印的图形不大，对打印质量也不要求不高，就可以使用普通的 Windows 系统打印机，但若刚好相反，则应使用专门的工程绘图仪。要在 AutoCAD 中配置相应的输出设备，则可以通过【绘图仪管理器】来安装。

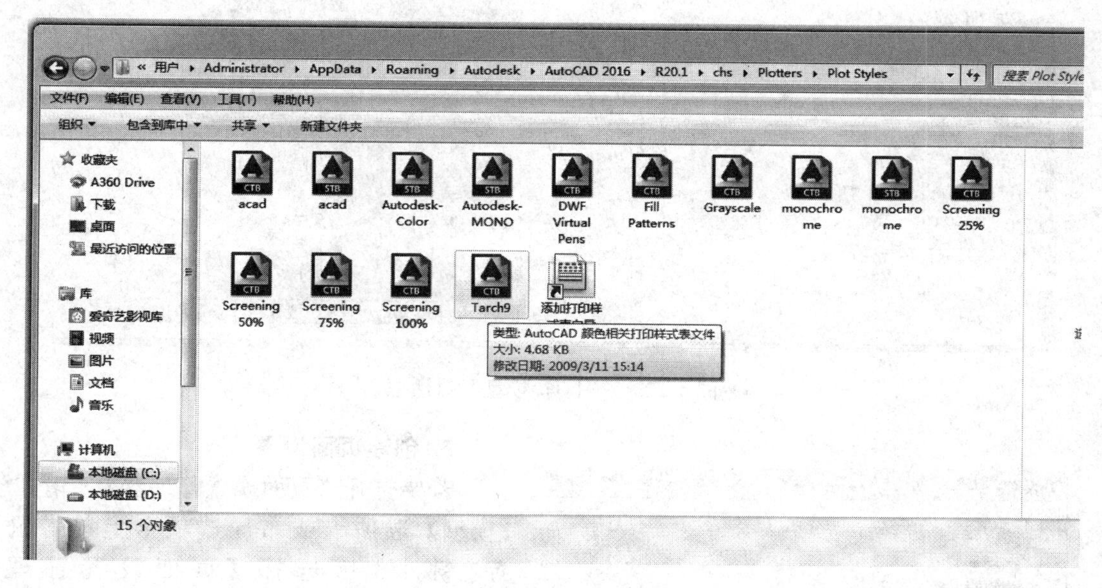

图 4-200 绘图仪管理器

通过菜单【文件】→【绘图仪管理器】将打开如图 4-201 所示的绘图仪管理器，可以双击已有的绘图仪，弹出相关【绘图仪配置编辑器】对话框，从中可以查看或修改此绘图仪的配置、端口、设备和介质设置。若双击【添加绘图仪向导】就可以开始新装绘图仪并对其进行设置。将图形布局输出到打印机、绘图仪或文件。保存和恢复每个布局的打印机设置。

打印机和绘图仪均可以打印图形。您可以使用其中的任意方式来执行操作。可以互换使用这两个打印术语“print ”和“plot”。用于输出图形的命令为“plot”，您可以从【快速访问】工具栏对其进行访问，如图 4-201 所示。

图 4-201　“快速访问”工具栏中的打印按钮　　图 4-202　“打印-模型”对话框中“更多选项”按钮

若要在【打印】对话框中显示所有选项，请单击【更多选项】按钮。有大量的可供您使用的有关打印的设置和选项，如图 4-202、图 4-203 所示。

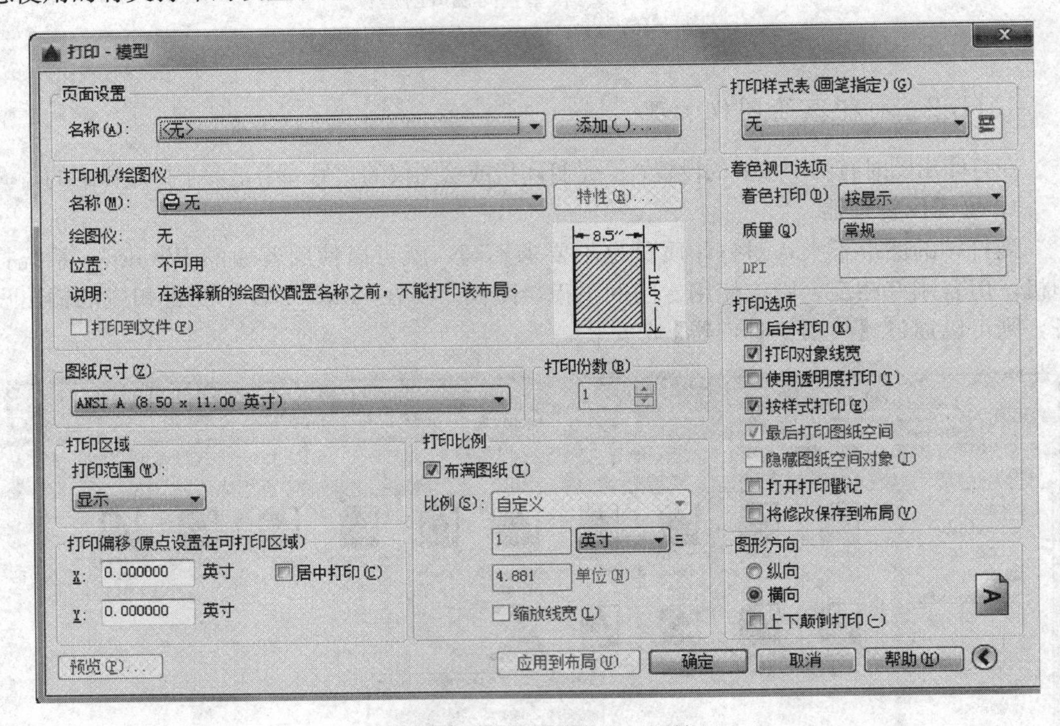

图 4-203　“打印-模型”对话框

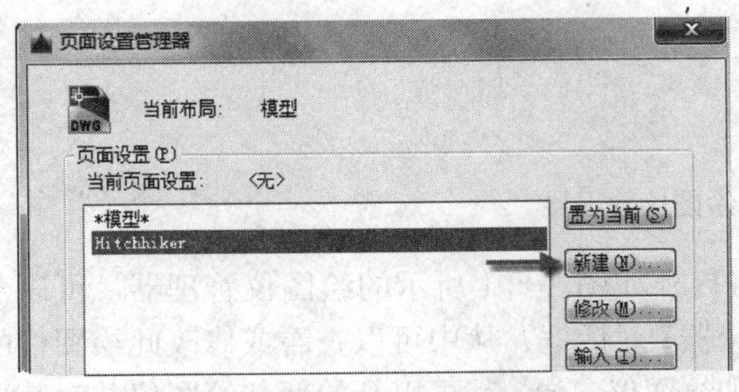

图 4-204　页面设置管理器

2. 创建页面设置

若要打开【页面设置管理器】，请在【模型】选项卡或布局选项卡上单击鼠标右键，然后选择【页面设置管理器】，该命令如图 4-204 所示。该命令为 PAGESETUP。

图形中的每个布局选项卡都可以具有关联的页面设置。当您使用多个输出设备或格式时，或者如果您在同一图形中有多个不同图纸尺寸的布局时，这会很方便。

若要创建新的页面设置，请单击【新建】并输入新页面设置的名称。接下来显示的【页面设置】对话框类似于【打印】对话框，选择要保存的全部选项和设置。

当您准备就绪可以打印时，只需在【打印】对话框中指定页面设置的名称，即可恢复所有打印设置。如图 4-205 所示，将【打印】对话框设置为使用漫游页面设置，这将输出 DWF（Design Web Format）文件，而不是将其打印到绘图仪。

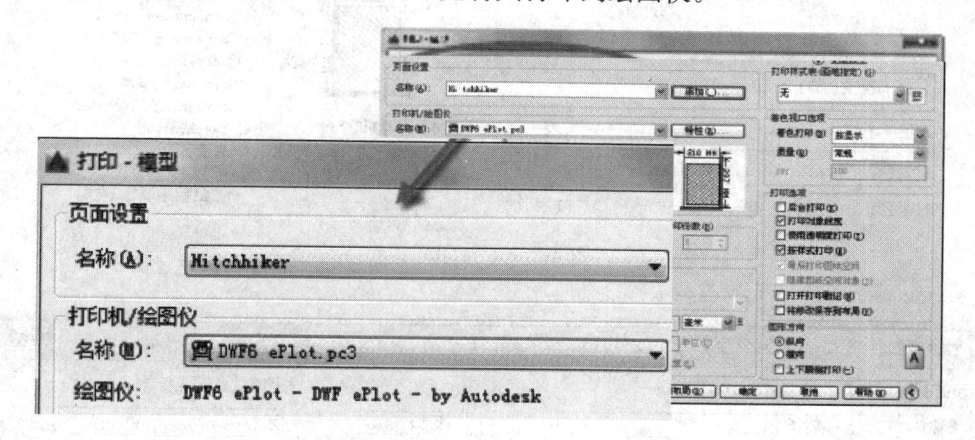

图 4-205　“打印”对话框操作方式

提示：可以在图形样板文件中保存页面设置，或者也可以从其他图形文件输入。

3. 输出为 PDF 文件

以下样例显示如何创建用于创建 PDF 文件的页面设置。

如图 4-205 所示【打印机/绘图仪】下拉列表中，选择“AutoCAD PDF（常规文档）.pc3：7”。接下来，选择您要使用的尺寸和比例选项：

图纸尺寸：方向（纵向或横向）已内置于下拉列表的选项中。

打印区域：您可以使用这些选项剪裁要打印的区域，但通常会打印所有区域。

打印偏移：此设置会基于您的打印机、绘图仪或其他输出而进行更改。尝试将打印居中或调整原点，但请记住，打印机和绘图仪在边的周围具有内置的页边距。

打印比例：从下拉列表中选择打印比例。比例（例如¼”＝1’－0”）表示用于打印到【模型】选项卡中的比例。在布局选项卡上，通常以 1∶1 比例进行打印。

打印样式表提供有关处理颜色的信息，如图 4-206 所示。在监视器上看上去正常的颜色可能不适合 PDF 文件或不适合打印。例如，您可能要创建彩色图形，但却创建单色输出。

以下是如何指定单色输出的信息：

提示：始终使用【打印-模型】对话框左下角【预览】按钮选项仔细检查设置，如图 4-207所示。

生成的【预览】窗口包含具有多个控件，包括【打印】和【退出】的工具栏，如图 4-208所示。

对打印设置满意之后，请将其保存为具有描述性名称（例如“PDF-单色”）的页面设置。此后无论何时要输出为 PDF 文件，只需单击【打印】，选择【PDF-单色】页面设置，然后单击【确定】按钮。

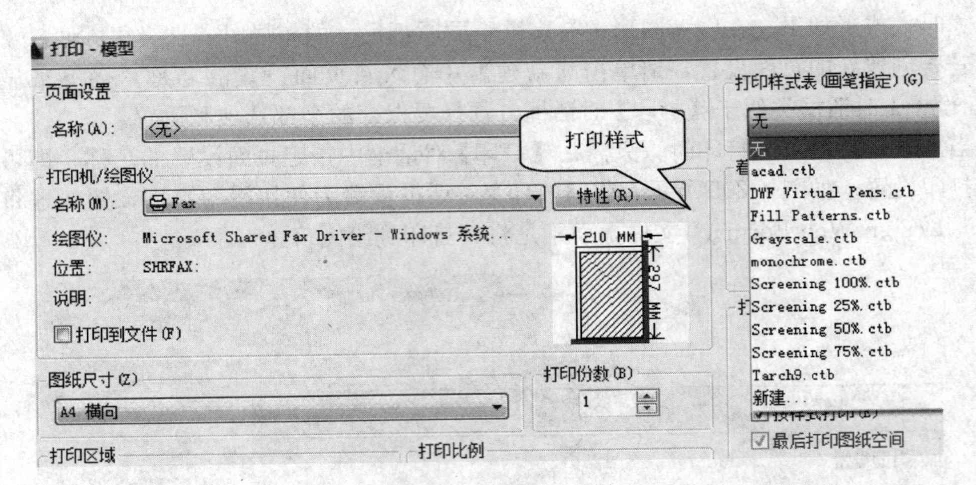

图 4-206　打印样式

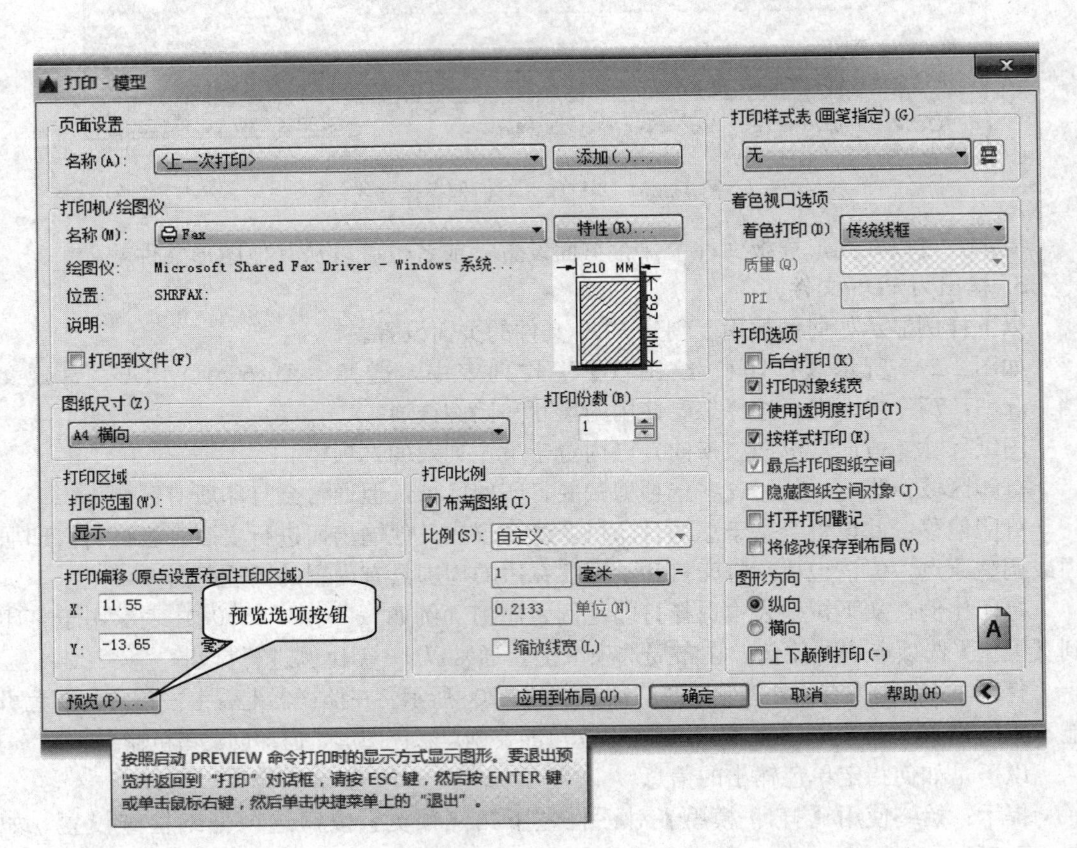

图 4-207　预览检查

图 4-208　“打印”和“退出”工具栏

4.11.3 页面设置

页面设置主要就是设置打印时所用的打印设备、图纸大小、打印比例等内容，控制打印出图时的页面布局、打印设备、图纸尺寸和其他设置。用户可以在模型空间中打印，也可以在布局空间打印。两种打印方法的页面设置基本上一样，所以这里以在模型空间中为例。

1. 启动命令方式

(1) 菜单：【文件】→【页面设置管理器】；

(2) 工具栏：【布局】→ ；

(3) 命令行：【pagesetup】。

(4) 快捷菜单：在【模型】标签或某个布局标签上单击鼠标右键，然后选择【页面设置管理器】。

2. 操作步骤与选项说明

(1) 启动命令。

(2) 弹出如图 4-209 所示的【页面设置管理器】，各选项说明如下：

1)【页面设置】：列出应用于当前布局的页面设置。

2)【当前页面设置】：显示应用于当前布局的页面设置。

3)【置为当前】：将所选页面设置设置为当前布局的当前页面设置。

4)【新建】：用于新建一页面设置，如图 4-209 所示。

5)【修改】：可以编辑所选页面设置的设置，如图 4-209 所示。

6)【输入】：从 DWG、DWT 或 Drawing Interchange Format (DXF)™文件中输入一个或多个页面设置。

(3) 若选择【新建】，则会弹出如图4-210所示的【新建页面设置】对话框，在这里

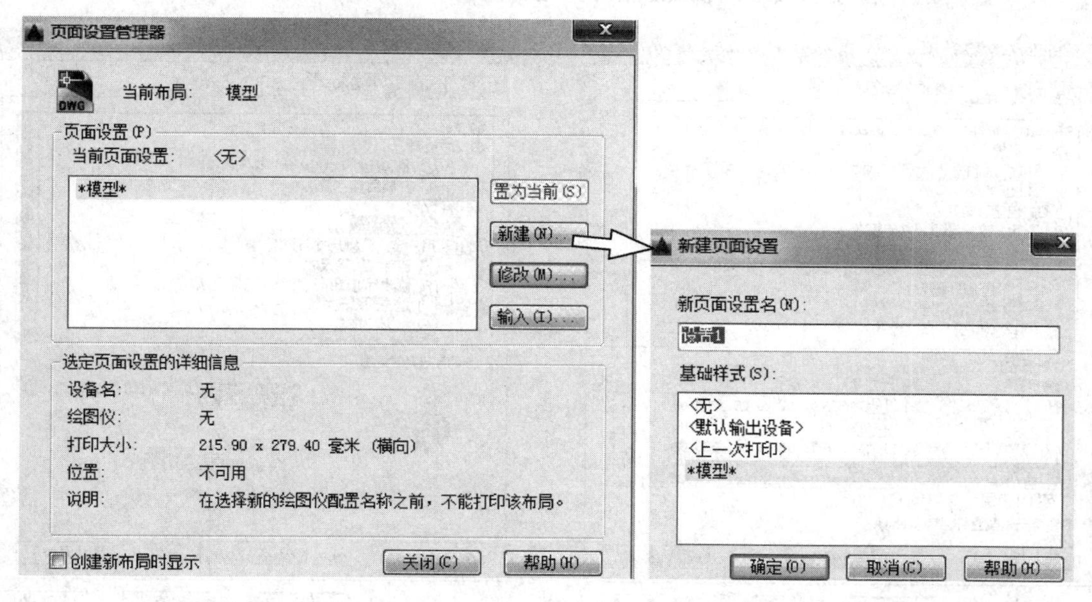

图 4-209 页面设置管理器　　图 4-210 新建页面设置对话框

可以输入新建页面的名称，并选择基础样式。确定后会弹出图 4-211 的【新建页面设置】对话框，各选项说明如下：

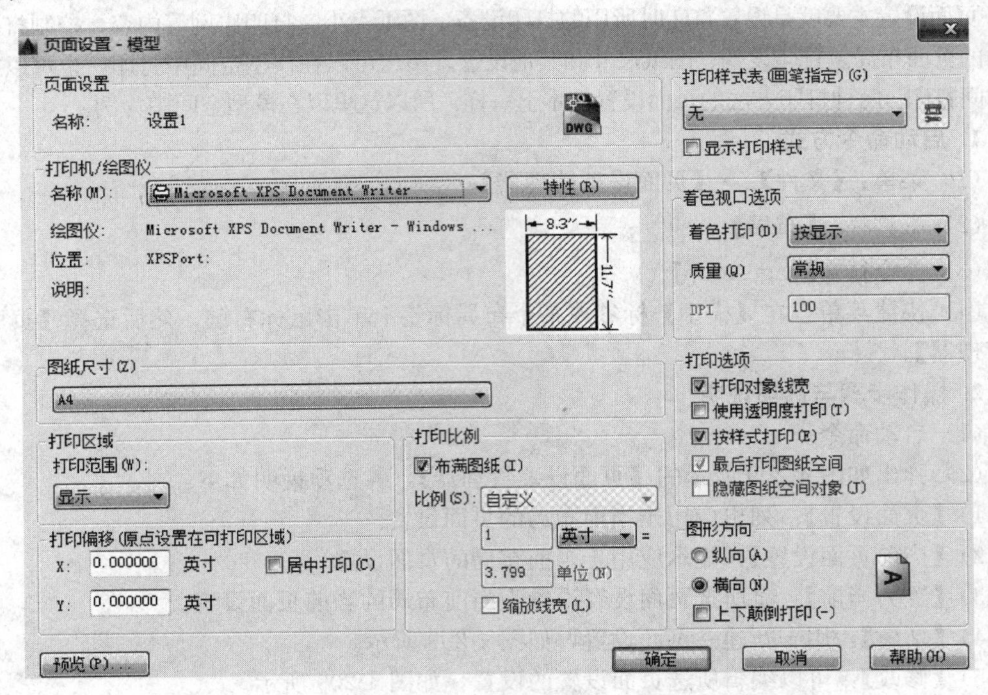

图 4-211 “页面设置-模型”对话框

1)【打印机/绘图仪名称】：列出可用的 PC3 文件或系统打印机，可以从中进行选择。

2)【特性】：会显示【绘图仪配置编辑器】对话框，如图 4-212、图 4-213 所示。

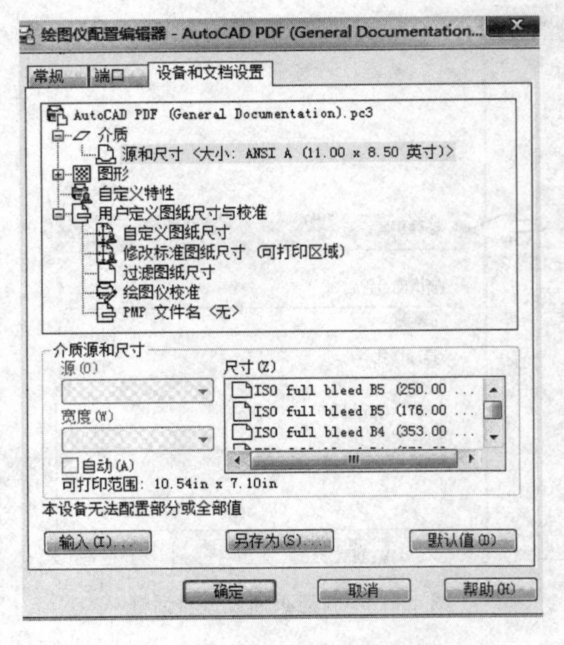

图 4-212 绘图仪配置编辑器

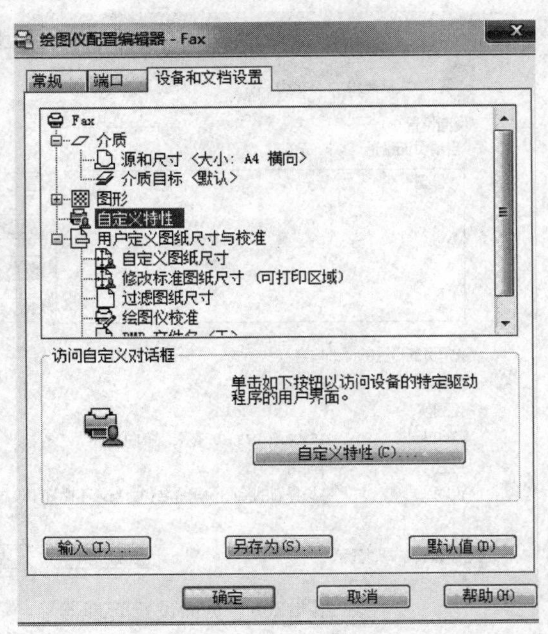

图 4-213 “自定义”绘图仪配置编辑器

3)【图纸尺寸】：显示所选打印设备可用的标准图纸尺寸。如果未选择绘图仪，将显示全部标准图纸尺寸的列表以供选择。如果所选绘图仪不支持中选定的图纸尺寸，将显示警告，用户可以选择绘图仪的默认图纸尺寸或自定义图纸尺寸。

4)【打印范围】：有【布局/图形界限】、【范围】、【显示】、【窗口】四种选项。【布局/图形界限】是指若打印布局时，将打印指定图纸尺寸的可打印区域内的所有内容，其原点从布局中的0，0点计算得出。若在模型空间打印时，将打印栅格界限定义的整个图形区域。【范围】则是当前空间内的所有几何图形都将被打印。【显示】是打印模型空间当前视口中的视图或布局空间当前图纸空间视图中的视图。【窗口】是指定要打印的图形部分。指定要打印区域的两个角点时，【窗口】按钮才可用。

5)【打印偏移】：指定打印区域相对于可打印区域左下角或图纸边界的偏移。通过在“X偏移”和“Y偏移”框中输入正值或负值，可以偏移图纸上的几何图形。图纸中的绘图仪单位在公制单位文件中为毫米。

6)【居中打印】：自动计算X偏移和Y偏移值，在图纸上居中打印。

7)【布满图纸】：缩放打印图形以布满所选图纸尺寸。

8)【打印比例】：定义打印的精确比例。【自定义】可定义用户自己需要的比例。可以通过下面的“？毫米＝？单位”来设置自定义比例，它表示图纸上的多少个毫米等于图形文件中的多少个单位。

9)【打印样式表】：设置、编辑打印样式表，或者创建新的打印样式表。

10)【着色打印】：指定图的打印方式。有【按显示】、【线框】、【消隐】等方式。

11)【质量】：指定着色和渲染视口的打印分辨率。

12)【打印选项】：指定线宽、打印样式、着色打印和对象的打印次序等选项。

13)【图形方向】：为支持纵向或横向的绘图仪指定图形在图纸上的打印方向。【纵向】指放置并打印图形，使图纸的短边位于图形页面的顶部。【横向】指放置并打印图形，使图纸的长边位于图形页面的顶部。【反向打印】指上下颠倒地放置并打印图形。

以上内容设置好之后，可以按“预览”来先检查打印效果是否满意。

4.11.4 打印设置

页面设置完成后，就可以打印出图了。通过菜单【文件】→【打印】，命令字plot等方式可以启动该命令。弹出如图4-214所示的【打印】对话框。该对话框中的页面设置“名称”选项可以选择一个已设置好的页面设置。在【打印机/绘图仪】区域中的【打印到文件】可以将要打印的图形输出为一个文件。对话框中的其他大部分设置与“页面设置”相同，这里不再重复。

4.11.5 不同空间绘图与打印步骤

用户在进行设计与绘图时，在模型空间通常只考虑设计内容，按1∶1的比例绘制图形，而不用考虑图纸大小、比例及缩放等问题。只有切换到布局空间后，才考虑图形在图纸上的布局位置、大小、比例及是否添加辅助视图等。所以在两种空间出图方式会有些差异。

现结合绘图过程以打印如图4-215的建筑平面图为例来说明其操作过程。出图要求：

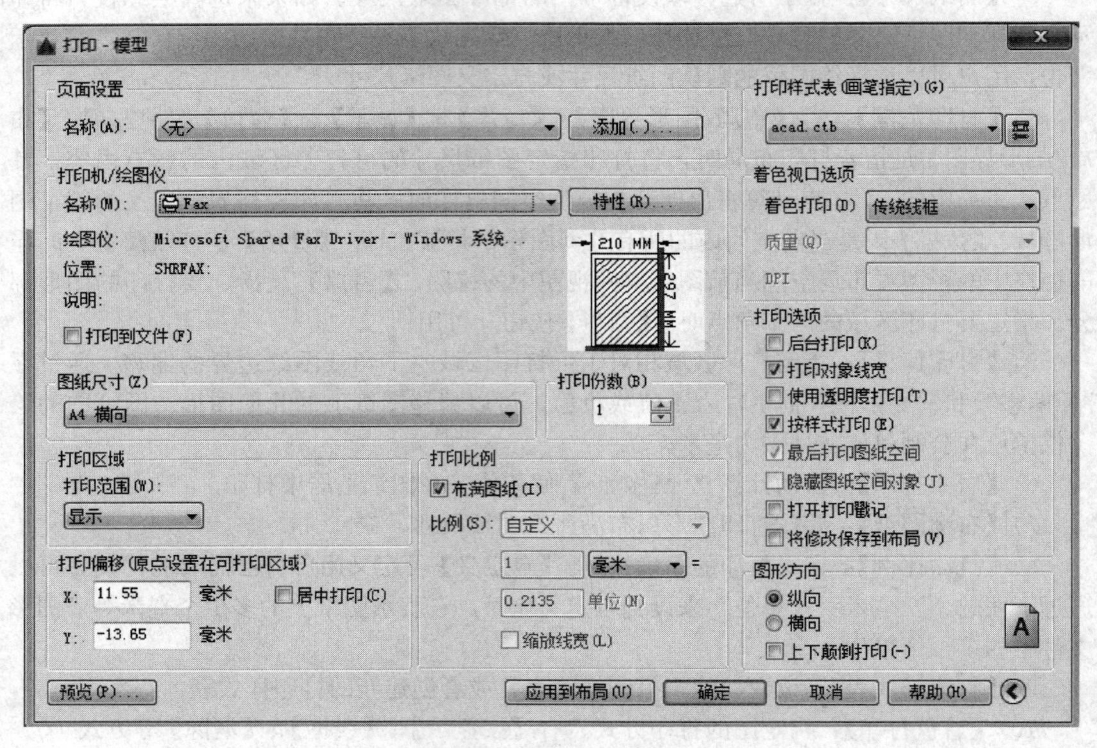

图 4-214　打印-模型对话框

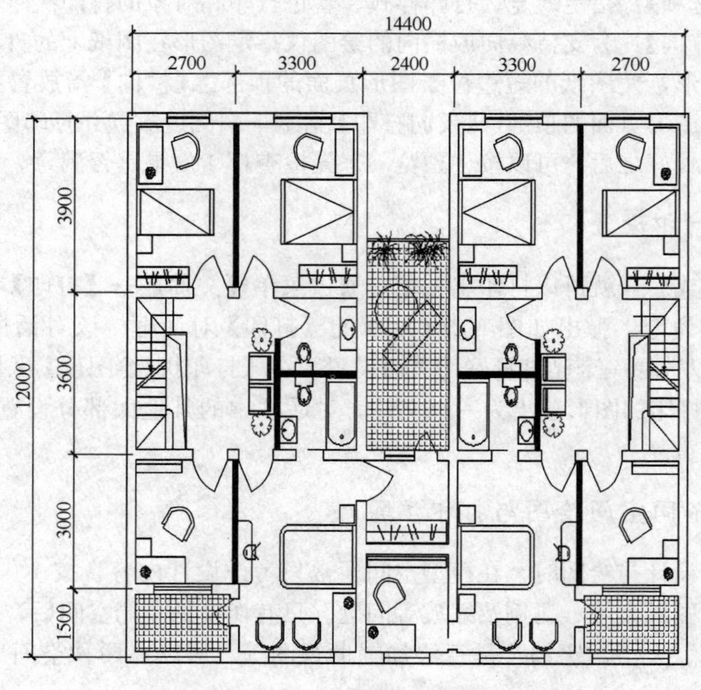

图 4-215　绘图与打印步骤示例

打印在 A4（297×210）的标准图纸上，经过计算图形比例为 1∶100 比较合适。

1. 模型空间绘图与打印步骤

在模型空间中绘图与打印方法有两种，一是“先画后缩放，再打印出图”，二是“先画不缩放，再打印出图。下面将分别以这个例子做说明。

（1）先画再缩小到百分之一，最后以 1∶1 的比例出图。其步骤如下：

1）首先按物体的真实尺寸绘制，如建筑平面图中，3000 毫米就绘 3000 个单位。

2）绘制完所有图形实体后，用【比例缩放】命令（scale），将所有图形实体缩小到百分之一。

3）利用【插入块】命令（insert），将已画好图框、标题栏的图幅文件如“TUA4”插入到当前图形中，插入比例为 1∶1。

4）利用【移动】命令（move），调整图框和图形实体的位置关系。

5）启动尺寸标注样式，在【主单位】选项卡，将【比例因子】的值设为 100，并保存该尺寸标注样式，然后标注尺寸。

6）利用【文字样式】命令，设置各字体样式的标准字高。然后标注文字。

7）打开【页面设置】对话框，选中图纸尺寸：A4 和单位毫米“mm”，打印比例（出图比例）保持为 1∶1。

8）启动【打印】命令输出图纸。

（2）先画不缩小，最后以 1∶100 的比例出图。其步骤如下：

1）首先按物体的真实尺寸绘制，如建筑平面图中，3000 毫米就绘 3000 个单位。

2）绘制完所有图形实体后，利用【插入块】命令（insert），将已画好图框、标题栏的图幅文件“TUA4”插入到当前图形中，插入比例为 100∶1，即放大 100 倍。

3）利用【移动】命令（move），调整图框和图形实体的位置关系。

4）启动尺寸标注样式，在【调整】选项卡，将“全局比例因子”的值设为 100，并保存该尺寸标注样式。然后标注尺寸。

5）利用【文字样式】命令，设置各字体样式的字高为标准字高的 100 倍。然后标注文字。

6）打开【页面设置】对话框，选中图纸尺寸“A4”和单位：毫米“mm”，打印比例（出图比例）设为 1∶100。

7）启动【打印】命令输出图纸。

2. 布局空间绘图与打印步骤

仍以前面图 4-215 的建筑平面图为例，在布局空间中的绘图、打印步骤如下：

（1）首先按物体的真实尺寸绘制，如建筑平面图中，3000 毫米就绘 3000 个单位。

（2）点击布局标签，进入布局空间，并在一个缺省视口中显示当前图形。

（3）在布局标签上按右键，打开页面设置对话框，选中图纸尺寸：A4 和单位：毫米。

（4）使用【删除】命令删除已有的这个视口边界。

（5）使用【图层】命令新建名为【图框】和【视口边界】的两个图层。

（6）设【图框】为当前图层，使用【插入块（insert）】命令，将已画好图框、标题栏的图幅文件“TUA4”插入到当前图形中。

（7）利用【文字样式】命令，设置各字体样式的标准字高。然后填写文字。

（8）设置【视口边界】为当前图层，使用【多边形视口】命令沿图框的外框绘制新视口对象。

(9) 在新视口边界内双击，进入当前布局的模型空间，将【视口缩放比例】设为1∶100，用【移动】命令调整图形位置。

(10) 启动【打印】命令，打印比例（出图比例）保持为1∶1。

4.12 创建三维模型

传统的工程制图一般都是用二维图形来表达，但二维图形缺乏真实感，直观性差，要求读图者具有较强的空间想象力，所以给工程施工带来一定的难度。现代工程制图已经引入了三维图形，它直观性强，真实感好，能清楚地表达各形体的形状和位置关系。AutoCAD不但具有强大的二维绘图能力，还具有较强的三维绘图能力，能进行三维建模、渲染和简单动画制作。

本书对三维模型的创建方法只做简要介绍。

4.12.1 三维绘图简介

本小节主要认识三维模型的类型，怎样设置三维视图、怎样改变三维图形的显示，如何建立用户坐标系。

1. 三维模型类型

在AutoCAD中，三维模型分成以下三种：

线框模型。线框模型是一种轮廓模型，由三维的点、直线和曲线组成，如轴测图。如图4-216 (*a*) 所示。

2. 表面模型

表面模型是一种由若干三维平面、曲面、网格面组成的模型，它具有面的特征。如图4-216 (*b*) 所示。

3. 实体模型

实体模型是一种具有体特征的模型，它有体积、重心、惯性矩等实体特征。是最完整

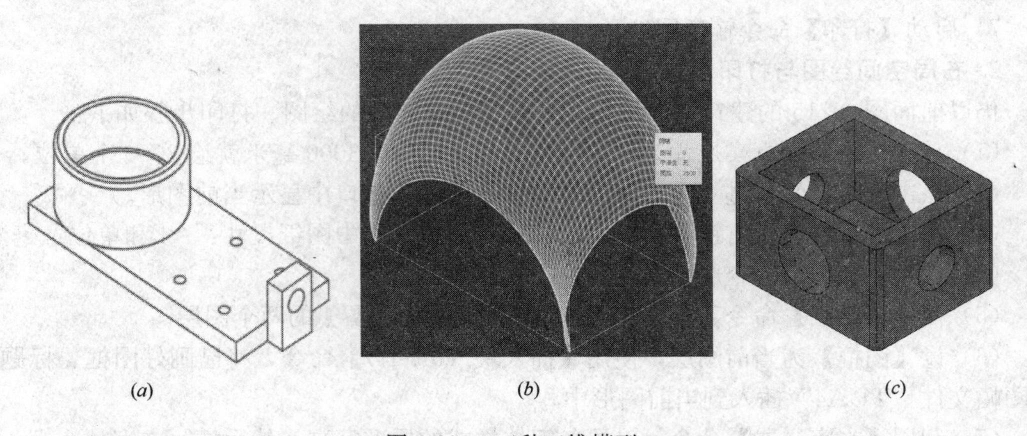

(*a*) (*b*) (*c*)

图4-216 三种三维模型

(*a*) 线框模型（轴测图）；(*b*) 表面模型（边界网格）；(*c*) 实体模型（实体造型）

的三维模型，包含了大量的信息，能查询模型的体积、质量和质心等信息。能进行消隐和渲染处理，还能进行布尔运算。如图 4-216（*c*）所示。

4.12.2　三维建模基本操作

1. 进入“三维基础”界面

“三维建模”界面如图 4-217～图 4-219 所示。

图 4-217　三维建模基本界面

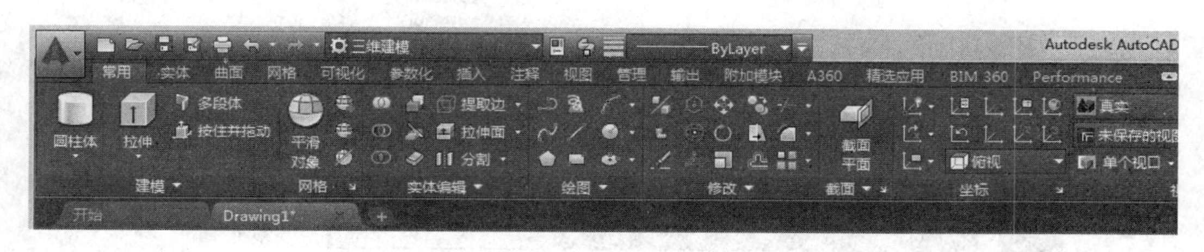

图 4-218　三维建模界面

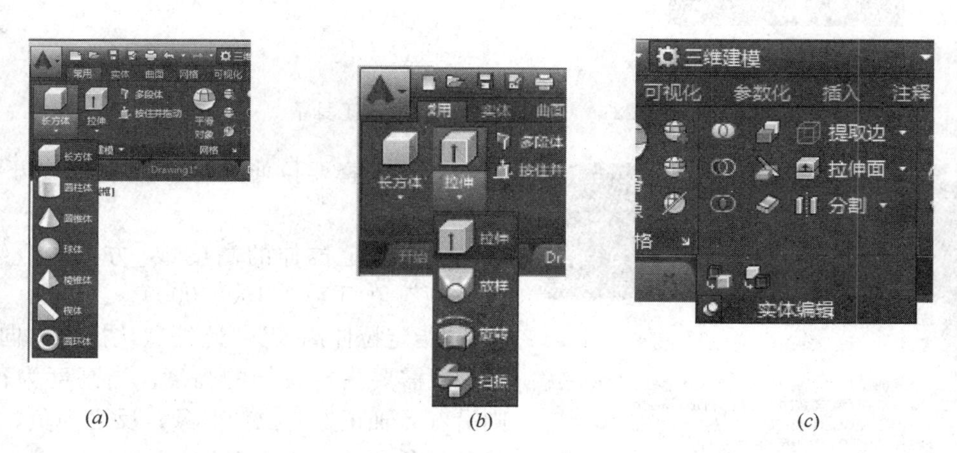

图 4-219　几个三维建模模块

（*a*）基本体三维建模；（*b*）拉伸、放样、旋转、扫掠；（*c*）实体编辑

下拉菜单中的三维建模操作如图 4-220 所示。

三维建模操作常用工具条如图 4-221 所示。

2. 操作步骤与相关说明

以拉伸操作为例。

（1）启动命令。

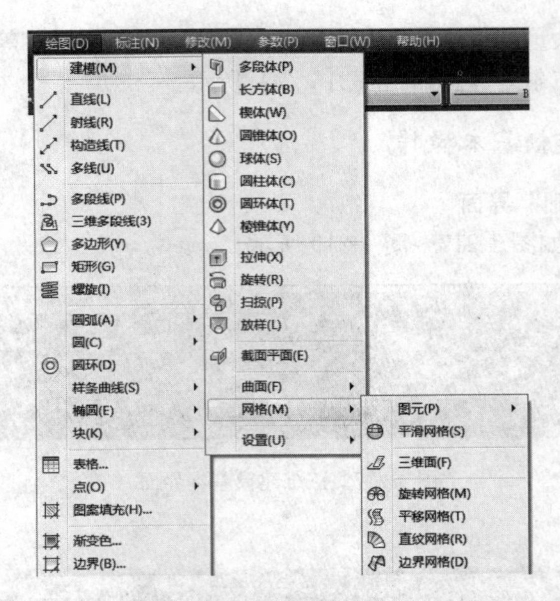

图 4-220　三维建模下拉菜单

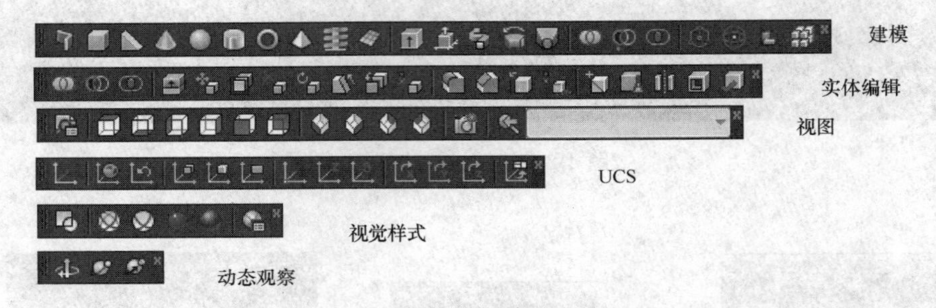

图 4-221　三维建模及编辑基本工具条

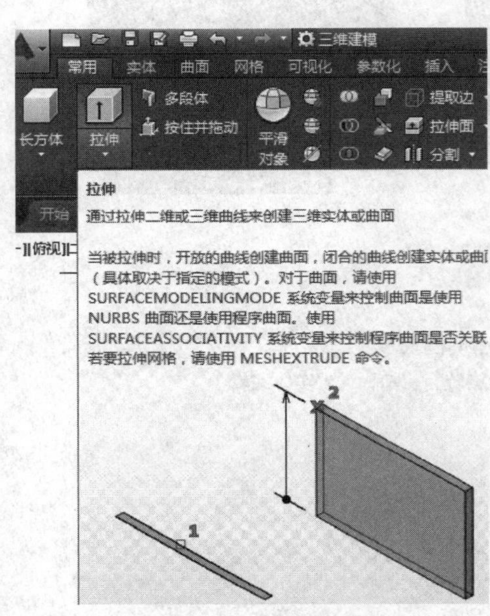

图 4-222　拉伸路径示例

（2）选择要拉伸的对象：（选择若干个二维图形）。

（3）指定拉伸的高度或[方向(D)/路径(P)/倾斜角(T)] <1000.0000>：

“指定拉伸高度”：此处默认拉伸方向为 Z 轴，只需要指定拉伸的高度。当高度为正时，则沿着 Z 轴正方向拉伸对象；反之为负，则沿着 Z 轴负方向拉伸对象。

“方向”：通过指定方向的起点、端点来确定拉伸方向。

“路径”：通过指定拉伸路径，被拉伸对象（也就是所谓的“轮廓”）会沿着路径拉伸。如图 4-222 所示。

其他放样（图 4-223)、旋转（图4-224)、扫掠（图 4-225）三维造型，操作步骤在此省略。

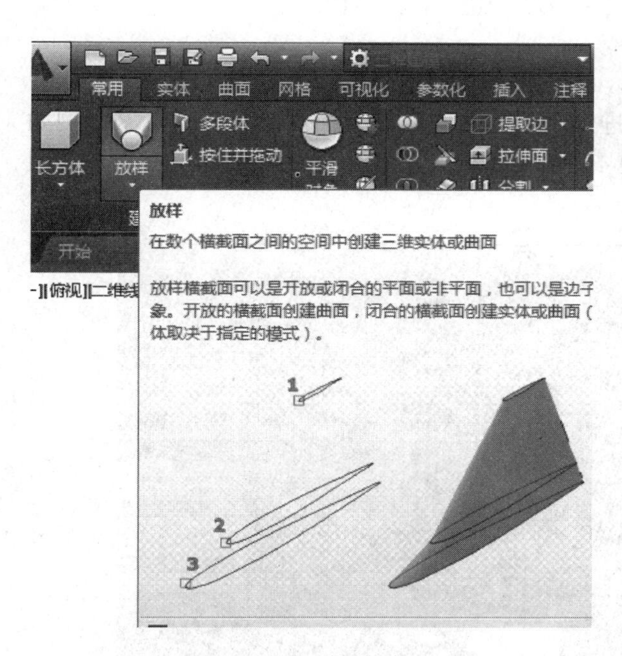

图 4-223　放样示例

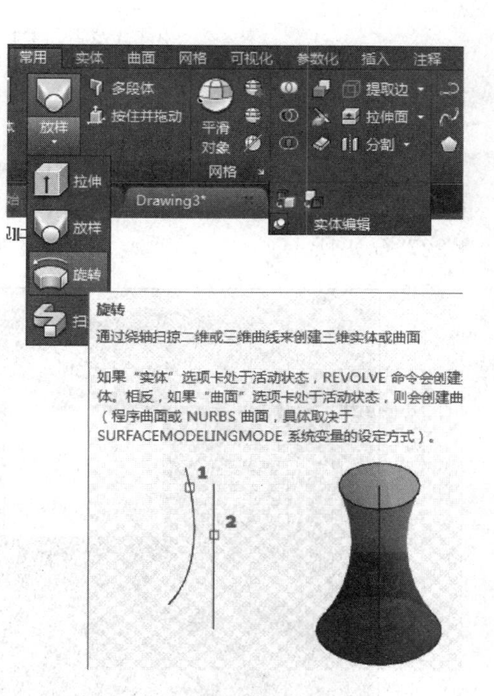

图 4-224　旋转示例

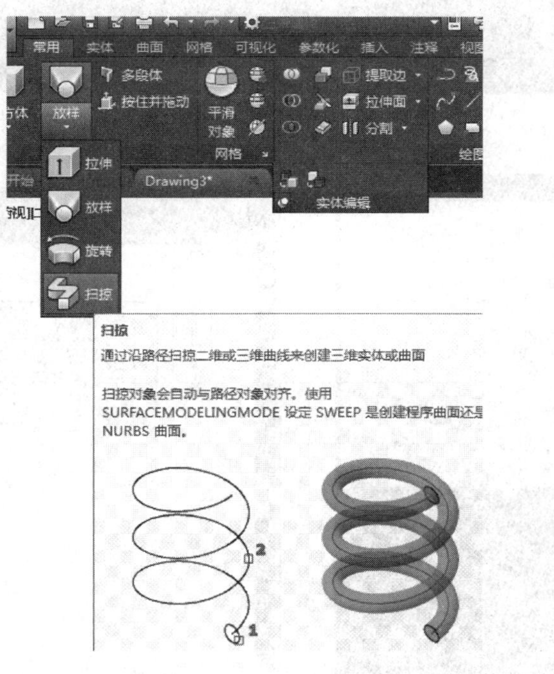

图 4-225　扫掠示例

4.13 自学功能简介

自学功能简介界面，如图 4-226 所示，其界面中的三大块内容分别为：

左：快速入门，点击“开始绘图”，进入绘图空间。选择下面需要打开的标签，例如点击“了解样例图形”对话框标签，如图 4-227（*a*）可以获取所需的样例图形材料，如图 4-227（*b*）所示。

图 4-226　自学指南

(*a*)

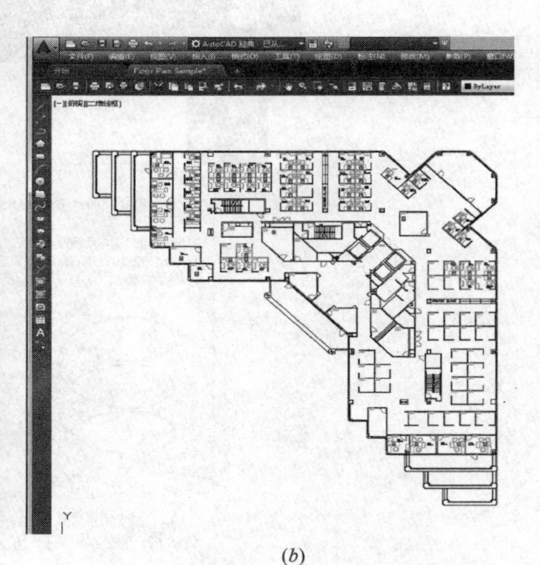

(*b*)

图 4-227　了解样例

中：是“最近使用的文档”记录。

右：标题为“通知”及“连接”，前者是提醒操作者注意当前操作模式，是否需要改变；后者是登录上网与 AtuoDESIK 公司取得联系，如图 4-228 所示。

点击最下面【了解】按钮，获取图 4-229 所示，自学界面 ，这里提供了大量的有效的多媒体自学材料，读者值得尝试，但必须在联网状态下使用。

图 4-228　网上学习

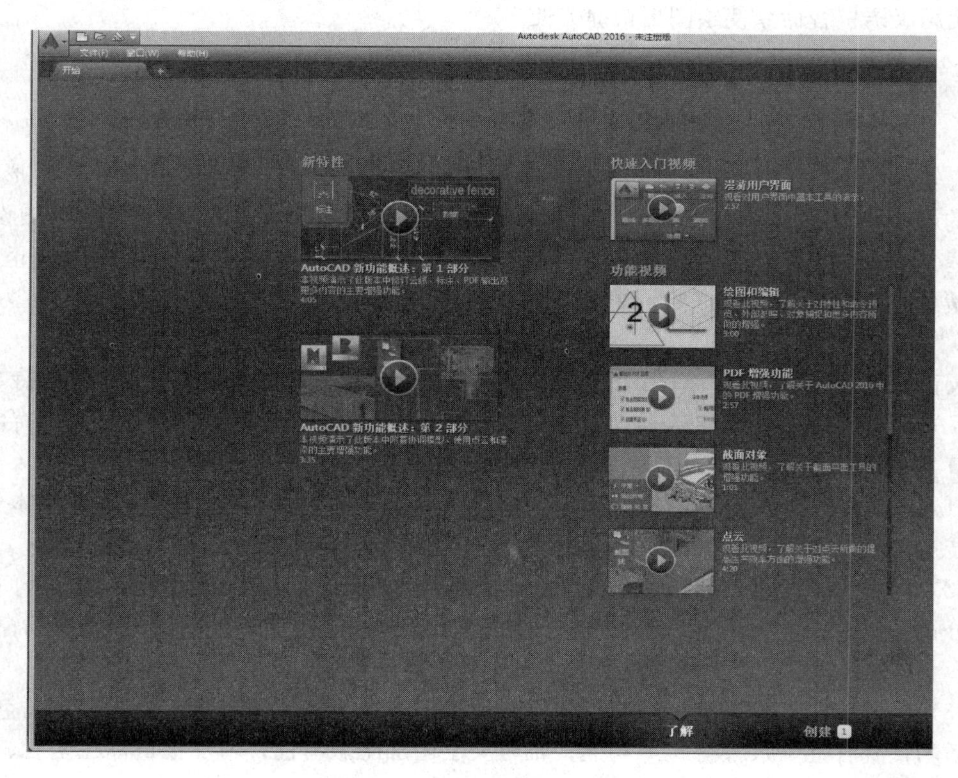

图 4-229　多媒体自学库

第5章 天正建筑 TArch

北京天正工程软件有限公司，自1994年开始就在AutoCAD图形平台成功开发了一系列建筑、暖通、电气等专业软件，是Autodesk公司在中国大陆的第一批注册开发商。天正公司的建筑CAD软件在全国范围内取得了极大的成功，我国建筑设计单位几乎都在使用天正建筑软件。可以说，天正建筑CAD软件已经成为国内建筑CAD的行业规范，随着天正建筑软件的广泛应用，它的图档格式已经成为各设计单位与建设单位之间进行图形信息交流的基础。

随着AutoCAD2000以上版本平台的推出和普及以及新一代自定义对象化的ObjectARX开发技术的发展，天正公司在经过多年刻苦钻研后，在2001年推出了从界面到核心面目全新的TArch5系列，采用二维图形描述与三维空间表现一体化的先进技术，从方案到施工图全程体现建筑设计的特点，在建筑CAD技术上掀起了一场革命。天正操作输入一律使用汉语拼音命令使绘图更快捷方便。

5.1 天正建筑2013版简介

天正建筑2013版本是二维三维一体化的建筑设计软件。利用AutoCAD图形平台开发的最新一代建筑软件2013，继续以先进的建筑对象概念服务于建筑施工图设计，成为建筑CAD的首选软件，同时，天正建筑对象创建的建筑模型已经成为天正给排水、暖通、电气等系列软件的数据来源，很多三维渲染图也基于天正三维模型制作而成。

天正软件-建筑系统T-Arch 2013试用版有两个版本：32位build120928版支持32位AutoCAD2004-2013平台；64位build120928版支持64位AutoCAD2010-2013平台。天正建筑2013较之前版本主要有如下改进：

(1) 改进墙柱连接位置的相交处理和墙体线图案填充及保温的显示；改进墙体分段、幕墙转换、修墙角等相关功能。

(2) 门窗系统改进：新增智能插门窗、拾取图中已有门窗参数的功能；同编号门窗支持部分批量修改；优化凸窗对象；改进门窗自动编号规则和门窗检查命令；解决门窗打印问题。

(3) 完善天正注释系统：按新国标修改弧长标注；支持尺寸文字带引线和布局空间标注；新增楼梯标注、尺寸等距等功能；轴号文字增加隐藏特性；增加批量标注坐标、标高对齐等功能；新增云线、引线平行的引出标注、非正交剖切符号的绘制等。

5.2 天正建筑 2013 界面介绍

天正建筑 2013 图标：

天正建筑软件在 AutoCAD 界面上有一个特别重要的“插件”，就是我们所说的“天正屏幕菜单”，它囊括了天正设计所有核心内容，图 5-1 左侧是天正屏幕菜单；图 5-2 可见天正绘图“实时助手”快捷菜单，屏幕菜单中的工具与功能均可以转换为天正常用工具条或自制工具栏，如图 5-3 所示。按下键盘上的 ctrl 键，再按下 + = 键可以调出或消除天正屏幕菜单。

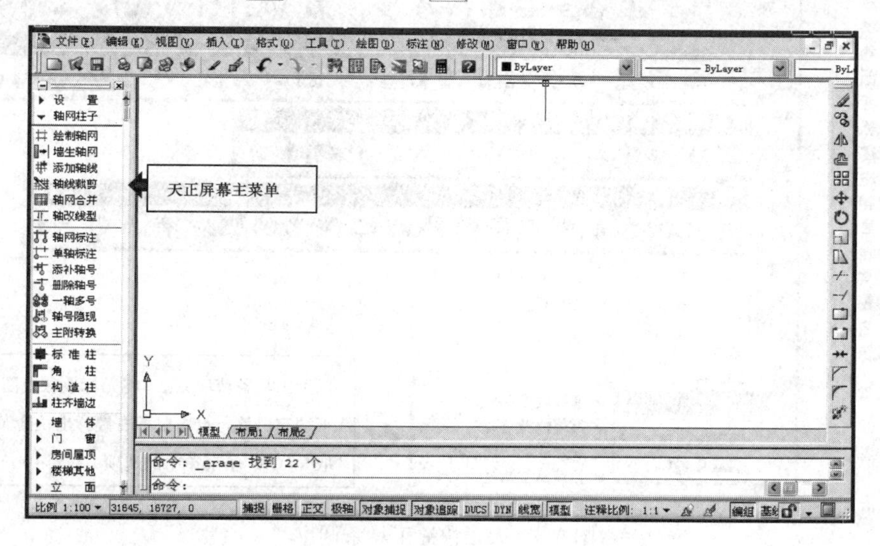

图 5-1 天正绘图空间及屏幕菜单

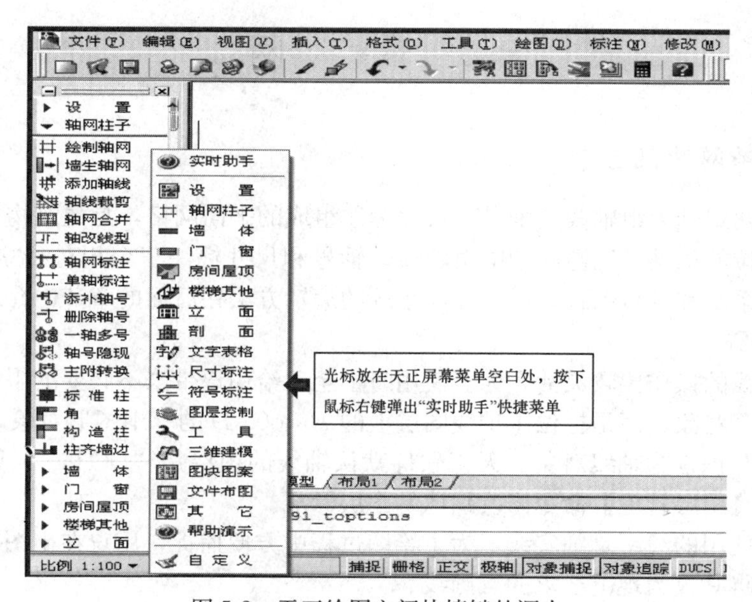

图 5-2 天正绘图空间快捷键的调出

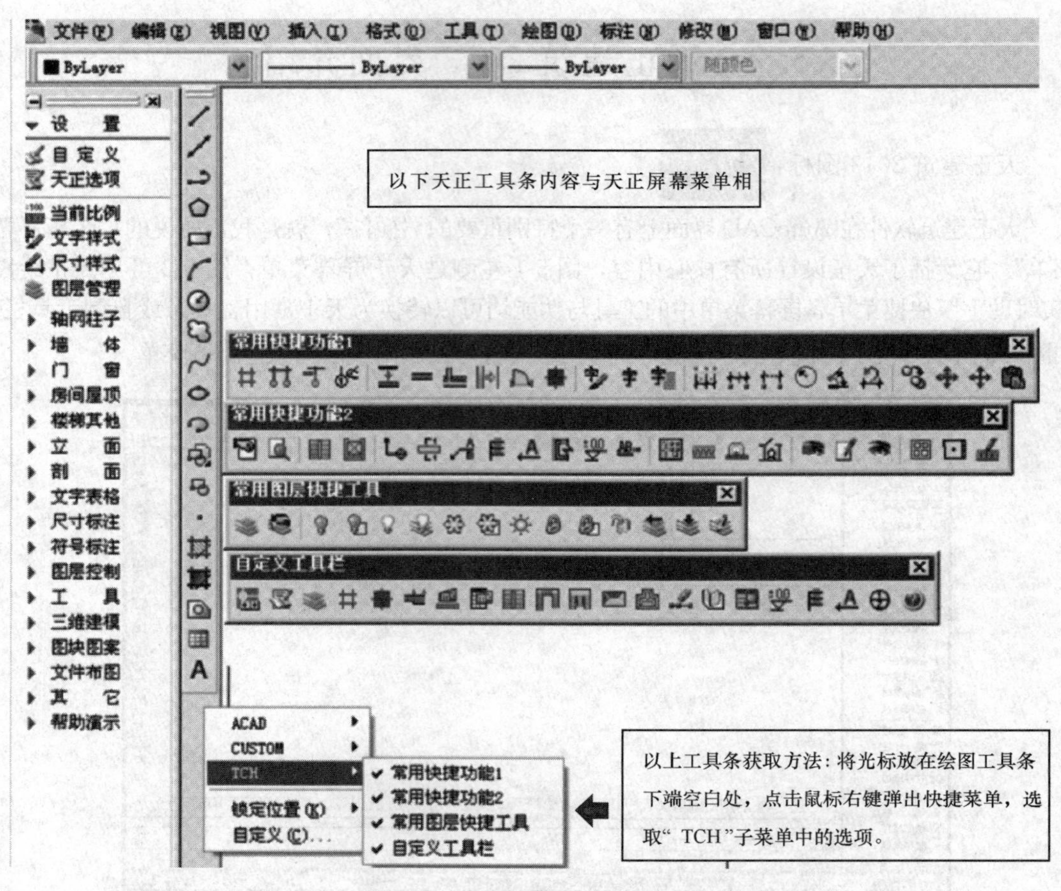

图 5-3 天正快捷工具条调出

5.3 轴 网

5.3.1 轴网的概念

轴网是由两组到多组轴线与轴号、尺寸标注组成的平面网格，是建筑物单体平面布置和墙柱构件定位的依据。完整的轴网由轴线、轴号和尺寸标注三个相对独立的系统构成。这里介绍轴线系统和轴号系统，尺寸标注系统的编辑方法在后面的章节中介绍。

1. 轴线系统

考虑到轴线的操作比较灵活，为了使用时不至于给用户带来不必要的限制，轴网系统没有做成自定义对象，而是把位于轴线图层上的 AutoCAD 的基本图形对象，包括 LINE、ARC、CIRCLE 识别为轴线对象，天正软件默认轴线的图层是“DOTE”，用户可以通过设置菜单中的【图层管理】命令修改默认的图层标准。

轴线默认使用的线型是细实线，为了绘图过程中方便捕捉，用户在出图前应该用【轴改线型】命令将其改为规范要求的点画线。

2. 轴号系统

轴号是内部带有比例的自定义专业对象，是按照《房屋建筑制图统一标准》GB/T 50001—2001 的规定编制的，它默认是在轴线两端成对出现，可以通过对象编辑单独控制个别轴号与其某一端的显示，轴号的大小与编号方式符合现行制图规范要求，保证出图后号圈直径是 8mm，而且不出现规范规定不得用于轴号的字母，如 *I*、*O*、*Z*。轴号对象预设有用于编辑的夹点，夹点可以用于轴号偏移、改变引线长度、轴号横向移动等。

3. 尺寸标注系统

尺寸标注系统由自定义尺寸标注对象构成，在标注轴网时自动生成于轴标图层 AXIS 上，除了图层不同外，与其他命令的尺寸标注没有区别。

5.3.2 直线轴网

1. 创建绘制轴网

直线轴网功能用于生成正交轴网、斜交轴网或单向轴网，由【绘制轴网】菜单中的【直线轴网】选择执行，如图 5-4 所示。

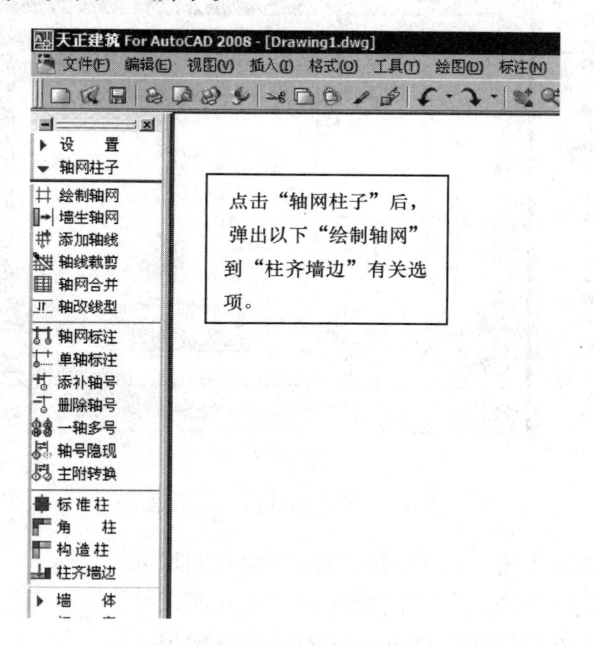

图 5-4 绘制“轴网柱子”操作之一

（1）点击【轴网柱子】→【绘制轴网】，弹出【绘制轴网】对话框，单击【直线轴网】选择卡，输入轴间距，如图 5-5（*a*）所示。

（2）输入轴网数据方法

1）直接在【键入】栏内键入轴网数据，每个数据之间用空格键隔开，输入完毕后回车生效。

2）键入【轴间距】和【个数】，常用值可直接点取右方数据栏或下拉列表的预设数据，如图 5-5（*b*）所示。

（3）【绘制轴网】对话框控件的说明如下：

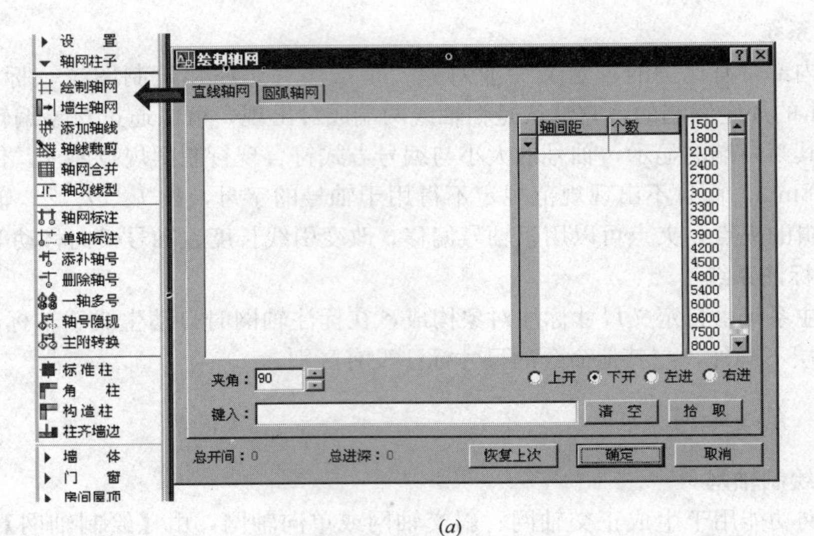

(*a*)

(*b*)

图 5-5 “绘制轴网”对话框

1)【上开】：在轴网上方进行轴网标注的房间开间尺寸。

2)【下开】：在轴网下方进行轴网标注的房间开间尺寸。

3)【左进】：在轴网左侧进行轴网标注的房间进深尺寸。

4)【右进】：在轴网右侧进行轴网标注的房间进深尺寸。

5)【清空】：把某一组开间或者某一组进深数据栏清空，保留其他组的数据。

6)【恢复上次】：把上次绘制直线轴网的参数恢复到对话框中。

7)【确定】：单击后开始绘制直线轴网并保存数据。

8)【取消】：取消绘制轴网并放弃输入数据。

右击电子表格中的首行按钮，可以执行新建、插入、删除与复制数据行的操作，如图 5-6 所示。

(4) 交互直线轴网的命令：

在对话框中输入所有尺寸数据后，点击【确定】按钮，命令行显示：点取位置或点取位

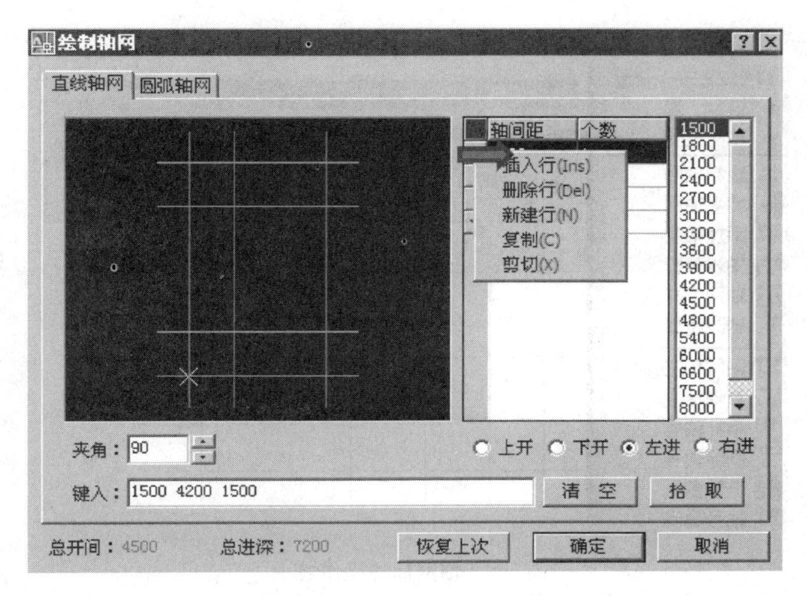

图 5-6 在“绘制轴网”对话框中输入数值，生成模拟轴网

置或[转 90 度(A)/左右翻(S)/上下翻(D)/对齐(F)/改转角(R)/改基点(T)]<退出>：此时可拖动基点插入轴网，直接点取轴网目标位置或按选项提示回应，如图 5-7 所示。

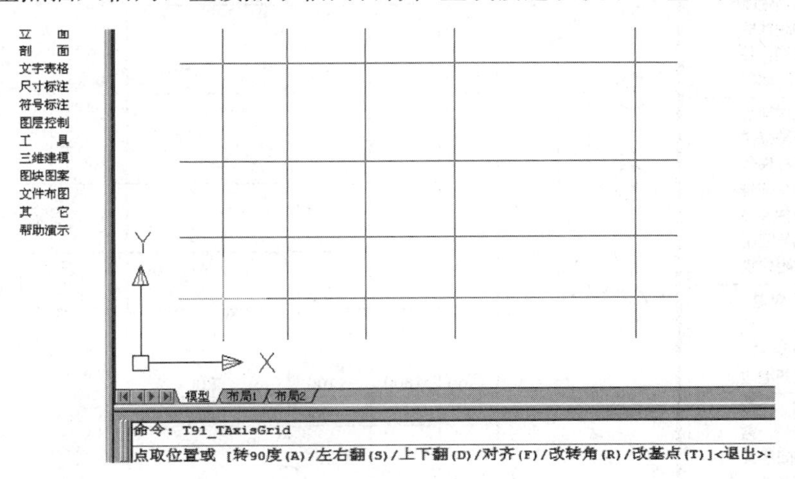

图 5-7 从绘制轴网对话框中获取轴网

2. 轴网标注

点击主菜单中“轴网标注”选项，弹出“轴网标注”对话框，进入轴网标注阶段。在此对话框中填入相关选项，比如在“起始轴号”栏中填入“1”并选择双侧标注等，如图 5-8 所示。

完成图 5-8 模式之后，一般先从左开始点击第一条竖向轴线，再点击最后一条竖向轴线，回车。此时，横向轴号和横向两道尺寸就会自动标出。同样，从下向上，点击最下一条横向轴线，再点击最上一条横向轴线，此时，竖向轴号和竖向两道尺寸就会自动标出。但要注意在【轴网标注】对话框中的【起始轴线】栏中填入“A”，如图 5-9 所示。

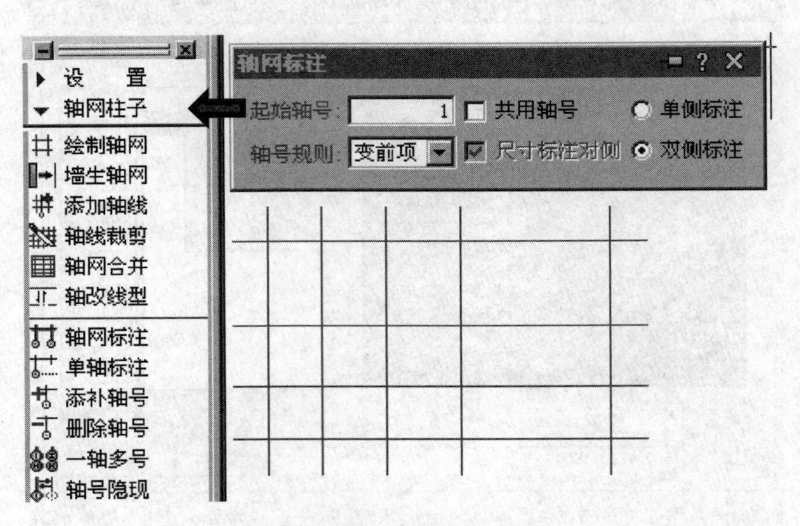

图 5-8　轴网标注操作之一

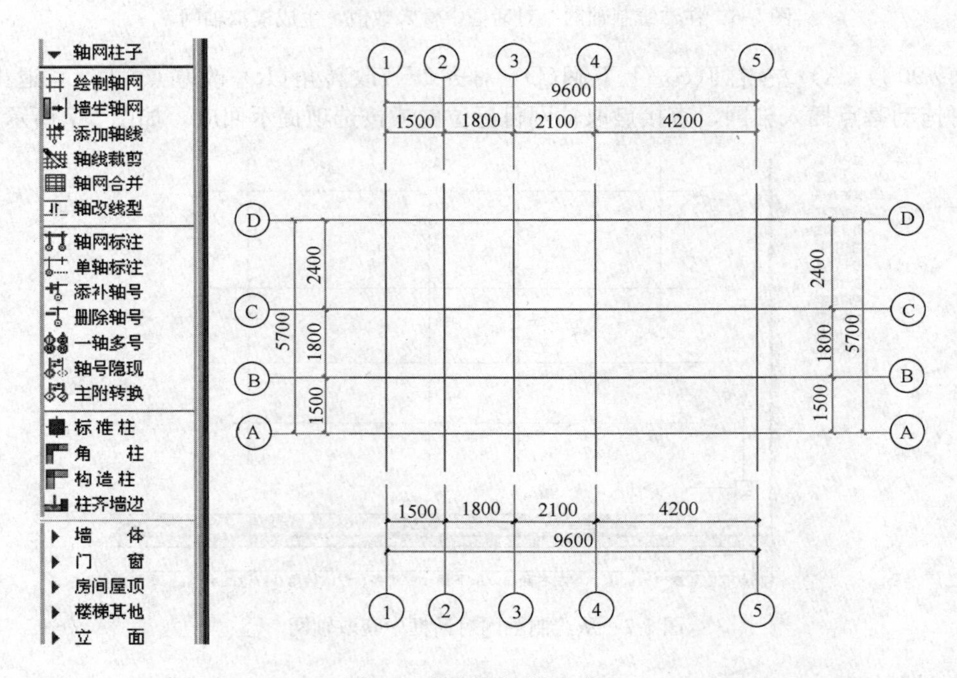

图 5-9　轴网标注操作之二

5.3.3　创建柱子

柱子在建筑设计中主要起到结构支撑作用，有些时候柱子也用于纯粹的装饰。

天正柱子创建的形式有：

1. 标准柱（BZZ）

在轴线的交点或任何位置插入矩形柱、圆柱或正多边形柱，后者包括常用的三、五、

六、八、十二边形断面，插入柱子的基准方向总是沿着当前坐标系的方向，如果当前坐标系是UCS，柱子的基准方向自动按UCS的X轴方向，不必另行设置。创建标准柱的过程如图5-10所示。

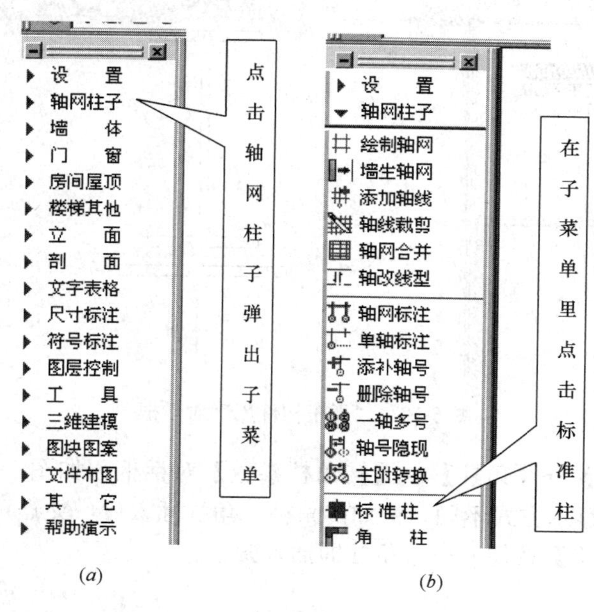

图5-10 创建标准柱过程

2.【标准柱】对话框（图5-11）中有关参数说明

（1）【柱子尺寸】：出现的参数项由柱子形状不同而定。

（2）【偏心转角】：在矩形轴网中以X轴为基准、在弧形和圆形轴网中以环向弧线为基准线，逆时针为正，顺时针为负，自动设置。

（3）【材料】：由材料选项框右侧下拉菜单中合理选取。默认材料为钢筋混凝土。

（4）【形状】：由形状选项框右侧下拉菜单中合理选取，还可以自行设计（图5-11）。

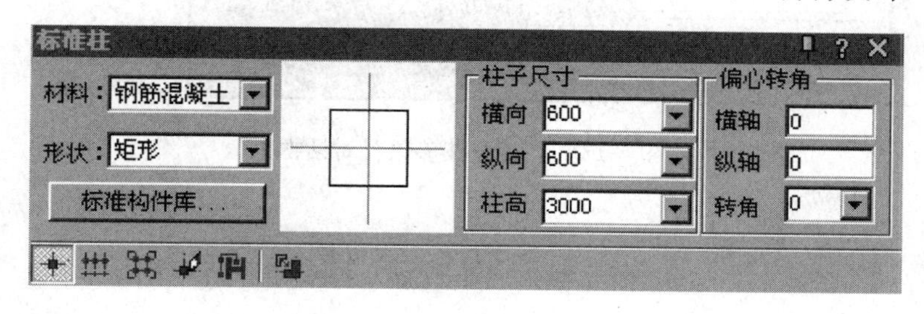

图5-11 标准柱对话框

（5）【标准构件库】：从［天正构件库］对话框中获取预定义柱的尺寸和样式，如图5-12所示。

3. 角柱（JZ）

在墙角插入轴线与形状与墙一致的角柱，可改变各肢长度以及各分肢的宽度，宽度默认居中，高度为当前层高。生成的角柱与标准柱类似，每一边都有可调整长度和宽度的夹点，可以方便地按要求修改。

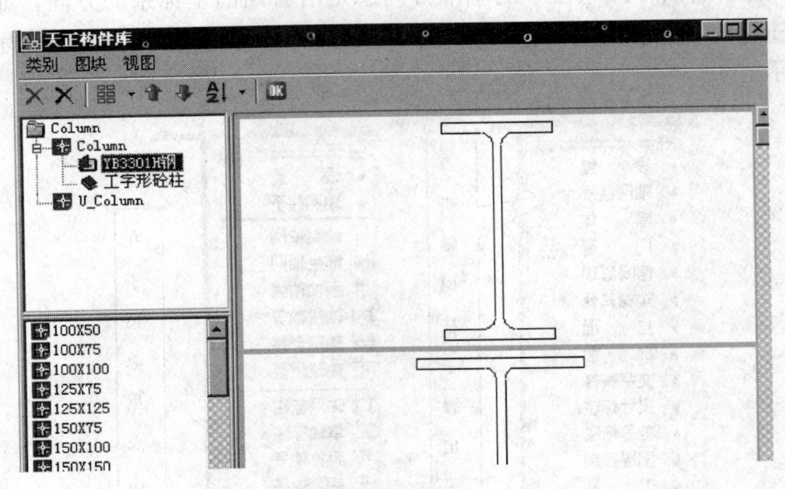

图 5-12 “天正构件库”对话框

点击【轴网柱子】→【角柱】→【转角柱参数】对话框，如图 5-13 所示。在该对话框中，材料不同，所显示方式不同，例如砖角柱—角柱插入后，夹点可以改变。有关参数输入完毕，单击【确定】按钮，所选角柱即插入图中。

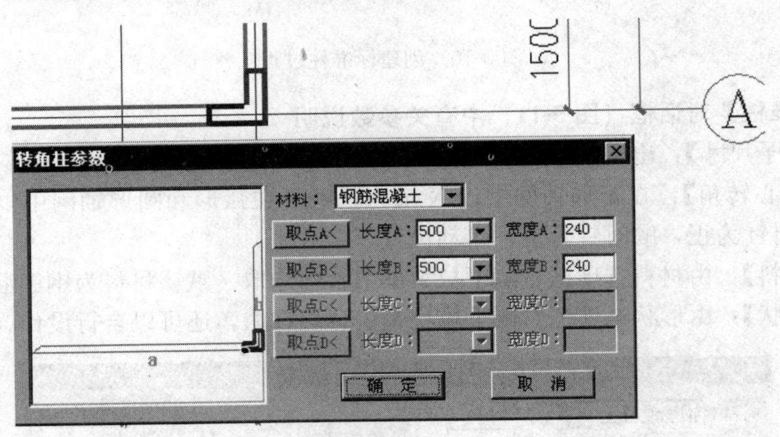

图 5-13 “转角柱参数”对话框

5.4 墙 体

天正软件将墙分成若干类，如：一般墙、虚墙、卫生墙、矮墙、幕墙等。墙体的创建如下：

（1）根据尺寸先绘制好轴网，如图 5-14 所示。

（2）在主菜单中找到【墙体】选项，随之展开其有关墙体的子菜单，参见图 5-15。再单击【绘制墙体】选项，随即弹出【绘制墙体】对话框，如图 5-16 所示。在弹出【绘制墙体】对话框中输入墙体的高度 3000、墙体左右宽度均为 120。

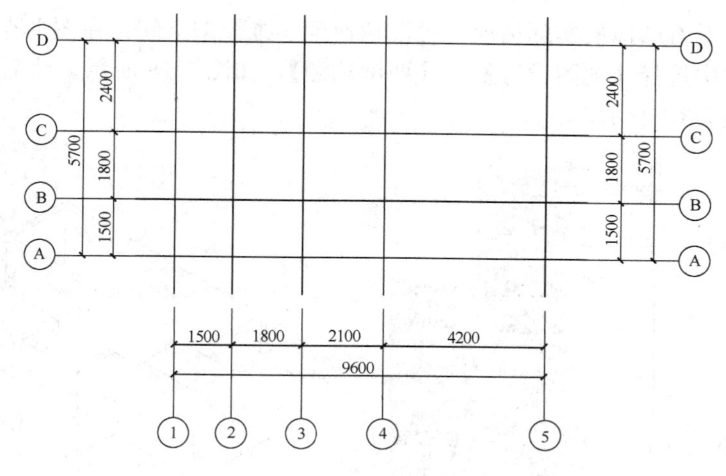

图 5-14　绘制轴网

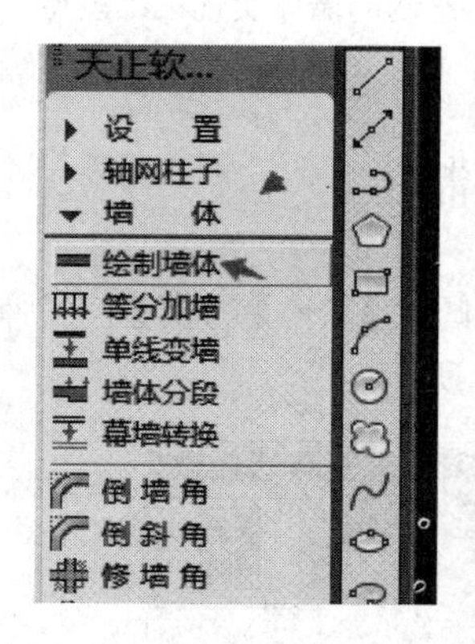

图 5-15　选择［墙体］选项

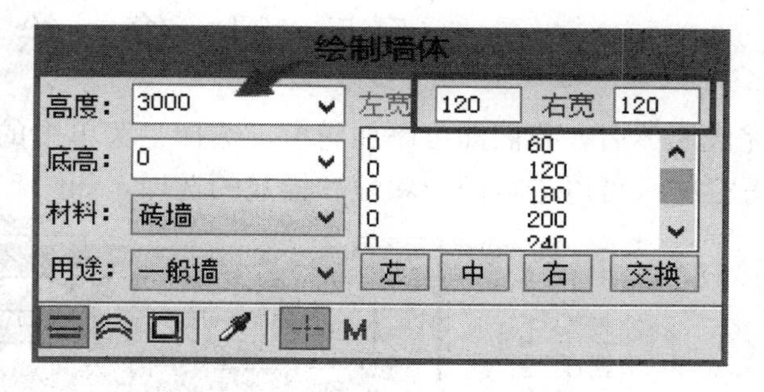

图 5-16　绘制［墙体］对话框

（3）然后根据设计好的轴网绘制主墙体。主墙体绘制完成后就可以绘制隔墙，设置好隔墙的尺寸就可以在需要绘制隔墙的轴网绘制墙体了，如图 5-17 所示。

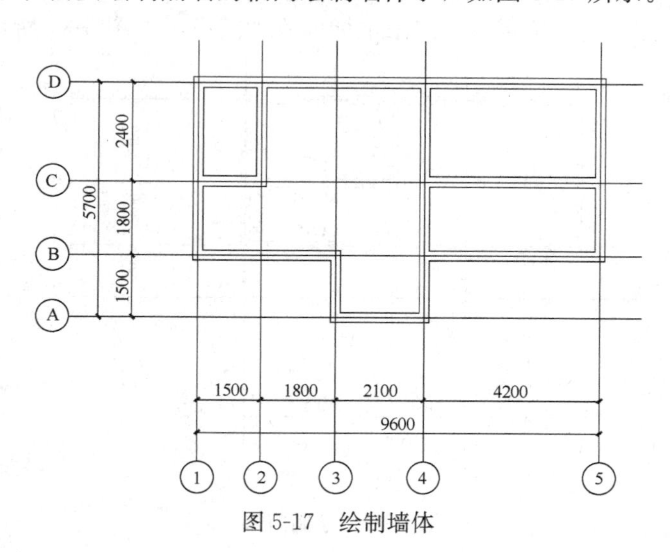

图 5-17　绘制墙体

（4）如果要看看墙体的实际情况，可以切换到三维模型空间：在图上点鼠标右键，在弹出的快捷菜单中选择【视图设置】→【西南轴测】，如图 5-18 所示。然后就显示墙体的三维模型，如图 5-19 所示。

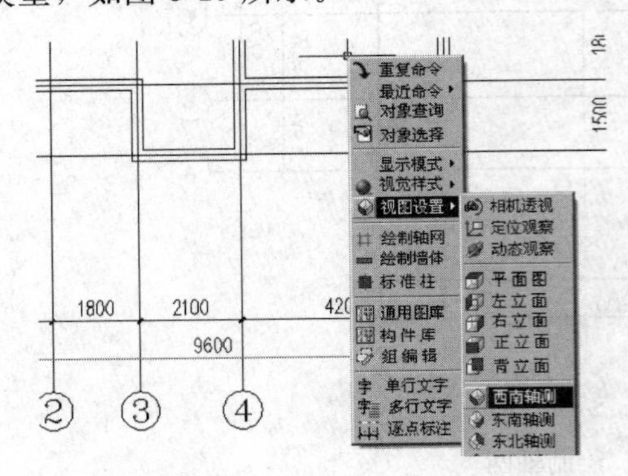

图 5-18 绘制的墙体实现三维模型操作

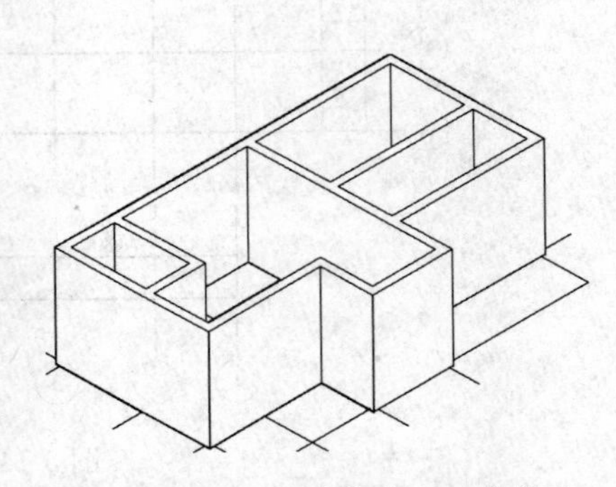

图 5-19 绘制的墙体实现三维模型

5.5 门 窗 绘 制

完成墙体后，我们即可添加门窗，选择主菜单中的【门窗】→【门窗】，在弹出的门窗设置栏中，可以进行门窗属性和样式的选择，如图 5-20 所示。

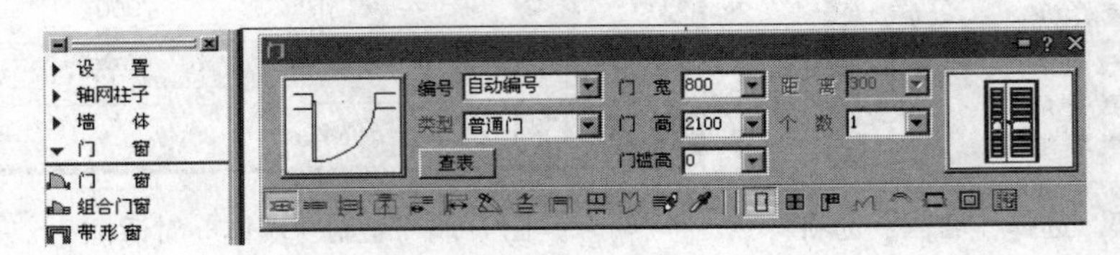

图 5-20 绘制门窗对话框

设置好门窗的数据，将鼠标移动到墙线上，系统就会自动出现绘制提示，来帮助我们确定门窗的添加位置，确定位置后，点击鼠标即添加门窗，如图 5-21 所示。

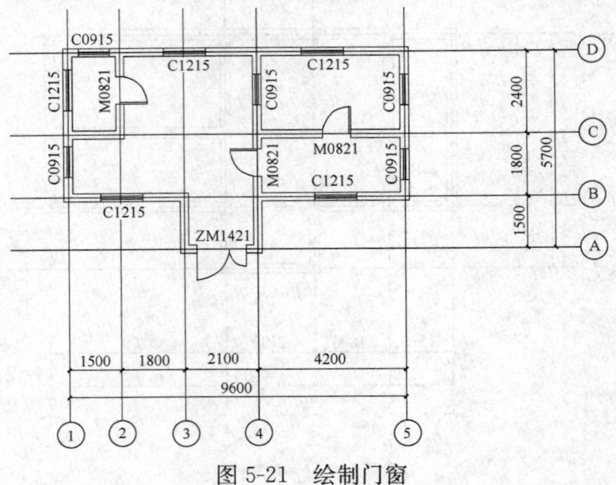

图 5-21 绘制门窗

门窗的添加方式相同，门窗全部为一种颜色的线条，此时，门和窗属于分离状态，分别拥有各自的标注，接下来可以将其组合。在天正主菜单中，选择“门窗→组合门窗”选项，进行门窗的组合，系统会弹出相应的操作提示，用户根据提示进行相应操作即可。

组合门窗可以由多个门窗进行组合，组合后的门窗只能进行统一编辑，无法对其中的个体进行独立编辑，多数组合门窗由一窗一门，或者两窗一门组成。

天正门窗主菜单里还有二级分类。许多关于绘制门窗的细节，望读者自行探讨。

5.6 楼梯及室内外设施绘制

室内设施主要包括楼梯和电梯。室外设施包括阳台、台阶、坡道等天正自定义的构件对象，它们基于墙体生成，同时具有二维与三维特征，并提供了夹点编辑功能。

5.6.1 楼梯绘制

(1) 准备好需要放置楼梯的图样。此案例 3-4 轴线与 A-C 轴线之间为绘制楼梯位置，如图 5-22 所示。

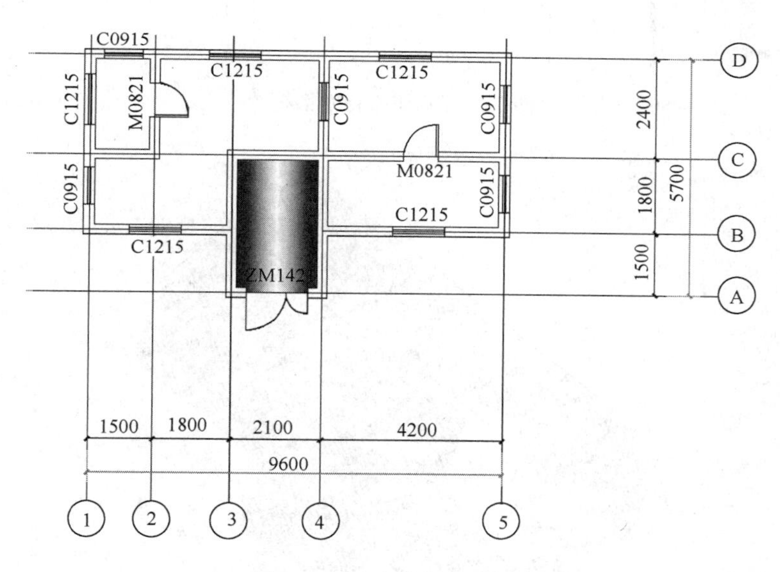

图 5-22 确定绘制楼梯位置

(2) 在天正主菜单中选择【楼梯其他】→【双跑楼梯】在弹出的对话框设置好楼层高度、楼梯间净宽、平台宽度、梯井宽度等数据。注意：双跑楼梯对话框与表示楼梯的图例同时弹出。

(3) 设置完成后，放置楼梯图例，如图 5-23 所示。

(4) 在命令栏输入“3d”，点击回车，使用鼠标拖动，看动态的 3D 图，看看楼梯是否满足要求，否则修正，如图 5-24 所示。

从天正主菜单可以看到，有关楼梯的设计类型繁多，请读者自行探讨。

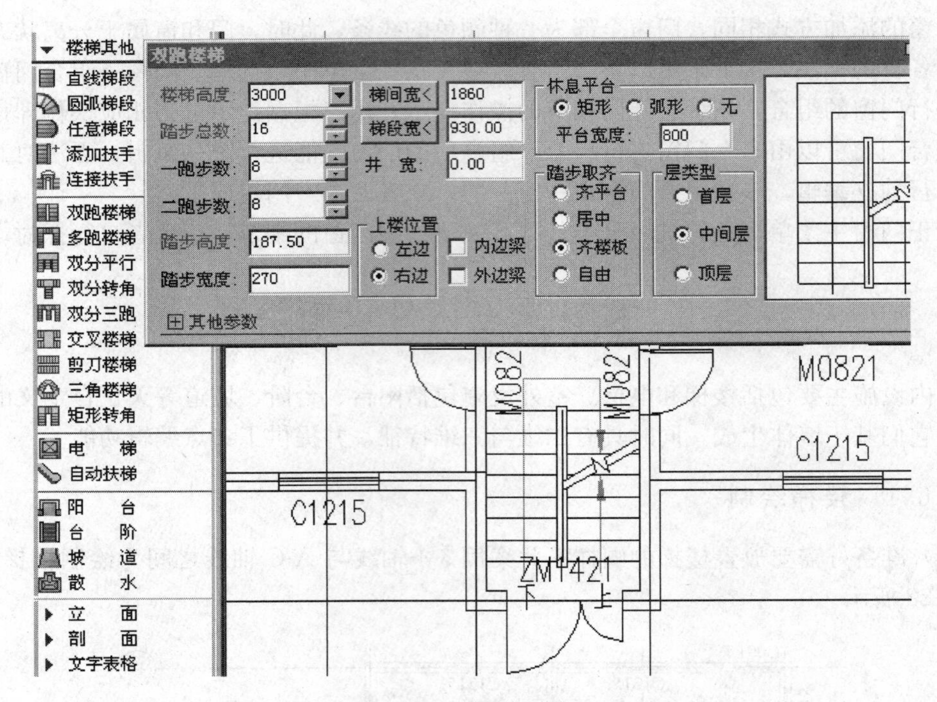

图 5-23 双跑楼梯对话框

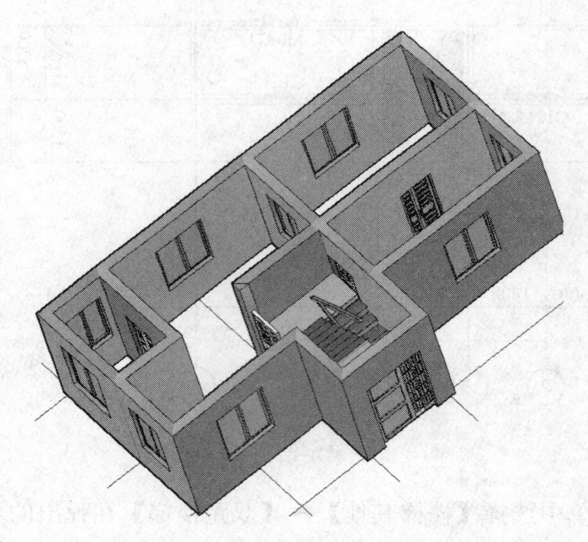

图 5-24 双跑楼梯 3D 图

5.6.2 室内外设施绘制

以阳台的绘制为例。

先进行墙线的绘制，然后就可以进行阳台的绘制了。

在天正主菜单中选择【楼梯其他】，在弹出的二级分类中，多数是绘制不同楼梯样式的命令。我们选择【楼梯其他—→-阳台】确定命令后，系统会出现提示，并弹出阳台的相应设置窗口，在阳台设置窗口中完成阳台的数据输入后，即可将鼠标移动到绘图面板。

系统会提示我们选择阳台的起点。选择需要设立阳台的地方，点击墙线进行起点的确定，确定起点后，CAD就会自动出现提示性线条，帮助用户确定阳台的位置和样式。

移动鼠标即可拉伸调整阳台的大小。调整到合适的位置后，单击鼠标确定终点，系统就会自动输出阳台，阳台线条和墙线类似，属于双线条，但比墙线细很多。

阳台的线条是紫色线条，和墙线属于不同的图层，以方便用户进行区分，阳台一般在一层以上的平面图中绘制，因此在图名标注时，要注意名称要在二层以上，如图 5-25 所示。然后在命令栏输入“3d”，点击回车，使用鼠标拖动，看动态的 3D 图，看阳台是否满足要求，否则修正，如图 5-26 所示。

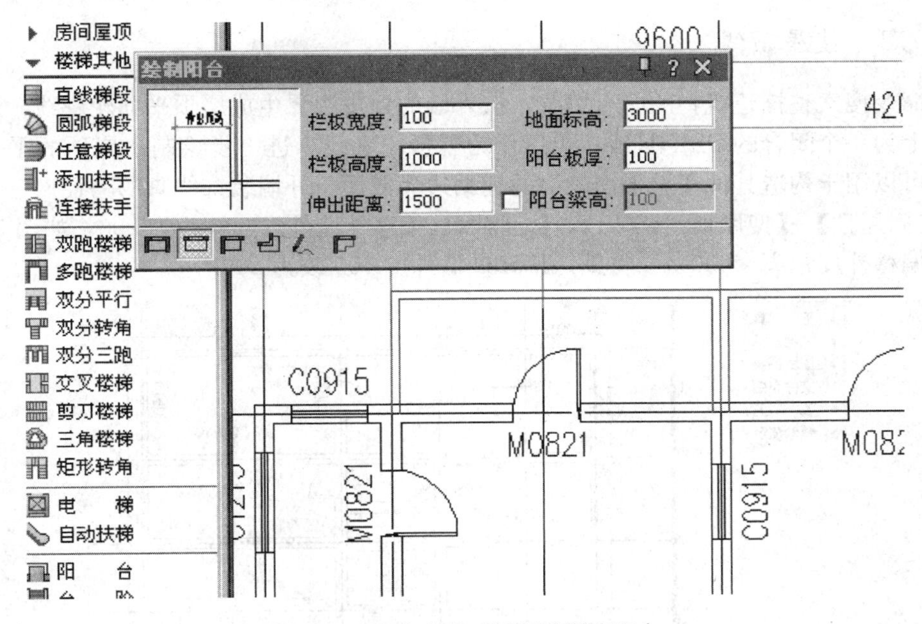

图 5-25　阳台参数对话框及插入阳台

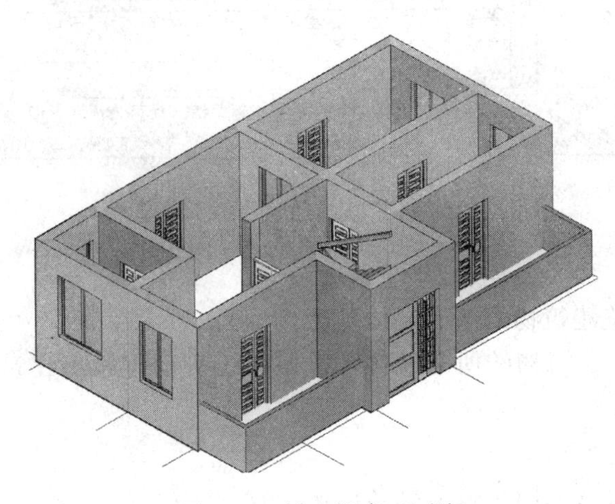

图 5-26　插入阳台 3D 图

5.7 屋顶的绘制

天正提供了多种屋顶造型功能，人字坡顶包括单坡屋顶和双坡屋顶，任意坡顶是指任意多段线围合而成的四坡屋顶、矩形屋顶（包括歇山屋顶和攒尖屋顶），用户也可以利用三维造型工具自建其他形式的屋顶，如用平板对象和路径曲面对象相结合构造带有复杂檐口的平屋顶，利用路径曲面构建曲面屋顶（歇山屋顶）。天正建筑软件中的屋顶均为自定义对象，支持对象编辑、特性编辑和夹点编辑等编辑方式，可用于天正节能和天正日照模型。

在工程管理命令的“三维组合建筑模型”中，屋顶可作为单独的一层添加，楼层号为顶层的自然楼层号加 1，也可以在其下一层添加，此时主要适用于建模。

5.7.1 搜屋顶线

本命令搜索整栋建筑物的所有墙线，按外墙的外皮边界生成屋顶平面轮廓线。屋顶线在属性上为一个闭合的 PLINE 线，可以作为屋顶轮廓线，进一步绘制出屋顶的平面施工图，也可以用于构造其他楼层平面轮廓的辅助边界或用于外墙装饰线脚的路径。

【房间屋顶】→【搜屋顶线(SWDX)】，将默认偏移外墙外皮 600 改为 200，如图 5-27 命令行：偏移外皮距离＜600＞：将默认偏移外墙外皮 600 改为 200。

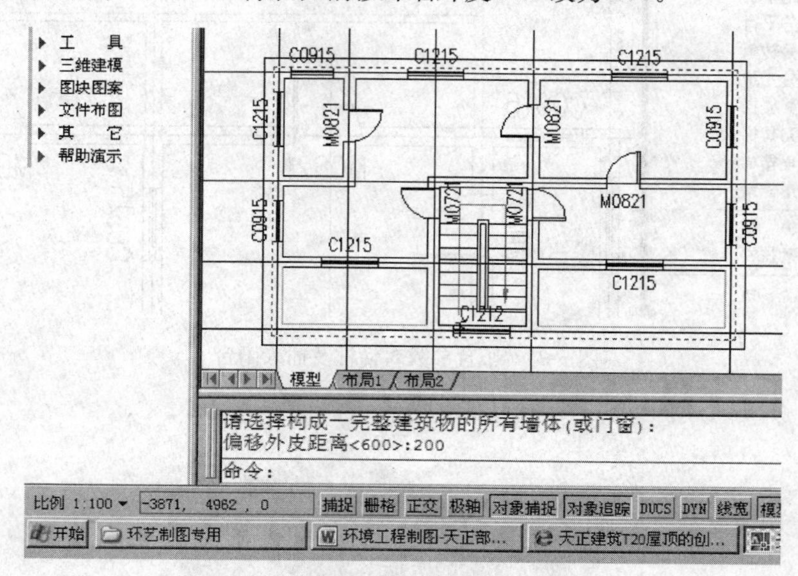

图 5-27 搜索整栋建筑物的所有墙线

点取菜单命令后，命令行提示：

请选择构成一完整建筑物的所有墙体（或门窗）：

应选择组成同一个建筑物的所有墙体，以便系统自动搜索出建筑外轮廓线。回车结束选择。

偏移外皮距离＜600＞：

输入屋顶的出檐长度或回车接受默认值。

此时系统自动生成屋顶线，在个别情况下屋顶线有可能自动搜索失败，用户可沿外墙外皮绘制一条封闭的多段线（Pline），然后再用 Offset 命令偏移出一个屋檐挑出长度，以后可把它当作屋顶线进行操作，如图 5-27 所示。注意：此图左前、右前均附加了临时的虚墙，目的是获取一个完整的矩形屋面。

5.7.2 人字坡顶

选取主菜单中的【人字坡顶】，命令行弹出：

请选择一封闭的多段线＜退出＞：* 取消 *

选取闭合的多段线之后，命令行弹出：

输入屋脊线的起点＜退出＞：* 取消 *

选取设计指定的屋脊线。考虑要设计成平屋顶，选择 a、b 屋檐线为“屋脊”，如图 5-28 所示。

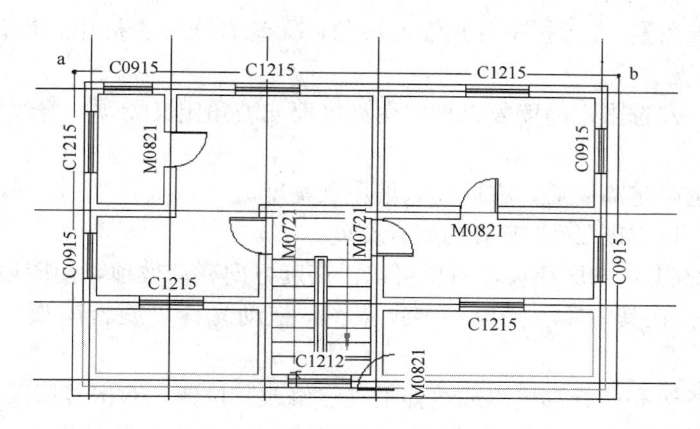

图 5-28 选取屋脊线

以闭合的 PLINE 为屋顶边界生成人字坡屋顶和单坡屋顶。两侧坡面的坡度可具有不同的坡角，可指定屋脊位置与标高，屋脊线可随意指定和调整，因此两侧坡面可具有不同的底标高，除了使用角度设置坡顶的坡角外，还可以通过限定坡顶高度的方式自动求算坡角。此时创建的屋面具有相同的底标高。

若在此制作平屋面，就将“人字坡顶”对话框中的“左坡角、右坡角”设为 0，如图 5-29 所示。

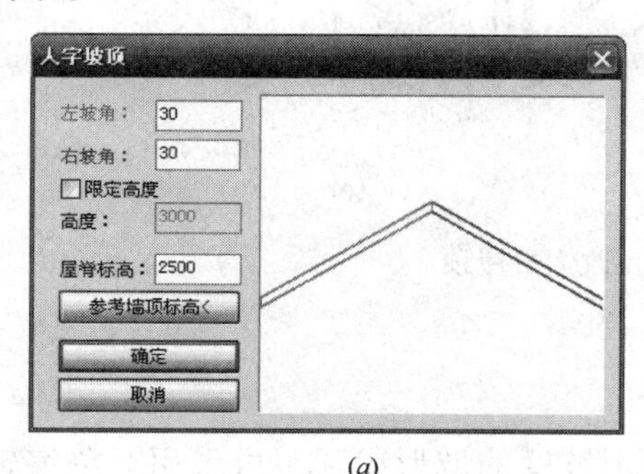

(*a*)

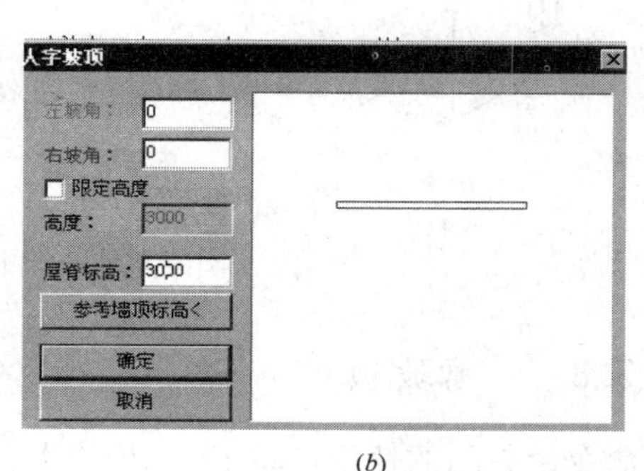

(*b*)

图 5-29 人字坡顶对话框

参数输入后单击【确定】，随即创建人字屋顶。以下是其中参数的设置规则：

如图 5-29 所示，如果已知屋顶高度，勾选【限定高度】，然后输入高度值，或者输入已知坡角，输入屋脊标高（或者单击“参考墙顶标高<”进入图形中选取墙），单击【确定】绘制坡顶，屋顶可以带下层墙体在该层创建，此时可以通过【墙齐屋顶】命令改变山墙立面对齐屋顶，也可以独立在屋顶楼层创建，以三维组合命令合并为整体三维模型。

（1）勾选【限定高度】后可以按设计的屋顶高创建对称的人字屋顶，此时如果拖动屋脊线，屋顶依然维持坡顶标高和檐板边界范围，但两坡不再对称，屋顶高度不再有意义。

（2）屋顶对象在特性栏中提供了檐板厚参数，用户可修改，该参数的变化不影响屋脊标高。

（3）【坡顶高度】是以檐口起算的，屋脊线不居中时坡顶高度没有意义。

【人字坡顶】对话框控件的说明：

【左坡角/右坡角】：在各栏中分别输入坡角，无论脊线是否居中，默认左右坡角都是相等的。

【限定高度】：勾选限定高度复选框，用高度而非坡角定义屋顶，脊线不居中时左右坡角不等。

【高度】：勾选限定高度后，在此输入坡屋顶高度。

【屋脊标高】：以本图 Z＝0 起算的屋脊高度。

【参考墙顶标高】：选取相关墙对象可以沿高度方向移动坡顶，使屋顶与墙顶关联。

【图像区域】：在其中显示屋顶三维预览图，拖动光标可旋转屋顶，支持滚轮缩放、中键平移。

人字屋顶的各边和屋脊都可以通过拖动夹点修改其位置，双击【屋顶对象】进入对话框修改屋面坡度，如图 5-30 所示，为将人字坡屋顶改为平屋顶的效果。

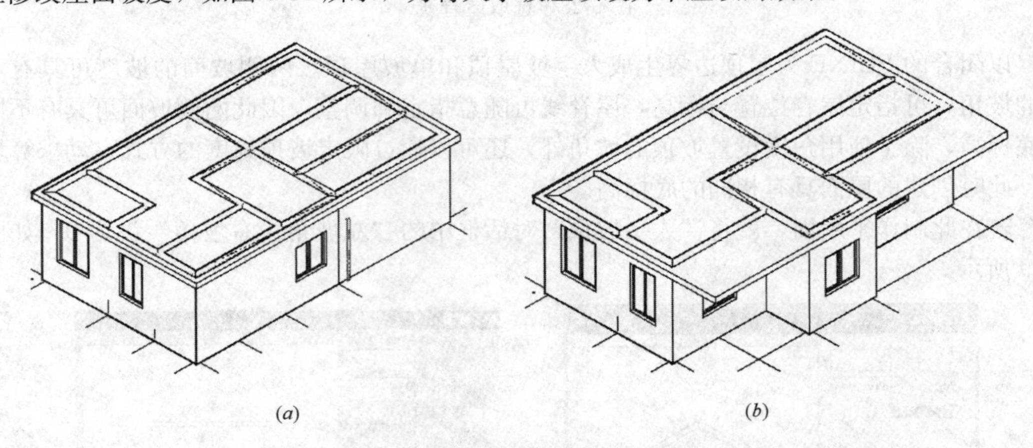

图 5-30　将人字坡顶改为平屋顶

5.7.3　任意坡顶

本命令由封闭的任意形状 PLINE 线生成指定坡度的坡形屋顶。可采用对象编辑单独修改每个边坡的坡度，可支持布尔运算，而且可以被其他闭合对象剪裁。

【房间屋顶】→【任意坡顶（RYPD)】。点取菜单命令后，命令行提示：

选择一封闭的多段线<退出>：(点取屋顶线。)

请输入坡度角<30>：(输入屋顶坡度角)

出檐长<600.000>：(如果屋顶有出檐，输入与搜屋顶线时输入的对应偏移距离，用于确定标高。)随即生成等坡度的四坡屋顶，可通过夹点和对话框方式进行修改，如图5-31 所示。

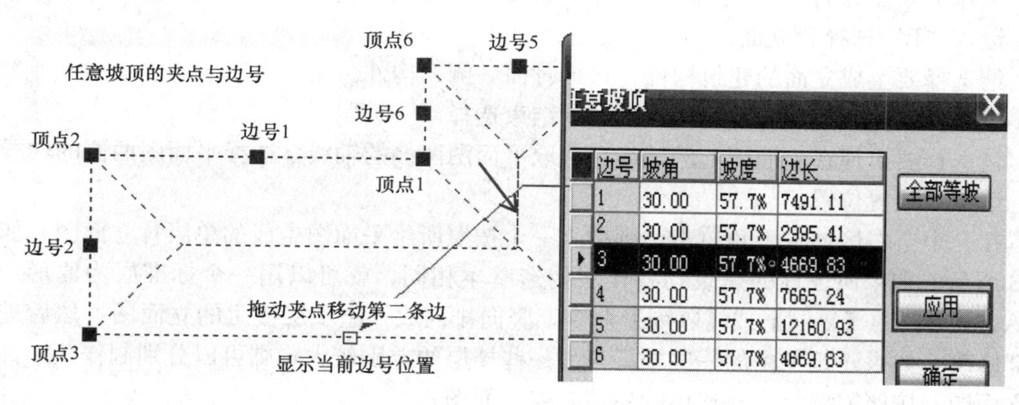

图 5-31　夹点修改案例

5.8　立 面 图 绘 制

如图 5-32 所示，天正主菜单下的【立面】二级菜单中，单击【建筑立面】菜单，将提供【单层立面】和【构件立面】三个选项，可以用平面图生成立面图，三个命令的使用的功能各有侧重。

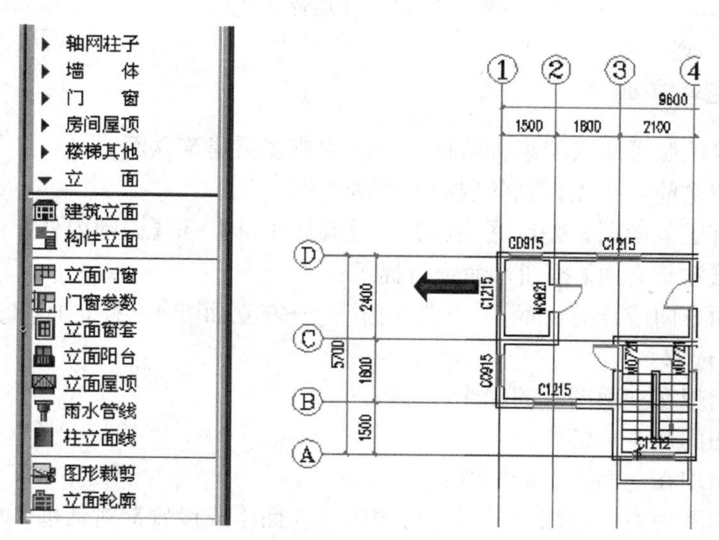

图 5-32　主菜单中的立面图信息

5.8.1 单层立面

此命令可以用单层平面图生成对应的单层立面图。

生成立面图之前，先打开标准层平面图图形，识别内外墙。

单击【单层立面】按钮，命令行提示：

请输入立面方向或{正立面[F]/背立面[B]/左立面[L]/右立面[R]}＜退出＞：

键入“B”选择背立面。

请选择要生成立面的建筑构件：选择背面一侧的构件。

请选择要生成立面的建筑构件：回车结束选择

请选择要出现在立面图上的轴线：选取平面图两侧的轴线（选择平面图两侧的轴线）

请点取放置位置：

在一个空白区域左下角单击，则插入一个按照所给平面图生成的单层背立面图，如图5-33所示。如果所设计的建筑物各楼层构造基本相同，就可以用一个标准层为原形，通过AutoCAD的【复制】或【阵列】命令，竖向排列成一座多层楼房的立面图，然后进行局部修改。如果建筑物中的一些楼层与另一些楼层的差别较大，则可以分别制作几个标准层立面图，按照需要组合成整体的建筑多层立面图。

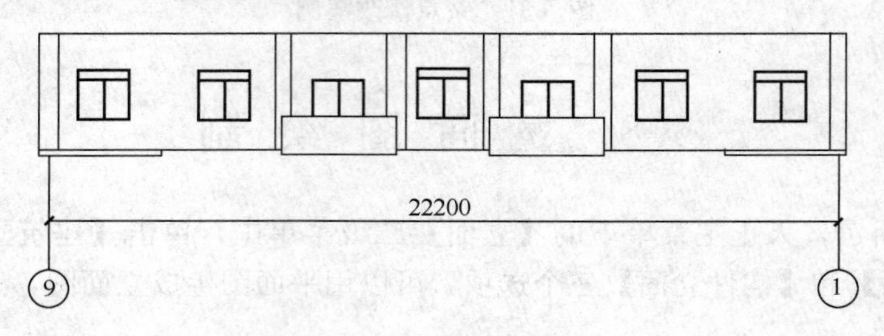

图5-33 生成单层背立面图

5.8.2 建筑立面

此命令可以按照楼层表的组合数据，一次生成多层建筑立面。

生成立面图之前，要先识别各层的内外墙。

首先打开首层平面图，先用【墙体】→【墙体工具】→【识别内外】命令识别建筑内外墙，再单击【建筑立面】按钮，命令行提示：

请输入立面方向或{正立面[F]→背立面[B]→左立面[L]→右立面[R]}＜退出＞：

输入“F”选取。

请选择要出现在立面图上的轴线：

点取平面图的最左端轴线。

请选择要出现在立面图上的轴线：

再点取平面图的最右端轴线，回车后弹出【立面生成设置】对话框，在对话框中设置各项参数，如图5-34所示。

在生成立面之前，要先设置好【楼层表】，单击对话框中的【楼层表】按钮，系统弹出［楼层表］对话框，如果该对话框中没有内容，则需要设置。其中：第一列为各标准层对应的自然层层号，第二列为标准层图形文件名，第三列为标准层层高。表中每一行为一个标准层的楼层信息。

设置好［楼层表］对话框参数，则在【DWG 文件名】一栏出现“首层平面图”字样，在【层高】一栏列出平面图当前的层高值 3000。此层高值与相应平面图的当前层高值是一致的。单击 AutoCAD 的【工具】→【选项】下拉菜单，显示［选项］对话框，在【天正基本设定】选项卡中可以设置【当前层高】参数。用上述方法生成的立面图有时会存在一些问题，可用 AutoCAD 的命令修改在生成过程中多余或遗漏的图线。立面图的合成如图 5-35 所示。

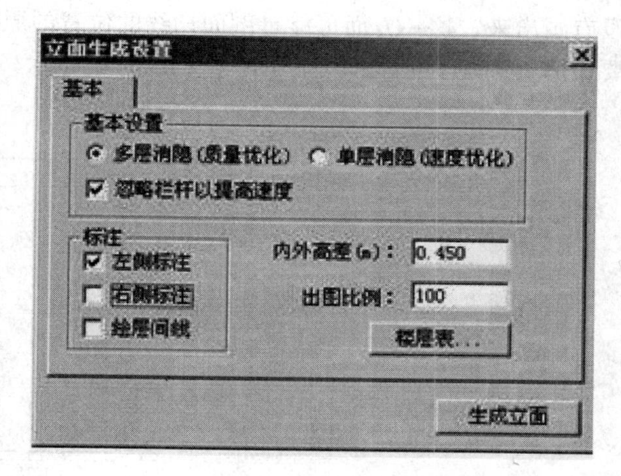

图 5-34　【立面生成设置】对话框

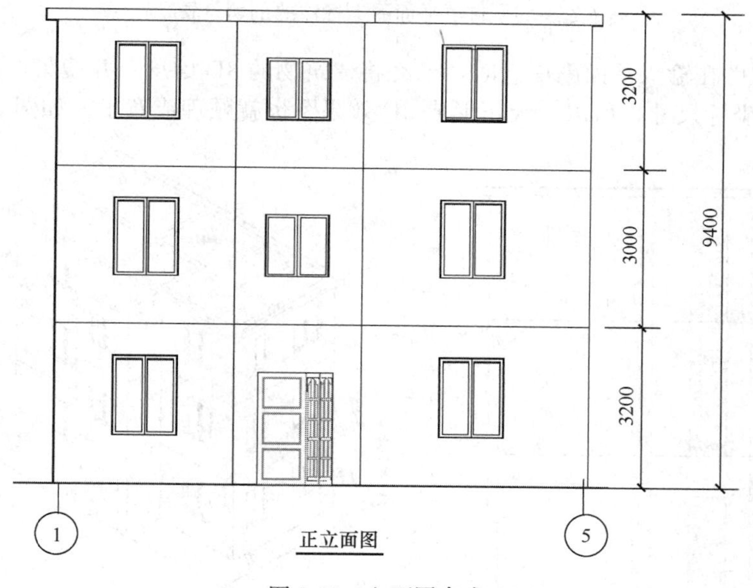

图 5-35　立面图合成

5.9　剖面图的绘制

因为剖面图是从某一个位置剖开的，所以需要先确定一个剖切位置，参见图 5-36 首层平面图上标注的剖切位置 1—1。点击天正主菜单里的【剖面】→【建筑剖面】选项，在平面图上点击选择刚刚确定的剖切位置（剖切线），注意：如果画了多条剖切线，选择自己需要的即可。命令行提示选择剖视图要出现的轴线。点击“剖面生成设置”对话框右下角“生成剖面”，然后找到保存剖面图的位置，点击“保存”，这时候就生成了一个剖面图，如图 5-37 所示。生成的剖面图是不能够完全使用的，不少地方有些问题，有的线条没有画出来，这一方面可能是剖面切线的位置的原因，另一方面可能是软件的因素，都需要用 AutoCAD 进行修改添加，参见图 5-37 所示。

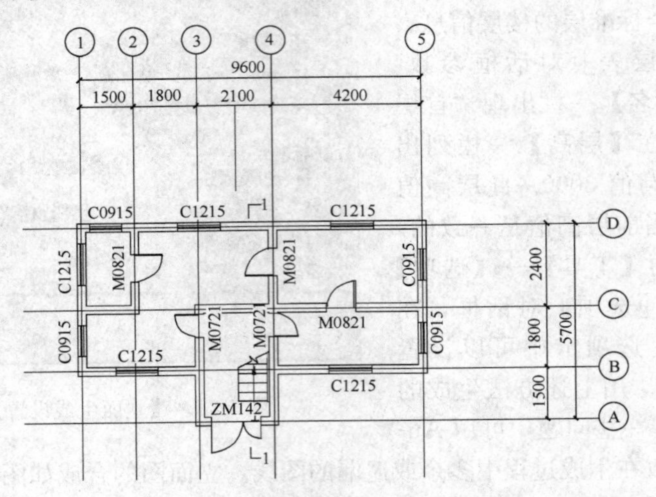

图 5-36　首层平面图上标注的剖切位置

因天正软件在输入平面图信息时，已经将建筑物的 3D 信息一并搜集，天正的二维图里包含着三维坐标尺寸，所以，天正形成 3D 效果图也就顺理成章了，如图 5-38 所示。

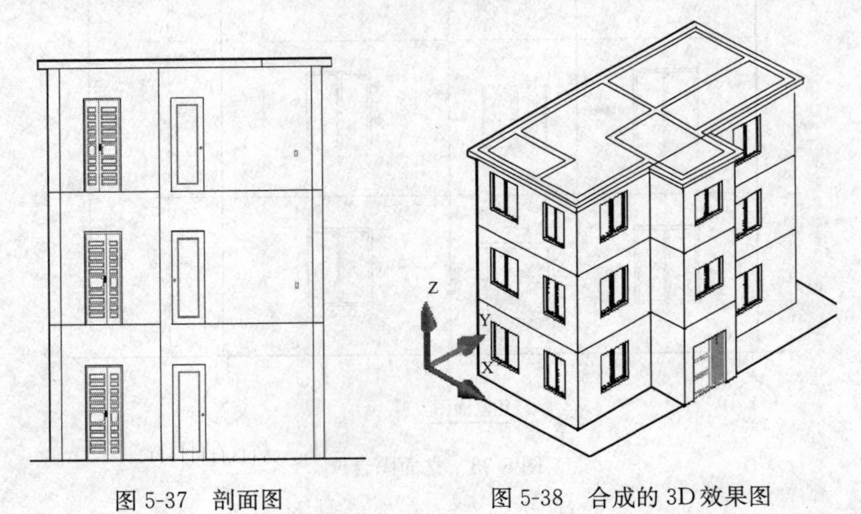

图 5-37　剖面图

图 5-38　合成的 3D 效果图

第6章 建筑施工图

6.1 建筑施工图概述

建筑是人们生活和生产的空间环境。建筑主要指建筑物，其次为构筑物。建筑物是供人们生产、生活及其他活动空间的建筑；而人们不能直接在其内部进行某种活动的设施一般称为构筑物，如烟囱、围墙、堤坝等建筑。

为建筑物外部、内部的形状、构造、施工要求、装修装饰等所设计和绘制的图样与文字称为建筑施工图，如图 6-1 所示。

6.1.1 建筑的类型

1. 建筑的类型

房屋建筑是人类生产、生活的重要场所。仅按建筑物使用性质，将其分为民用建筑（如住宅，见图 6-2，宿舍、学校、医院、商场、车站、影剧院等）、工业建筑（如生产厂房，见图 6-3）、贮藏室（仓库）、动力站（锅炉房，见图 6-4）、农业建筑（如温室，见图 6-5，粮仓、拖拉机站）等。

2. 房屋的组成及作用

各种房屋建筑无论其功能如何，一般都是由基础、墙、柱、楼面（楼层板）、屋面（屋顶）、楼梯、门窗和其他构件如阳台、雨篷、台阶等组成。它们处于建筑的不同部位，各自发挥不同的功能和作用，如图 6-6 所示。

基础——建筑物最下部的承重构件。承受建筑物的全部荷载，并把全部荷载传递给地基。

墙——建筑物的承重构件和维护构件。它承受着建筑物由屋顶及各楼层板传来的荷载；同时，作为维护构件，外墙能抵御自然界各种风沙雨雪对室内的侵袭，内墙则可分隔空间、组织房间、隔声阻光。

柱——主要承受其上方结构的荷载，因为对框架结构的建筑物而言，墙主要起维护作用。

梁——主要承受水平力或弯矩、抗剪及拉力。对框架结构的梁而言，混凝土主要承受压力，钢筋承受拉力。

楼层板——水平方向的承重构件，用来分隔楼层空间，并承受人、家具、设备等的荷载。

地层——是底层房间与土壤的隔离构件，除承受作用在其上的荷载外，应具有防潮、防水、保温等功能。

楼梯——楼房建筑的垂直交通设施。

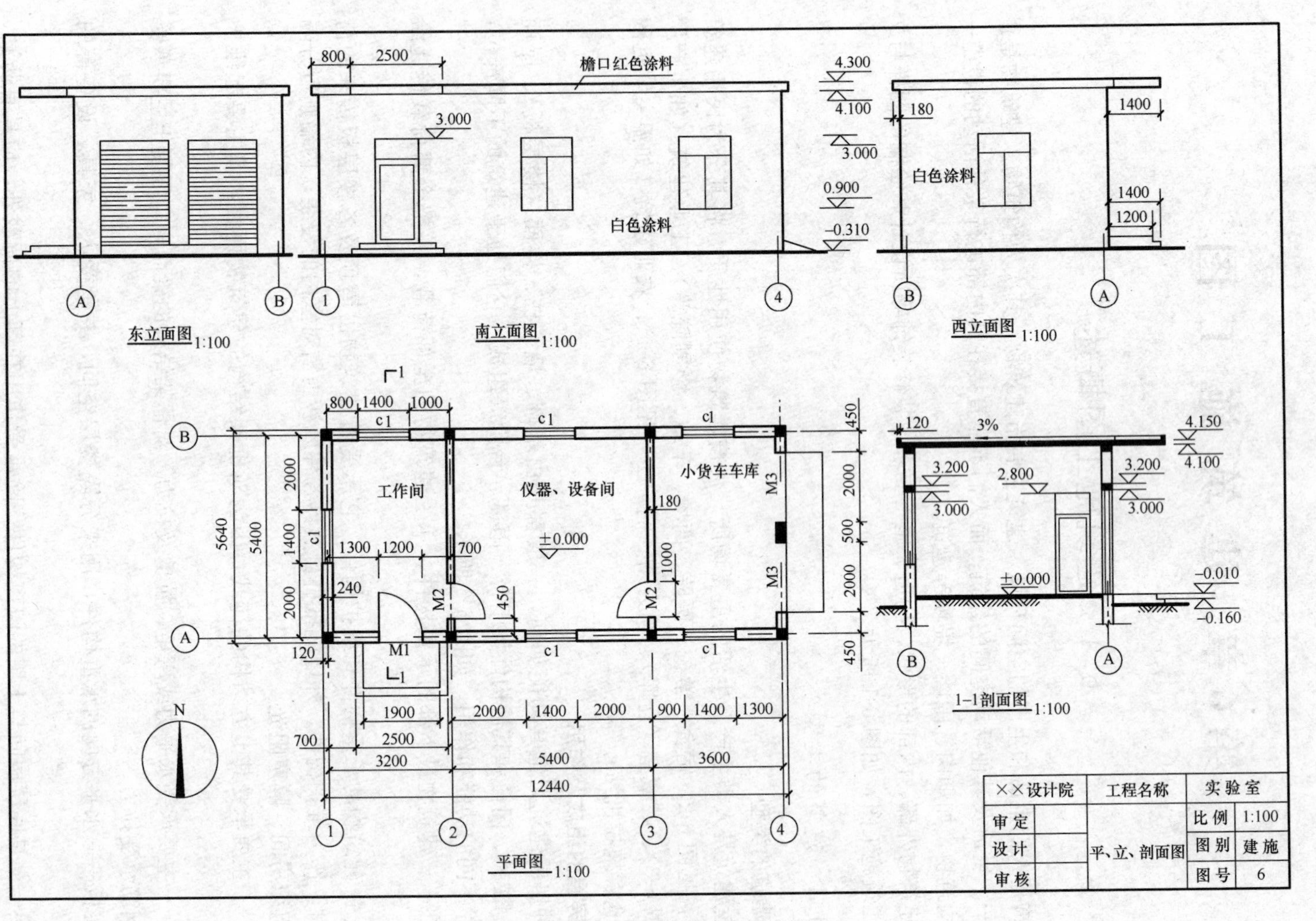

图 6-1 较简单的建筑施工图举例

图 6-2　住宅

图 6-3　厂房

图 6-4　锅炉房及构筑物烟囱

图 6-5　温室

屋面——房屋顶部的围护构件和承重构件，它应具有坚固耐用、防水、保温、隔热等功效。

门窗——通行、通风、采光、观瞻、分隔围护及内外联系功能。它们均属非承重构件。

3. 房屋建筑施工图的产生过程

房屋的建筑施工是复杂的物质生产过程，首先设计再施工。整个设计过程必须按国标中的专业规定进行，全面调查研究、全盘考虑、认真细致地绘制每一张图样。

建筑设计过程需要不同专业人员共同合作，一般分为初步设计、技术设计、施工图设计三个阶段。

初步设计阶段：设计人员根据建设部门提出的具体任务和要求，首先应进行实地考察，了解该建设项目所处的地形、气象等条件，收集必要的设计资料，提出初步设计方案，绘制出平面、立面、剖面图及总平面图。初步设计阶段的图形表达手段比较灵活，比如可以在平面图上用单线线条表示墙；立面图上加绘阴影渲染；制作三维效果图等，以此表达出设计意向。初步设计阶段还应完成工程概算书、技术经济分析等文件。初步设计方案需经有关部门审查、批准后方能进入技术设计阶段。

技术设计阶段 ：根据报批获准的初步设计方案，在项目负责人的主持下，对工程进行专业之间的技术协调，发现问题妥善处理。这阶段的设计方案图被称为技术设计图。显然，技术设计过程使初步设计进入具体化阶段，为绘制建筑施工图做准备。较大的建筑项目技术设计方案仍需有关部门审批，而多数中、小型建筑工程此过程均省略，往往放在初步设计阶段完成。

施工图设计阶段：主要依据报批获准的技术设计方案，并在此基础上要求建筑、结

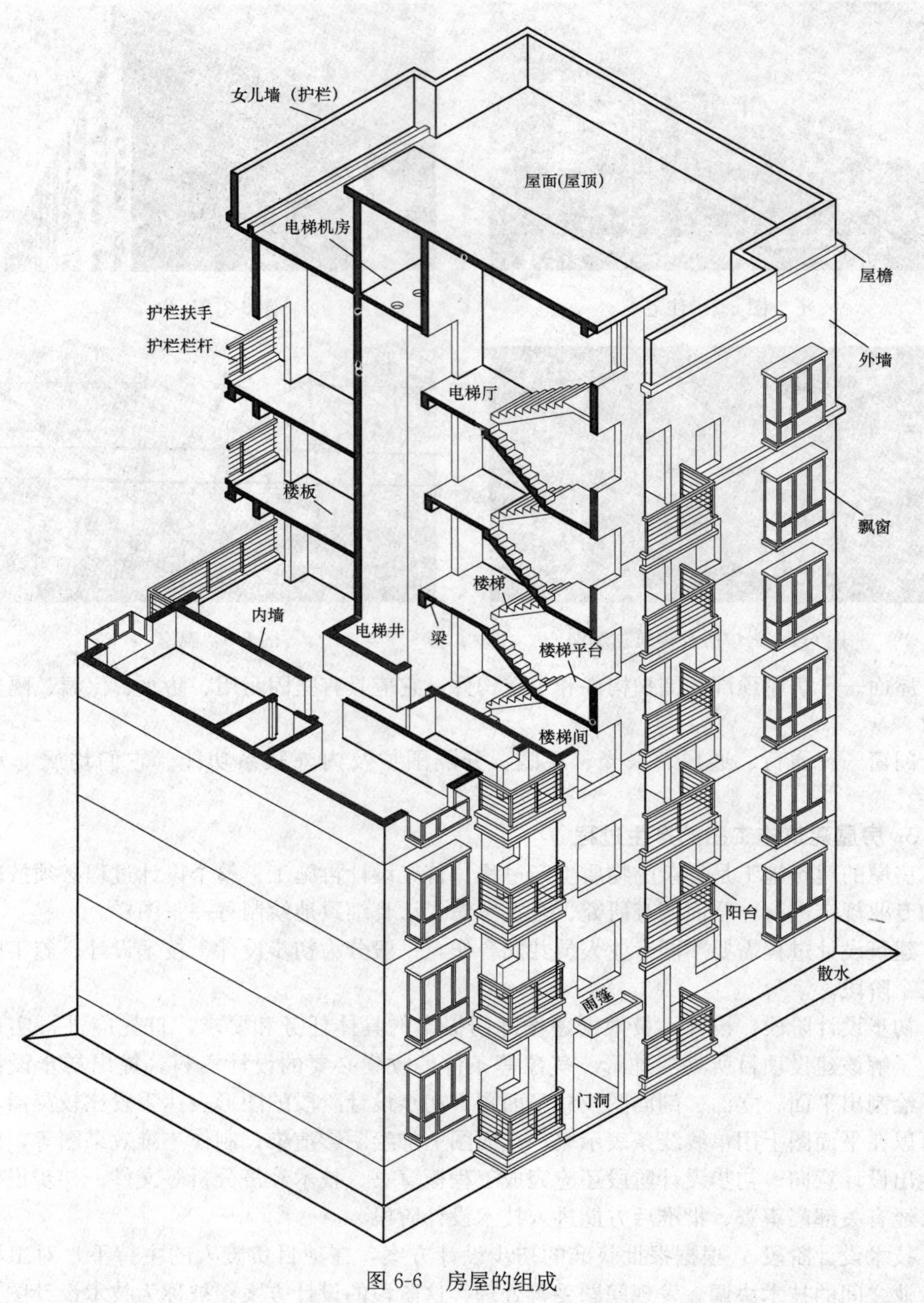

图 6-6　房屋的组成

构、设备等专业完成各自详尽的设计图样，将施工中所需要的具体要求都全部地明确地反映到施工图中，使工程对象在各自专业图中表达清楚，真正成为施工、监理、监督的重要依据。房屋建筑施工图需报有关部门审批并存档。

4. 房屋建筑施工图的内容

房屋建筑施工图必须遵守各专业的相关设计标准，具体绘制必须遵守《房屋建筑制图统一标准》。

每套完整的房屋建筑施工图，均应包括图样目录、设计总说明、建筑施工图、结构施工图、设备施工图等。

(1) 图纸目录：图纸目录又称标题页，编制图纸目录的目的是为便于查找图纸。

(2) 设计总说明：是建筑施工图主要的文字部分。目的是说明在建筑施工图上未能详细表达或不易用图形表示的具体内容，如建筑面积、造价、设计依据、用料选择、数量统计、照明标准等。设计总说明一般放在一套施工图的首页，所以又叫建筑首页。设计总说明有时包括结构和设备施工图中的专业说明，有时分别进行。

(3) 建筑施工图（简称建施）：主要表达建筑物的内外总体布局，形状、构造；内外装饰标准；施工要求标准等。其相应的图样包括总平面图、平面图、立面图、剖面图、详图、门窗表等。

(4) 结构施工图（简称结施）：主要表示房屋承重结构的布置情况，形状、大小、所用材料、构造做法等。其相应的图纸包括基础图、结构布置平面图、各构件的结构详图，如柱、梁、板、楼梯、雨篷等。

(5) 设备施工图（简称设施）：包括给水排水设备施工图；冷暖、通风设备施工图；电气照明及部分弱电项目施工图；各种管线布置及接线原理图、系统图等。

(6) 装修施工图：对有较高装修标准的建筑物单独绘制，一般不包括在建筑施工图范畴。

6.1.2 建筑施工图特点

施工图对建设项目而言负有质量、效果、技术等法律责任，因此，施工图设计需严肃认真，一丝不苟。

施工图设计必须尊重既定的基本构思，如有较重大的改动，应考虑调整初步设计方案，或重新进行方案设计。

现代建筑涉及许多领域除传统内容外，还要考虑绿色环保、建筑节能等环节，各工种、各专业之间必须通过反复磋商协调，才能形成一套比较可靠、经济、精确、施工方便的施工图。

6.1.3 建筑施工图图示特点

(1) 施工图中各图样，主要依据正投影原理绘制。并在 H 面上绘制平面图、在 V 面上绘制立面图、在 W 面上绘制剖面图或侧立面图，以上平面图、立面图、剖面图作为施工图中的核心图样，常被简称为“平、立、剖”。在图幅大小合适的情况下它们应画在同一张图纸上，并尽量保持“三等关系”。

(2) 因房屋形体庞大，施工图常采用缩小比例绘制，如 1：100、1：200 等。对于房屋的某些构件、配件、施工要求较复杂的结构和部位需要绘制详图，它们的绘制比例一般用 1：50、1：20、1：1 等。施工图比例的选择应参考国标中比例系列。

(3) 正确选择施工图线型和线宽，以满足视觉思维的需求，分清建筑物主次轮廓关系，使图面结构分明、整洁清晰。

(4) 施工图常采用国标中的规定画法和图例，目的是简化绘图便于读图，如标高符号、卫生设备、建筑构配件图例等。

(5) 在施工图中，许多构配件的设计已经定型，并有标准设计图（通用图集）供参考使用。从层次上图集分为国家标准图集、地方标准图集；从种类上图集分为整幢建筑的标准图集及当前大量使用的建筑构配件标准图集。绘制施工图时，在采用国家标准定型设计之处，标出标准图集的编号、图号即可。

6.1.4 阅读建筑施工图

阅读建筑施工图的前提条件是，必须掌握正投影原理及方法，并能熟练应用剖面、断面技巧绘制和阅读组合体视图，有较好的三维空间想象能力，有一定的实践经验。

总之，要读懂施工图，应具备以下几点。

1. 掌握基本的投影原理和形体的表示法。

2. 熟悉施工图中的常用图例、符号、线型、尺寸、比例等的重要意义。

3. 对初学者来讲，应学会利用身边的建筑物仔细观察感悟其中奥妙，了解其构造组成，为以后学习专业知识服务。

4. 熟悉相关国标内容。阅读施工图时，应首先根据图样目录把全部图样大致通读一遍，以便了解工程项目的建设地点、周边环境、建筑特点、建筑规模与形状等主要内容。然后，再深入仔细阅读。阅读过程应按先文字说明后图样、先整体后局部、先图形后尺寸等读图经验进行。

6.2 建筑施工图中常用的符号

6.2.1 定位轴线

在施工图中，凡承重墙、柱子、大梁或屋架等主要承重构件，都应画出轴线来确定它们的位置，建筑物的定位轴线是施工放线的重要依据，如图 6-7 所示。其画法及编号规定是：

(1) 定位轴线采用细点画线表示。

(2) 定位轴线需要编号。在水平方向也就是从左向右的编号采用阿拉伯数字，由左向右依次注写，并称为横向定位轴线。在垂直方向也就是从下向上竖直方向的编号采用大写拉丁字母从下向上顺序注写，并称为纵向定位轴线。轴线编号一般标注在图的下方及左侧，如图 6-7 所示。

(3) 标注定位轴线所用的拉丁字母 I、O 及 Z 三个字母不得用为轴线编号。

(4) 轴线编号的圆圈直径为 8mm，用细实线画出，如图 6-8 (a) 所示。

(5) 在两个轴线之间，如有附加轴线时，编号可用分数表示，分母表示前一轴线的编号，分子表示附加轴线的编号，用阿拉伯数字顺序编写。其表示方法如图 6-8 (b) 所示，其中左图表示编号 2 轴线后面有一条附加轴线，右图表示在 D 轴线后附加了第 2 条轴线。

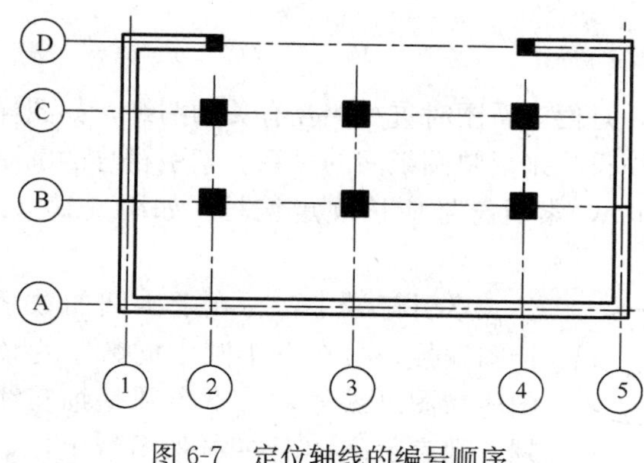

图 6-7 定位轴线的编号顺序

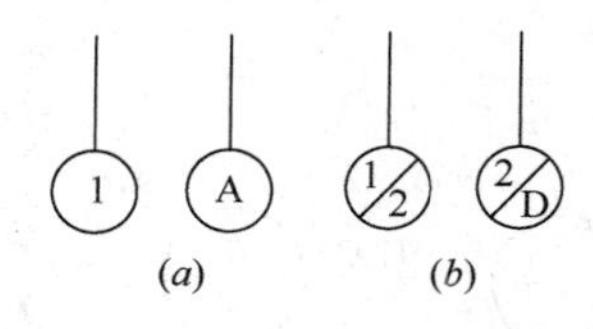

图 6-8 轴线

(a) 定位轴线；(b) 附加轴线

6.2.2 标高

在建筑工程中标注建筑物高度的尺寸数字称做标高，在建筑工程制图标准中，规定了它的标注方法。

在建筑工程上使用的标高有绝对标高和相对标高两种。

绝对标高：我国把青岛附近黄海海平面某处的验潮湖定为绝对标高的零点，其他各地标高以此作为基准。

相对标高：为了简便，在房屋建筑设计与施工图中一般都采用假定的标高，并且把房屋的首层室内地面的标高定为该工程相对标高的零点，在建筑施工图上主要标注相对标高。在总平面图上，相对标高零点对应的绝对标高值如±0.000＝40.500 即房屋在室内首层地面的绝对标高是 40.500m。本教材相对标高基准为首层客厅地面。

标高符号如图 6-9*a* 所示，三角形的两斜边与水平线成 45°，三角形的高为 3 毫米，其水平线长度一般以注写标高数字时确定。总平面图上的标高符号用涂黑三角形表示，一般为绝对标高，如图 6-9（*b*）所示。

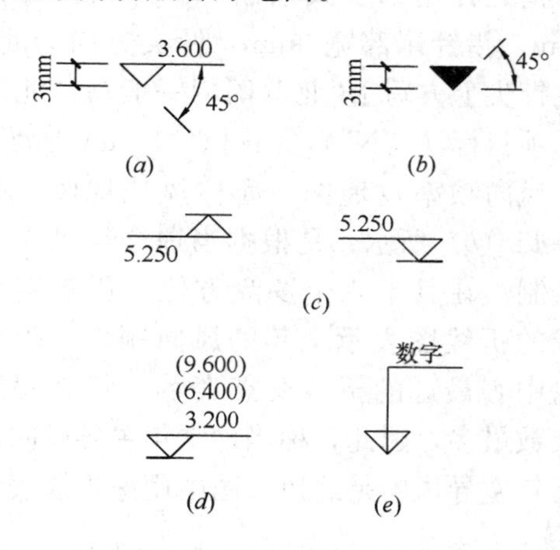

图 6-9 标高符号及其标注方法

标高注写方法如下：

（1）标高数字以米为单位，一般数值标注至小数点以后第三位。在总平面图中，可注写到小数点以后第二位。

（2）零点的标高注为±0.000，正数标高数字前一律不加正号，如 3.000、0.500。负数标高数字前必须加注负号，如－1.500、－0.300。

（3）标高符号的尖端可以向上或向下指。注写数字的位置如图 6-9（*c*）所示。

（4）在一个工程图中，如同时表示几个不同的标高时可重叠标注，其标注方法如图 6-9（*d*）所示。

（5）特殊情况时的标高标注方式如图 6-9（*e*）所示。

6.2.3 索引符号与详图符号

在施工图上使用索引符号及详图符号，是便于看图时查找相互有关的图纸，如图样中的某一局部或构件，需另见详图时应以索引符号来反映图纸间的关系。索引符号的圆圈及直线均以细实线绘制。圆圈的直径为 10mm，索引符号应按规定编写，如图 6-10（*a*）、（*b*）所示。

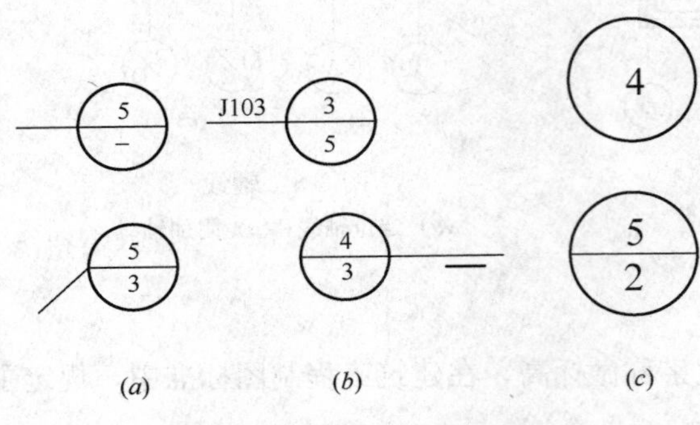

图 6-10 索引符号与详图符号

索引符号中，写在上半圆的数字为详图编号；写在下半圆中的数字为该详图所在图纸编号，若下半圆是细实线短划，则表示该详图在本张图纸上，如图 6-10（*a*）所示。图6-10（*b*）中，上面索引符号 J103 为标准图册代号；图 6-10（*b*）中，下面索引符号用于局部剖面详图索引，并画有用粗实线表示的剖切位置符号。

详图符号的圆用粗实线绘制，其直径为 14mm。当详图与被索引的图样在一张图纸内时，应在详图符号内注明详图编号，如图 6-10（*c*）之上图所示；当详图与被索引的图样不在一张图纸内时，应在上半圆注明详图编号，下半圆注明被索引图纸编号，如图 6-10（*c*）之下图所示。

6.2.4 指北针与风向频率玫瑰图

指北针用细实线绘制，其外圆直径为 24mm，指针尾部宽 3mm，针尖方向为北，并在针尖上方写上“北”(国内一般写“北”，涉外项目标注“N”)，如图 6-11（*a*）所示。

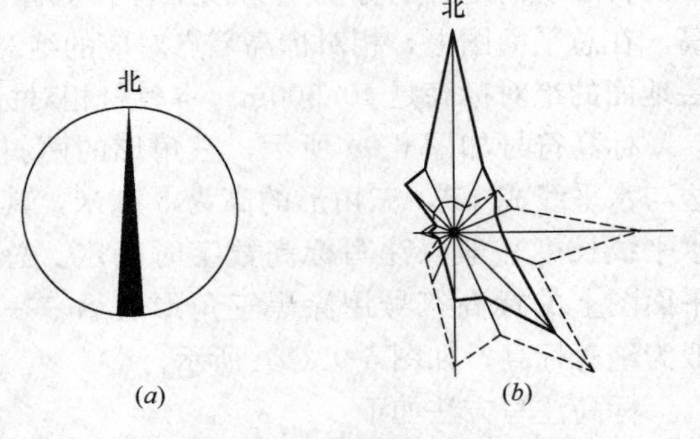

图 6-11 指北针与风向频率玫瑰图

风向频率玫瑰图，简称风玫瑰图，如图 6-11（*b*）所示。是根据当地全年风向资料绘制，在其十六个罗盘方位上用粗实线围成的折线图表示全年的风向频率，距离罗盘中心最远的折线交点表示一年之间刮风天数最多，因此，称当地常年主导风向，如图 6-11（*b*）中的风玫瑰图最北点说明，当地常年主导风向是北风。图中用虚折线表示当地夏季六、七、八月的风向频率。

6.2.5 多层构造引出线的标注

多层构造共用引出线，应通过被引出的各层。相关文字说明注写在水平引出线的上方或端部，说明的顺序由上至下必须与被说明的层次由上至下一致，如图 6-12（*a*）所示；被说明的结构层次如果是由左至右的，注写顺序仍然是由上至下，如图 6-12（*b*）所示。

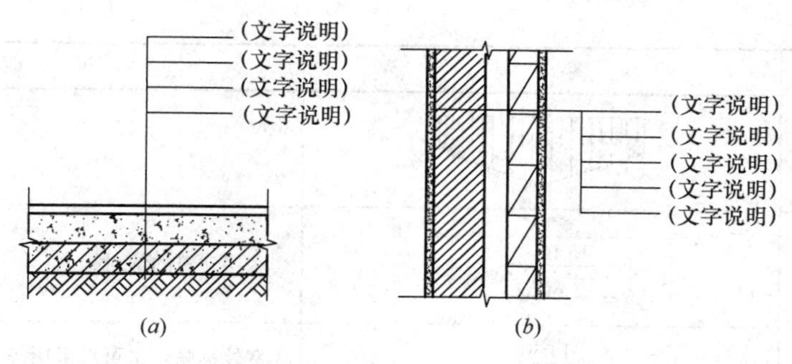

图 6-12　多层构造引出线的标注

6.3　总　平　面　图

首先了解一些常见的总平面图图例，见表 6-1。

部分总平面图例　　**表 6-1**

名称	图　例	说　明
新建建筑物		1. 轮廓为粗实线 2. 涂黑三角形表示出入口 3. 右上角点数或数字表示层数
原有建筑物		用细实线绘制
计划扩建的预留地或建筑物		用中虚线绘制
拆除的建筑物		用细实线绘制
铺砌场地		外轮廓中实线内细实线
敞棚或敞廊		用细实线绘制
围墙及大门		围墙和大门 上图为实体形式，下图为通透式
挡土墙		被挡的土在粗虚线一侧
填挖边坡		1. 此符号在边坡较长时，可在一端或两端表示 2. 符号下边的线为虚线时为填方

续表

名称	图 例	说 明
护坡		
室内标高	15.100	底层建筑的绝对标高
室外标高	14.300	室外标高，也可以采用等高线表示
道路		用细实线
计划扩建的道路		用中虚线
拆除的道路		
人行道		
台阶		箭头指向上
测量坐标	*X*=15342.951 *Y*=24778.710	*X* 为南北方向 *Y* 为东西方向
施工坐标	*A*=15337.483 *B*=24778.710	*A* 为南北方向 *B* 为东西方向
桥梁		上图为公路桥 下图为铁路桥
雨水口		

续表

名称	图　例	说　明
冷却塔（池）		中实线、应注明塔（池）
水池、坑槽		在原有轮廓上加细实线
花卉		
针叶乔木		
阔叶乔木		
针叶灌木		
修剪的树篱		

6.3.1 建筑总平面图的形成

建筑总平面图是表示新建房屋及其周围总体情况的图纸。它是用正投影法及相关图例并结合地形图而画出，把已有建筑物、新建的建筑物、将来拟建的建筑物以及道路绿化等内容按与地形图同样比例画出来的平面图，如图 6-13 所示。

总平面图常用的比例是：1∶500，1∶1000 及 1∶2000。

总平面图是新建房屋施工定位、土方施工以及其他专业，如给水、排水、供暖、电气及燃气等工程，管线总平面图和施工总平面图设计布置的依据。

6.3.2 总平面图包括的内容

1. 新建建筑物的名称、层数、室内外地面的标高。建筑物只画出平面外形轮廓线。此外，还要画出新建道路、绿化、场地排水方向和管线的布置。

2. 原有建筑物的层数、名称以及与新建房屋的关系。此外，还要表示出原有道路、绿化和管线的情况。

3. 将来拟建的房屋建筑物、道路及绿化等。

4. 规划红线的位置。地形图上坐标方格网的方向及坐标值。建筑物、道路与规划红线的关系及其坐标，地下管线的位置等。

5. 地形（坡、坎、坑、塘）、地物（树木、线杆、井、坟等）等。

6. 指北针、风向玫瑰图等，如图 6-13 所示。

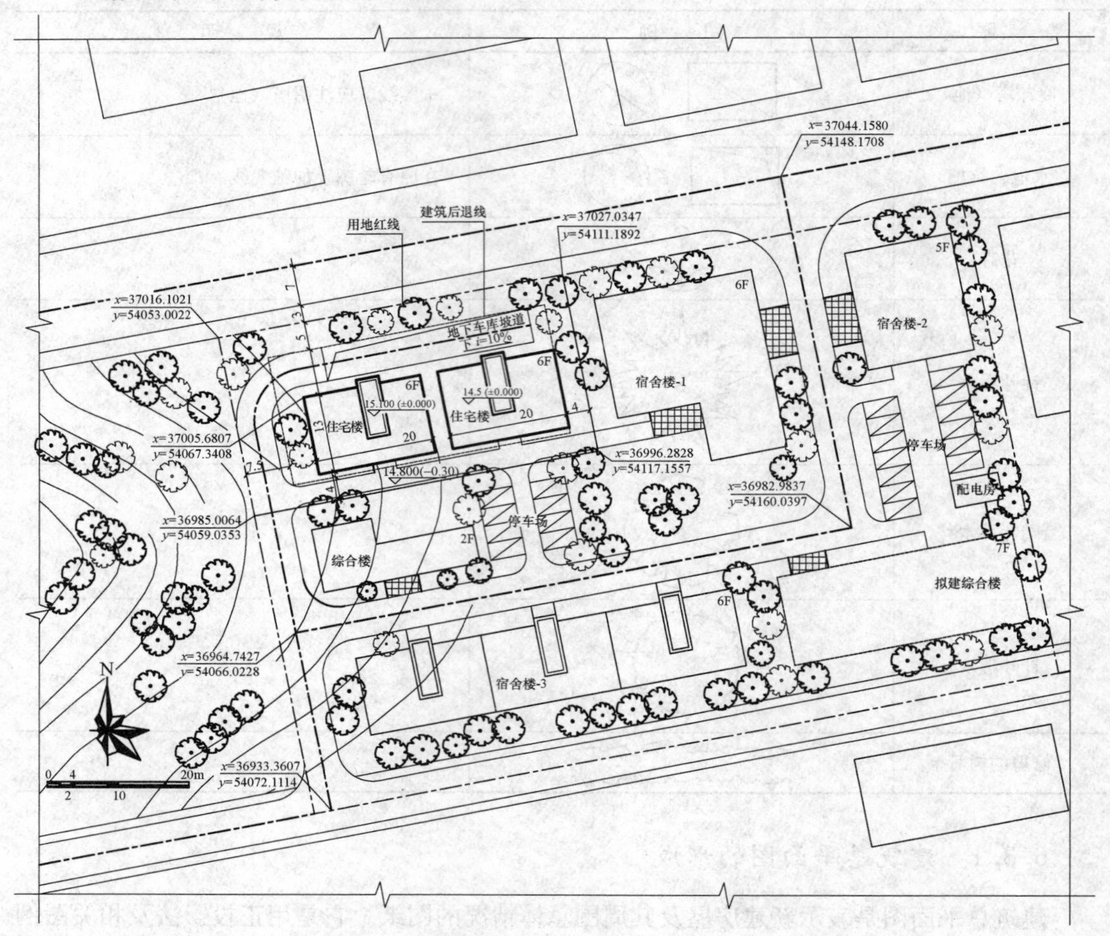

图 6-13　总平面图

6.3.3　建筑总平面图的阅读

1. 首先，熟悉总平面图所应用的各种图例，见表 6-1，阅读图纸说明本案例（2 栋新住宅楼）主要经济技术指标（详见图 6-13)。

(1) 用地面积：823.70m²。

(2) 建筑基底面积：320.0m²。

(3) 总建筑面积：1902m²；

其中计容面积：1983m²；

地下设备面积：105m²（不计容面积）；

架空层停车场：270m²（不计容面积)。

(4) 容积率：2.5。

(5) 覆盖率：38.8%

2. 其次，了解新建房屋的位置关系及其外围尺寸。

3. 再次，了解新建房屋所在地段的地形及地物，以便拆迁及平整场地。

4. 根据图上的指北针及风向玫瑰图，了解各建筑物的朝向，了解当地的主导风向与建筑的布置情况。

5. 了解道路、绿化与建筑物的关系，地下管线埋设布置情况以及地面排水的方向及坡度大小等。

6. 了解新建筑物与原建筑物的关系以及施工时对居民的安全以及水、电的引入是否方便等。

7. 了解规划红线：在城市建设的规划上划分建筑腹地和道路腹地的界线，一般都以红色线条表示，故称规划红线，见图 6-13 中“用地红线”。它是建造沿街房屋和地下管线时，决定位置的标准线，不能超越。

8. 了解坐标系统。在大规模房屋建筑群的总平面图上，除采用测量坐标系统之外，还可根据建筑用地及房屋建筑物的朝向采用临时的建筑坐标系统。由于两种坐标系统不同，其标注方法也不一样。测量坐标的纵横轴用 x 与 y 表示，如图 6-13 中的坐标。建筑坐标的纵、横轴用 A 与 B 表示。

总之，看建筑总平面施工图时要掌握三个关键：第一是掌握高程，即原有地面标高及设计标高的高程差；第二是掌握位置关系，即新建房屋与原有建筑、道路等相对位置关系；第三是要掌握需要处理的问题，如枯井、人防通道以及对已有的地下管线的处理等。图 6-13 是某地（广州萝岗黄陂）小区扩建工程的建筑总平面图。根据上述的阅读步骤可以看到共有两幢新建房屋。它们是两幢相邻的 6 层住宅楼。房屋层数若在多层建筑以下用小圆黑点数表示，在图的东南角还有一幢拟建的 7 层综合楼。新建房屋的首层室内地面标高±0.000 等于绝对标高 15.1m 和 14.5m。新建筑与原有建筑及道路的距离在总图上都已清楚标出。为了表明新建筑（住宅楼）的位置，在西侧住宅楼西北楼角标注了纵横测量坐标，既 x=37005.6807、y=54067.3408。各新建楼房基本是南北朝向。图中的地形并不复杂，几条等高线说明新建筑所在地其高程约 14～15m 左右。在总图中还看到几条规则的道路及道路中线。通过阅读图 6-14 对各新建房屋的所在位置及其周围情况，有了较清楚的了解。

6.3.4 建筑总平面施工图的绘制

1. 在已有的地形图上，如有规划红线时，先把规划红线画出来。

2. 根据新建的房屋、道路与原有建筑物和道路的关系或坐标值决定新建房屋、道路等的位置。应按同样的比例画在图纸上。同时，把将来要建造的建筑物腹地规划出来。

3. 标注必要的尺寸（以米为单位）和标高并注写文字说明。

6.4 建筑平面图

6.4.1 平面图中常用的构件和配件图例

平面图中这些常用的构件和配件图例提示我们，从学习建筑施工图开始我们已经进入专业图学习阶段，国标中的图例和符号将大量融入工程图设计当中，显然，这些图例和符号都是在漫长的工程设计领域科学的抽象，它们为绘图及读图带来快捷和方便。

1. 门窗代号

国标规定建筑构配件代号一律用汉语拼音的第一个字母，并用大写的字母表示，如门的代号用“M”表示。考虑到门的材质或功能表述，其代号表示为：M M—木门；GM—钢门；SGM—塑钢门；LM—铝合金门；JM—卷帘门；FM—防火门等。

窗的代号用“C”表示，材质方面的表示与门相同。比如 MC—木窗；GC—钢窗；LC—铝合金窗；MBC—木百叶窗；SGC—塑钢窗等。在平面图上门窗经常按其种类不同进行编号，如 M1、M2；C1、C2 等，显然，同一个编号表示同一类型门窗。

2. 门窗图例

图 6-14 所示为一些常用的门窗图例，门窗洞的大小与其形式用粗实线按投影关系绘制。平面图上门扇用中实线绘制 45°或 90°斜线，门开启的圆弧轨迹用细实线绘制。

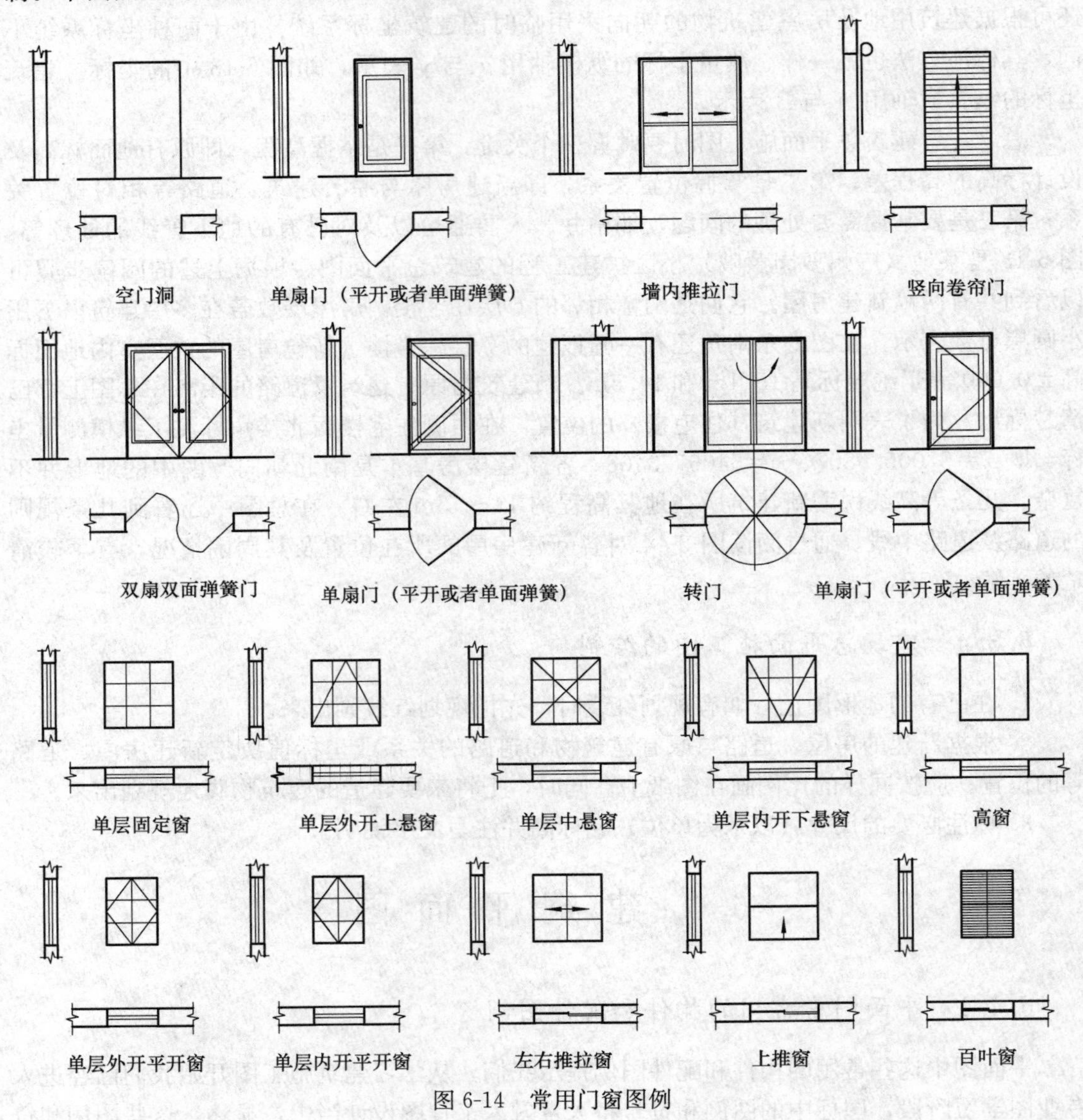

图 6-14　常用门窗图例

门窗平面图中的门洞、窗洞两侧的墙用粗实线绘制，其窗台用中实线绘制，窗扇用细实线绘制。

3. 平面图中其他常用图例

在建筑平面图中，以下常出现的构造和配件图例形象易懂，如图 6-15 所示，并且很容易从 CAD 选项板中调出插入设计图中。

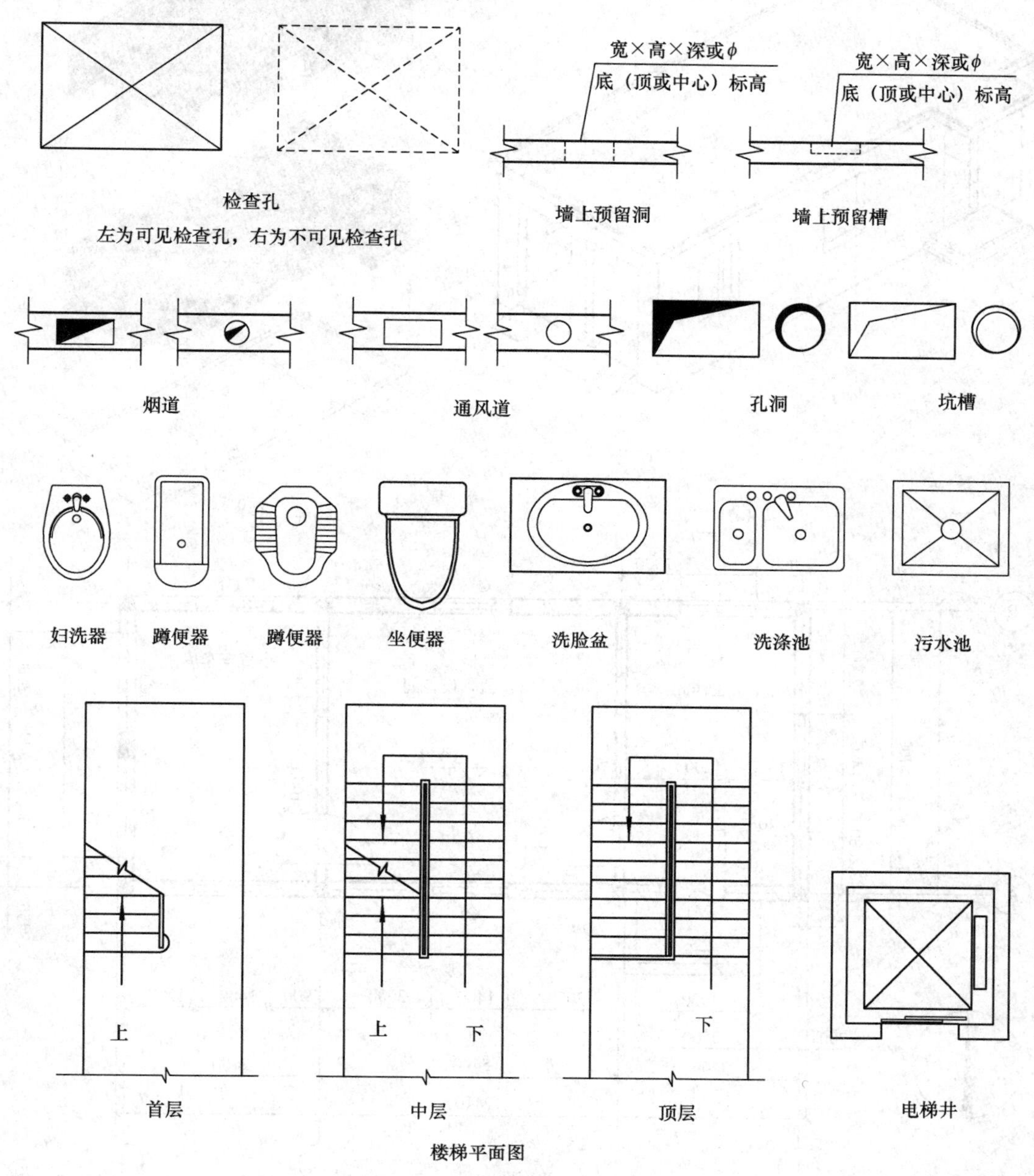

图 6-15　平面图中部分常用图例

6.4.2　平面图的形成

建筑平面图的形成是假想在房屋的门、窗之上部作水平剖切后，移去上面部分作剩余部分的正投影而得到的水平剖面图，如图 6-16（*a*）、（*b*）所示。在平面图上，把看到的部分用中实线或细实线表示，把剖切着的部分用粗实线表示，如图 6-16（*c*）所示。

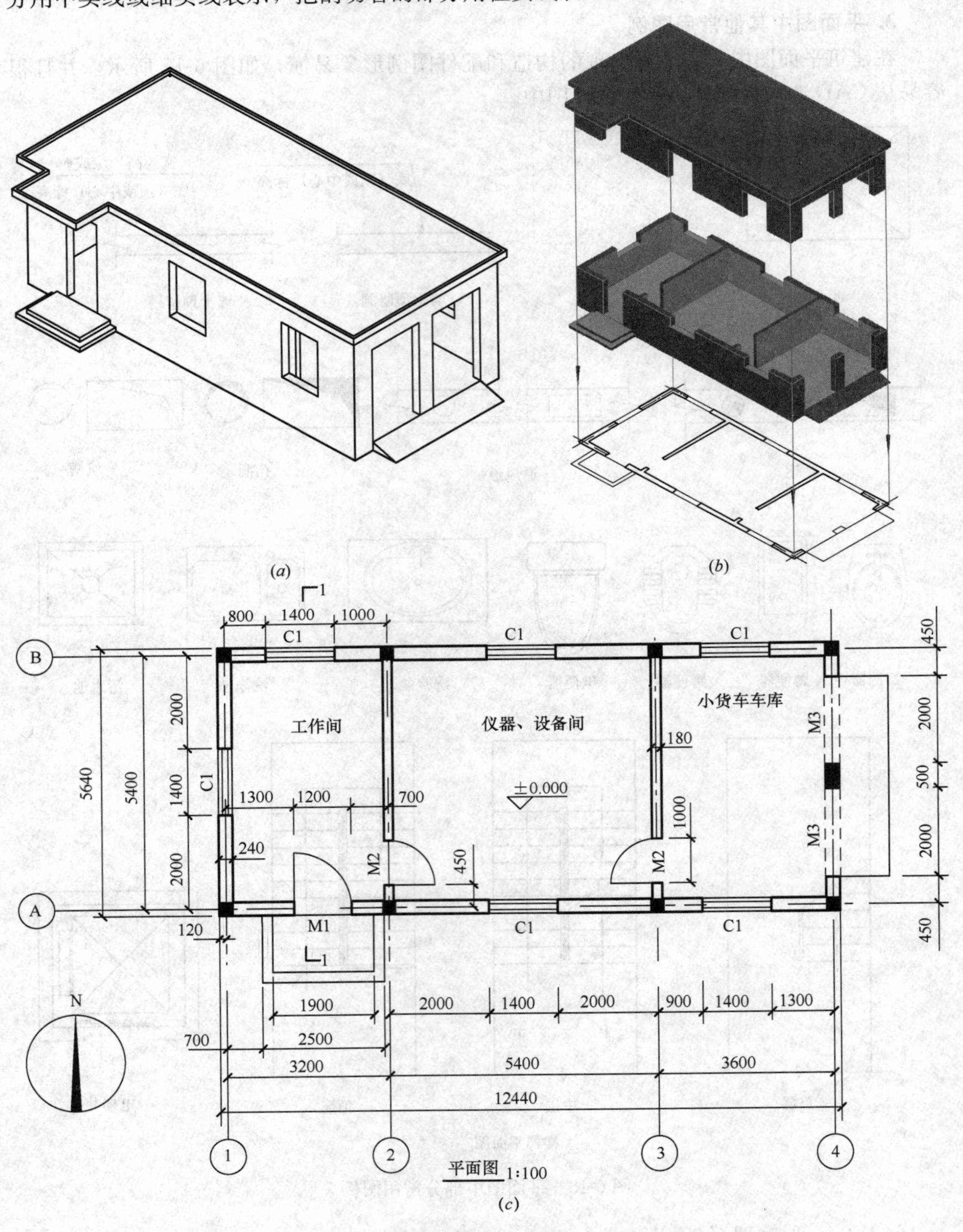

图 6-16　平面图的形成模型及平面图

建筑平面图是表达房屋建筑物的重要图样之一。对于多层或高层建筑，有些中间层除标高不同外，其他结构设计完全相同的楼层，称做标准层，所以，为它们所画的平面图只用一个表示即可。

在建筑施工图中常包括有下列各种平面图，如：平面图（对平房而言）、首层平面图、标准层平面图、顶层平面图（如果最高层是 n 层，一般标注为 n 层平面图）、屋顶平面图等。

平面图常用的比例是 1∶100、1∶50 及 1∶200。

6.4.3 平面图的内容

本章有关建筑、结构、给排水施工图和详图的教学内容均围绕图 6-6 某多层住宅展开，该住宅除设有楼梯外，还设有轿厢式电梯作为垂直交通工具。

1. 平面图上要表示出建筑物的占地面积和各种功能的房间名称、尺寸、大小、承重件（墙）和柱的定位轴线、墙的厚度、门窗宽度、标高等。如图 6-17、图 6-18 所示，其

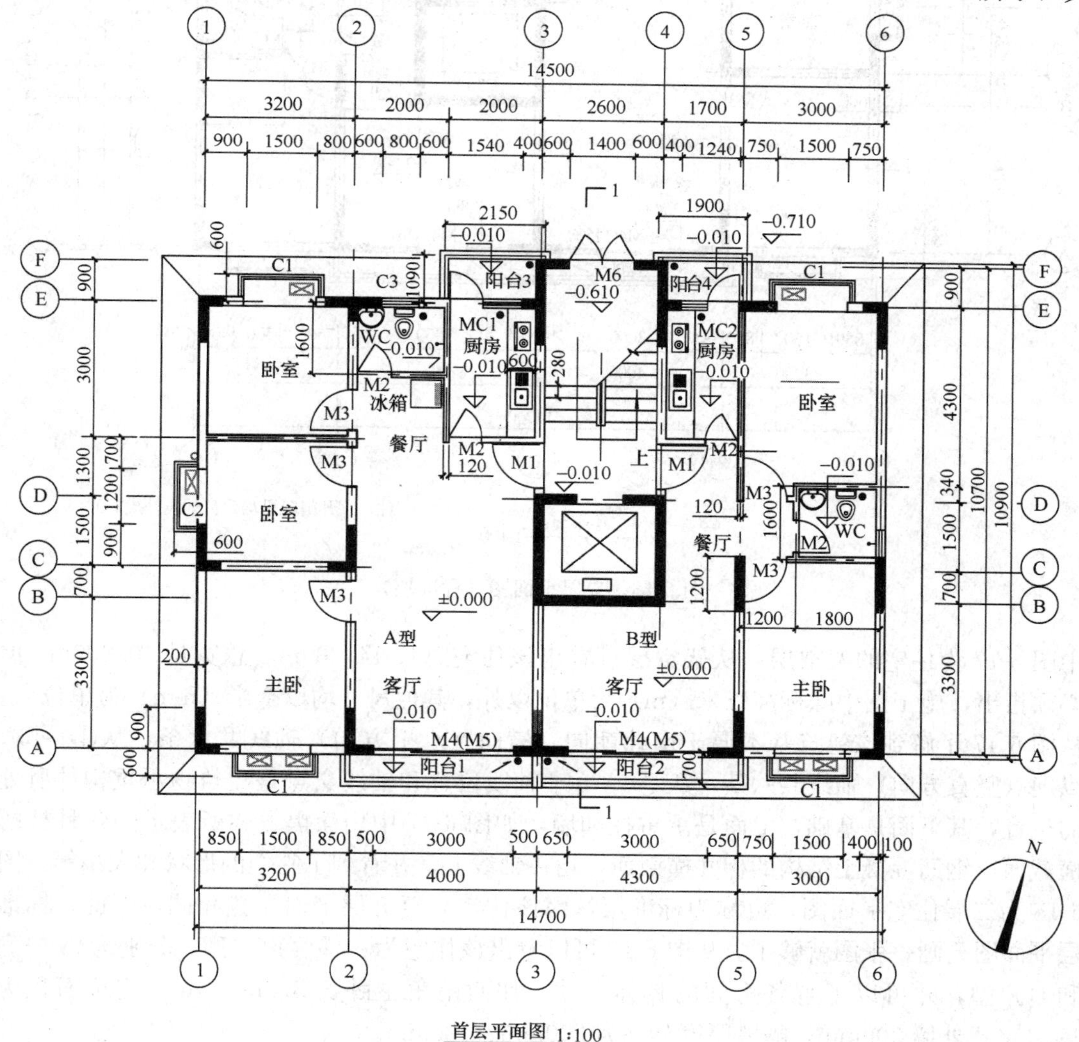

图 6-17 架空层平面图 1∶100

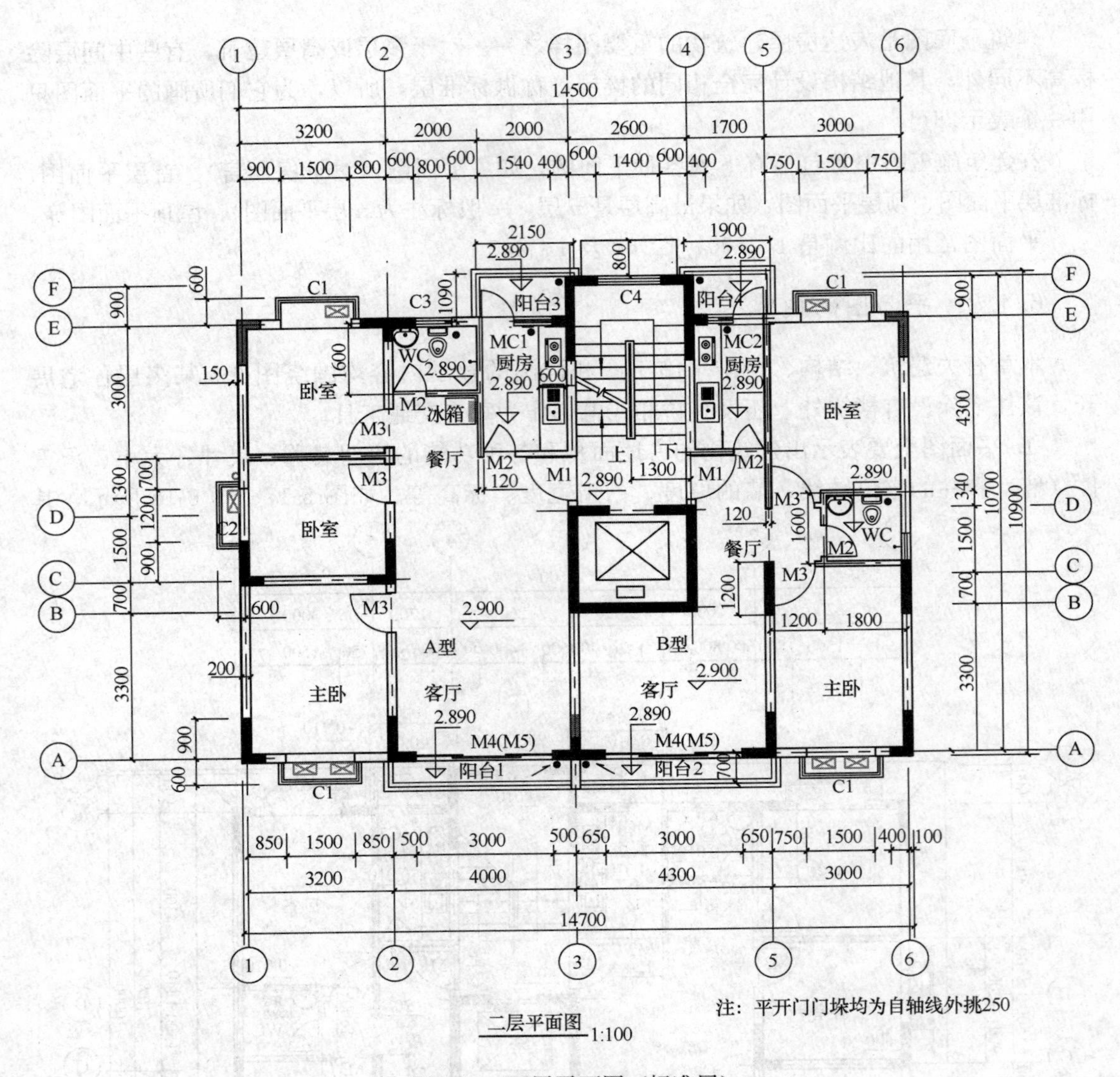

图 6-18　二层平面图（标准层）

中图 6-17 为住宅的架空层，从架空层可看出该住宅总长 14.700m，总宽是 10.900m。但必须指出，施工图中除标高以米（m）为单位以外，其他尺寸均以毫米（mm）为单位名。从图 6-17 了解到该建筑基本属于南北朝向，横向（水平方向）轴线共六条，从①～⑥；纵向（竖直方向）轴线共六条，从 Ⓐ ～ Ⓕ。轴线位置和轴线交点是建筑物承重构件所处的位置，其下面是基础，上面是承重柱和墙，如图 6-17 中用涂黑方式所表示的各种柱的横截面，钢筋混凝土结构的梯井横截面，均在轴线上，并看到了它们的形状和大小等。图 6-18 为二层住宅平面图，也称为标准层，因该住宅二至五层平面布置相同，因此，标准层平面图只画一张图就够了。从图 6-18 可以看出该住宅为一梯两户户型，分别为 A 户型和 B 户型，并可以了解各房间的具体尺寸，如西南角主卧长 3.2m×4m，建筑面积为 12.8m^2；外墙 200mm；隔墙厚度分别为 200mm、120mm。

2. 应用文字或图例标注房间功能，如图 6-18 所示，其功能划分很清楚，分别是客厅

(起居厅)、餐厅、卧室（主卧、次卧)、厨房、卫生间（WC)、楼梯间等。

从图 6-18 中可以看到编号为 M1、M2 、M3 不同型号的门，还有 MC1、MC2 不同规格的连体门窗，从图 6-18 中可以看到编号为 C1、C2、C3 等不同规格的窗。从标准层还可以了解门窗的数量、型号及门窗预留洞口的长度尺寸等。有关门窗的详细情况见图6-35 所示。

从顶层平面图 6-19 客厅（卧室）地面看到相对标高为 14.500m，其基准是首层客厅的标高±0.000。从图 6-18 中可以看到二层客厅地面的相对标高为 2.900m，14.500m/5＝2.9m，所以，每两层楼梯之间的设计高度均为 2.900m。每层的卧室与客厅同标高，卫生间、厨房、阳台均应比客厅、阳台卫生间、厨房、阳台的相对标高为 2.890m 低于 10mm。

特此说明：

图 6-19 六层（顶层）平面图中楼梯间的楼梯表达为标准顶层楼梯图例，只写一个“下”字。因为该多层建筑物设有轿厢式电梯，因此，楼梯必然需要直通屋面，方便进出电梯设备间。所以，从实际情况来说六层楼楼梯确实不是只下不上的。

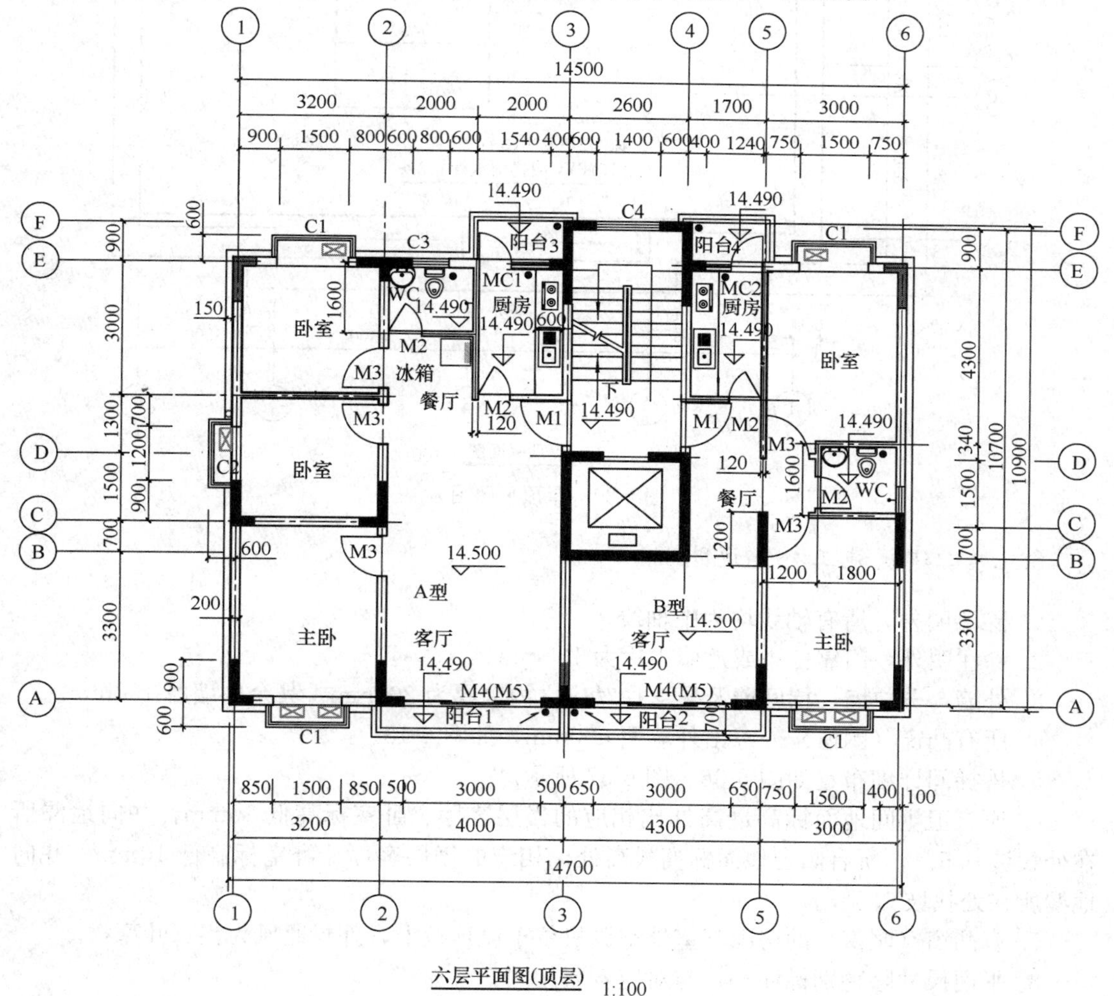

图 6-19　六层平面图（顶层）

图 6-20 为屋顶平面图。从中了解到 2 个在天沟上布置的地漏，还有在其引出线上注写的 2 根排水立管等等。

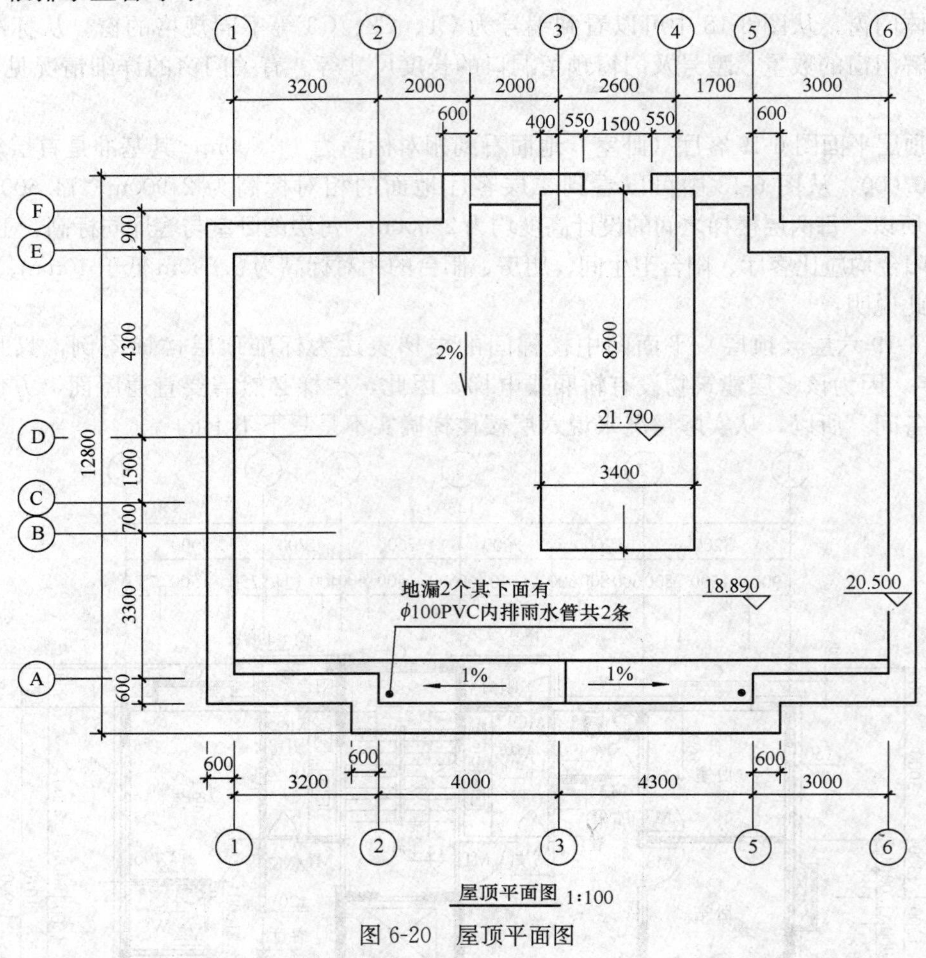

图 6-20 屋顶平面图

6.4.4 建筑施工补充说明

1. 除注明外，所有轴线均为中轴线。

2. 除注明外，门靠柱边或近墙出垛为 100mm。

3. 外墙，分户墙，梯间墙及异形柱对应之内墙厚为 200mm，其余内墙厚 120mm。

4. 所有凸窗（飘窗）外缘出外墙面 600mm，如图 6-18。

5. 楼梯间详细布置如图 6-36、图 6-37 所示。

6. 所有卫生间地面标高最高处比相应的楼层客厅、卧室标高低 10mm，并向地漏所在处找坡 0.5%；所有阳台地面标高最高处比相应的楼层客厅、卧室标高低 10mm，并向地漏所在处找坡 0.5%。

7. 有凸窗（飘窗）的房间其室外空调机位于窗顶板上，外封通风为铝百叶型材。

8. 平面尺寸除特别标注外，与对应各层相同。

9. 厨房卫生间外墙齐梁底设排气孔留洞，并上下对齐。

10. M5 型号的门仅设在 6 层。

6.4.5 有关建筑设备安装及户型信息

表 6-2 分别给出热水器等建筑设备安装的洞口形状、尺寸及相对位置等信息。

预留洞口一览表 表 6-2

洞口名称	洞口编号	方洞		洞底距地面高	圆洞	中心距地面高
		宽	高		直径	
热水器预留洞	洞 1				120	2200
空调接管洞	洞 2				80	2300
厨房排烟预留洞	洞 3				150	2400
排气扇预留洞	洞 4	200	200	2200		
消火栓预留洞	洞 5	850	900	900		

现以图 6-17 首层、图 6-18 标准层为例：可以看到框架结构的总体尺寸，各种形状柱的横截面及其尺寸、标高、指北针图例等。同时了解分析房间分布，因该住宅总体朝向属于“坐北朝南”，通风采光都非常优越，所以，客厅与主卧的朝向都向南。A 户型使用面积大于 B 户型，但 B 户型采光好于 A 户型，A 户型有 3 个卧室，B 户型有 2 个卧室，A 户型客厅设计好于 B 户型。每户均有 2 个阳台，朝南的为大阳台。该住宅基本为飘窗（凸窗），房间内的门均为平开门，南侧阳台上的门为推拉门，每户一个卫生间，一个厨房，双跑楼楼和轿厢式电梯两户共用。

其中 A 型建筑面积为 87.97m^2，三房二厅一卫；B 型建筑面积为 68.44 m^2，二房二厅一卫。这里必须说明，建筑面积包括公摊面积。

阅读平面图的习惯方法是：由外向里、由大到小、由粗到细、先看附注（说明），再看图形，逐步深入详细地进行阅读。

6.4.6 绘制建筑平面图的步骤

绘制建筑施工图一般情况下首先绘制平面图，因为平面图是长宽方向信息量最大的图，绘制时尺寸依据最充足，另外，建筑物平面规划设计也是设计者首先考虑的问题。

本章以介绍仪器图及徒手绘图为主，具备传统绘图技法之后，再使用 AutoCAD 或国产插件“TArch 天正”绘制施工图将会更加顺利、准确，众所周知，传统仪器绘图技术早已退出设计界。而草图作为用软件绘图的底稿或设计灵感的记录仍然有着重要意义。草图有直接用铅笔完成的徒手图，也有用仪器绘制的，用仪器绘制的草图对线型和绘制的图形精度要求标准不高，比如用单线线条表示墙，在学习设计阶段，仪器草图往往称作二草、三草等。

目前美国工科院校已经不再进行仪器图训练，但，我国的许多工科院校现今仍保留仪器绘图的训练课程。仪器绘图训练对理工科学生而言，有利于培养全面的、严谨的专业设计素质和对国家标准的尊重与掌握。

平面图上的线型，被剖切的墙等轮廓线用粗实线画，其他没有剖到，但看到的结构分别用中实线、细实线画出，如台阶、楼梯、窗台、阳台等均用中实线，窗扇、门窗开启轨迹、尺寸线、轴线等均用细实线。

在画平面图以前，要根据选定的比例尺，大体估计一下所画图样的大小，确定其在图面上的摆放位置，打好边框和图标线。

绘制仪器平面图，如图 6-21 所示，步骤如下：

（1）画定位轴线。先把靠左边和下边的两条互相垂直的轴线画出来作为基线。然后在两条基线上按选定的比例分别量出其他定位轴线的位置。接着用丁字尺由上到下一次画完水平轴线，再用三角板与丁字尺配合，由左到右一次画完垂直轴线，如图 6-21（*a*）所示。

（2）根据墙的厚度、柱的断面尺寸，画出墙、柱的轮廓线。方法是由轴线向两侧放出

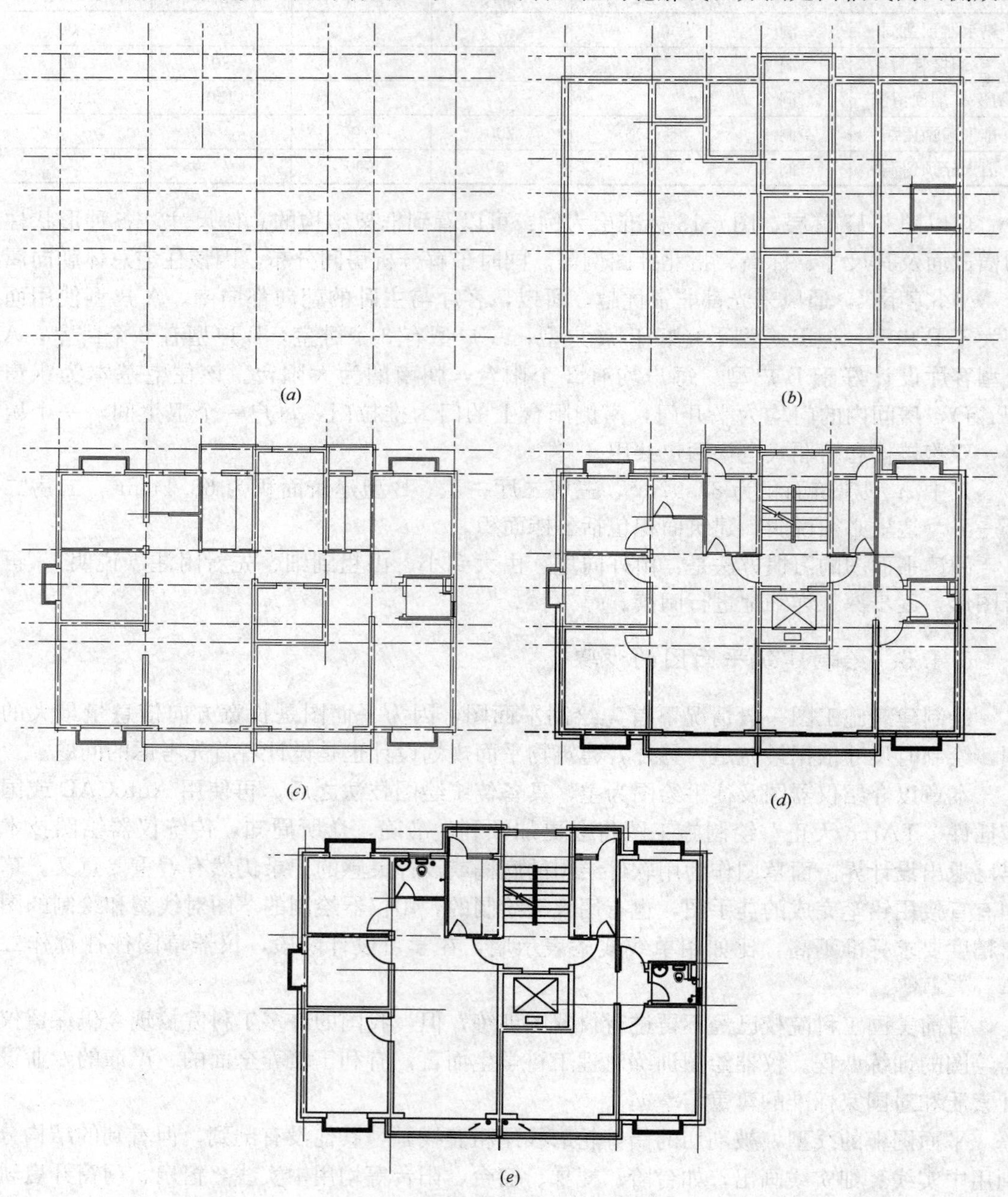

图 6-21　平面图绘图步骤

（*a*）画轴线网；（*b*）放墙宽；（*c*）确定门窗洞口位置；（*d*）画细部及楼梯等设备；（*e*）检查并加深图线

墙厚、柱宽先上后下，先左后右一次完成，如图 6-21（*b*）所示。

（3）按门、窗所在的位置和尺寸，画门及其开启轨迹、画窗（有关尺寸请参考图 6-30）。然后，画出其他细部，如楼梯、台阶、厕所设备等，如图 6-21（*c*）所示。

（4）画楼梯等建筑设备，如图 6-21（*d*）所示。

（5）对底稿图进行认真检查，不允许存在任何结构、尺寸等方面的问题。检查无误后加深、加粗图线。填绘各种要求表示的材料图例如图 6-21（*e*）所示。

（6）标注尺寸、标高、填写符号、文字等内容，详见图 6-18。

6.4.7 在画图时要注意以下几方面的问题

1. 画图线

打铅笔底稿时，应选择 H 或 2H 硬铅笔，并要削得比较细，用力要轻，避免过多的擦改。

量尺寸时，相同尺寸一次量出，同一方向的尺寸一次量出。并建议使用分规配合三角板进行。

遇到连接线要先曲后直，如直线与圆弧连接、要先画圆弧线，后画直线。

2. 标注尺寸

在建筑平面图上要把尺寸标注在前面图形的左方和右方，即沿图形的横向及竖向分别标注，并要注写三道尺寸，如图 6-18 所示。

（1）第一道尺寸是与平面图形距离近的一道尺寸，即细部尺寸。它以定位轴线作为基准，标注房屋的各墙垛及门、窗洞口的分段尺寸。

（2）第二道尺寸是标注各定位轴线间距的尺寸，即轴线尺寸。

（3）第三道尺寸是标注总长、总宽的总尺寸，即外包尺寸。

画图时，除上述的三道尺寸需要注写之外，对于各房间的净长，净宽及内墙上的门、窗洞口尺寸及它们的定位尺寸，也需注写清楚。其他如台阶、窗台、散水尺寸也要注写齐全。

3. 画出指北针

为了表明建筑物的方位朝向，常在首层平面图所在的图纸上画出指北针，如图 6-17 所示。

4. 写上图名、比例

如图 6-18 中“标准层平面图 1∶100”。

6.4.8 学习建筑平面图应了解和熟悉的相关知识

1. 开间与进深

两条横向轴线之间的距离是开间，习惯称其为房间宽度，一般为 300mm 的倍数。两条纵向轴线之间的距离是进深，习惯称其为长度。

2. 横墙承重与纵墙承重

横向轴线上的墙承重时，称为横墙承重。纵向轴线上的墙承重时即称纵向承重。

3. 建筑面积与净面积

建筑物外包尺寸（房屋的总长、总宽尺寸）的乘积（即长×宽）是建筑面积，以平方米为单位，而建筑物内部长、宽净尺寸的乘积值称为净面积，以平方米为单位。

4. 建筑模数

在建筑工程中，选定标准尺度单位，以这种选定的尺寸单位为基础，作为建筑工程中各类构、配件之间互相联系配合的依据规定，就是“模数制”。我国以100mm作为基本模数。此外，还有分模数和扩大模数。模数制是促成建筑工业化、现代化的必要措施之一。

5. 结构尺寸

结构尺寸一般是对建筑物结构设计的尺寸，如拆掉模板的钢筋混凝土框架、砌体等尺寸，所以，建筑施工图上的尺寸基本为结构尺寸，后续介绍的建筑详图基本为“建筑尺寸”。

施工图上的相对标高尺寸为“建筑标高”和“结构标高”，“建筑标高”为工程细部完工以后的标高，本章教学案例中的标高为“结构标高”。

6.5 建筑立面图

6.5.1 立面图的形成

建筑立面图是建筑的外观图，是把建筑物不同的侧表面，用正投影法，投影到正立（*V*）投影面上而得到的正投影图，因为立面图是为表达建筑的外观所以不画虚线。如图6-22（*a*）、（*b*)所示。

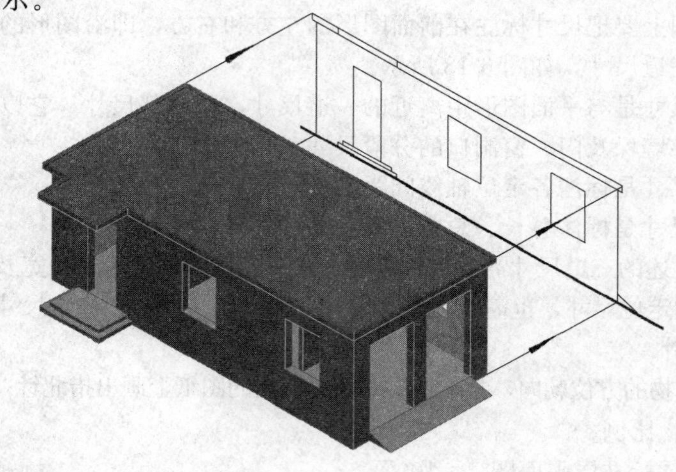

(*a*)

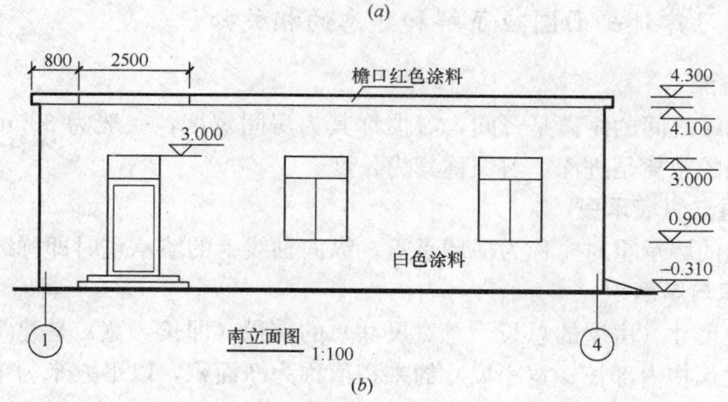

(*b*)

图 6-22 立面图的形成模型及立面图

（*a*）立面图的形成模型；（*b*）立面图

根据建筑物外形的复杂程度不同，所需绘制的立面图数量也不同。一般可分为正立面、背立面和侧立面，也可按房屋的朝向分为南立面、北立面、东立面及西立面。建筑立面图的比例常用 1∶100、1∶200。

6.5.2 建筑立面图的内容

建筑立面图主要表现建筑物的立面及建筑外形轮廓，如房屋的总高度、檐口、屋顶的形状及大小，墙面、屋顶等各部分使用的建筑材料与做法、门、窗的式样、标高尺寸，阳台、室外台阶、雨篷、雨水管等形状及位置等等，如图 6-23 所示。

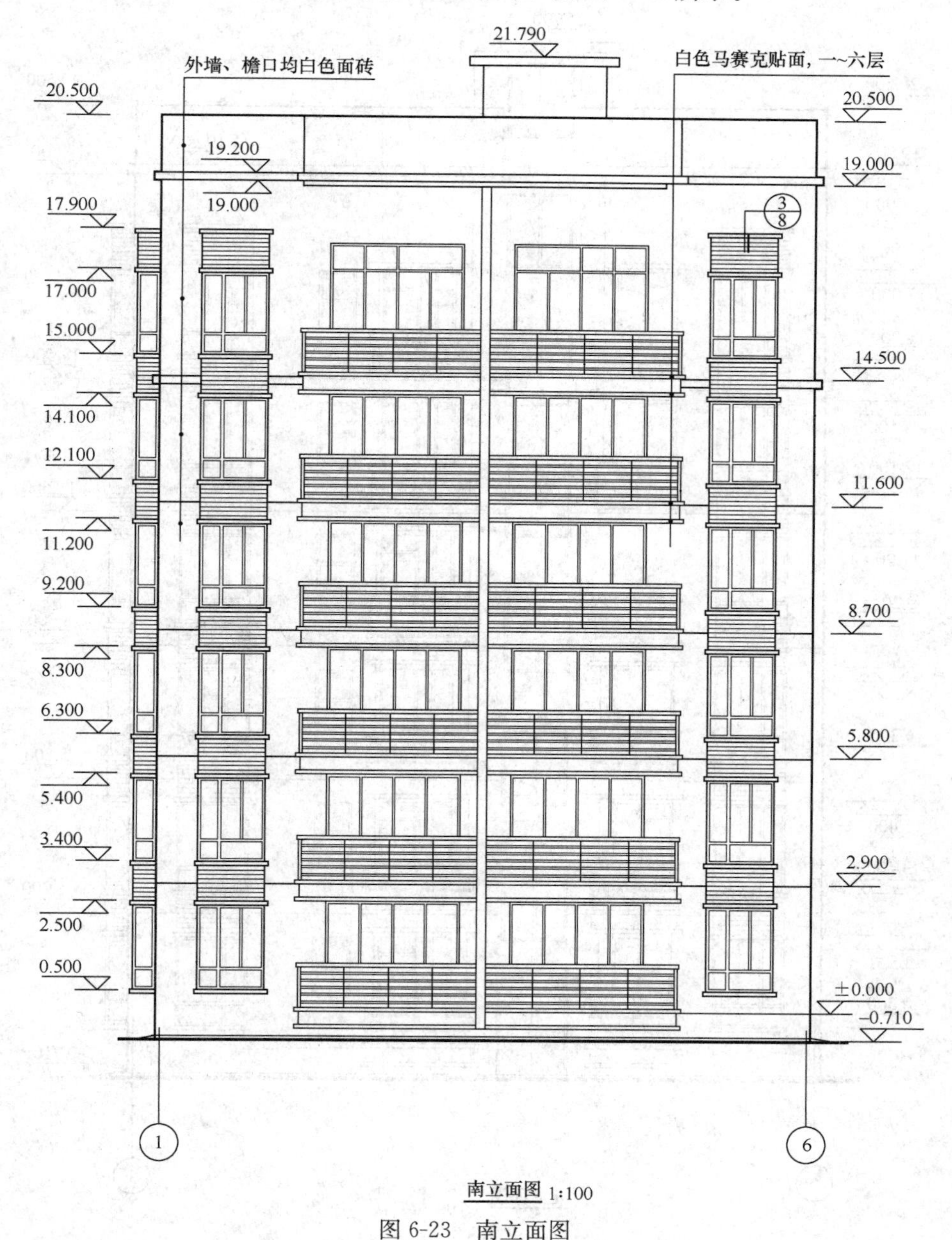

图 6-23 南立面图

外形较为简单的建筑物，并且左右对称时，立面图的绘制可以从简，可把房屋的正立面图和背立面图各画一半，形成一个组合立面图，中间用对称符号标记（此处省略左右对称立面图，详见本教材配套习题集第6章）。

6.5.3 阅读建筑立面图的步骤

1. 首先对照建筑平面图上指北针或定位轴线号，查看是哪个朝向，哪个轴线间的立面图。要分清方向及建筑物立面上凹凸变化部分的外形轮廓，如图6-23、图6-24、图6-25所示。

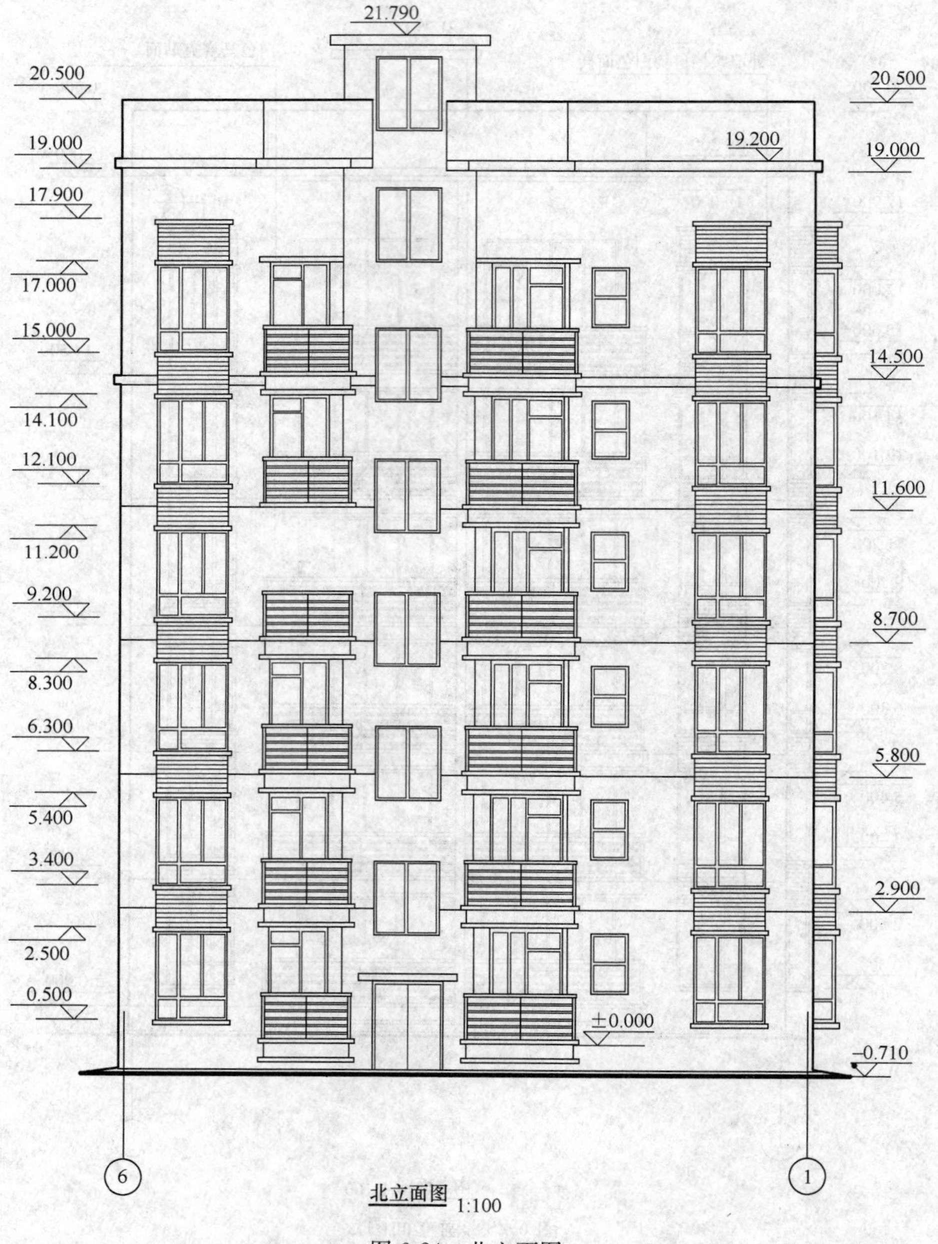

图6-24 北立面图

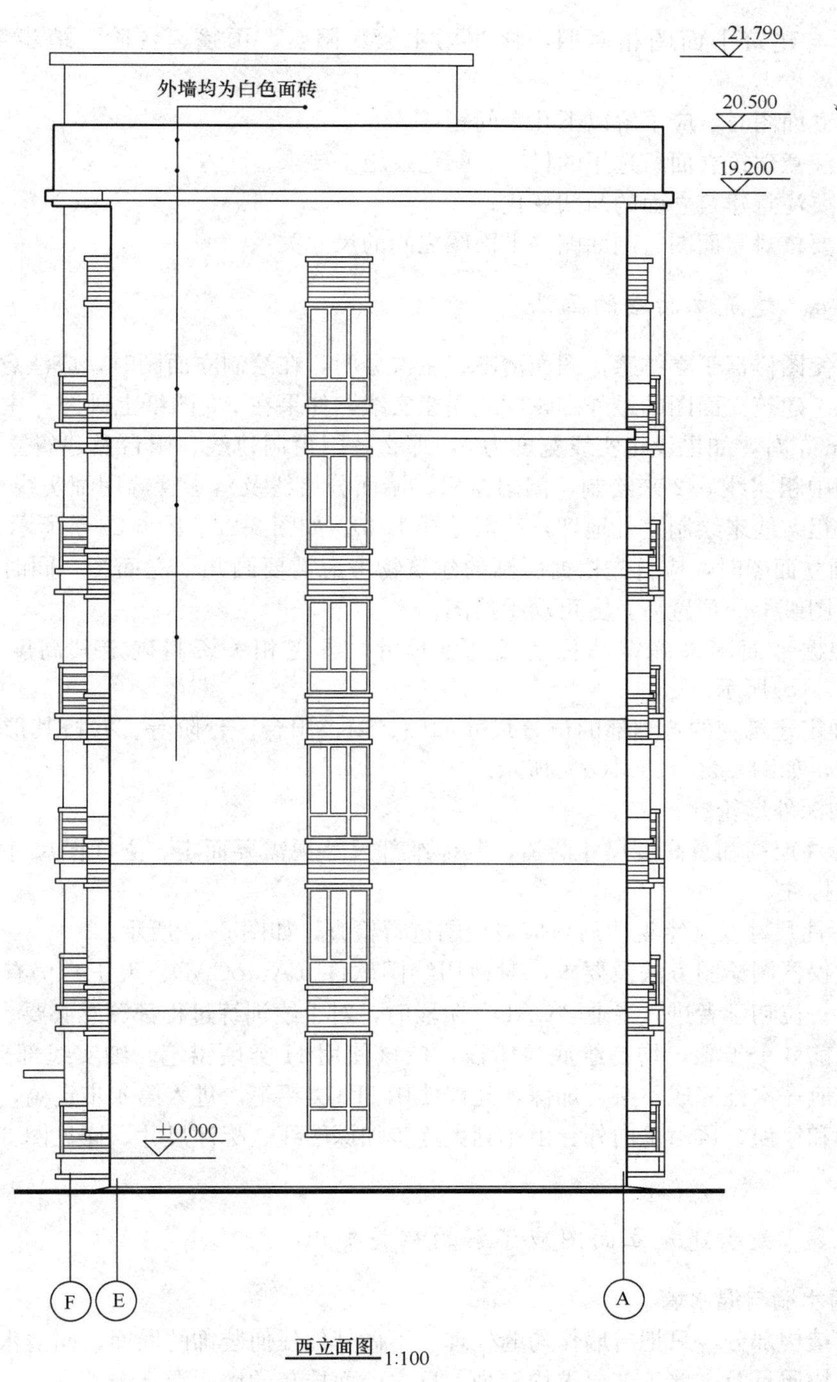

图 6-25　西立面图

2. 看清室内外高度差、找出相对标高基准所在位置，了解勒脚、窗台、门窗高度及总高尺寸。

3. 查看门窗的位置、数量，并与建筑平面图及门窗数量表核对。

4. 还要查看墙面及各部位的材料做法，要与材料做法表或说明相吻合。

5. 要与建筑平面图相对照，核对雨水管、阳台、雨篷、台阶、踏步等的位置及做法。

阅读立面图时，应了解以下几个问题：

(1) 注意建筑立面所选用的材料、颜色及施工要求；

(2) 要注意建筑立面的凸凹变化；

(3) 要核对立面图、剖面图、平面图之间的尺寸关系。

6.5.4 建筑立面图的画法

为了使图样富于立体感，图面清晰、主次分明，在绘制立面图时，应注意各种线条粗细的变化。建筑立面图的最外围轮廓线用粗实线，如果在A3图纸上画图，主张粗实线选择0.5mm左右，如果设粗实线宽度为b，那么，门窗洞口线、阳台及建筑立面上的凸凹轮廓线用中粗实线$b/2$来绘制，门扇窗扇、墙面分格线及落水管等用细实线$b/4$来绘制。用加粗的粗实线来绘制室外地坪，一般选择$1.4b$。如图6-22、图6-23等所示。

1. 画立面图时，应首先根据所画的建筑物考虑需要画几个立面图。同时，在确定各立面图在图纸上的位置后，方可动手绘图。

2. 根据平面图来确定其长度或宽度尺寸，参考相关资料确定其高度尺寸，如图6-26 (*a*)、(*b*)所示。

3. 确定建筑物的各细部的位置尺寸如门、窗、阳台、台阶等。并按其形状画出建筑外形轮廓，如图6-26 (*c*)、(*d*) 所示。

4. 加深外形轮廓。

5. 标注层高和总高度尺寸两道，其他细部尺寸视需要而定。立面图尺寸一般以相对标高数值标注。

6. 标注尺寸及文字说明后，应对全图进行检查，如图6-23所示。

以上仪器图绘图方法及要求，对使用绘图软件（AutoCAD、天正）仍有很重要的指导作用，每位初学者进入专业“CAD”阶段时，对手绘训练过程都深感必要。

以上前3个步骤，均是绘底稿阶段，应该使用H类硬铅笔。细实线部分，如门扇、窗扇等，应一次性完成不必再加深，建议使用HB类铅笔。进入第4步定稿，应全面检查有无纰漏和错误，再由里向外、由小到大逐步加深图线、标注尺寸，详见图6-23、图6-24等立面图。

6.5.5 关于建筑立面图应了解的相关知识

1. 清水墙与混水墙

只有结构部分，只把砖墙作勾缝处理，不做其他任何装饰的墙面，叫清水墙，清水墙对砖或砌块质量及砌墙工艺要求均较高，反之墙面抹灰的墙叫混水墙。

2. 檐口

指屋面在建筑物前后墙体挑出部分的外端称为檐口。

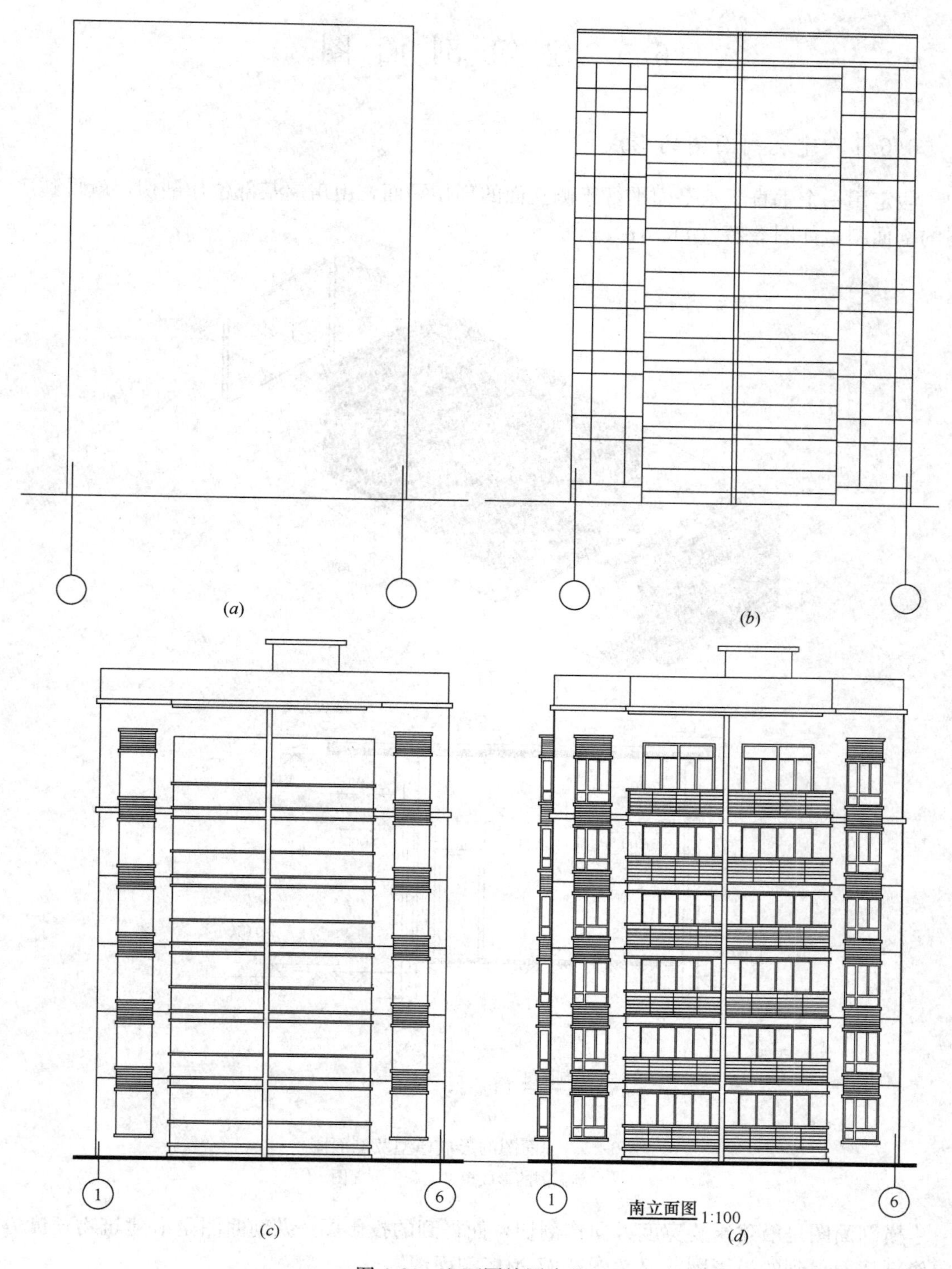

图 6-26 立面图绘图步骤

(a) 步骤 1 画地面线和房屋最外轮廓；(b) 步骤 2 绘制门窗洞口的方格网线；(c) 步骤 3 绘制门窗洞口、阳台、挑檐等；(d) 步骤 4 绘制细部，窗扇等

6.6 建筑剖面图

6.6.1 建筑剖面图的形成

假定用一个垂直于水平面平行于侧立面的剖切平面，由房屋某部位作剖切，就得到房屋的剖面图，如图 6-27（*a*）、（*b*）所示 。

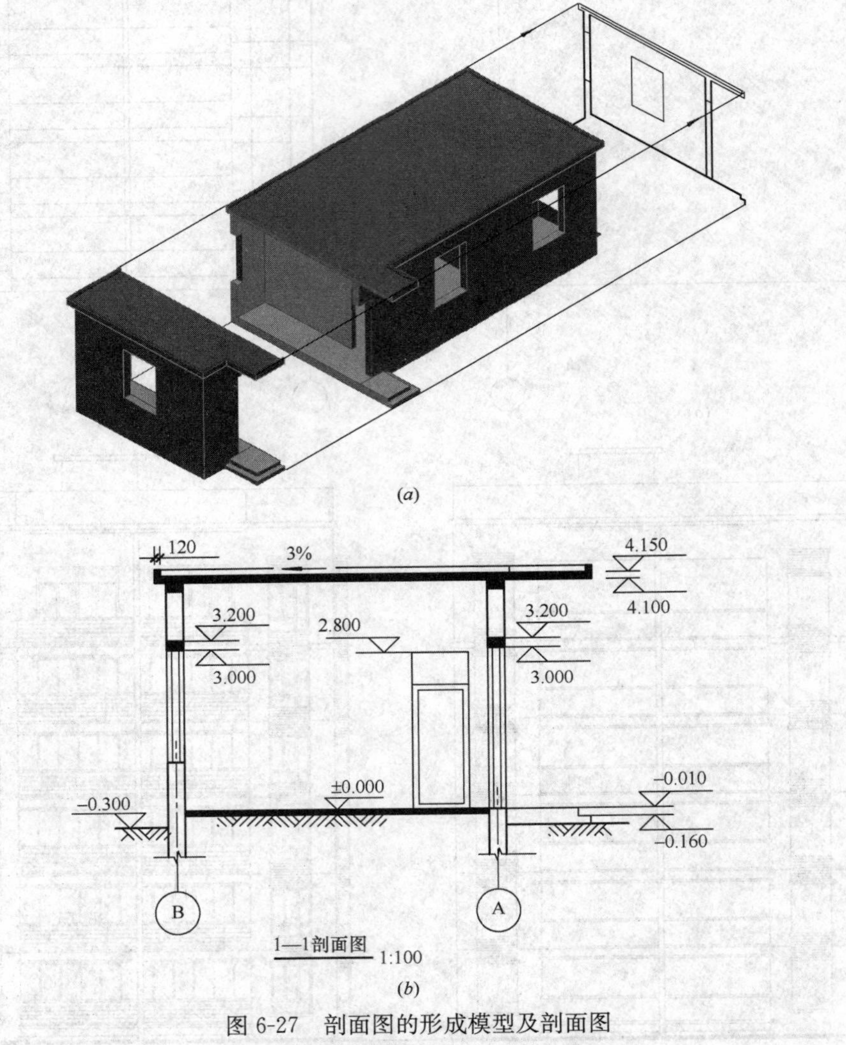

(*a*)

(*b*)

图 6-27　剖面图的形成模型及剖面图

（*a*）剖面图的形成模型；（*b*）剖面图

横剖面图是沿建筑物宽度方向作剖切，而得到的投影图。纵剖面图是沿建筑物长度方向作剖切而得到的投影图，显然图 6-27 为横剖面图。

剖面图在处理手法上除对房屋作全部剖切，画出它的全部剖面图外，还可按需要画出局部剖面图。

剖面图常采用的比例为 1∶100、1∶200、1∶50。

6.6.2 建筑剖面图的内容

房屋的高度尺寸、材料做法、构造关系都是由剖面图来表示的。在施工中它是主要的依据之一。

剖面图一般从室外地坪开始向上画直到屋顶，如图6-28所示。

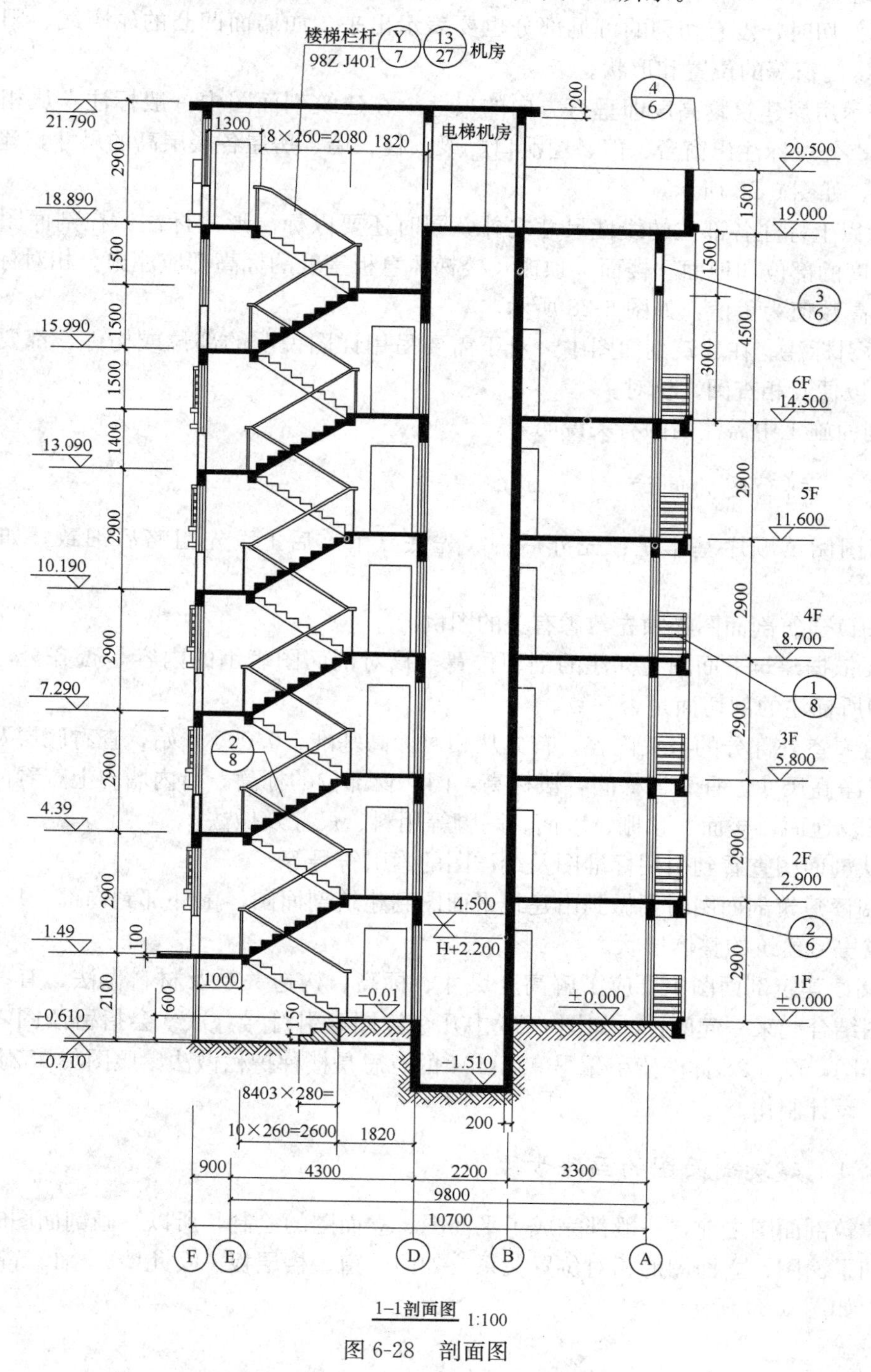

图 6-28　剖面图

1. 剖切到的各部位，如室内外地面、楼板层、屋顶层、内外墙、双跑楼梯及其转折平台（休息平台）、电梯井、阳台及阳台护栏、门窗及雨篷等。如在图 6-28 中可看到剖切到的地面、屋顶、楼梯梯段及阳台等处的形状、位置。

2. 表示出外墙定位轴线的位置及其间距，如在图 6-28 中可以看到外墙 A 轴至 E 轴之间的距离是 9800mm，外墙 A 轴至 F 轴之间的距离是 10700mm。

3. 作剖切时，没有切到的可见部分也要表示出来。如墙面凹凸的轮廓线、阳台、雨篷、台阶、门窗等的位置和形状。

4. 表示房屋建筑物高度即垂直方向的尺寸，在建筑剖面图中一般标注：从相对标高基准开始，分段标注出窗台、门、窗洞口、梁、柱、墙、房屋各层层高的尺寸，建筑物的总高度等，如图 6-28 所示。

5. 除以上标注各部位的线性尺寸之外，同时还要以标高形式标注。在剖面图中反映出不同高度的部位如地面、楼面、顶棚及楼梯休息板等处的标高都应注出。相对标高基准之下的标高数值为负值，如图 6-28 所示。

6. 索引标注。在建筑剖面图中，对于需要另用详图说明的部位或构件，都要加注索引标志，以便互相查阅、核对。

7. 剖面施工中需注明的有关说明等。

6.6.3　剖面图的阅读

剖面图阅读顺序基本是：先外后内、先底（下）后上、先粗略后细致，如图 6-27 所示。

1. 阅读建筑剖面图必须先熟悉有关的图例。

2. 要依据建筑平面图上标注的剖切位置，核对剖面图表示的内容是否齐全，它与建筑平面图所标注的剖切面是否一致。

3. 查看室外部分的有关内容。首先从相对标高基准±0.000 开始，查看底层及各楼层的层高、净高尺寸。查看楼梯间各段标高，门、窗部位的标高。沿内墙向上查看门、门洞的尺寸以及地面、楼面、顶棚、墙面、踢脚等用料、尺寸及做法。

4. 从剖面图查看到引用标准图及绘详图的索引符号等。

5. 阅读建筑剖面图时要做到由建筑平面图到建筑剖面图、由外部到内部，反复查阅，最后形成房屋建筑的整体形状。

6. 阅读建筑剖面图主要应了解高度尺寸、标高、构造关系及材料做法。有些部位还要和详图结合起来一起阅读。如图 6-28 中几个详图索引符号 $\frac{1}{6}$ $\frac{13}{27}$ 会指引读图者找到其相应的详图，图 6-28 详图索引编号 98ZJ401 的意思是楼梯护栏做法参照图集 98ZJ401《楼梯栏杆》设计制作。

6.6.4　建筑剖面图的画法步骤

画建筑剖面图之前，一般都完成了平面图、立面图的绘制，所以，画剖面图时应注意把握它和平面图、立面图的相对位置关系，如门、窗、楼层板、女儿墙、檐口等高度要保持一致，如图 6-29 所示。

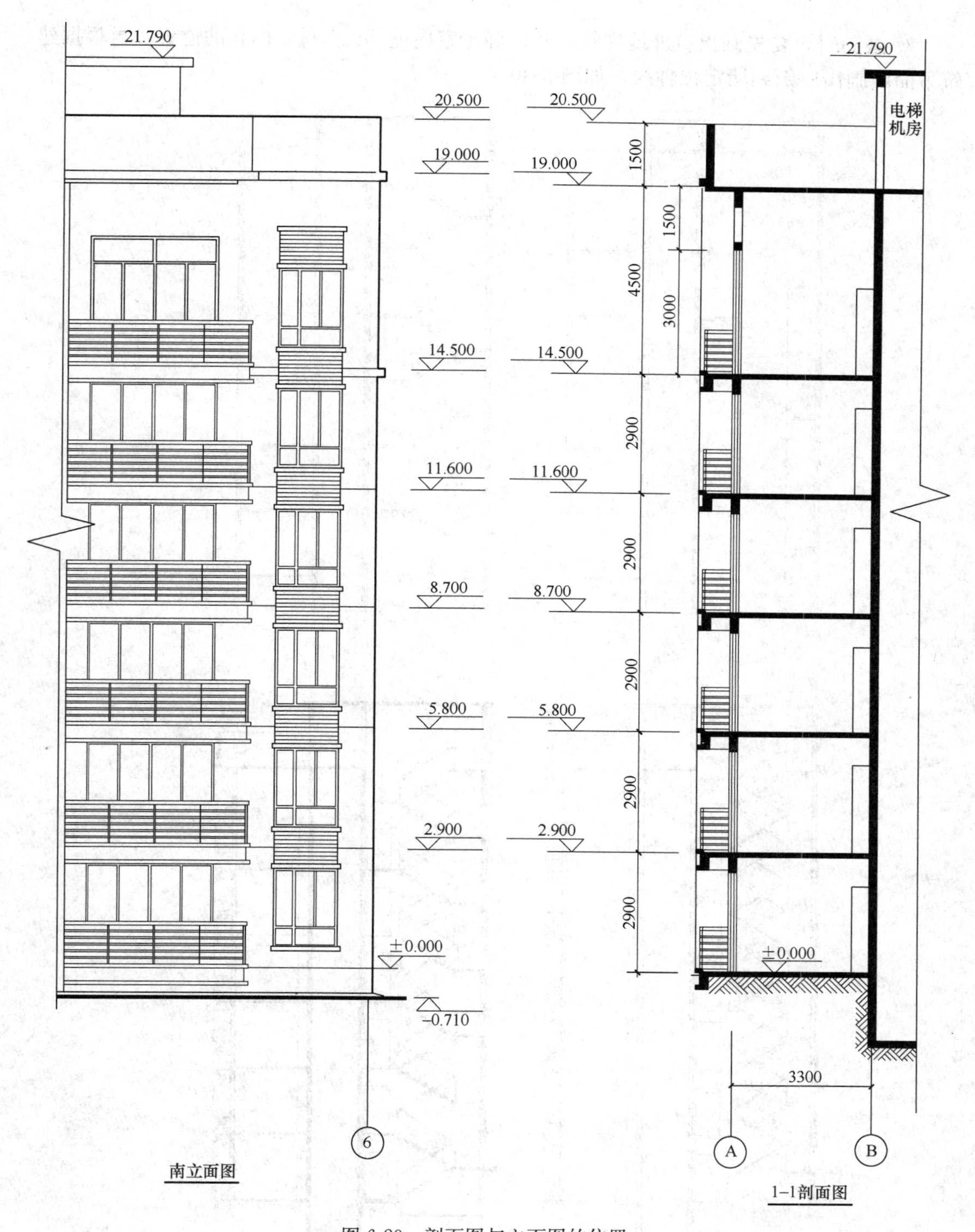

图 6-29　剖面图与立面图的位置

1. 根据建筑首层平面图中所标注的剖切位置，对剖切后的结构形状做到心中有，即可开始绘图。绘图前应基本确定所画图样的大小，图面所占范围，在图纸上做好布局。在CAD 环境下也同样需要选大小合适的图纸及布局。

2. 画图时，要先画出室外地坪线，然后确定室内地坪±0.000标高的位置，再根据建筑平面图画出所剖到墙定位轴线，如图6-30（*a*）所示。

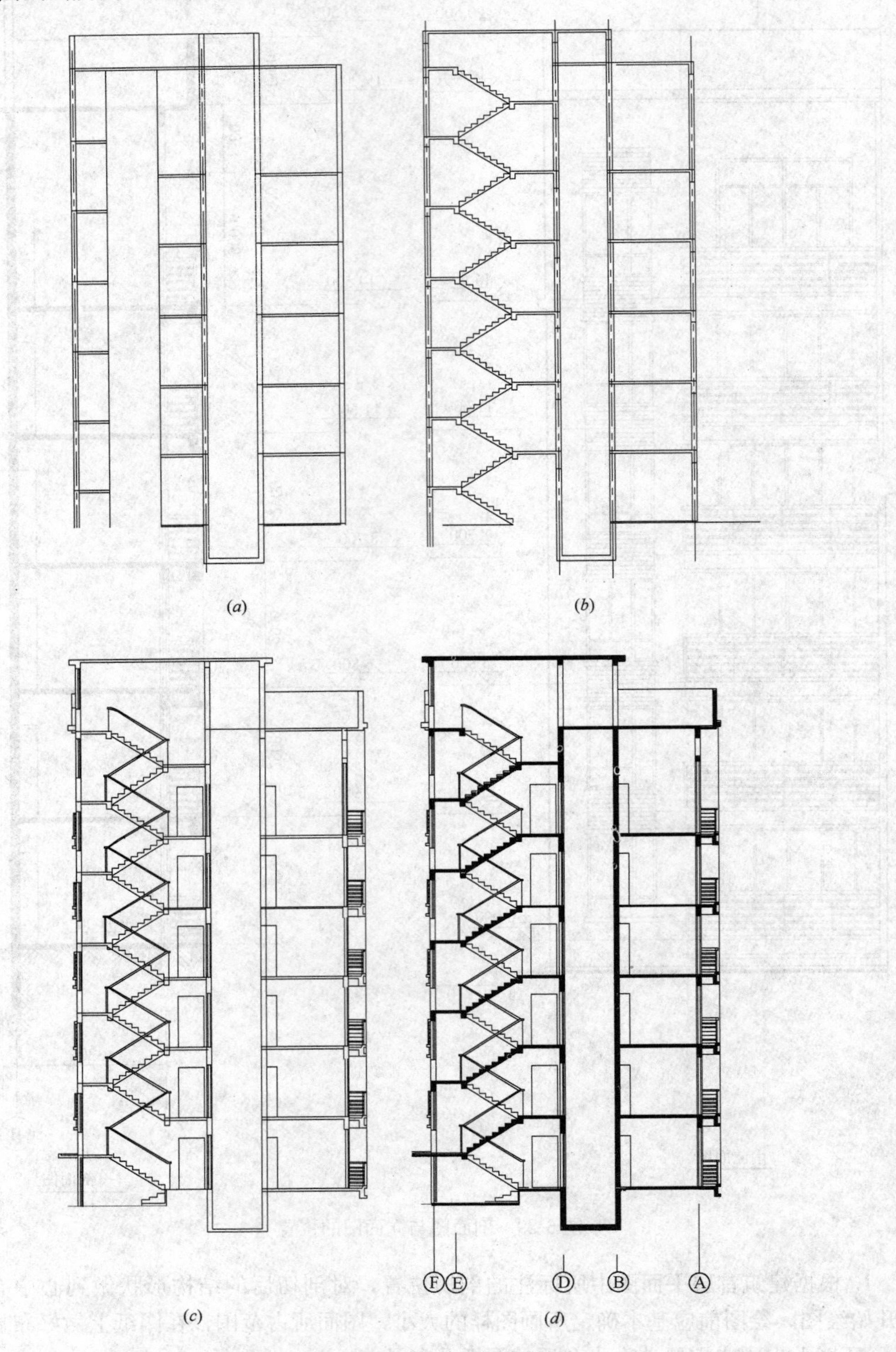

图6-30　剖面图绘图步骤

3. 根据轴线画出墙厚和屋顶的外部轮廓线，再分出门窗洞口。最后确定窗台、窗楣的位置以及檐口尺寸等，如图 6-30（*b*）所示。

4. 画细部轮廓，如楼梯、屋顶等，如图 6-30（*c*）所示。

5. 检查各部分位置轮廓线及尺寸，加深轮廓线，如图 6-30（*d*）所示。各线型及线的粗细与建筑平面图的绘图规则基本相同。

6. 画出尺寸线，标注出尺寸、标高、注写文字说明及详图索引符号等内容，如图 6-28所示。

建筑剖面图的尺寸，一般标注在图形外面的两侧。如果建筑物两侧对称时，可只注在一边。注标高时，也应注在建筑剖面图外的两侧，引出线最好对齐，标高符号大、小应一致，最好排列在一条竖起线上，以使图面清晰、整齐。关于详图索引的标注方法前面已述。

6.6.5 学习建筑剖面图应具备的知识

1. 层高与净高：建筑物由下层楼面或地坪到上层楼面的垂直高度叫层高。而净高则是由本层地坪至本层空间的上部结构层，梁或楼板底面之间的垂直高度。

2. 结构标高：结构标高指结构构件未经装修的表面标高，如图 6-28 所示。

3. 材料做法代号：将建筑上的不同部位的材料做法，用代号表示，既简便，又便于施工。例如某建筑物材料做法表中，把 70mm 厚，每平方米 110kg 的水泥地面代号定为“楼 3”。其具体做法为：

（1）钢筋混凝土预制板；

（2）其上铺 50mm 厚 1∶6 水泥焦砟垫层；

（3）再上面是刷素水泥浆结合层一道；

（4）最后是 20mm 厚 1∶2.5 水泥砂浆抹面压实赶光。此外，如将 230mm 厚的混凝土地面定为“地 4”。将 16mm 厚混凝土墙面定为“内墙 4”。其具体内容在相关施工标准中均作了规定。我国各地区均有相应的规定可供参阅。

4. 防潮层。防止地下水因毛细作用上升，而腐蚀墙面的避水层。常用材料为油毡或防水砂浆。防潮层一般铺在地面垫层及面层的交接处。

5. 室内外高差。建筑物的首层室内地面均比室外地面高，从而形成室内、外高差，以防止雨水侵入室内。通常室内地坪比室外地面提高 300、450、600mm 左右，或者更高些。

6. 其他：设计项目、设计者、审核、图名、比例等等均写在图纸右下角标题栏里，如图 6-1 所示。

6.6.6 某中高层住宅门窗立面图

门窗立面图例中的细斜线为门窗扇开启方向符号，细实线表示向外开，细虚线表示向内开，两条开启方向符号的交点一侧为安装门窗铰链（合页）的一侧如图 6-31 所示。

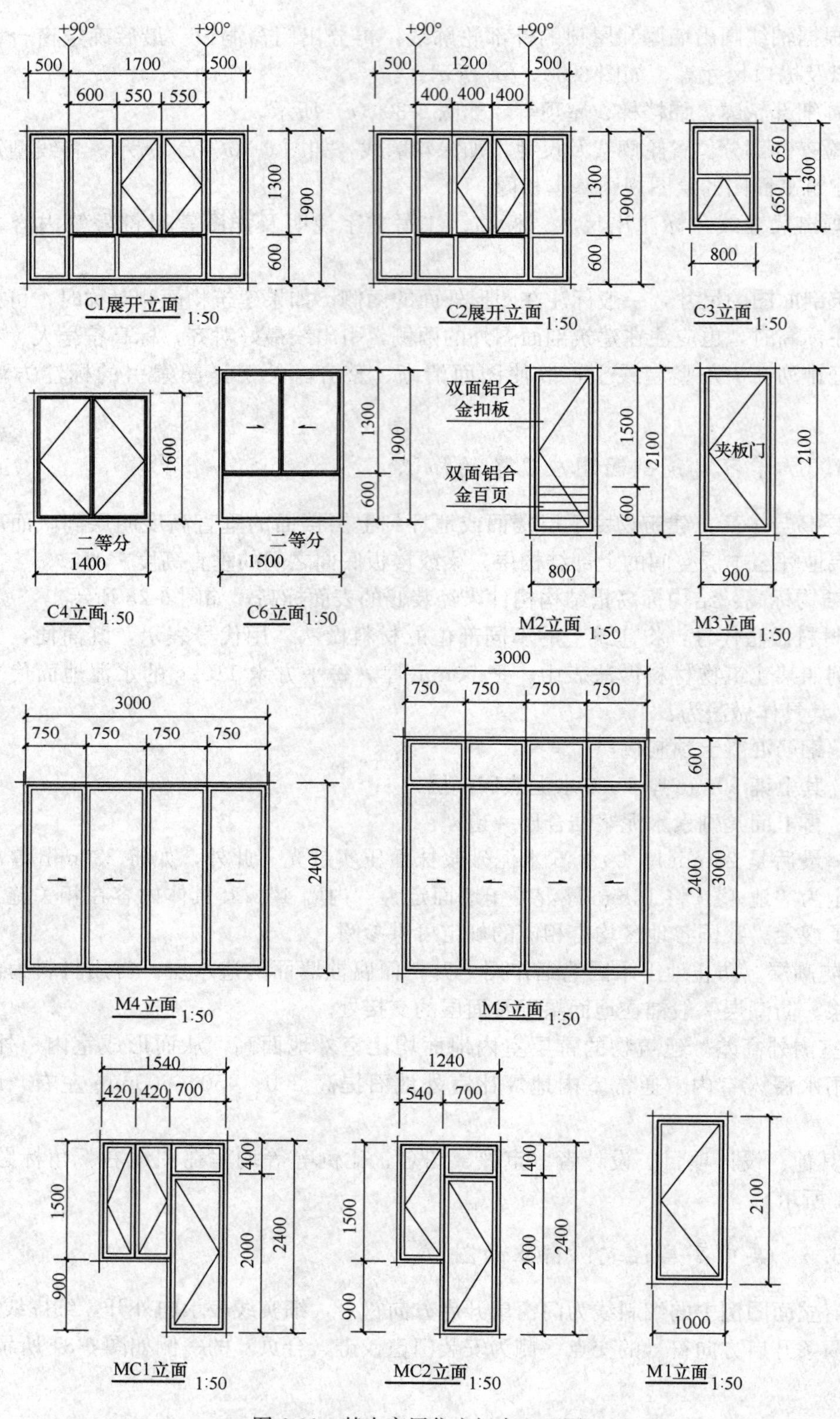

图 6-31　某中高层住宅门窗立面图

6.7 建 筑 详 图

6.7.1 概述

建筑详图就是把房屋的细部或构、配件的形状、大小、材料和做法，按正投影原理和标准图例用较大的比例绘制出来的图样。它是建筑平、立、剖面图的补充。建筑详图也称大样图。建筑详图所用的比例依图样的繁、简程度而定，常用比例为 1∶1、1∶2、1∶5、1∶10、1∶20、1∶50 等。

建筑详图按需要可分为：

1. 表示局部构造的详图。如在平、立、剖面图中，由于比例太小，不能表示清楚的部位，即可画局部详图，如外墙详图、楼梯详图、阳台详图等。

2. 表示房屋设备的详图。如卫生间、厨房、实验室内的设备，种类，安装位置及其构造等，如图 6-32 卫生间小便屎详图。

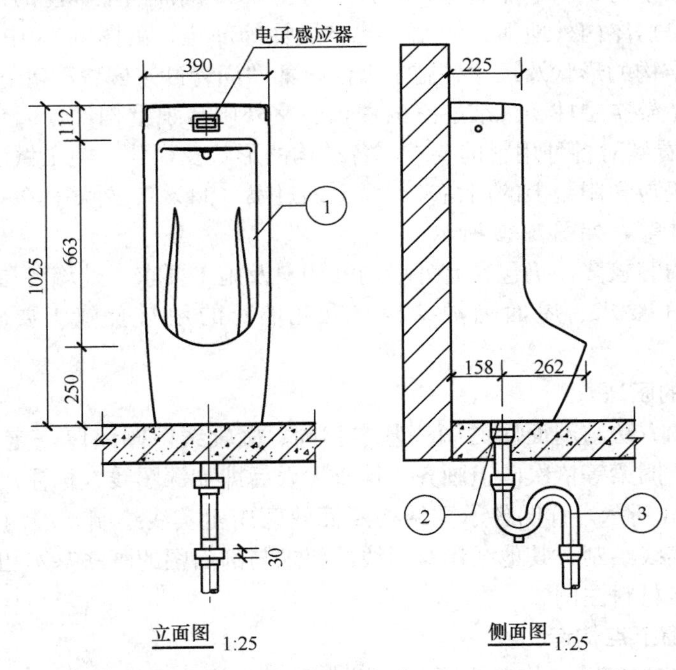

图 6-32 卫生间小便屎详图

3. 表示房屋内外有特殊装修的部位。如建筑物的大门、吊顶及花饰等。

建筑详图种类很多，本书只介绍建筑施工图中使用最多几种详图。

6.7.2 外墙详图

1. 外墙详图的内容

外墙详图常用的是外墙剖面图。它是建筑剖面图的局部放大图。根据建筑物的不同情况，需要绘制的外墙剖面图的数量也不同。如图 6-33 所示，在纵向剖切而得到的详图，外墙详图常用的比例为 1∶5、1∶10、1∶20 等。

外墙详图表示外墙各部位的详细构造、材料做法及详细尺寸，如女儿墙、檐口、圈梁、过梁、墙厚、雨篷、阳台、防潮层、室内外地面、散水等。还要注明各部分的标高和详图索引符号。详图中注写了大量多层构造引出线，关于这些多层构造引出线的标注方法和顺序关系详见图 6-12。

在图 6-33 中，我们看到的尺寸标注为建筑尺寸，建筑尺寸通常是指建筑物建设后的实际尺寸，如墙体抹灰、贴面后的尺寸及建筑物外形尺寸。

2. 外墙详图的阅读

阅读外墙详图时，首先应找到详图所表示的剖切部位。应与平面图、剖面图或立面图对应来看。

看图时要由下向上或由上向下阅读。一个节点一个节点的阅读，了解各部位的详细构造尺寸做法，并应与材料做法表核对，看其是否一致。如图 6-33 所示。

图中“$\frac{1}{6}$ $\frac{2}{6}$ $\frac{3}{6}$ $\frac{4}{6}$”分别表示外墙四个节点详图，下半圆圈里数字为所在图纸编号，上半圆圈里数字为详图节点编号，并分别与图 6-28 剖面图上标注的详图索引相对应。

第一个节点是房屋内外地面、散水、架空层柱等部位，由图 6-33 中可以看到对各种用料的要求、各结构的形状及尺寸、施工做法，如“沥青砂浆嵌缝”等。

第二个节点是架空层柱、标准层室内楼板、室外阳台承重构件、阳台的门窗等部位，由图 6-33 中可以看到对各种用料的要求、各结构的形状及尺寸、施工做法等。

第三个节点仍包含阳台上的门窗及门窗上的过梁（圈梁）、外墙内外用料及施工要求、外墙各层次的尺寸等，如图 6-33 所示。

第四个节点内容较多，仍包含有外墙内外用料及施工要求、外墙各层次的尺寸、屋面结构的用料及施工要求、屋面围护结构（女儿墙）的用料及施工要求等，如图 6-33 所示。

3. 外墙详图的画法

画外墙详图的方法与剖面图的画法基本相同。画轴线→画墙厚→定出室内外地面散水、窗台、过梁、圈梁等依次向上画齐。检查无误后即加深图线，标注尺寸、标高及文字说明等，如图 6-33 所示。详图各承重结构断面轮廓用粗实线绘制，墙内外整平层、各装饰层轮廓均用细实线绘制，其他结构对图线的要求与剖面图的画法基本相似。各层材料符号请参照相关建筑材料图例。

4. 外墙与飘窗节点构造

图 6-34 外墙与飘窗节点构造详图，主要表达 A 轴线墙身上飘窗上下左右的节点构造及墙身与窗台细部的施工要求；同时表示了百叶窗里侧安放空调主机的位置构造。图中所示 1900 确实是窗的实际高度，而该图中使用折断处理所传达的意思是它不代表同一个楼层的飘窗而是标准层的组合。

6.7.3 有关过梁与圈梁知识

过梁与圈梁用于门窗上部，为解决上部荷载传至门窗两侧而设置的承重构件，称为过梁，一般压入两端墙的深度不少于 200mm；在框架结构中，围绕在建筑物的内、外墙上连续设置的闭合连通的钢筋混凝土梁，称为圈梁，圈梁可以增加建筑物的刚性和整体性，

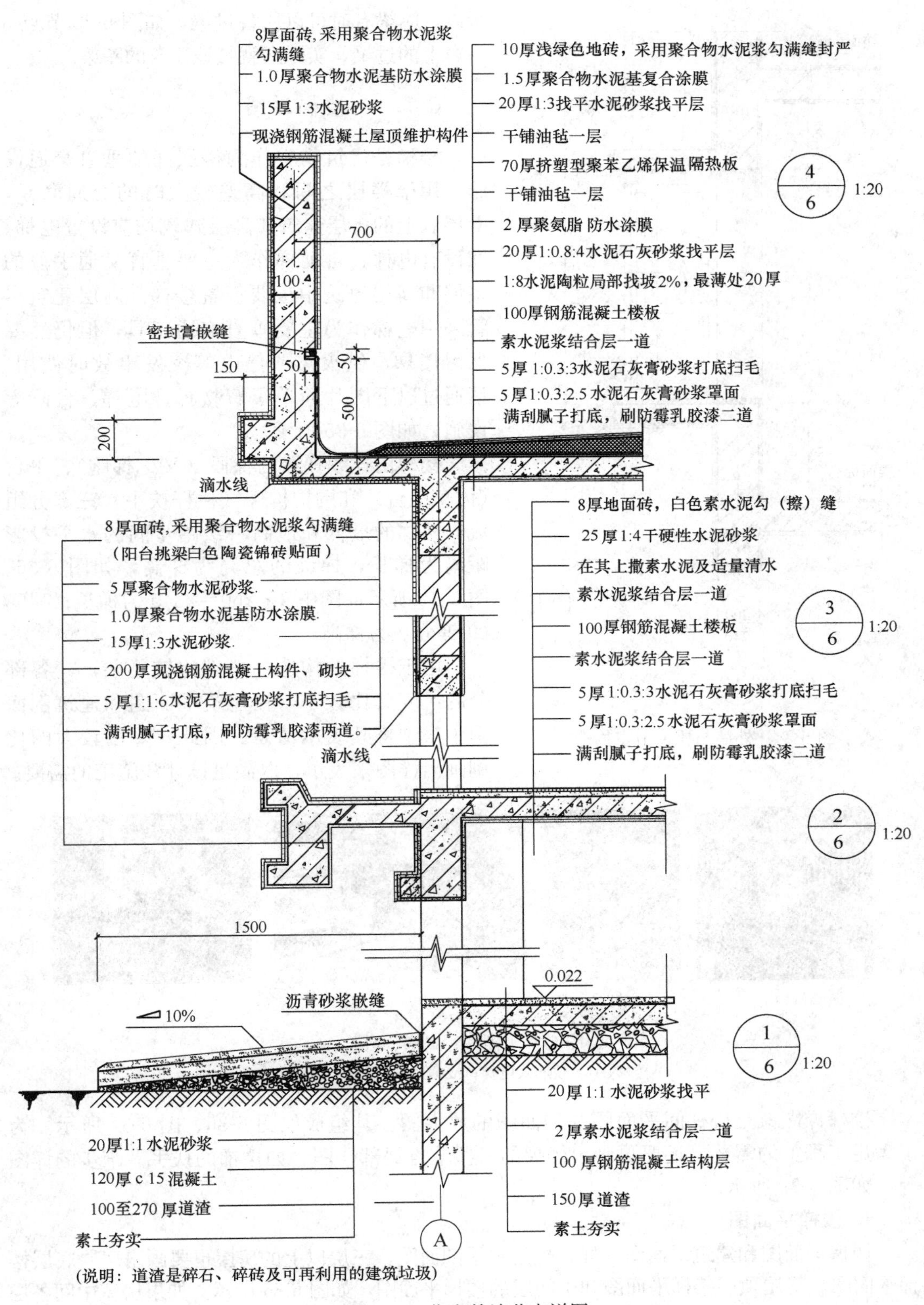

图6-33　住宅外墙节点详图

所以，圈梁有时可以代替过梁，如图 6-33 节点 3 门窗上的过梁，实际上就是该建筑的圈梁。

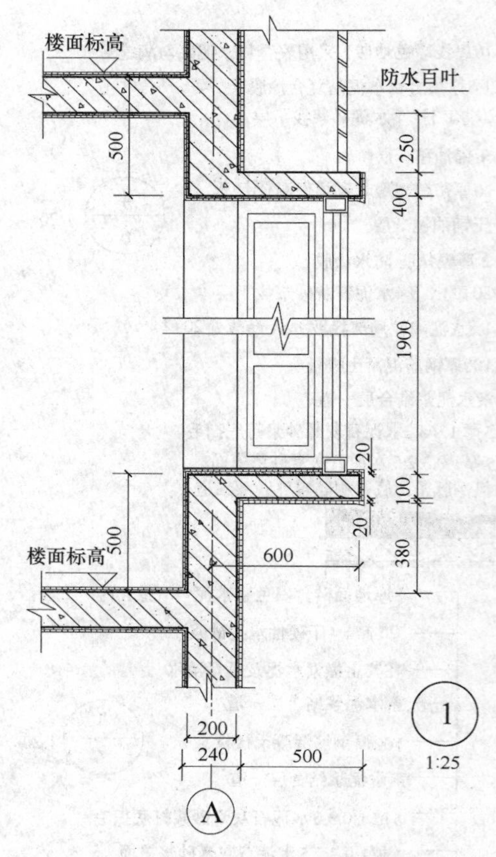

图 6-34 外墙与飘窗节点构造

6.7.4 楼梯详图

楼梯是建筑物中作为楼层间的垂直交通设施，用于楼层之间和高差较大时的交通联系，七层以上的多层建筑和高层建筑均应设置电梯。在设有电梯、自动梯作为主要垂直交通手段的多层和高层建筑中也要设置楼梯。高层建筑尽管采用电梯作为主要垂直交通工具，但仍然要保留楼梯，供火灾或停电等突发事故时使用。请通过以下图片简单了解楼梯、电梯、台阶等设施，如图 6-35 所示。

楼梯由连续梯级的梯段（又称梯跑）、平台（休息平台）和围护构件（栏杆扶手）三部分组成。楼梯的最低和最高一级踏步间的水平投影距离为梯长，梯级的总高为梯高，如图 6-36、图 6-37 所示，图中 9×260＝2340 为梯长；1450（9 等分）为梯高。

由于楼梯的构造一般都比较复杂，其各部分的尺度又比较小，在建筑平面图和建筑剖面图中很难将其表示清楚。因此，要用较大的比例画出详图来表示，以满足设计和施工的需要。

(*a*)

(*b*)

(*c*)

(*d*)

图 6-35 楼梯、电梯、台阶

（*a*）楼梯；（*b*）轿厢式电梯；（*c*）自动扶梯；（*d*）室外台阶

楼梯详图就是楼梯间平面图及剖面图的放大图。其组成如图 6-36、图 6-37 所示。为了满足工程上的需要，还要再画出楼梯的一些节点局部详图。如楼梯的扶手、踏步的详图等，如图 6-39 所示。

1. 楼梯平面图

楼梯平面图和建筑平面图一样，也是水平剖面图，三层以上的房屋也要画出房屋底层楼梯平面图、房屋顶层楼梯平面图和中间层的楼梯平面图，如图 6-36 所示。如果房屋中间各层楼梯都相同，只是标高不同时，就用一个标准层楼梯平面图来表示，如图 6-36 中标准层所示。

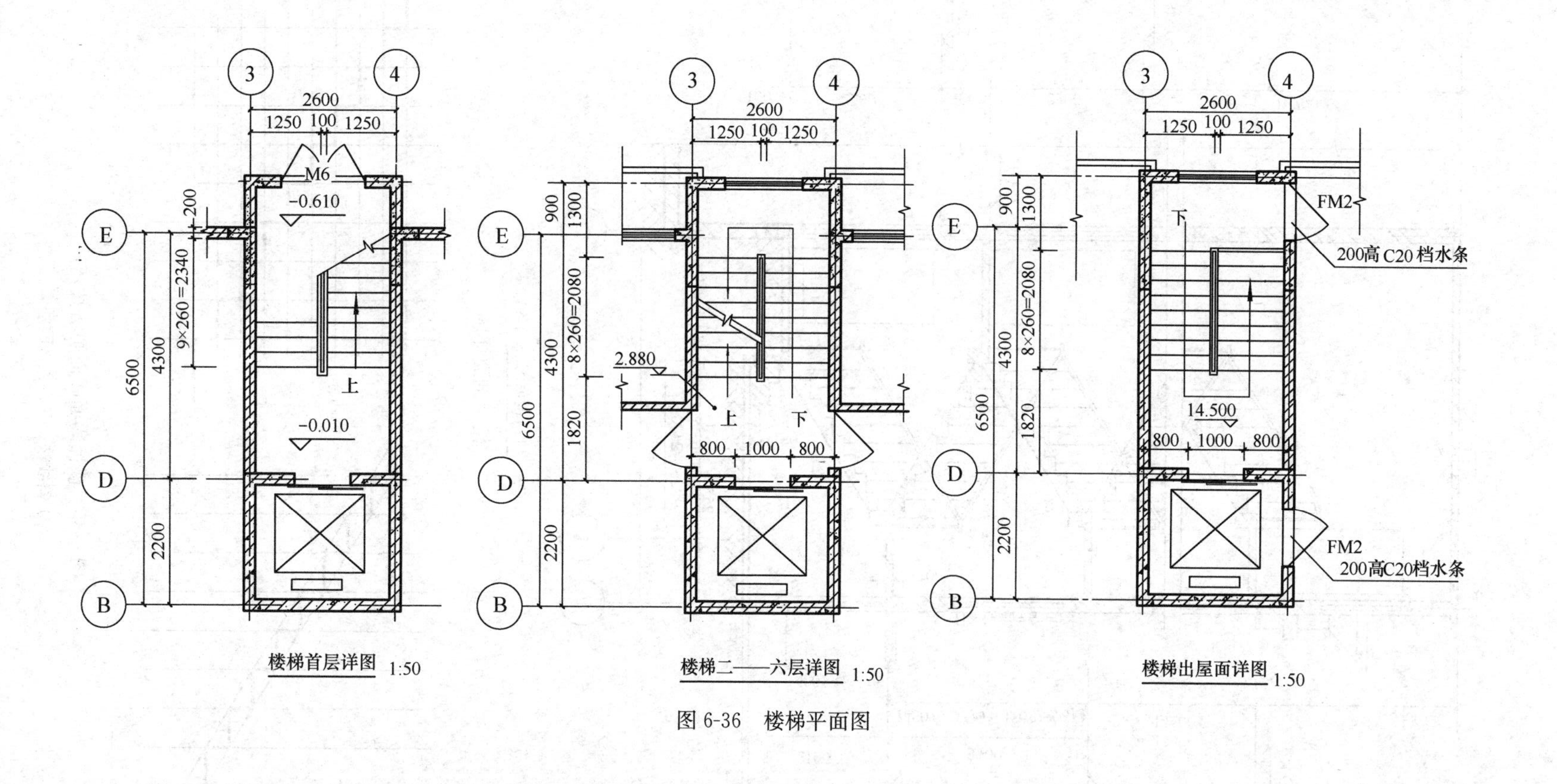

3
4
2600
1250
100
1250
M6
-0.610
-0.010
上
200
9×260=2340
4300
6500
2200
E
D
B
楼梯首层详图 1:50
900
1300
8×260=2080
1820
2.880
下
800
1000
楼梯二——六层详图 1:50
FM2
200高C20档水条
14.500
楼梯出屋面详图 1:50

图 6-36　楼梯平面图

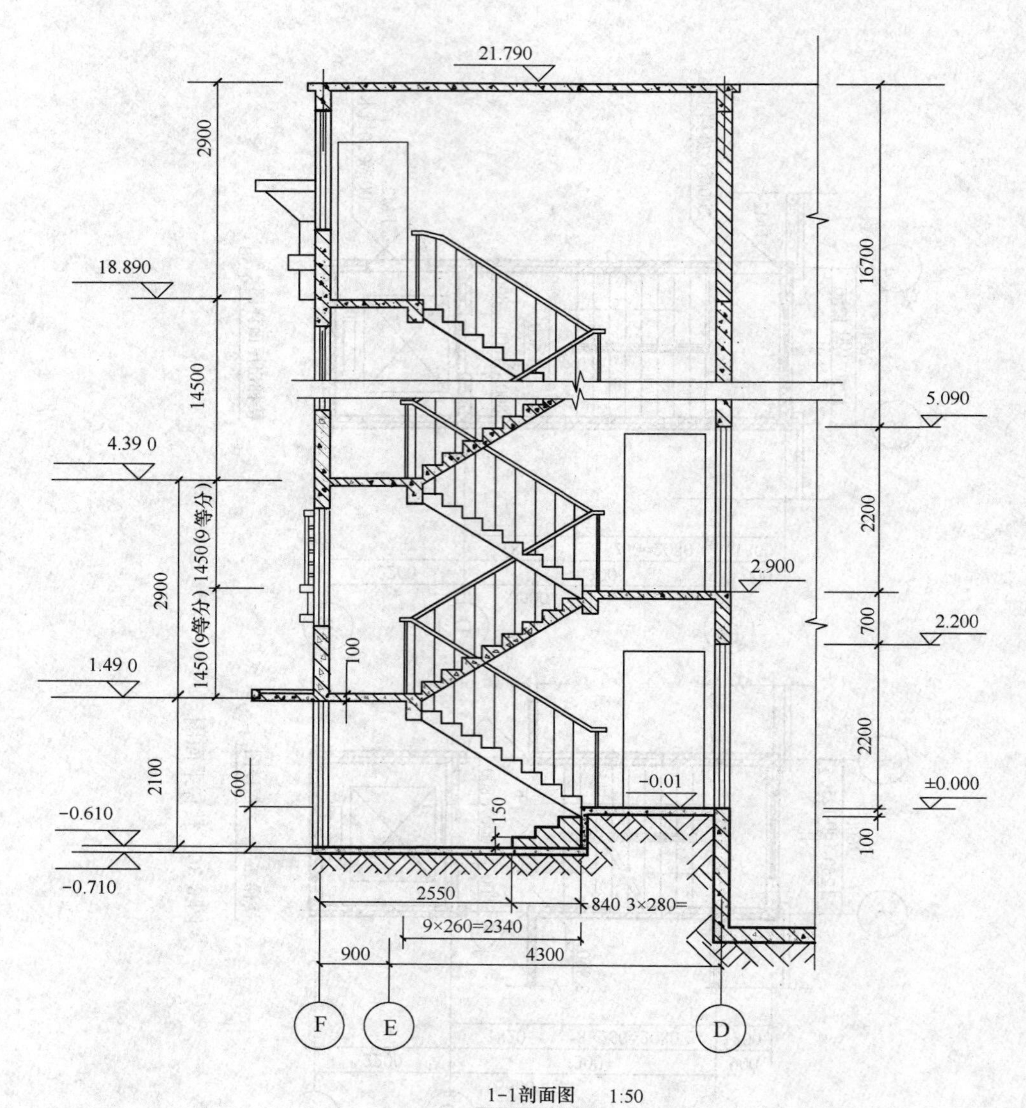

1-1剖面图 1:50

图 6-37 楼梯剖面详图

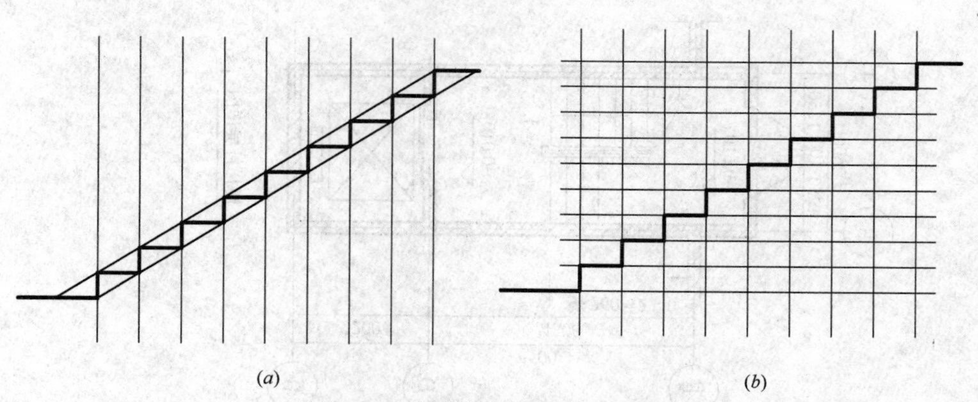
(a)

(b)

图 6-38 楼梯踢面踢面画法技巧

(a) 斜线法；(b) 方格网法

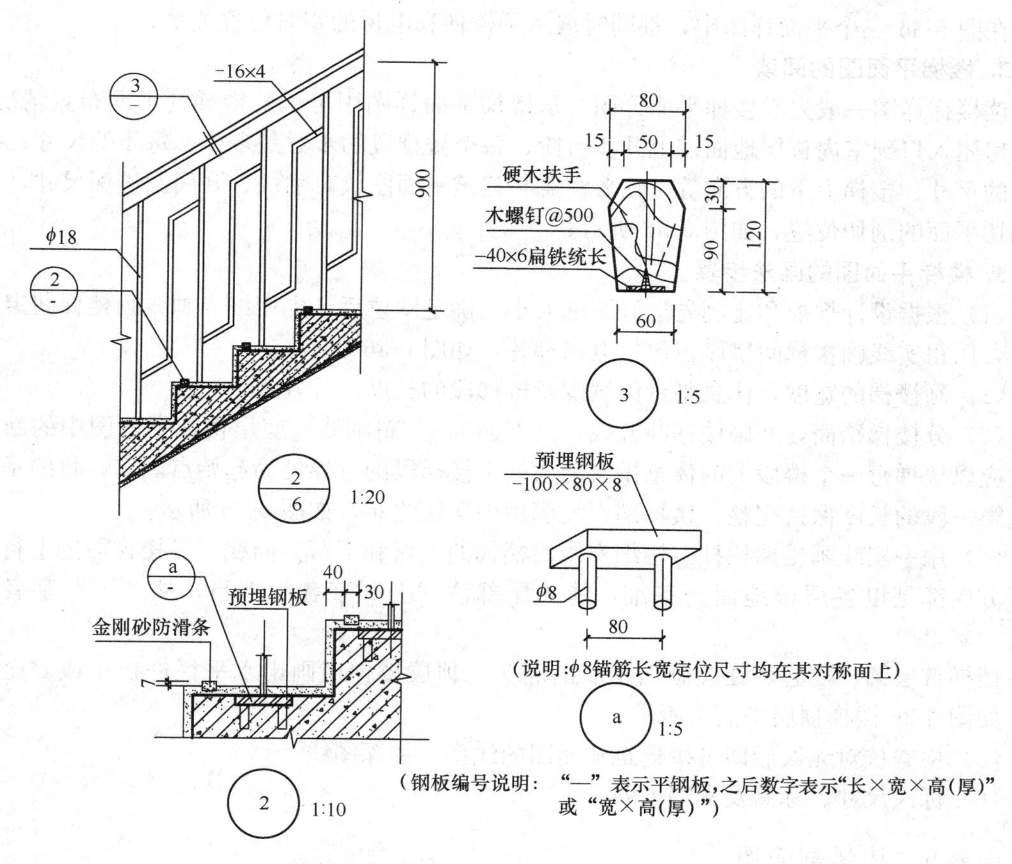

图 6-39 楼梯踏步、栏杆、扶手详图

在楼梯平面图中要表示楼梯间平面布置的详图情况，如楼梯间的尺寸大小、墙的厚度、楼梯上行或下行方向、踏面数和踏面宽度、楼梯平台和楼梯位置等如图 6-36 所示。

楼梯平面图是假想用剖切平面在各楼层地面或楼面的上方与楼面相距 1m 左右的部位剖切后，移去上面部分而向下投影得到楼梯平面图。如图 6-36 中楼梯一层详图，在其平面图上只表示出了第一层楼梯段部分的踏面的投影，折断线为其界限，这意味着该梯段上面一部分剖切后被移走，留下下面一部分的投影。注意，一层楼梯平面图中设置有三级台阶。

图 6-36 标准层详图是在二层楼 2.900m 之上水平剖切楼梯后移去上面部分，向下作投影而得到的平面图。因为假想有一个楼梯段被切断，所以看到了下面一部分梯段，二者以折断线为各自的界限组成标准层平面图。从图 6-36 标准层平面图中还可以了解楼梯间中间层之间的休息平台及楼梯上下的情形，如箭头所示。标准层平面图还标注了自身及其他标准层休息平台和楼梯间的标高尺寸。

楼梯的顶层已超出六层，在标高为 14.500m 之上水平剖切，移去上面部分而得到的平面图。由于没有切到楼梯梯段，所以在平面图中仅看到楼梯顶层及下层间的休息平台以及两个楼梯段各踏面的投影，同时，也看到了楼梯尽端的安全栏板。图中箭头表示了楼梯下的方向。在楼梯顶层平面图中可看到从电梯设备间和楼梯间通往屋面的两扇门。

在图 6-36 三个平面详图中，都同时展示了楼梯和电梯的相对位置关系。

2. 楼梯平面图的阅读

读楼梯详图一般先看楼梯平面详图。从楼梯平面详图中可了解楼梯的平面布置情况，如从房屋入口到室内首层地面需上几步台阶、每个楼梯段的步数是多少、每步的尺寸、楼梯井的尺寸、楼梯上下的方向等。还要注意与建筑平面图核对轴线、开间及进深尺寸，以及剖切平面的剖切位置，如图 6-36 所示。

3. 楼梯平面图的画法步骤

（1）根据设计规模和比例先选好图纸大小，确定图位后，先用细点画线画楼梯间定位轴线，用粗实线画楼梯间墙厚，包括电梯梯井，如图 6-36 所示。

（2）画楼梯的宽度，休息平台的宽度及楼梯段的长度。

（3）分楼梯踏面，并画楼梯断开线，其方向为 45°斜细线。底层楼梯平面图中的断开线，应以楼梯每一个楼段上的休息平台与第一个楼梯段的分界处为起始点画出，目的是为了使第一段的长度保持完整。楼梯踏面轮廓用中实线绘制，如图 6-36 所示。

（4）用中实线画楼梯栏杆。用细实线出楼梯的上行和下行方向线，各楼梯段的上行或下行方向都是以各层楼地面为基准，箭头尾部注“上”字者为上行，注“下”字者为下行。

楼梯首层第一段起始处应画出踏步的起头，顶层楼梯应画出水平栏杆扶手或安全栏板，如图 6-36 楼梯顶层平面图所示。

（5）检查核对无误后即可按建筑平面图的线型，加深图线。

（6）标注尺寸、标高及文字说明。

6.7.5　楼梯剖面图

楼梯剖面图是用假想的剖切平面沿楼梯梯段方向作剖切后得到的剖面图，在作剖切后需注意投影方向，在楼梯剖面图中不仅要包含有被剖到的楼梯段，还要有未被剖到的楼梯段的投影。在楼梯剖面图中表示出楼梯段的长度、踏步级数、楼梯结构形式及所用材料，以及房屋地面、楼面、休息平台、栏杆和墙体的构造关系与做法，还要表示出楼梯各部分的标高及详图索引符号，如图 6-37 所示。

1. 楼梯剖面图及其详图的阅读

阅读楼梯详图及其详图，要注意以下问题：

阅读时要注意对照图 6-17 中的 1-1 剖切位置，仔细分析楼梯剖面图及其详图与图6-17 上标注的 1-1 剖切位置之间的投影关系及投影方向。

要注意楼梯与墙等承重构件的结构关系，如平台与楼梯梁的搭接，平台与外墙的搭接、台阶的构造等，了解整体尺寸及材料，并弄清楚楼梯梯段的结构形式、踏面与踢面的具体尺寸、步级数等，图 6-37 梯段结构形式属于板式。

2. 画楼梯剖面图的步骤

画楼梯剖面图时先画平面图，再画楼梯剖面图。

举例说明：已知某建筑物楼梯间开间为 2.6m，层高度 2.9m，本例题从二层地面开始确定层高，两侧砖墙均有 200mm，踏步宽 260mm、踏步高 161mm，现画出该楼梯详图，如图 6-36、图 6-37 所示。

具体算法如下：

(1) 先求梯级数。2.9(层高)÷0.161(每个踏步高度)＝18梯级，宜划分两个楼梯段，每段9个梯级。

(2)求踏步面所占的总长度。[(9－1)×260(踏步宽)]＝2080mm

(3)决定休息板宽。开间＝2600－(2×100)＝2400mm

若中间楼梯井为80mm，则每个楼梯段的梯宽为(2400－80)÷2＝1160mm

休息板宽应大于或等于楼梯宽，现取1160mm。

(4) 确定标高。二层休息平台标高为4.39m，二层地面为2.900m，三层地面为5.80m。

由上例可知，在楼梯平面图上楼梯梯段长＝(踏步数－1)×每个踏步宽，见图6-36中“8×260＝2080”。

在楼梯剖面图上，楼梯梯段高是：楼梯梯段高＝(梯级数)×每个踏步高，见图6-37中“1450(9等分)”。

在以上计算所得的各部分尺寸基础上，开始绘图，具体步骤如下：

(1) 先画楼梯间的定位轴线、墙厚、层高、休息平台高。

(2) 画休息平台宽度及踏步总长，用斜线法或方格网法根据具体尺寸画踏面与踢面，如图6-38所示。

(3) 根据结构尺寸画出楼梯梁大小，休息板厚度及休息板与踏步的交接。

(4) 画栏杆（从踏步宽度中间向上引垂线，一般栏杆高为900mm）。

(5) 检查无误后，按建筑剖面图的线型粗细要求加深图线，被剖断面轮廓为粗实线；其余可见轮廓为中实线；窗扇、尺寸等为细实线。

(6) 加画剖面符号，尺寸数字及说明。

6.7.6 楼梯节点详图

如图6-39所示，是楼梯踏步、栏杆、扶手详图（大样）。因为楼梯的这些部位要求施工较精细，从预埋钢板施工到防滑条、扶手等都标注了详细的尺寸，所以，详图上标注的尺寸称为“建筑尺寸”。因图6-39详图所用比例均比较大，而且有较多的文字说明，为读图带来方便，这里就不再详细分解。

绘图的基本要求与其他详图相同，有关详图符号的规定如图6-10所示。

6.7.7 学习楼梯详图的相关知识

1. 了解楼梯踏步尺寸，见表6-3。

常见的民用建筑楼梯适宜踏步尺寸 **表6-3**

名称	住宅	学校、办公楼	剧院、食堂	医院	幼儿园
踢面高mm	156～175	140～160	120～150	150	120～150
踏面宽mm	250～300	280～340	300～350	300	

2. 楼梯的构造形式很多，一般分为：

1）整体式楼梯，为现场浇筑的钢筋混凝土楼梯。

2）装配式楼梯，又有踏步预制、现场安装及整个楼梯段预制现场安装两种。

3）楼梯梯段结构形式，板式和梁板式，如图 6-37、图 6-39 为板式。

4）楼梯的特殊类型：包括替代楼梯的自动扶梯和垂直升降的电梯，如图 6-35（*b*）、（*c*）所示。

6.7.8 阳台详图

在建筑施工图平、立、剖中所设计的阳台，是以结构设计为主的，尺寸标注也属于结构尺寸，虽然在这个阶段已经完成预埋件的施工，可是因比例所限在平、立、剖图中仍无法表达出来，还有护栏的设计与施工都遇到类似问题。这就要求专门为阳台绘制更大比例的图，方便设计、看图、施工，如图 6-40 所示。

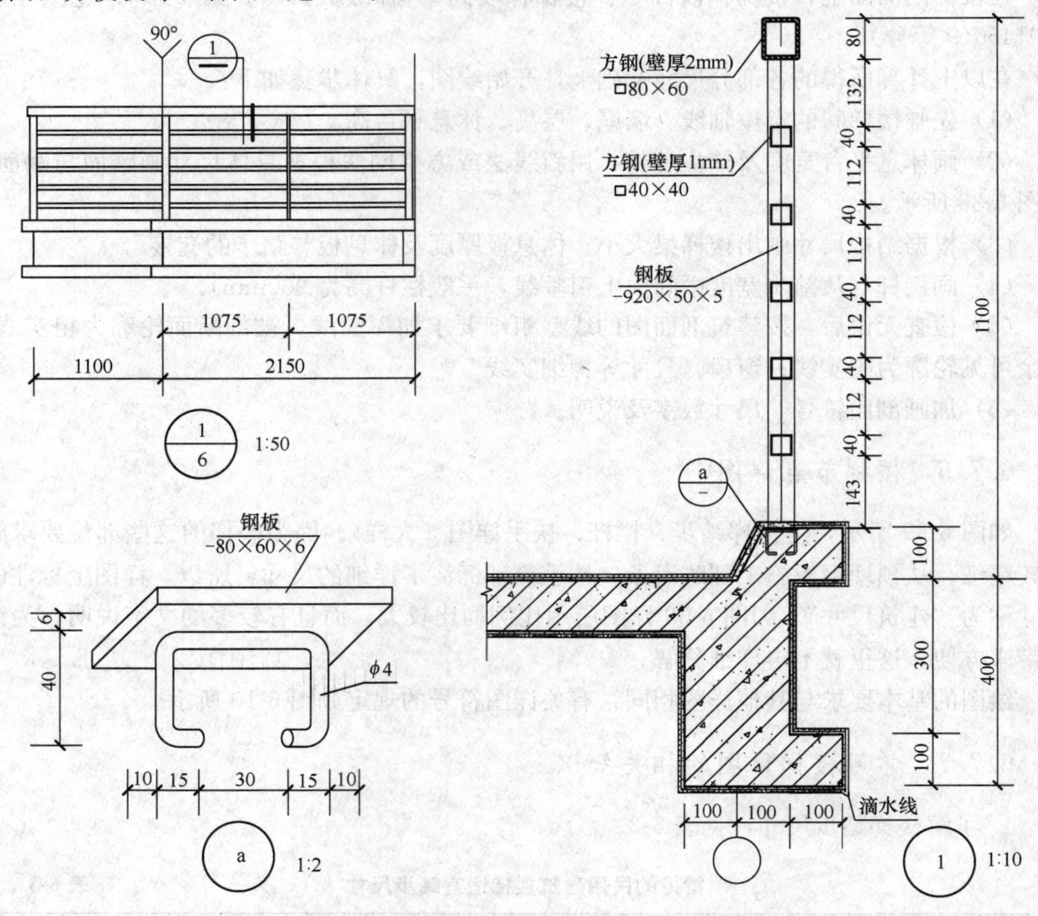

图 6-40　阳台详图（阳台 3）

阳台的结构特点除护栏为钢结构外，其余结构和安装，还有标注的规则等与外墙节点详图、飘窗详图、楼梯踏步、栏杆、扶手详图基本一致。

图 6-40 立面图上方“90°”标注，意味以此为基准，标注为 1100mm 长的护栏与标

注为 2150mm 长的护栏相互垂直。

6.7.9 百叶窗详图

设计安装百叶窗是为使空调主机不外露，而且通风散热效果好，使建筑物整体美观整洁。

详见本案例百叶窗详图（图 6-41）。

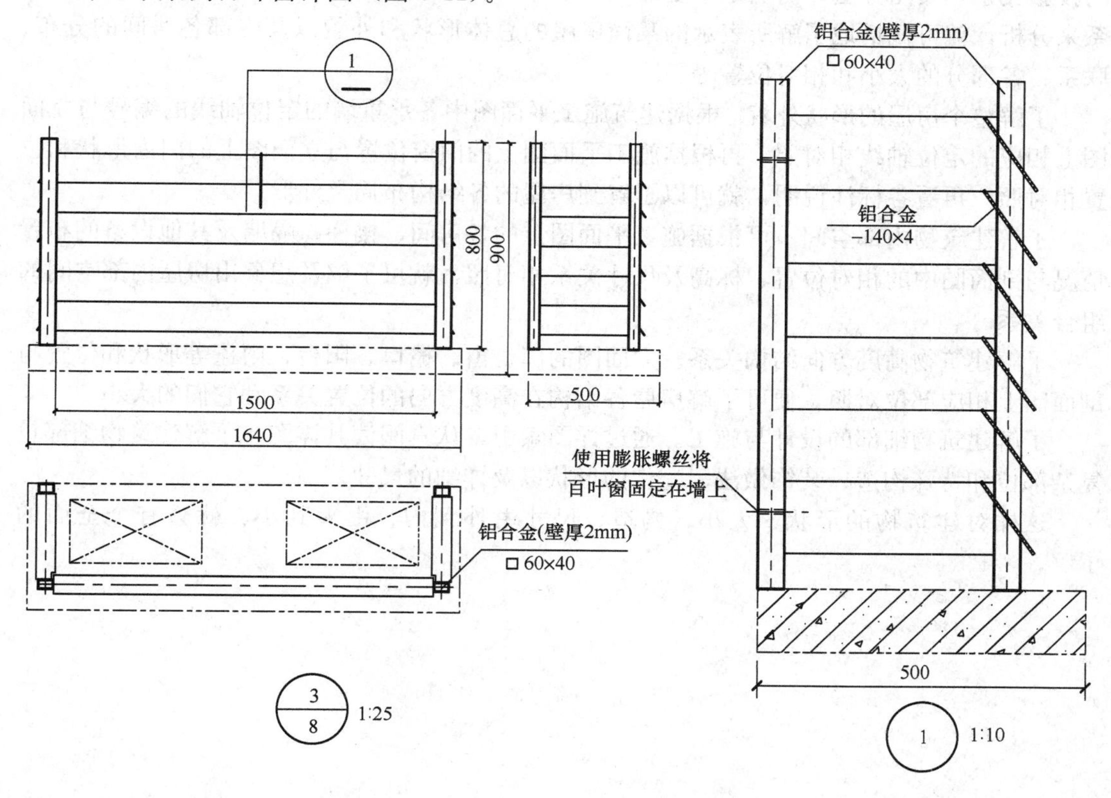

图 6-41 百叶窗详图

6.8 建筑施工图综述

建筑施工图的各种图样基本都是按正投影法画的。有的是建筑物的外形图，有的是对房屋作假想剖切后的剖面图，运用这些外形图及剖面图将一幢建筑的结构、轮廓清晰地表达出来。有些不详尽的部位，再画出它的各种详图。在图样中还运用了各种国标规定、代号、图例，所以建筑工程图是有规律，有规格，有标准化要求的工程图纸。它是把投影原理应用到建筑物生产的图纸上，以此表述技术思想和建造房屋的重要图示语言，在学习中要掌握各种建筑施工图所表述的内容及图示特点，并注意各种建筑施工图之间的连接关系。在学习了建筑施工图以后，就要综合起来，研究建筑施工图的整体阅读及其绘制方法。

建筑施工图的综合阅读

在综合阅读施工图之前，先要看图纸的总说明及图纸目录，然后再阅读图纸。对于小规模房屋的平、立、剖图均可画在同一张图纸上，应保持高平齐、长对正、宽相等的投影关系。如果所画的建筑物体量很大，虽不能把平、立、剖图画在同一张图上，但它们之间的投影关系，读图方法却仍然是不变的。所以在阅读建筑施工平、立、剖图时，按投影关系来分析，就可概括地了解所表示的某幢房屋的总体形状和外貌以及内部各房间的分布、联系、各部分的大小和相对位置等。

了解整个房屋的形状外貌。根据建筑施工平面图中各承重墙的定位轴线的编号与立面图上相应的定位轴线相对照，再根据施工平面图上的门窗位置与立面图上的门窗形状和位置相对照，再看各标注说明，就可以了解到房屋的各结构布局及外形。

了解建筑物内部空间。可根据施工平面图上的各房间、楼梯、隔墙及其他设备的布置情况与剖面图中的相对位置、标高及尺寸关系相对照，就可了解及想象出房屋内部空间的组合关系。

了解建筑物高度方向结构关系。立面图的门、窗、檐口、阳台、雨篷等形状和位置与剖面图上相应部位对照，便可了解房屋各结构在高度方向的位置关系和它们的大小。

了解建筑物细部的设计与施工。通过详图索引，认真阅读其详图，了解建筑物细部较复杂部位和特殊构造、装饰做法、配件的形状以及详细的尺寸。

这样对建筑物的形状、大小、构造、尺寸由外到内、由大到小、就会有个全面的了解。

第7章　结构施工图

建筑物通常由基础、楼板、墙体、梁（如主梁、次梁）、柱、屋面板等构件组成，如图 7-1 所示。这些构件按一定的构造和连接方式组成空间结构体系以支撑和传递建筑物的各种荷载，故在建筑工程设计中，除进行建筑设计绘制建筑施工图外，还需进行结构设计绘制结构施工图。

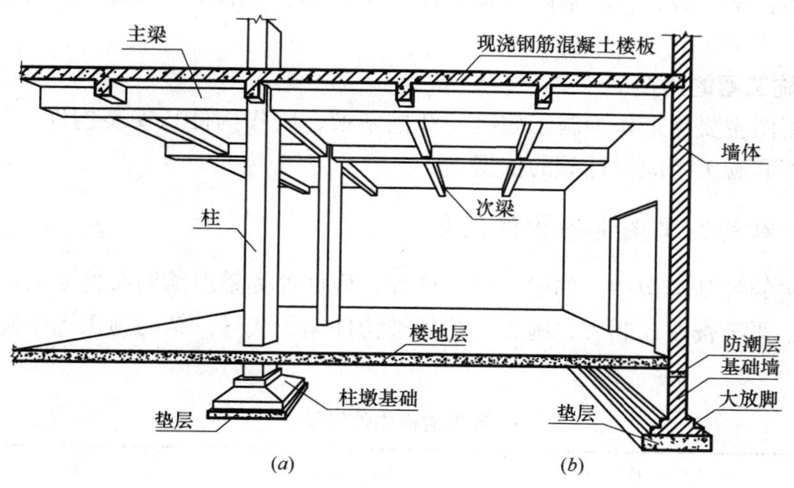

图 7-1　内框架结构示意图

(a) 独立柱基础；(b) 条形基础

结构设计主要包括：根据建筑设计的要求进行结构选型和构件布置，通过力学计算确定各承重构件的形状、大小、材料等，将设计结果绘制成图样，对应的图样称为结构施工图（简称结施）。

7.1　概　　要

7.1.1　结构施工图的内容和用途

1. 建筑物结构的分类

按建筑物承重构件使用的材料不同，可分为钢筋混凝土结构、钢结构、砖木结构、砖混结构、木结构等；按结构形式的不同，可分为框架结构、框架剪力墙结构、排架结构等。

2. 结构施工图的内容

结构施工图主要表示建筑结构的结构类型、结构布置，建筑构件的种类、数量、形状、内部构造及构件之间的相互连接等，主要包括：

1）结构设计说明

对建筑物的地基情况与基础选用，设计荷载的取值，选用的建筑结构类型、主要材料的强度等级、类型规格、构造要求及该工程设计遵循的标准、规范等进行说明。

2）结构平面布置图

结构平面布置图是表示房屋中各层承重构件的整体布置图样，主要包括：楼层结构平面布置图、屋面结构平面布置图。

3）基础施工图

4）构件详图

主要包括：梁、板、柱、基础结构详图，楼梯结构详图，屋架结构详图，其他结构详图。

3. 结构施工图的用途

结构施工图主要用来作为施工放线、开挖基槽、制作构件、安装构件、计算工程量、编制工程预算和施工组织设计等的依据。

7.1.2 结构施工图常用构件代号

房屋结构的各基本构件，如梁、板、柱等，构件种类繁多结构布置复杂，为了图示简明扼要清晰，便于查阅、制表、施工，把每类构件编予代号。结构施工图中常用构件代号见表 7-1。

常用结构构件代号 **表 7-1**

序号	名　称	代号	序号	名　称	代号
1	板	B	16	屋面框架梁	WKL
2	密肋板	MB	17	框架	KJ
3	墙板	QB	18	刚架	GJ
4	楼梯板	TB	19	支架	ZJ
5	天沟板	TGB	20	屋架	WJ
6	盖板	GB	21	柱	Z
7	空心板	KB	22	框架柱	KZ
8	梁	L	23	构造柱	GZ
9	圈梁	QL	24	阳台	YT
10	过梁	GL	25	基础	J
11	连系梁	LL	26	预埋件	M
12	基础梁	JL	27	钢筋骨架	G
13	楼梯梁	TL	28	托架	TJ
14	屋面梁	WL	29	天窗端壁	TD
15	吊车梁	DL	30	桩	ZH

7.2 钢筋混凝土构件简介

7.2.1 钢筋混凝土结构基本知识

1. 混凝土的组成及级别

混凝土简写“砼”（tóng）—即人工石，是由水泥、砂子、石子和水按一定的配合比浇捣、养护、凝固而成。其特点是坚硬如石，受压性能较好但受拉性能较差，容易因受拉而断裂，如图 7-2（*a*）所示。

为了提高混凝土的抗拉能力，常在混凝土受拉区域配置一定数量的钢筋，使两种材料粘结成一个整体共同承受外力。这样的构件称为钢筋混凝土构件，如图 7-2（*b*）所示。

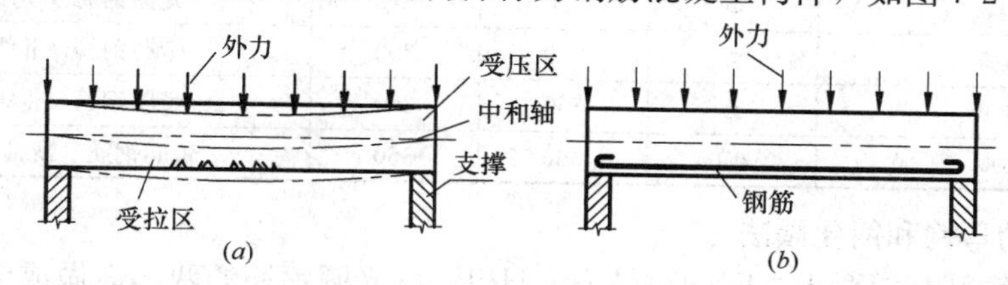

图 7-2 钢筋混凝土梁受力示意图

根据工程施工中钢筋混凝土构件的制作过程及混凝土内钢筋的受力情况，可分为：现浇钢筋混凝土构件、预制钢筋混凝土构件及预应力钢筋混凝土构件。其中的预应力钢筋混凝土构件，因在制作时通过张拉钢筋对混凝土施加了一定的压力，可提高构件的抗裂性能。

混凝土根据抗压强度的不同分为不同的强度等级，常用混凝土强度等级由低到高分为 C10、C15、C20、C30、C40、C50、C60 等。

2. 钢筋的表示法

1）钢筋的分类和作用

如图 7-3 所示，配置在钢筋混凝土构件中的钢筋根据其受力状态，可分为：

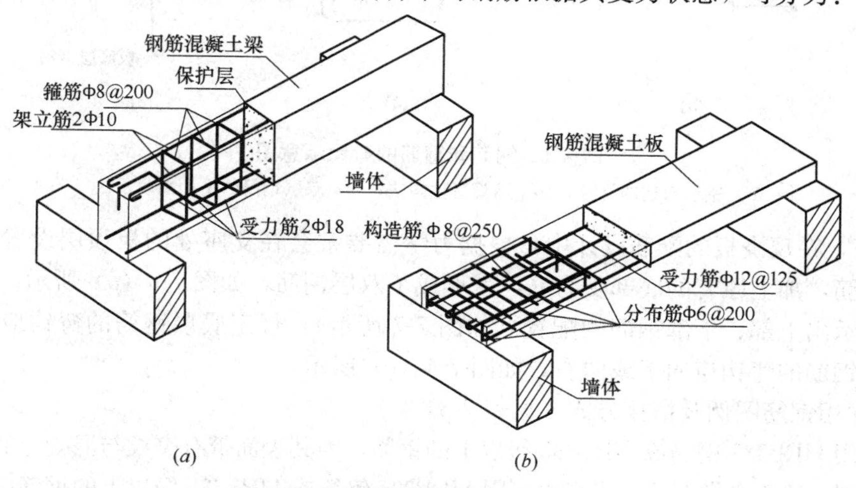

图 7-3 钢筋混凝土构件配筋示意图

（*a*）钢筋混凝土梁；（*b*）钢筋混凝土板

受力筋——主要承受拉力或压力的钢筋，常用于梁、板、柱等钢筋混凝土构件中。

箍筋——用于固定受力筋位置，并承受一部分斜拉应力，常用于梁、柱中。

架力筋——与受力筋、箍筋一起形成钢筋骨架，并固定箍筋位置，一般用于梁中。

分布筋——用于板内，与受力筋垂直，用来固定受力筋的位置并与之构成钢筋网，以抵抗热胀冷缩引起的温度变形。

2）钢筋的级别和代号

根据钢筋混凝土结构设计规范，建筑中常用钢筋按种类等级不同，分别给予不同直径代号和标示方法。见表 7-2，其中 f_y、f'_y分别为普通钢筋的抗拉、抗压强度设计值。

常用钢筋的种类和代号（N/mm^2） 表 7-2

种　类	符号	f_y	f'_y	备　注
HPB300	Φ	210	210	光圆钢筋（Ⅰ级钢筋）
HRB335	Φ	300	300	带肋钢筋（Ⅱ级钢筋）
HRB400	Φ	360	360	带肋钢筋（Ⅲ级钢筋）
RRB400	$Φ^R$	360	360	带肋钢筋（新Ⅲ级钢筋）

3）钢筋的弯钩和简化画法

为了提高钢筋与混凝土之间的粘结力，HPB300 光圆钢筋的两端需做成半圆弯钩或直弯钩，箍筋两端在交接处也需做出弯钩，其形状和尺寸如图 7-4（*a*）、（*b*）所示。

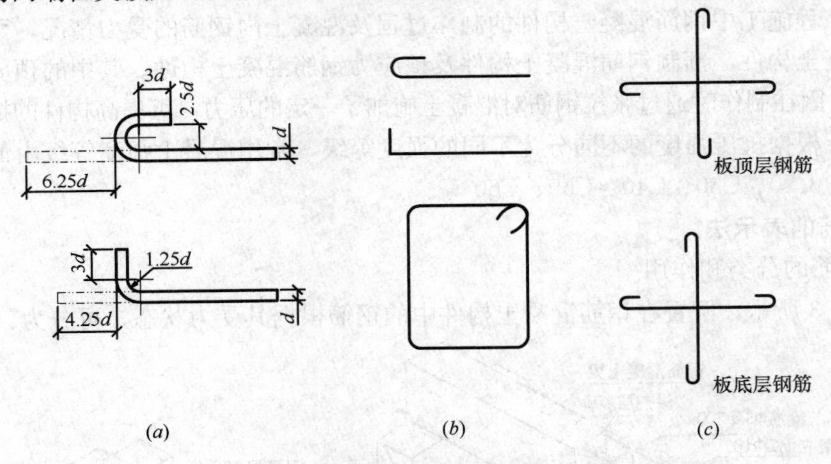

图 7-4　钢筋和箍筋的弯钩示意图

（*a*）钢筋弯钩的计算；（*b*）钢筋简化画法；（*c*）双层钢筋的平面图表示法

另外，在现浇板的配筋设计中，根据力学需要常会在支座处的板顶层设置一系列负弯矩受力筋，加上原有的底部受力筋，就形成了双层钢筋，如图 7-3（*b*）所示。为了在平面图中表示出上部、下部钢筋的配置（如图 7-7 所示），规定底层钢筋的弯钩应向上或向左，顶层钢筋的弯钩应向下或向右，如图 7-4（*c*）所示。

4）常用钢筋图例及搭接方式（见表 7-3）

当采用 HRB335 钢筋或 HRB335 级以上的钢筋，因其表面带有突纹与混凝土的粘结力较好，故两端一般不必做弯钩。需指出，因 HRB335 钢筋或 HRB335 级以上的钢筋两端不做弯钩，故当几根钢筋重叠时，在立面图上就表示不出钢筋的终端位置。在制图规范中统一规定用45°方向的粗短线作为无弯钩钢筋的终端符号。常用钢筋图例及搭接方式见表7-3。

常用钢筋图例及搭接方式 **表7-3**

名　称	图　例
带直弯钩的钢筋端部	
带半圆弯钩的钢筋端部	
无弯钩的钢筋端部（长短钢筋重叠时，可在短钢筋端部用45°短划线表示）	
无弯钩的钢筋搭接	
带直弯钩的钢筋搭接	
带半圆弯钩的钢筋搭接	
预应力钢筋或钢绞线（用粗双点画线）	

5）钢筋的尺寸标注方法

钢筋的根数、直径、相邻钢筋中心距（梁内箍筋、板内钢筋）一般采用引出线标注，如图7-5所示。

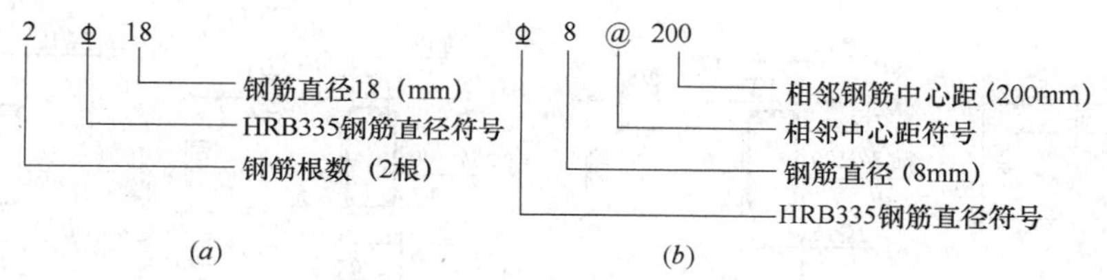

图7-5　钢筋的尺寸注法

（*a*）常用于梁内受力筋和架力筋；（*b*）常用于板内钢筋和梁内箍筋

6）钢筋的保护层

如图7-3（*a*）所示，构件表面到钢筋外缘间的一层混凝土称为钢筋的保护层，可保护钢筋防火、防锈、防腐蚀。其保护层厚度见表7-4。

钢筋混凝土构件的保护层 **表7-4**

钢　筋	构件名称		保护层厚度（mm）
受力筋	板	断面厚度≤100mm	10
		断面厚度＞100mm	15
	梁和柱		25
	基础	有垫层	35
		无垫层	70
箍筋	梁和柱		15
分布筋	板和墙		10

7.2.2　钢筋混凝土构件图示方法

尽管在建筑结构施工图中钢筋混凝土结构施工图平面整体表示法（简称平法）已逐步取代传统表示法，但与平法相配套的标准构造详图采用的图示方法，仍然是通过正投影法来获得。故对单个构件如梁、板、柱来说，通过传统表示法来学习识读钢筋混凝土构件是读懂钢筋混凝土结构施工图的关键。

图 7-6、图 7-7 中，是某钢筋混凝土框架结构公寓的②轴框架梁、柱部分配筋详图及现浇板配筋详图，均为传统图示法，其中梁、柱采用立面图和断面图表示。图中构件的外形轮廓线用细线或中粗线画出，粗实线和黑圆点（立面图中）表示配筋的所在，图内不画材料图例。

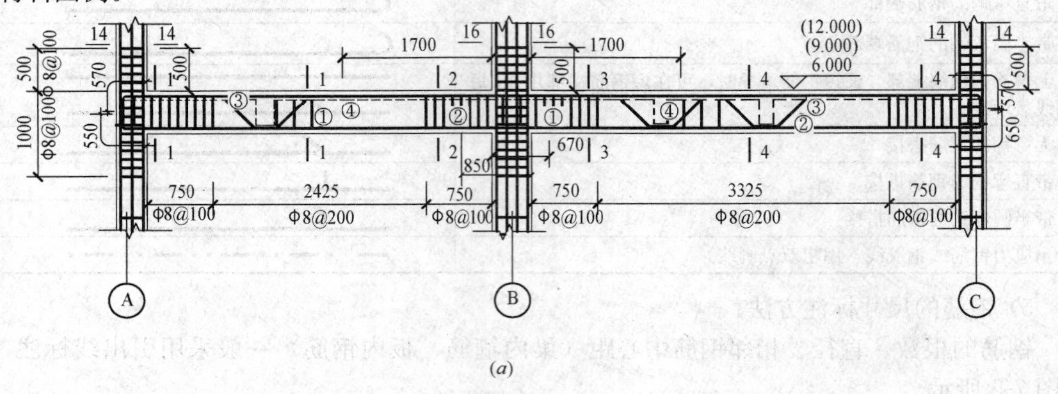

(*a*)

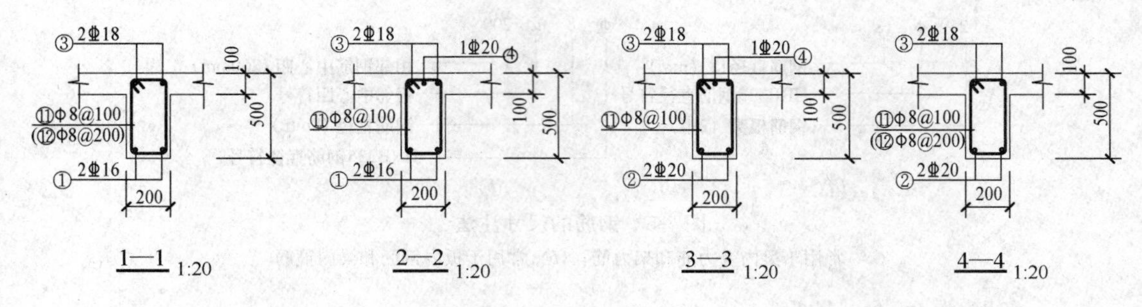

(*b*)

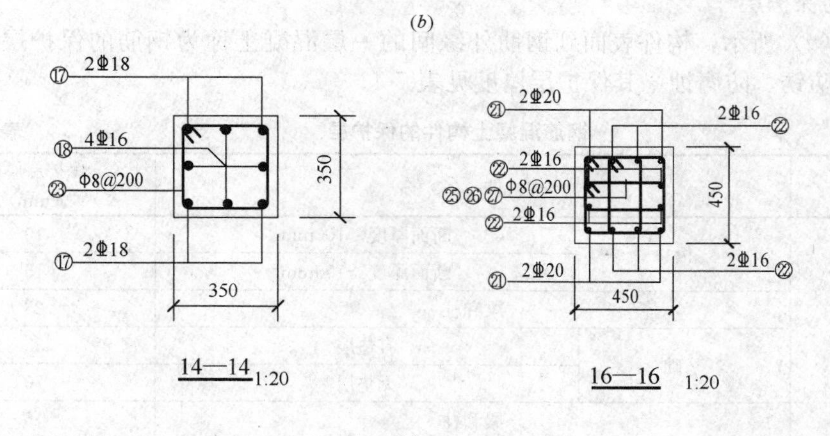

(*c*)

图 7-6　公寓②轴框架梁、柱配筋详图

（*a*）框架梁、柱配筋立面图 1：50；（*b*）框架梁断面图；（*c*）框架柱断面图

1. 钢筋混凝土梁配筋图

如图 7-6（*a*）、（*b*）所示，为一根两跨钢筋混凝土框架梁。从图中可了解该梁的跨度、断面尺寸、梁端的支撑情况及各部分钢筋的配置情况。

现以断面图 2-2 为例：

1）梁截面尺寸为200mm×500mm；

2）③号钢筋2⌀18：表示梁上部的通长筋或架立筋为2根直径18mm的HRB400钢筋；

3）④号钢筋1⌀20：表示放在框架梁KL与Ⓑ柱交接处的支座受力钢筋为1根直径20mm的HRB400钢筋，在ⒶⒷ跨间伸出的长度为1700mm，在ⒷⒸ跨间伸出的长度也为1700mm，该钢筋长度由相应制图规则和构造详图规范确定，与梁的跨度有关；

4）①号钢筋2⌀16：表示梁下部为2根直径为16mm的HRB400级纵向钢筋；

5）⑪号钢筋Φ8@100：表示梁内箍筋是直径为8mm的HPB300级钢筋；

对其他部位作进一步分析：

6）在Ⓑ轴柱两端的标注尺寸850mm、670mm，分别为梁底部①、②纵向钢筋的锚固长度，从伸入柱内处量至钢筋端部；

7）在Ⓐ轴柱左端，标注的尺寸550mm、570mm分别为梁内端部钢筋的锚固长度，从伸入柱内处量至钢筋端部，550mm为下部纵筋的锚固长度，570mm为上部纵筋的锚固长度；最左侧标注的尺寸1000mm、500mm，是Ⓐ轴柱对应㉓㉔双肢箍筋（复合箍）ϕ8@100的加密间距尺寸；

8）在Ⓐ、Ⓑ、Ⓒ轴柱最下部几处750mm，依次是该二跨框架梁在靠近支座处的⑪号箍筋Φ8@100的加密长度，非加密区长度为2425mm、3325mm；

9）框架梁、柱立面图中的虚线为不可见的次梁及楼面板的轮廓线，用细虚线（或中虚线）表示；

10）框架梁立面图的中部斜筋，为框架梁与次梁交接处的吊筋。吊筋不需贯通，所用钢筋级别及长度等无须进行力学计算，按构造要求设置。

2. 钢筋混凝土柱配筋图

钢筋混凝土柱配筋图的图示方法与梁配筋图基本相同，但对于工业厂房的钢筋混凝土柱等复杂构件，除画出配筋图外，还需画出模板图和预埋件详图。

图7-6（*a*）、（*c*）所示为三根钢筋混凝土框架柱，14-14断面图对应Ⓐ、Ⓒ柱，16-16断面图对应Ⓑ柱。从图中可了解各柱的断面尺寸、柱端的连接情况及各部分钢筋的配置情况，Ⓐ、Ⓒ柱内为双肢箍，Ⓑ柱为四肢箍。

现以断面图16-16为例：

1）柱截面尺寸为450mm×450mm；

2）柱截面上下二处的㉑号钢筋2⌀20表示在柱的四个端头各有1根直径为20mm的HRB400纵向钢筋；

3）柱截面中部四处的㉒号钢筋2⌀16表示柱内沿每个侧面中部纵向钢筋为2根直径为16mm的HRB400钢筋，共8根；

4）该柱内箍筋为四肢箍（也称复合箍筋），㉕㉖㉗号钢筋Φ8@200表示该四肢箍由三种不同形状的直径为8mm的HPB300钢筋组成，箍筋间距为200。

3. 钢筋混凝土板

房屋建筑工程中，常用楼板有预制预应力空心板、现浇板两种。因预制预应力空心板是定型构件，配有标准图集不必绘出详图，我们只重点介绍现浇板的情况。

如图7-7中所示，为该公寓标准层现浇板配筋详图。因该建筑左右对称，故只需画出

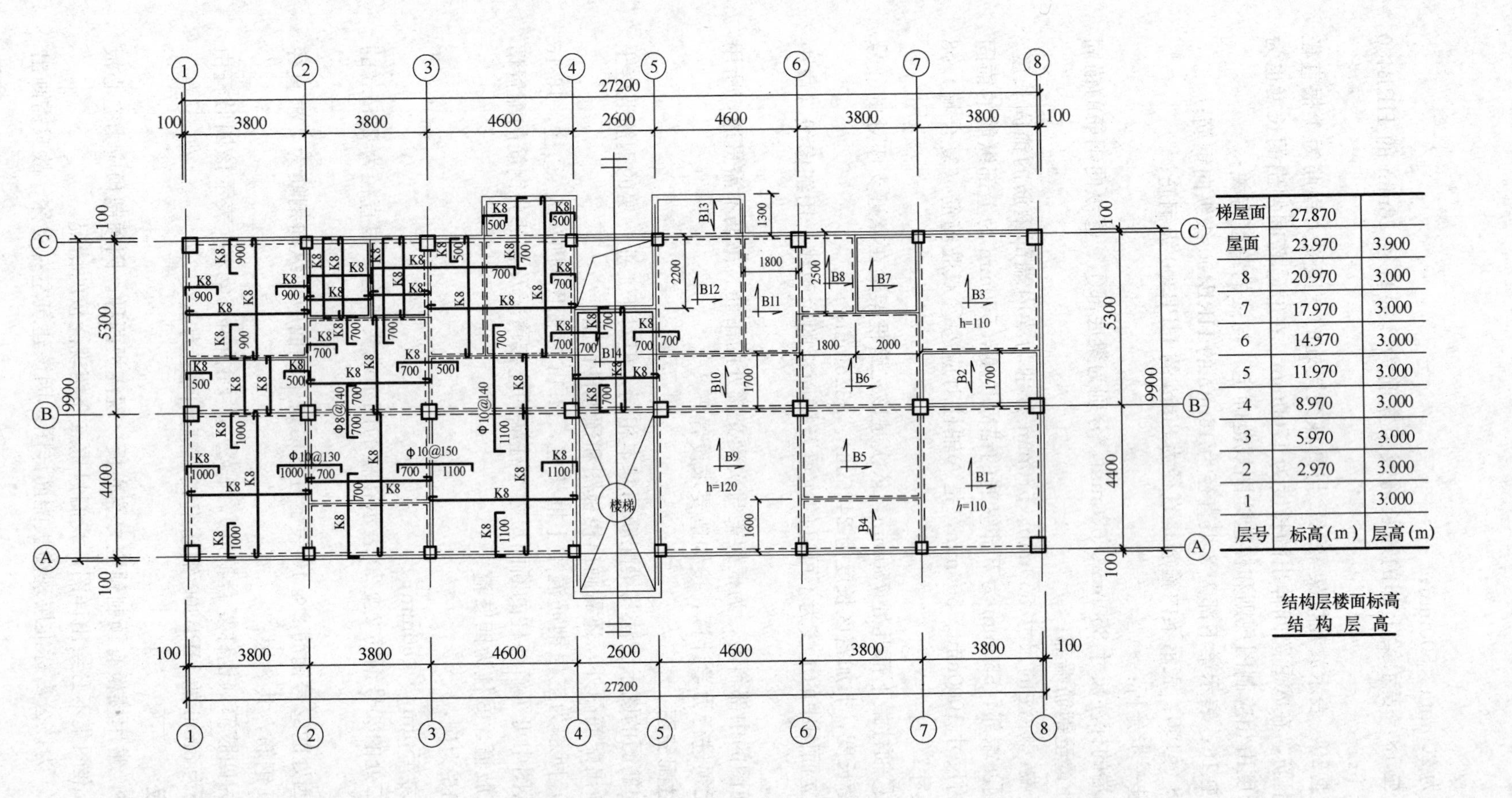

梯屋面	27.870	
屋面	23.970	3.900
8	20.970	3.000
7	17.970	3.000
6	14.970	3.000
5	11.970	3.000
4	8.970	3.000
3	5.970	3.000
2	2.970	3.000
1		3.000
层号	标高（m）	层高（m）

说明：1. 板厚除特别标注外，其余均为100mm；

2. 混凝土强度等级为C25，钢筋强度等级为HPB300级；

3. K8钢筋表示Φ8@150，单向板的分布钢筋为Φ8@250。

图 7-7　公寓现浇板配筋图

左部①—⑤轴的配筋详图，右部相同对应处用编号表示。

现以⑦—⑧轴的板 B1 为例：

1）该板为双向板，板厚 110mm，配筋详图见对应的①—②轴处。由图 7-4 可知钢筋弯钩的不同朝向表示钢筋在现浇板中的上或下位置；

2）K8 钢筋（设计院习惯用法）在此表示Φ 8@150；

3）该板纵向贯通、横向贯通的受力筋均为Φ 8@150，放置在板底层；

4）靠近支座处，在板上部分别配置非贯通的长度为 1000mm 的Φ 8@150 和长度为 1000＋700（分跨在②轴支座两端）的Φ 10@130 的构造筋。

图中 B10，由于板跨小，采用单向配筋。

7.3 结构平面布置图

7.3.1 概述

表示建筑物上部各层平面承重构件布置的图样，称为结构平面布置图。它是根据正投影的原理，假想沿房屋楼板面进行水平剖切并从上向下进行投射所得。

结构平面布置图主要表示各楼层的承重构件例如楼板、梁、柱、墙的平面布置，一般分为楼层结构平面布置图和屋顶结构平面布置图。对于多层建筑，与建筑施工图一样，结构布置情况相同的楼层可只画一个标准层结构平面布置图，并注明对应各层的层数和结构标高。当底层地面直接做在地基上时，它的层次、做法、用料已在建筑详图中画出，故无需画出底层结构平面布置图。本节仅讲解楼层结构平面布置图。

7.3.2 楼层结构平面布置图

1. 比例及图线

楼层结构平面布置图的常用比例为 1∶50 和 1∶100。图中的定位轴线及编号应与建筑平面图一致，并需标注出定位轴线间的尺寸及总尺寸。

楼层结构平面布置图中，构件应采用轮廓线表示，能够用单线表示清楚的可用单线表示。可见的梁、柱、墙轮廓用中实线绘制，不可见的梁、柱轮廓用中虚线绘制，楼板下不可见的墙体用细虚线绘制，板的轮廓线用细实线绘制。

2. 代号及编号

楼层结构平面布置图中需用代号和编号来标记梁、柱、板等构件，常用代号可见表 7-1。

3. 读图示例

如图 7-8 所示，为前述钢筋混凝土框架结构公寓的标准层结构平面布置图。图中虚线为不可见的构件轮廓线（被楼板挡住的梁或墙），如果是梁则需在梁的一侧标注梁的代号，如果是墙则不必标注。

由图可知，该住宅建筑为钢筋混凝土框架结构。其中梁根据受力特点分为框架梁 KL、梁 L，因均被楼板挡住不可见，故用中虚线画出编号标注，并标出梁、柱的断面尺寸。

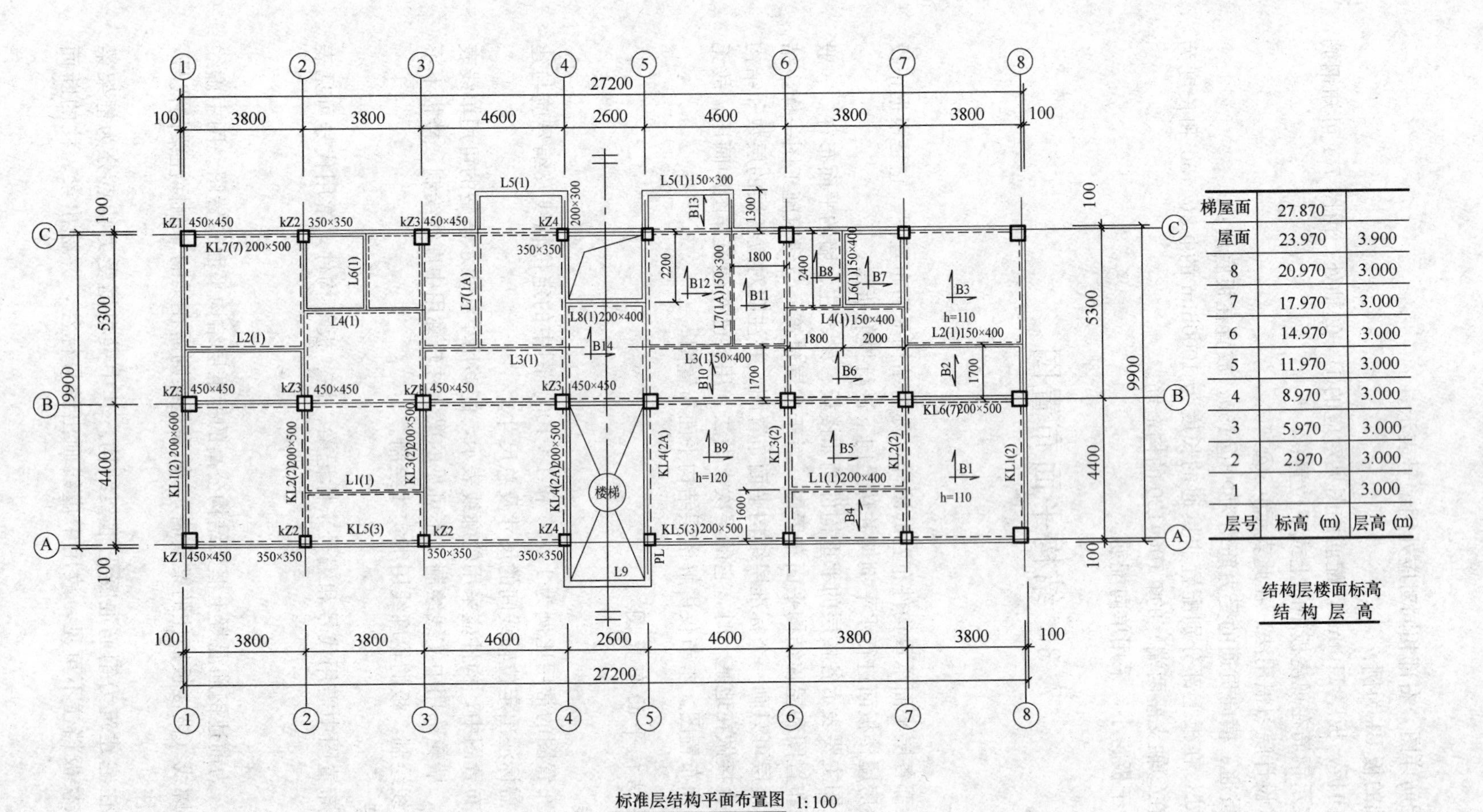

梯屋面	27.870	
屋面	23.970	3.900
8	20.970	3.000
7	17.970	3.000
6	14.970	3.000
5	11.970	3.000
4	8.970	3.000
3	5.970	3.000
2	2.970	3.000
1		3.000
层号	标高 (m)	层高 (m)

图 7-8 公寓结构平面布置图

例如，KL1（2）200mm×600mm，表示编号为1的两跨框架梁，断面尺寸200mm×600mm；KZ1 450×450，表示编号为1的框架柱断面尺寸为450mm×450mm；因该建筑全部采用现浇板，B1（带矢量符号）$h=110$，表示编号为1的双向现浇板，板厚110；楼梯间的结构布置详见楼梯结构详图。

关于钢筋混凝土梁、柱的具体构造情况，将在梁平法施工图、柱平法施工图中进一步标注。

7.4 平面整体表示法

7.4.1 平面整体表示法的制图规则

1. 概述

建筑结构施工图平面整体设计表示方法，简称平法，是我国目前钢筋混凝土结构施工图设计的主要表示方法，是对“将构件从平面布置图中索引出来，再逐个绘制配筋详图”的传统表示法的重大改革。

平法制图的表达方式，是把结构构件的尺寸和配筋等，按照平面整体表示法的制图规则，整体直接地表达在各类构件的结构平面布置图上，再与标准构造详图配合，从而构成一套完整的结构施工图。平法施工图的特点是：作图简单、表达清晰，适合于现浇钢筋混凝土梁、柱等的表达。

2. 平面整体表示法的制图规则

按平法设计绘制的结构施工图，由各类结构构件（如梁、柱）的平法施工图和标准构造详图组成，且各结构构件的平法制图规则及构造详图各不相同。在2003年至2004年间，建设部陆续批准由中国建筑标准设计研究院修订和编制了《混凝土结构施工图平面整体表示方法制图规则和构造详图》系列图集，分别为：03G101-1（现浇混凝土框架、剪力墙、框架—剪力墙、框支剪力墙结构）、03G101-2（现浇混凝土板式楼梯）、04G101-3（筏形基础）、04G101-4（现浇混凝土楼面与屋面板）。各图集中的构造详图，编入了目前国内常用的较为成熟的构造作法，是工程施工人员必须与平法施工图配套使用的正式设计文件。各图集中的制图规则，是设计人员绘制柱、梁等平法施工图的依据，亦是施工和质监人员正确理解和实施平法施工图的依据。

国家建设标准制定的规则如下：

（1）按平法设计绘制的施工图，一般是由各类结构构件的平法施工图和标准构造详图两大部分构成，但对于复杂的工业与民用建筑，尚需增加模板、开洞和预埋件等平面图，只有在特殊情况下才需增加剖面配筋图。

（2）平法设计绘制结构施工图时，必须根据具体工程设计，按照各类构件的平法制图规则，在按结构（标准）层绘制的平面布置图上直接表示各构件的尺寸、配筋和所选用的标准构造详图。出图时，宜按基础、柱、剪力墙、梁、板、楼梯及其他构件的顺序排列。

（3）在平面布置图上表示各构件尺寸和配筋的方式，分平面注写方式、列表注写方式和截面注写方式三种。

(4) 按平法设计绘制结构施工图时，应将所有的构件进行编号，编号中含有类型代号和序号等。其中，类型代号的主要作用是指明所选用的标准构造详图。在标准构造详图中，也应按其所属构件类型注明代号，以明确该详图与平法施工图中相同构件的互补关系，使两者结合构成完整的结构设计图。

(5) 按平法设计绘制结构施工图时，应当用表格或其他方式注明包括地下和地上各层的结构层楼（地）面标高、结构层高及相应的结构层号。其结构层楼面标高和结构层高在单项工程中必须统一，以保证基础、柱与墙、梁、板等用同一标准竖向定位。为施工方便，应将统一的结构层楼面标高和结构层高分别放在柱、墙、梁等各类构件的平法施工图中。

为了保证施工人员能够准确按平法施工图进行施工，在结构设计总说明中必须写明以下内容：

(1) 注明所选用平法标准图的图集号（如 03G101-1），以免图集升版后在施工中用错版本。

(2) 写明混凝土结构的使用年限。

(3) 当有抗震设防要求时，应写明抗震设防烈度和结构抗震等级，以明确选用相应抗震等级的标准构造详图；当无抗震设防要求时，也应写明，以明确选用非抗震的标准构造详图。

(4) 写明柱、墙、梁各类构件在其所在部位所选用的混凝土强度等级和钢筋级别，以确定相应纵向受拉钢筋的最小锚固长度及最小搭接长度等。

本节以梁、柱为例，简单介绍目前常用的现浇钢筋混凝土梁、柱的平法制图规则。

7.4.2 梁平法施工图表示法

梁平法施工图是在梁平面布置图上采用平面注写方式或截面注写方式，从不同编号的梁中各选一根，将其编号、定位尺寸、配筋的规格、数量直接绘制在梁平面布置图上。钢筋混凝土梁平法施工图应按楼层分别绘制，梁的平面布置情况及配筋均相同的楼层可只画一个标准层梁平法施工图。

需注意，平面图中定位轴线居中或贴柱边的梁，其定位尺寸不标注，只需标注梁的偏心定位尺寸。

本节以图 7-9 为例，简单介绍梁平法的平面注写方式。

在传统表达方法中绘制梁的配筋图需画出梁的立面图和断面图，如前图 7-6 所示，需在立面图中标注断面的剖切位置再索引出来另行绘制断面图，这样的表达方式非常繁琐。而采用平面注写方式表达时，则不需绘制断面图及对应的剖切符号。

梁的平面注写包括集中标注和原位标注两部分内容。集中标注表达该梁的通用数值，包括：梁编号、梁截面尺寸、梁箍筋、梁上部贯通钢筋或架立筋以及梁的顶面标高高度差等。当该梁的某处与集中标注的某项数值不一样时，则直接将该处实际数值在原位标注——原位标注表达梁各部分的特殊性，如：梁支座处上部纵筋、梁下部纵筋、吊筋等。施工时，原位标注取值优先。

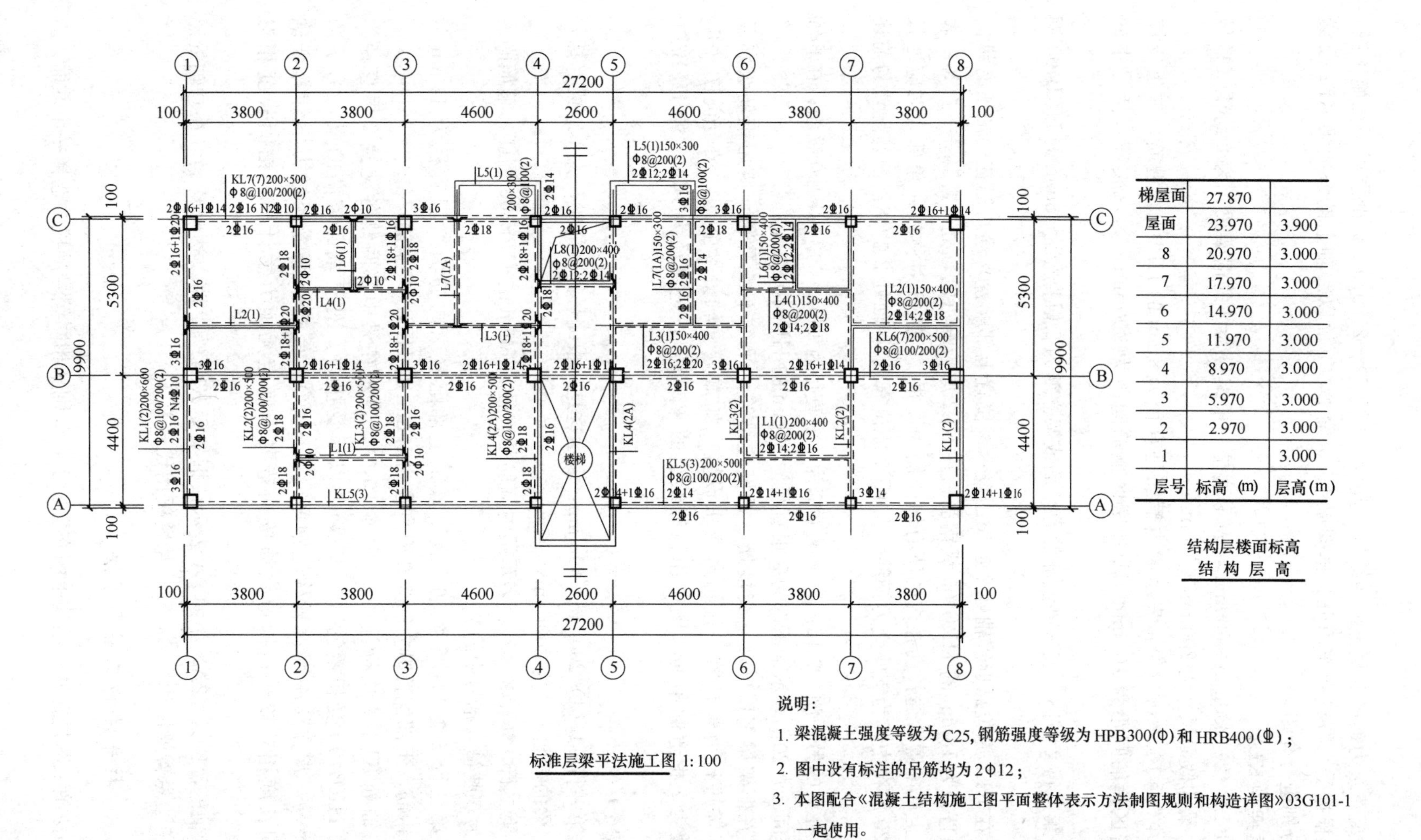

梯屋面	27.870	
屋面	23.970	3.900
8	20.970	3.000
7	17.970	3.000
6	14.970	3.000
5	11.970	3.000
4	8.970	3.000
3	5.970	3.000
2	2.970	3.000
1		3.000
层号	标高 (m)	层高(m)

结构层楼面标高
结 构 层 高

标准层梁平法施工图 1:100

说明：

1. 梁混凝土强度等级为C25，钢筋强度等级为HPB300(Φ)和HRB400(Φ)；
2. 图中没有标注的吊筋均为2Φ12；
3. 本图配合《混凝土结构施工图平面整体表示方法制图规则和构造详图》03G101-1一起使用。

图 7-9　公寓梁平法施工图

该公寓建筑为钢筋混凝土框架结构，此为（14.970－20.970）标准层梁平法施工图，其中的梁根据受力特点和作用分为框架梁 KL、梁 L，下面以②轴上的框架梁 KL2 及梁 L1 为例分别进行介绍。

1. 框架梁 KL2

（1）KL2（2）200mm×500mm：表示这是一根编号为 2 的框架梁，为 2 跨梁（括号中的 2），梁的截面尺寸为 200mm×500mm。

（2）Φ8 @100/200（2）：表示梁内箍筋是直径为 8mm 的 HPB300 钢筋，靠近支座处的加密区箍筋间距为 100mm，非加密区箍筋间距为 200mm，为双肢箍（括号中的 2）。

（3）第三行 2Φ18：表示梁上部的通长筋或架立筋为 2 根直径为 18mm 的 HRB400 钢筋。

（4）在 KL2 原位靠近Ⓐ轴处 2Φ18：表示该位置上部配置含通长筋在内的所有纵向筋为 2 根直径为 18mm 的 HRB400 级钢筋；在 KL2 原位靠近Ⓑ轴处 2Φ18＋1Φ20：表示该位置上部配置含通长筋在内的所有纵向筋为 3 根，2Φ18 对称放在角部为对应通长筋，1Φ20 放在中部为支座受力钢筋；在 KL2 原位靠近 Ⓒ轴处 2Φ18：钢筋配置与前述相同。

（5）在梁的另一侧 2Φ16：表示梁下部为 2 根直径为 16mm 的 HRB400 纵筋；在Ⓑ轴与Ⓒ轴跨间 2Φ20：表示梁下部为 2 根直径为 20mm 的 HRB400 纵筋。

（6）在框架梁 KL 与梁 L 交接处，常设置吊筋。吊筋不需贯通，所用钢筋级别及长度等不需进行力学计算，按构造要求设置。如靠近②轴处 2Φ10，结合前图 7-6，可知此处为 2 根弯起吊筋（图中用粗线绘出的弯起筋），是直径为 10mm 的 HPB300 钢筋。

2. 梁 L1

（1）第一行 L1（1）200mm×400mm：表示这是一根编号为 1 的梁，为 1 跨梁（括号中的 1），梁的截面尺寸为 200mm×400mm。

（2）第二行Φ8@200（2）：表示梁内箍筋是直径为 8mm 的 HPB300 钢筋，箍筋间距为 200，为双肢箍（括号中的 2）。

（3）第三行 2Φ14；2Φ16：表示该梁上部配置纵向筋为 2 根直径为 14mm 的 HRB400 钢筋，下部配置纵向筋为 2 根直径为 16mm 的 HRB400 钢筋；

在①轴处 KL1 集中标注中的 N4Φ10 中，表示在梁中部两侧各配置 2 根直径为 10mm 的 HRB400 受扭钢筋（N 表示），以承受扭力。对于截面较高的梁，为了防止中部开裂，常在梁中部设置构造钢筋（G 表示）。受扭钢筋需经过力学计算来确定，锚固长度相对较长；构造钢筋按构造要求确定无须力学计算，锚固长度相对较短。

在④轴处，KL4（2A）中的 2A 表示该框架梁 KL4 为 2 跨单边悬臂梁（在Ⓒ轴处悬挑出）。单边悬臂梁用代号 A，双边悬臂梁用代号 B。

7.4.3　柱平法施工图表示法

柱平法施工图是在柱的结构平面布置图上，分别从相同编号的柱中选择一个截面，直接注写截面尺寸和钢筋配置的图样，分为列表注写方式和截面注写方式两种。

柱平法施工图设计绘制时，先按一定比例绘制柱的平面布置图，再分别按照不同结构层（标准层），将全部柱绘制在该图上，并按规定注明各结构层的标高及相应的结构层号。然后，采用列表注写方式或截面注写方式表达柱的截面及配筋。柱的平面布置情况及配筋均相同的楼层可只画一个标准层柱平法施工图。本节以图 7-10 为例，介绍柱平法的截面注写方式。

图 7-10 为前述公寓建筑（11.970－23.970）标准层柱平法施工图，绘图比例 1：100。如图所示，依柱的不同构成分别编号为 KZ1、KZ2、KZ3、KZ4 四种。从不同编号的柱中各选一根，以放大的比例分别详细绘制，注写其配筋情况。

其中，不详细绘制的钢筋混凝土柱轮廓用粗实线绘制，仅标注柱的编号；详细绘制的钢筋混凝土柱用 1：20 或 1：25 的绘图比例绘制，其轮廓线用细实线表示，内部的钢筋用粗实线及黑圆点表示，在其旁注写柱编号、截面尺寸 $b \times h$、所配各种钢筋级别、直径及加密区与非加密区的箍筋间距。

现以③轴上用放大比例绘制的 KZ3 为例，详细说明平法表示柱配筋的方法：

（1）该柱引出线旁注写的第一行 KZ3 表示柱编号；

（2）第二行 450×450 为柱截面尺寸；

（3）第三行 4 ⌀ 20 表示柱的四个端头纵向钢筋为 4 根直径为 20mm 的 HRB400 钢筋；

（4）第四行Φ 8@100/200 表示柱内箍筋为直径为 8mm 的 HPB300 钢筋，加密区间距为 100mm，非加密区间距为 200mm；

（5）柱截面的左端及上端 2 ⌀ 16 表示柱内沿每个侧面中部纵向钢筋为 2 根直径为 16mm 的 HRB400 钢筋，共 8 根（该柱截面为对称配筋，可仅在一侧注写中部钢筋）。

7.4.4 结构施工图综合示例

如图 7-11、图 7-12 所示，为与第 6 章建筑施工图中住宅建筑相对应的标准层梁平法施工图及板配筋图，该建筑结构类型为钢筋混凝土框架结构，图中的涂黑部分为钢筋混凝土柱截面，由图可知该建筑采用异形柱。根据已学钢筋读图知识及平法制图规则，自行分析读图。

需指出，随着建筑业的飞速发展、新建筑材料的不断出现和广泛应用，以及对建筑结构要求的不断提高，各设计规范和制图规则也在不断更新。在进行结构施工图设计时，必须遵守相应的制图规则和设计规范。

7.5 基础施工图

7.5.1 基础简介

在建筑工程中，基础作为房屋的重要组成部分，是建筑物地面以下的承重构件，它承受建筑物上部结构传下来的全部荷载，并把这些荷载连同本身的重量一起传到地基上。地基是承受由基础传下来的荷载的土层。基坑是为基础施工而开挖的土坑，坑底是基础底面，基坑边线是施工测量放线的灰线。由室外地坪到基础底面的距离为基础的埋置深度。需指出，垫层是基础的组成部分之一，而地基不是基础的组成部分。

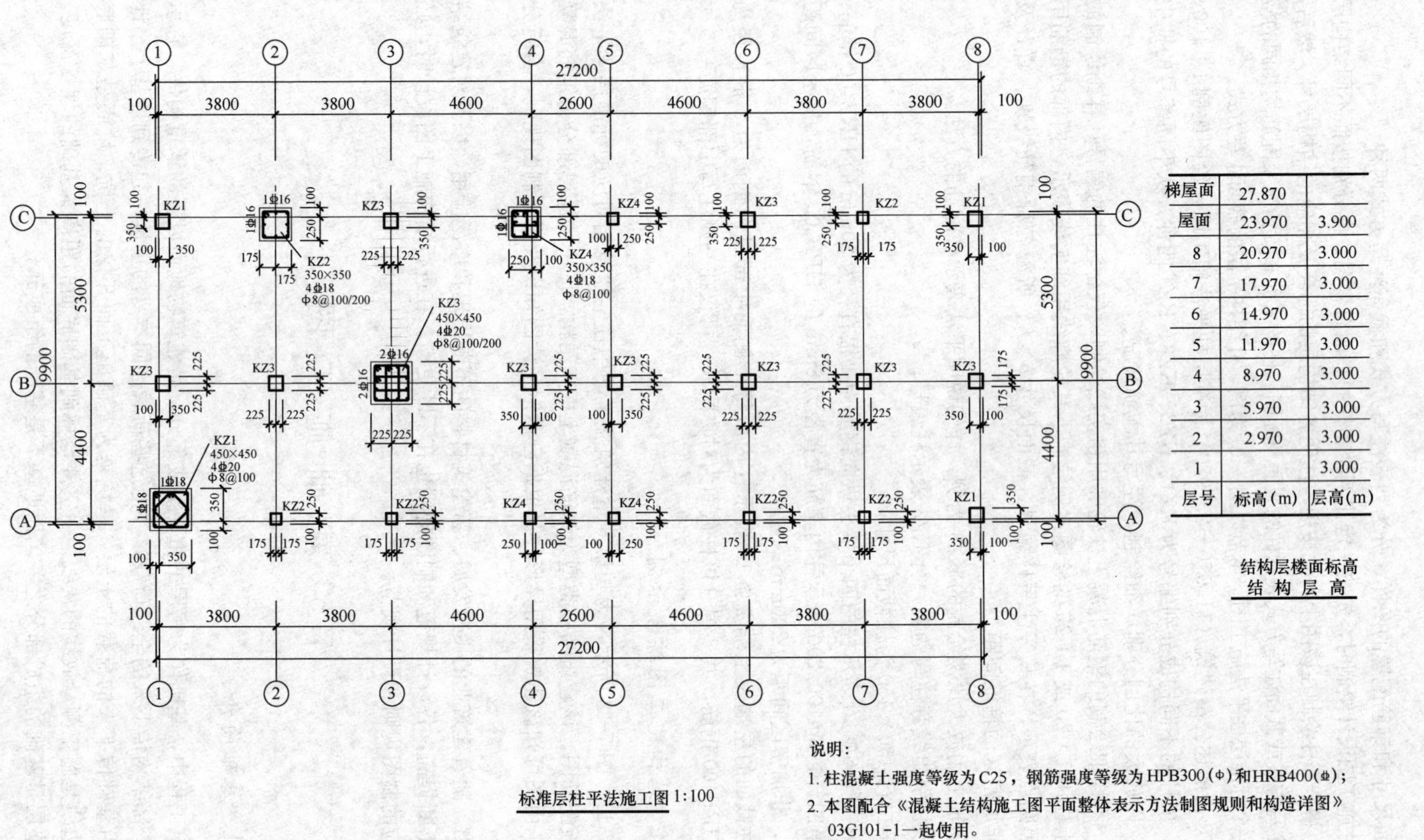

梯屋面	27.870	
屋面	23.970	3.900
8	20.970	3.000
7	17.970	3.000
6	14.970	3.000
5	11.970	3.000
4	8.970	3.000
3	5.970	3.000
2	2.970	3.000
1		3.000
层号	标高(m)	层高(m)

结构层楼面标高
结 构 层 高

说明:

1. 柱混凝土强度等级为C25，钢筋强度等级为HPB300(ϕ)和HRB400(⏀)；
2. 本图配合《混凝土结构施工图平面整体表示方法制图规则和构造详图》03G101-1一起使用。

图 7-10　公寓柱平法施工图

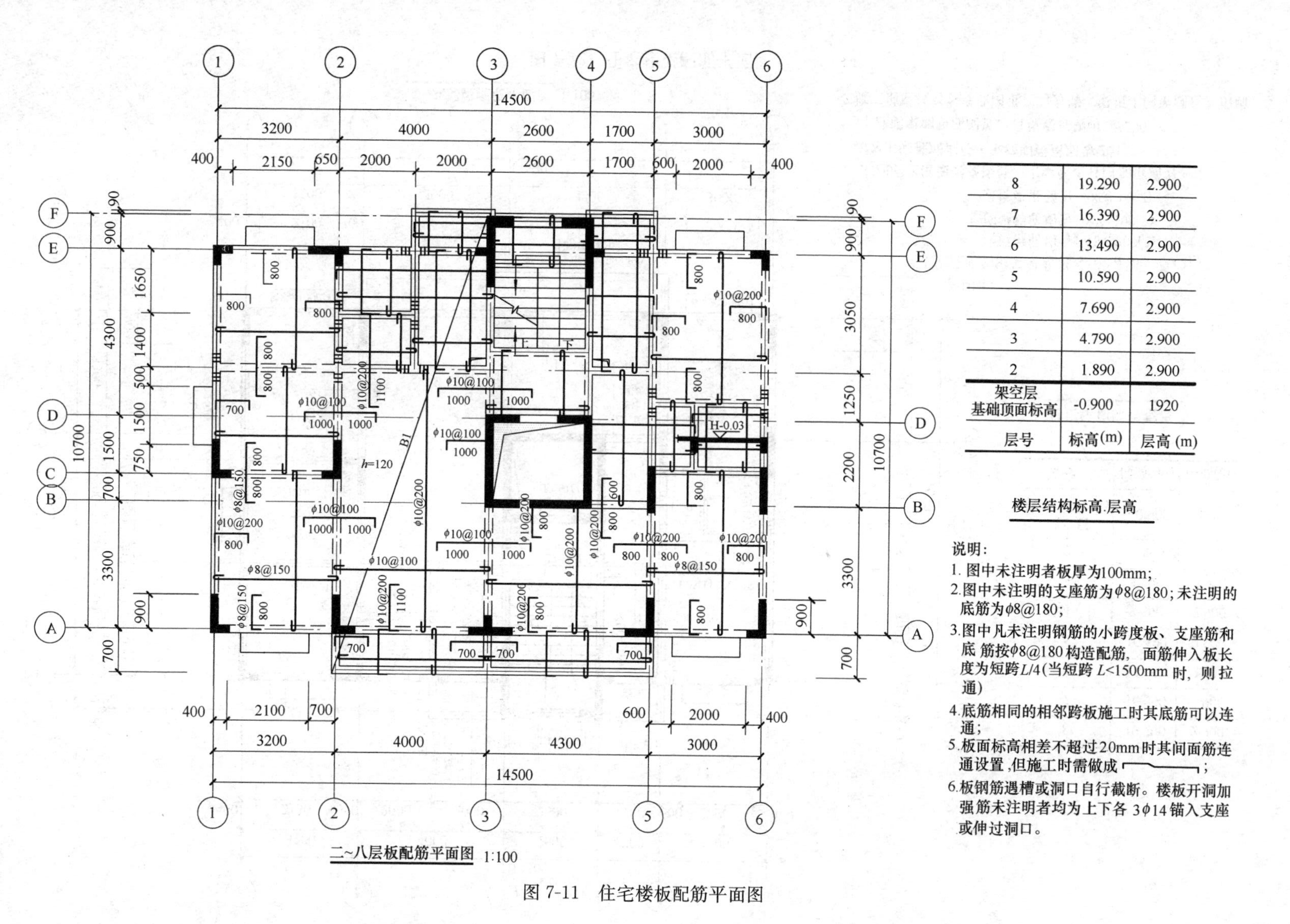

层号	标高(m)	层高 (m)
8	19.290	2.900
7	16.390	2.900
6	13.490	2.900
5	10.590	2.900
4	7.690	2.900
3	4.790	2.900
2	1.890	2.900
架空层 基础顶面标高	-0.900	1920

楼层结构标高.层高

说明：

1. 图中未注明者板厚为100mm;
2. 图中未注明的支座筋为ϕ8@180；未注明的底筋为ϕ8@180;
3. 图中凡未注明钢筋的小跨度板、支座筋和底 筋按ϕ8@180构造配筋，面筋伸入板长度为短跨$L/4$(当短跨L<1500mm时，则拉通)
4. 底筋相同的相邻跨板施工时其底筋可以连通;
5. 板面标高相差不超过20mm时其间面筋连通设置，但施工时需做成 ⌐‿¬ ;
6. 板钢筋遇槽或洞口自行截断。楼板开洞加强筋未注明者均为上下各 3ϕ14 锚入支座或伸过洞口。

图 7-11　住宅楼板配筋平面图

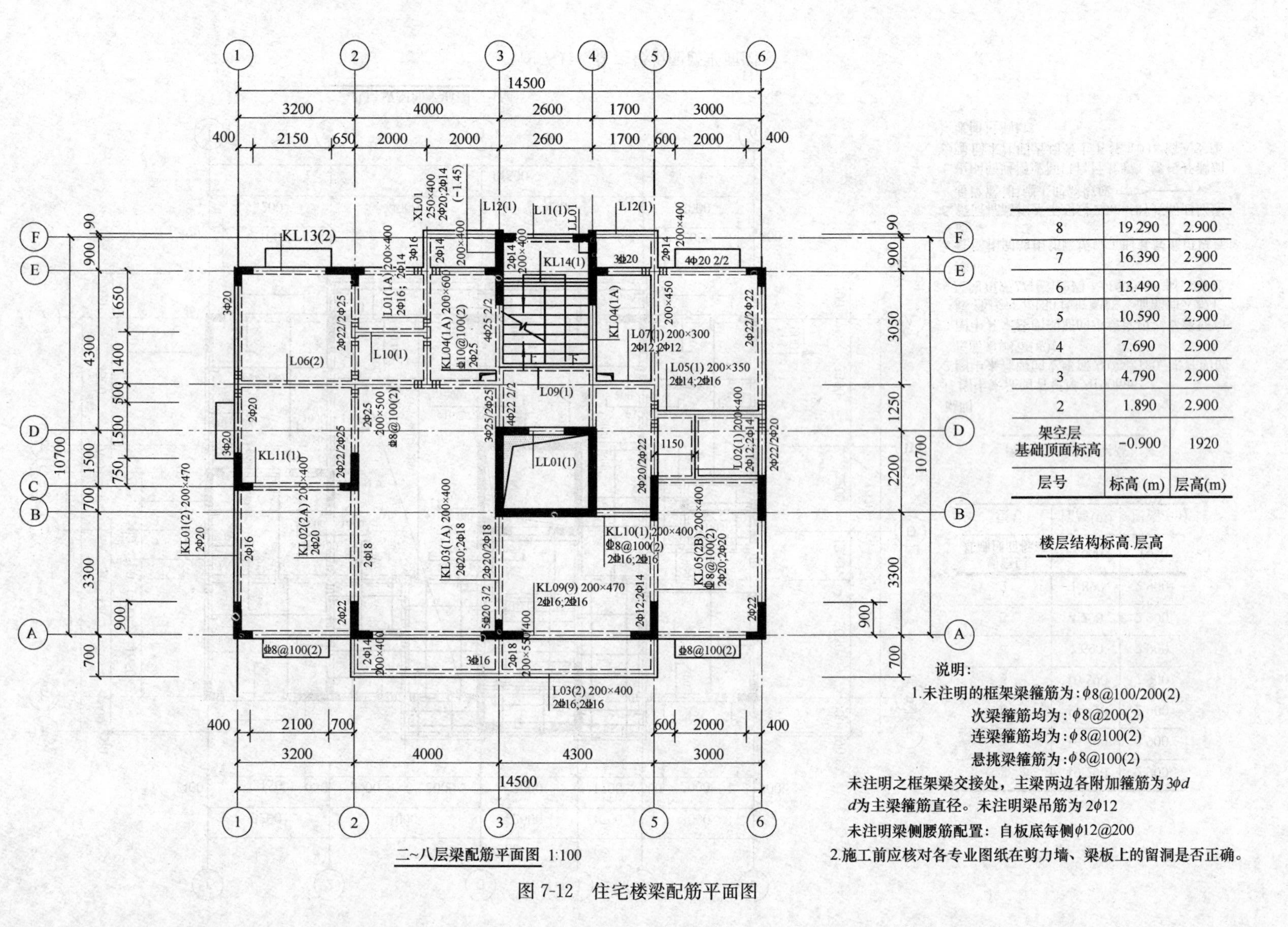

8	19.290	2.900
7	16.390	2.900
6	13.490	2.900
5	10.590	2.900
4	7.690	2.900
3	4.790	2.900
2	1.890	2.900
架空层 基础顶面标高	−0.900	1920
层号	标高 (m)	层高(m)

楼层结构标高.层高

说明：

1.未注明的框架梁箍筋为：φ8@100/200(2)

次梁箍筋均为：φ8@200(2)

连梁箍筋均为：φ8@100(2)

悬挑梁箍筋为：φ8@100(2)

未注明之框架梁交接处，主梁两边各附加箍筋为3φd

d为主梁箍筋直径。未注明梁吊筋为2φ12

未注明梁侧腰筋配置：自板底每侧φ12@200

2.施工前应核对各专业图纸在剪力墙、梁板上的留洞是否正确。

二~八层梁配筋平面图 1:100

图 7-12 住宅楼梁配筋平面图

基础的类型较多，按所用材料及受力特点可分为刚性基础和非刚性基础，按构造形式可分为条形基础、独立基础、片筏基础、箱形基础等。

1. 按基础所用材料及受力特点分类

1）刚性基础

即由刚性材料制作的基础。刚性材料一般指抗压强度高，抗拉、抗剪强度较低的材料，例如砖、石、混凝土等均属于刚性材料。故砖基础、石基础、混凝土基础均为刚性基础。

2）非刚性基础

即柔性基础。当建筑物的荷载较大而地基承载力较小时，为了满足功能、工期、造价等方面的需要，在混凝土底板配以钢筋组成钢筋混凝土基础，以承受较大的弯矩。用钢筋混凝土制作的基础也称为柔性基础。

2. 按基础的构造形式分类

基础构造的形式随着建筑物上部的结构形式、荷载大小及地基土壤性质的变化而不同。本节仅介绍常用的墙下条形基础和独立基础。

1）墙下条形基础

当建筑物上部结构（或部分上部结构）采用墙承重时，基础沿墙身设置多为长条形，故称为条形基础或带形基础，是墙基础的基本形式，如图 7-1（*b*）所示。

2）独立基础

当建筑物上部结构（或部分上部结构）采用框架结构或单层排架结构承重时，基础常采用方形或矩形的单独基础，这种基础称独立基础或柱式基础。独立基础是柱下基础的基本形式，如图 7-1（*a*）所示。

基础施工图包括基础平面图和基础详图。

7.5.2 基础平面图

1. 基础平面图图示内容

基础平面图是假想用一个水平面沿房屋底层地面将房屋切开，移去上面部分，未回填土之前，将剩余部分从上往下进行投影所得到的全剖面图。

基础平面图采用比例通常应与建筑平面图的比例一致，其定位轴线也应与建筑平面图一致，并标注出房屋定位轴线之间的尺寸（即开间、进深）和房屋总长、总宽尺寸。

在基础平面图中，剖切到的钢筋混凝土柱需涂黑，其余可见部分如基础外轮廓、基础梁等均用细线绘制。同一幢房屋由于各处所受荷载有别及不同部位的地基承载力不同，所用基础的尺寸及构造也会有所不同。在独立柱基础的平面图中，可用编号 J1、J2……表示，在基础详图中对应绘出其具体配筋情况。

2. 阅读图例

如图 7-13 所示，为前述钢筋混凝土框架结构公寓的基础平面图。由图示可知：该建筑采用独立柱基础，涂黑方框表示被剖到的钢筋混凝土框架柱；柱间沿定位轴线的构件根据受力特点，分别为框架基础梁及地梁；柱外用细线绘制的矩形框是独立基础的外轮廓，分别用编号 J1、J2……表示。各独立基础的具体配筋情况另见基础详图（图 7-13）。

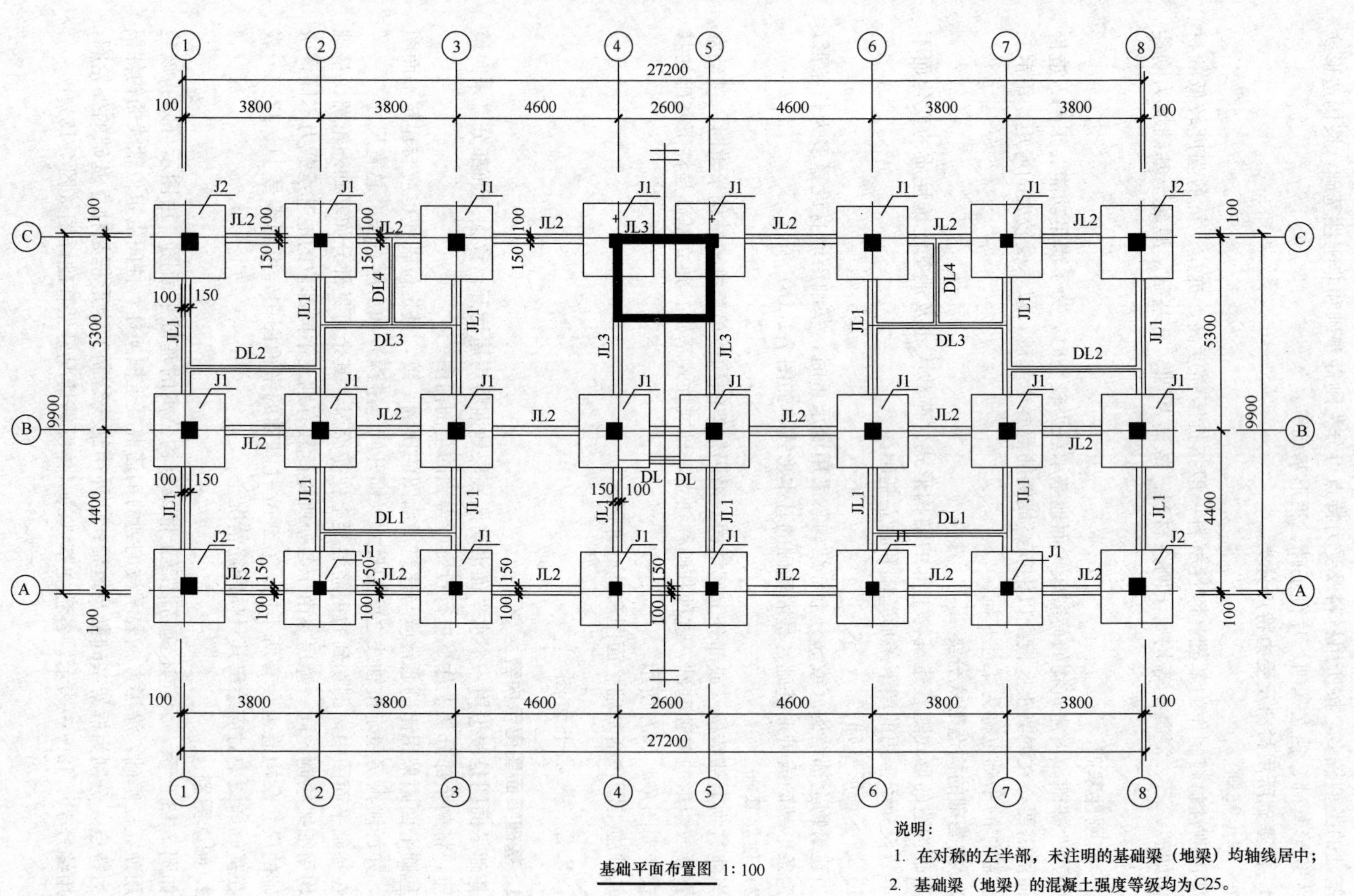

说明：

1. 在对称的左半部，未注明的基础梁（地梁）均轴线居中；
2. 基础梁（地梁）的混凝土强度等级均为C25。

图 7-13　公寓基础平面布置图

7.5.3 基础详图

基础平面图中只表明了基础的平面布置情况，基础各部分的具体构造并没有表达出来，还需进一步绘制各部分的基础详图。

独立基础详图由断面图和平面图组成，常用绘图比例为 1∶20。图 7-14 所示为前述钢筋混凝土框架结构公寓的独立基础 J-1 的详图。外轮廓线用细实线表示，内部的钢筋用粗实线及黑圆点表示，在其旁注写柱编号、截面尺寸 $b \times h$、所配各种钢筋级别、直径及加密区与非加密区的箍筋间距。

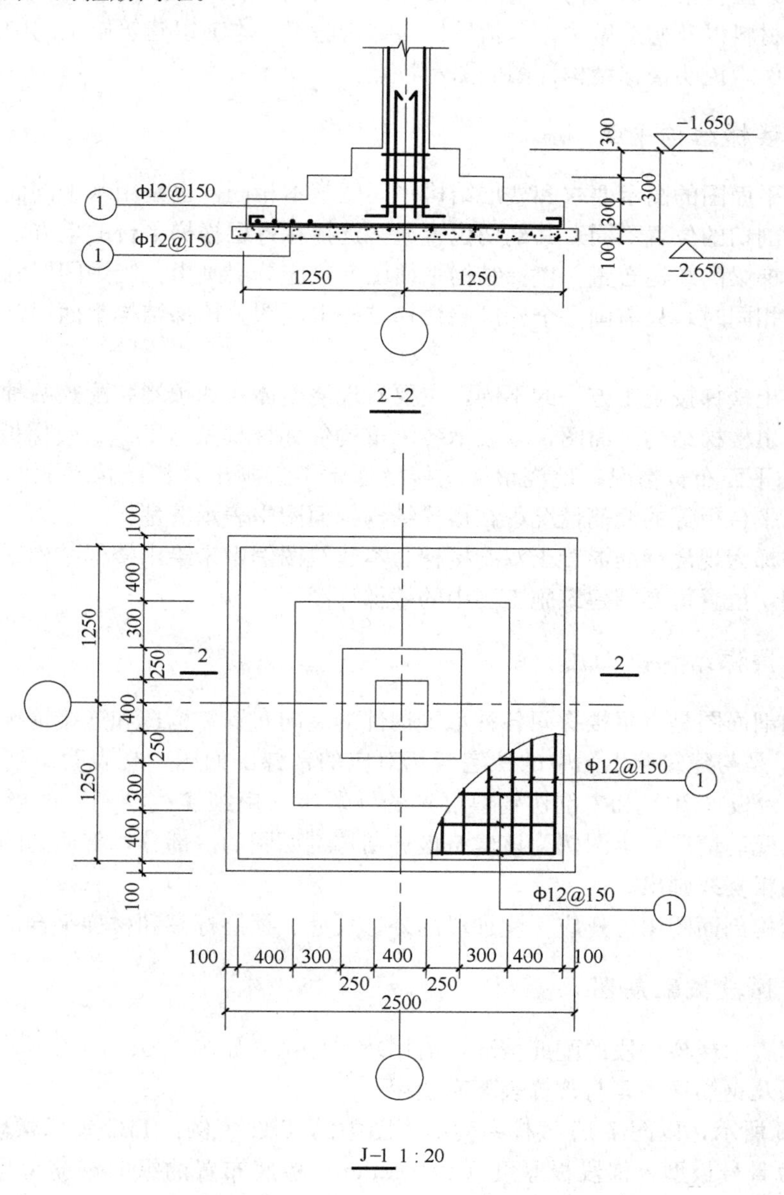

图 7-14　独立基础详图

由2-2断面图可知，该基础为阶梯状，下部垫层为100mm厚的细石混凝土，基础底面标高为-2.650m，并可了解基础底板配筋及柱子的插筋情况。

由平面图可知，该基础J-1的平面尺寸为2500mm×2500mm，柱断面为400mm×400mm。该平面图采用局部剖面图的形式，标明该基础底板为双向配筋，均为Φ12@150。

7.6 楼梯结构详图

楼梯结构详图包括楼梯结构平面图、楼梯剖面图和配筋图等图样。主要表达楼梯结构形式、尺寸、材料以及构造做法，以指导楼梯结构施工。本节以建筑施工图中住宅楼的楼梯结构详图为例，说明楼梯结构详图的图示特点。

7.6.1 楼梯结构平面图

楼梯结构平面图的图示要求和楼层结构平面图基本相同，也是用水平剖面图的形式来表达，但水平剖切的位置不同。其剖切位置通常选择在每层楼梯平台的上方，以表示平台板、梯段和楼梯梁的结构布置。楼梯结构平面图一般应分层画出，当中间层的结构布置及构件类型完全相同时，只需画一个标准层楼梯结构平面图。楼梯结构平面图常用1∶50的比例绘制。

钢筋混凝土楼梯按施工方法的不同，主要有现浇整体式和预制装配式两种：预制装配式楼梯必须画出楼梯结构平面图，以表示各承重构件如楼梯梁（TL）、楼梯板（TB）、平台板（PB）的平面布置情况；现浇整体式楼梯通常不必画出楼梯结构平面图，因其楼梯梁、楼梯板、平台板等的配筋情况可在楼梯结构剖面图中表示清楚。

该住宅楼梯为现浇钢筋混凝土双跑楼梯。本建筑图例中未绘出楼梯结构平面图，楼梯剖面图中的剖切位置可参阅建筑施工图中的楼梯详图。

7.6.2 楼梯结构剖面图

楼梯结构剖面图是表示楼梯间各种承重构件的竖向布置、构造和连接情况的图样。如图7-15所示，是与建筑施工图中的住宅楼相对应的楼梯剖面图，它表明了剖切到的梯段板（TB）、平台板（PB）和未剖切到但可见的梯段板（用细实线绘制）的形状和连接情况及平台板的配筋情况。本图例为该建筑楼梯结构剖面图的一部分，剖切到的梯段板、平台板的轮廓用粗实线画出。

在楼梯结构剖面图中，还应标注梯段的外形尺寸、楼层标高和楼梯平台的结构标高。

7.6.3 梯段板配筋图

为了详细表示楼梯梯段的配筋情况，需用较大比例（如1∶30、1∶25、1∶20）画出楼梯的配筋图及钢筋详图，与楼梯表配套使用。

如图7-16所示，以图7-15楼梯结构剖面图中的TB2为例：TB2表示梯段板的编号，由表中可知为B号板型，梯段板厚度h为120mm；板底布置的纵向钢筋编号为①，即Φ12@150；支座处板顶受力筋编号为③、④，均为Φ12@150；从支座处伸出长度c_1为1000mm，c_2为600mm；板中的分布筋为Φ8@200双向。

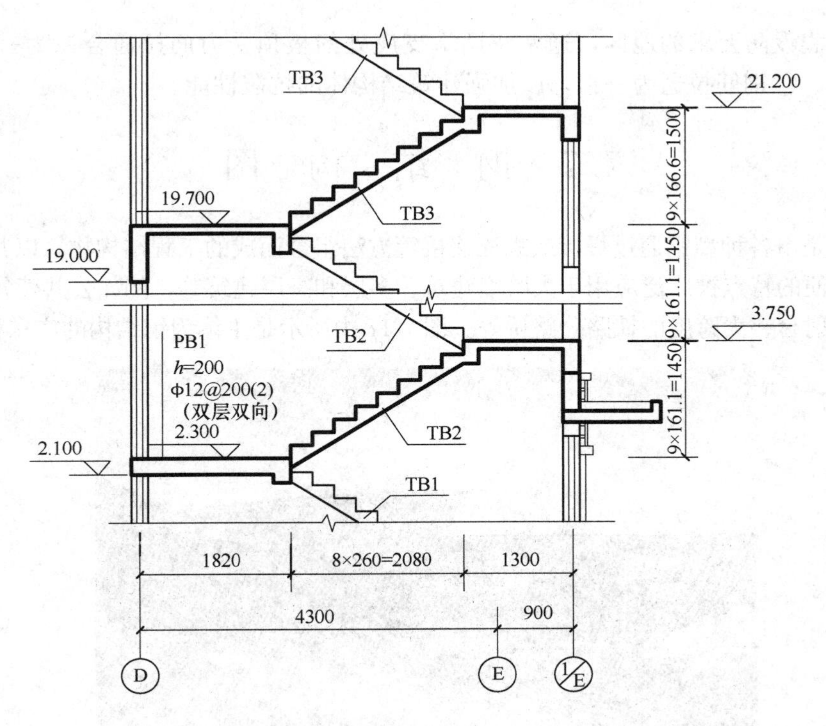

图 7-15　楼梯结构剖面图

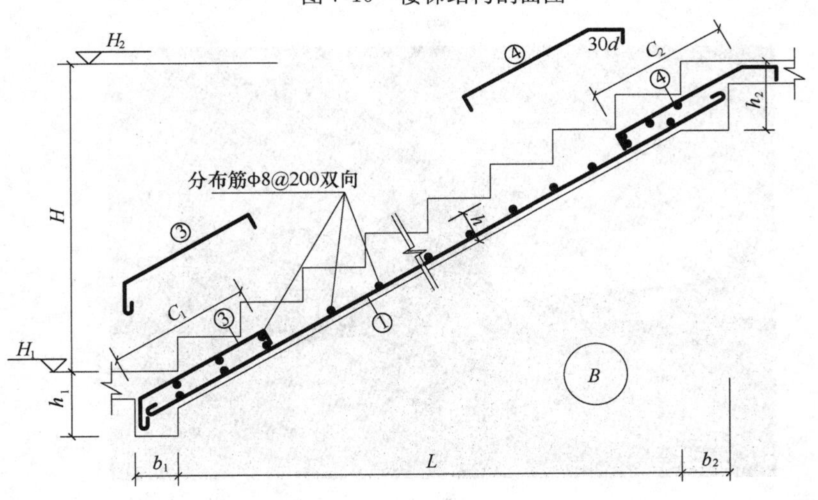

称	号	$H_1 \sim H_2$	型	$b \times h$	D	L	L_1	L_2	H	数	宽	高	b_1	b_2	①	②	③	④	⑤	C_1	C_2	备注
楼梯板	TB1	0.380-2.300	A	1150×100	100	2600			1920	11	260	175	200	200	φ10 @100	φ10 @100	φ10 @100	φ10 @100		800	800	
	TB2	2.300-3.750 … 18.250-19.700	B	1150×120	100	2080		1200	1450	9	260	161	200	200	φ12 @150		φ12 @150	φ12 @150		1000	600	
	TB3	19.700~21.200 …	C	1150×120	100	2080	1200		1500	9	260	167	200	200	φ12 @150		φ12 @150	φ12 @150	φ12 @150	600	1000	

图 7-16　楼梯表及楼梯板配筋图

在有抗震设防要求的地区，通常将两端支座处的板顶受力筋拉通合二为一，即 B 号板型中的③、④钢筋拉通为一根，以加强建筑结构体的抗震性能。

7.7 钢 结 构 图

钢结构是由各种型钢通过焊接或螺栓连接等方法组合而成的工程结构物，以其轻型、高强、制作方便的特点被广泛应用于大跨度建筑、多层和高层建筑等，例如公共建筑中的体育馆、电视发射台、大跨度的铁路公路桥等。图 7-17 中所示是主体为钢结构的广东科学馆。

(*a*)

(*b*)

图 7-17　广东科学馆

(*a*) 正在施工中的建筑体；(*b*) 竣工后的建筑体

7.7.1 钢结构图的分类

钢结构图主要由三部分组成。

(1) 屋架简图：通常采用单线条示意图表达整个钢结构各杆件的几何中心线，一般用粗实线绘出，绘制在整张图左（或右）上方，需标注出定位轴线，如图 7-19 上部所示。

（2）屋架详图：也称屋架立面图，用于表达某一构件或零件的钢结构构成，是钢屋架结构图中的主要图样。由于屋架的高度、跨度与杆件的断面尺寸相差较大，为了图示清楚，常在屋架详图中采用不同比例绘制，即屋架轴线（杆件几何中心线）用较小比例 1∶50，节点和杆件断面用较大比例（如 1∶25）绘制。屋架详图中，各杆件轮廓和节点板轮廓用粗线或中粗线，杆件几何中心线用细点画线绘出，如图 7-19 所示。

（3）节点详图：表达节点的详细构造，是屋架制作、施工中的主要图样之一，通常采用 1∶20 的比例绘制。在节点详图中，需标注出各型钢的规格、尺寸、长度、各杆件的定位尺寸及连接板的定位尺寸，如图 7-20 所示。

7.7.2 型钢的类型及标注方法

轧钢厂按国家标准所轧制而成的各种型号规格的钢材，都称为型钢。建筑工程中常用的钢材主要有 Q_{235}、Q_{345}、Q_{390}、Q_{420}。其中 Q_{235} 是碳素钢，另外三种是低合金高强钢材，四种钢材的抗拉强度是递增的。

型钢的类型不同，其标注方法各异。表 7-5 为部分常用型钢类型及标注方法。

部分型钢类型及标注方法 **表 7-5**

序号	名 称	图 例	标 注	备 注
1	等边角钢		∟ $b \times d$	b 为肢宽，d 为肢厚
2	不等边角钢		∟ $B \times b \times d$	B 为长肢宽
3	工字钢		IN，QIN	轻型工字钢加注 Q 字
4	槽钢		[N，Q[N	轻型槽钢加注 Q 字
5	方钢	b	□ b	
6	薄壁方钢管		B□ $h \times t$	
7	圆钢		ϕd	
8	钢管		$\phi d \times t$	t 为管壁厚
9	扁钢	b t	$-b \times t$	
10	钢板		$-t$	

续表

序号	名称	图例	标注	备注
11	薄壁等肢角钢		B∟ $b\times t$	薄壁型钢加注 B 字
12	薄壁等肢边角钢		B∟ $b\times a\times t$	
13	薄壁槽钢		B[$h\times b\times t$	

7.7.3 型钢的连接方式

型钢可用螺栓连接、电焊铆钉连接及电焊连接。

1. 螺栓连接与电焊铆钉连接

根据需要，螺栓连接既可作为永久性连接，也可用于安装构件时临时固定。电焊铆钉连接则是永久性连接。螺栓、孔、电焊铆钉的标注方法见表 7-6。

螺栓、孔、电焊铆钉图例 **表 7-6**

序号	名称	图例	备注
1	高强度螺栓	M φ	1. 细“十”表示定位轴线 2. 必须标注出螺栓、孔、电焊铆钉的直径； φ 表示螺栓孔直径 d 表示电焊铆钉直径 3. M 表示螺纹特征代号
2	安装螺栓	M φ	
3	永久螺栓	M φ	
4	圆形螺栓孔	φ	
5	长圆形螺栓孔	φ	
6	电焊铆钉	d	

2. 电焊连接

电焊连接即焊接，是钢结构中主要的连接方式，常采用“焊缝代号”表示焊缝的位置、形式和尺寸。

“焊缝代号”主要由引出线、图形符号和补充符号组成，应符合当前《建筑结构制图标准》的规定。如图 7-18 所示，为单面焊缝的标注方法。

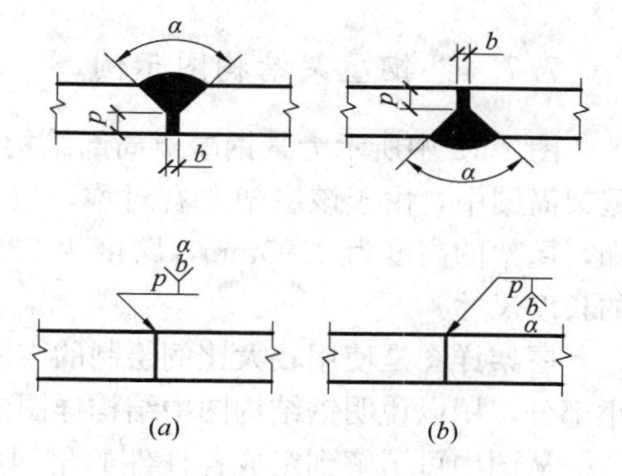

图 7-18　单面焊缝标注

在同一图形上，当焊缝形式、断面尺寸等均相同时，可只选一处详细标出焊缝的符号和尺寸，并注上“相同焊缝符号”。相同焊缝符号用绘制在引出线转折处的 3/4 圆弧表示；当在同一图形上有数种相同的焊缝时，可将焊缝分类编号用大写的拉丁字母 A、B 等标注，如图 7-20 中所示。

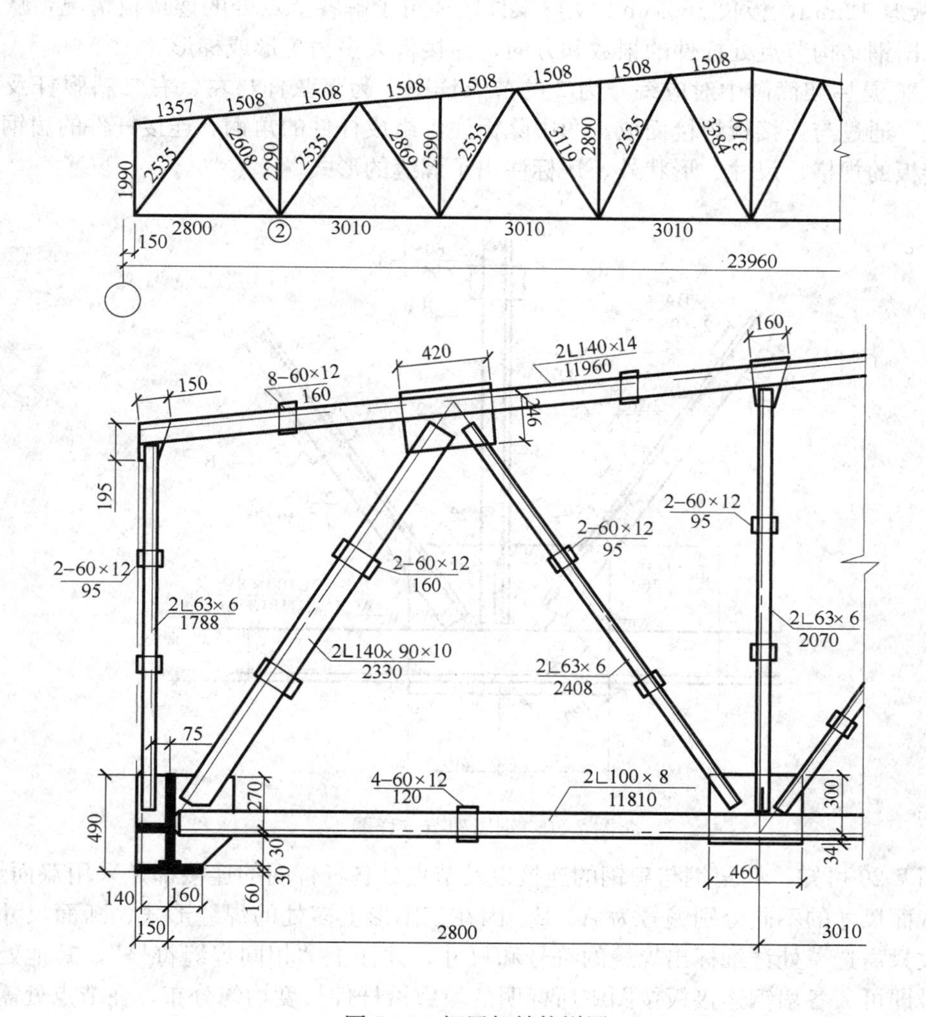

图 7-19　钢屋架结构详图

7.7.4　钢屋架结构图示例

图 7-19 中所示为某钢屋架局部结构图，其中上部为屋架简图，下部为屋架详图。在屋架简图中，由于该屋架左右对称，故只需画出一半多一点，用折断线断开。从图中可知，屋架的高度为 3190mm，跨度为 23960mm，以及各上弦杆、下弦杆、直杆及斜腹杆的长度尺寸。

屋架详图是使用较大比例绘制的与屋架简图相对应的屋架立面图，本例仅节选左端一小部分，用以说明钢结构图中结构详图的内容和绘制。

从图中可了解到组成各杆件的角钢型号、根数、长度等情况，如左端直杆 2　63×6 表示该杆由两根等边角钢组成，肢宽 63mm，肢厚 6mm，长度 1788mm。又如左端斜腹杆 2　140×90×10 表示该杆由两根不等边角钢组成，长肢宽 140mm，短肢宽 90mm，肢厚 10mm，长度 2330mm。由于每根杆件都由两根角钢组成，故在两角钢间有扁钢连接固定，且注明了其长度、宽度、厚度尺寸。如左斜腹杆有两处扁钢连接板 2 - 60×12，表示板宽 60mm，板厚 12mm，板长 160mm。从屋架详图还可了解各节点处的连接板情况，从图中可知，根据钢结构节点处杆件的根数和方向，连接板大多为矩形或梯形。

图 7-20 是屋架简图中对应编号为 2 的节点详图，为下弦杆与左、右二斜腹杆及直杆的连接处，通过与连接板焊接而成。图中除标注出组成杆件的角钢、连接杆件的扁钢及节点处连接板的规格、尺寸、形状外，还标注出了焊缝的形式。

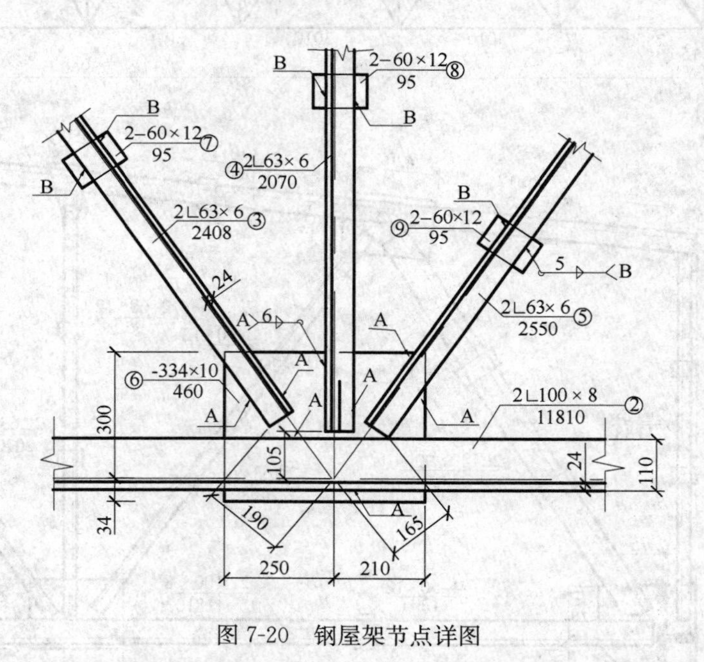

图 7-20　钢屋架节点详图

由图 7-20 可知，两角钢与扁钢的连接以及节点处各杆件间的连接都是采用双面焊缝，依焊缝截面尺寸的不同分别编号为 A、B。因在该图形上多处的焊缝形式、断面尺寸等均相同，故只需选一处详细标出焊缝的符号和尺寸，并注上“相同焊缝符号”，其他处只需标注编号即可。各扁钢连接板按图中所标明的块数沿杆件长度均匀分布，在节点处需依杆件几何中心线注明各杆端的定位尺寸（如 105mm、190mm、165mm）及节点处连接板的定位尺寸（如 250mm、210mm、34mm、300mm）。

需指出，一套完整的钢屋架结构图一般还有预埋件详图、若干断面图和剖面图、材料表等。所有构件的长度、定形尺寸、规格及数量均可由材料表查得，此处从略。

第 8 章　给水排水施工图

给水排水工程是城市及工矿建设必要的市政基础工程。给水工程包括水源取水、水质净化、净水输送、配水使用等；排水工程是指经日常生活使用后的水（即污水），生产使用后的水（即废水）及雨水等等通过管道汇总-处理-排放等环节最终排入江河、湖泊、近海、地下深井等工程。

8.1　给水排水施工图概述

给水排水工程包括给水工程和排水工程。因为给水为压力流、排水为重力流，固然，给水用压力管，排水用重力管。给水用管相对排水用管必然要求其具有一定的强度、刚性、耐压等特质。

给水排水工程图按其内容的不同，可分为：室内给水排水施工图、室外管道及附属设备图、水处理工艺设备图。本章主要介绍室内给水排水施工图和室外管网布置图。

给水排水施工图应遵循中华人民共和国住房和城乡建设部 2011 年 3 月 1 日起实施的《建筑给水排水制图标准》GB/T 50106—2010 的有关规定。

8.1.1　图线

给水排水施工图中对于图线的运用宜符合表 8-1 中的规定。

给水排水施工图中常用图线线型　　　　**表 8-1**

名　称	线　型	线宽	用　途
粗实线		b	新设计的各种排水和其他重力流管线
中粗实线		$0.7b$	新设计的各种给水和其他压力流管线；原有的各种排水和其他重力流管线
中实线		$0.5b$	给水排水设备、零（附）件的可见轮廓线；总图中新建的建筑物的可见轮廓线；原有的各种给水和其他压力流管线
细实线		$0.25b$	建筑的可见轮廓线；总图中原有的建筑物和构筑物的可见轮廓线；制图中的各种标注线
粗虚线		b	新设计的各种排水和其他重力流管线的不可见轮廓线

续表

名称	线型	线宽	用途
中粗虚线		0.7b	新设计的各种给水和其他压力流管线及原有的各种排水和其他重力流管线的不可见轮廓线
中虚线		0.5b	给水排水设备、零（附）件的不可见轮廓线；总图中新建的建筑物的不可见轮廓线；原有的各种给水和其他压力流管线的不可见轮廓线
细虚线		0.25b	建筑的不可见轮廓线；总图中原有的建筑物和构筑物的不可见轮廓线
单点长画线		0.25b	中心线、对称线、定位轴线
折断线		0.25b	断开界线
波浪线		0.25b	平面图中水面线；局部构造层次范围线；保温范围示意线

8.1.2 标高与管径

对于给水管道宜标注管中心标高，对于排水管道宜标注管底标高。

管径应以毫米为单位进行标注。对于水煤气输送钢管（镀锌或非镀锌）、铸铁管在工程图上宜用公称直径“DN”表示，如 DN100；对于无缝钢管、焊接钢管（直缝或螺旋缝）等管材宜用外径 D×壁厚表示，如 D75×5）；钢管、薄壁不锈钢管等管材，管径宜以公称外径 D_w 表示；建筑给水排水塑料管材，其管径宜以公称外径 dn 表示；钢筋混凝土管（或混凝土管）、管径宜以内径 d 表示；复合管、结构壁塑料管等管材，管径应按产品标准的方法表示。

关于公称直径 DN：“公称直径”也称“公称通径”“平均外径”，是管路系统中所有管路附件用数字表示的径向尺寸，公称直径是供参考的一个方便的整数。公称直径字母 DN 后面的数字既不是管道内径也不是其外径，所以，它不是实际意义上的管道外径或内径，而是近似普通钢管等内径的一个名义尺寸。这是缘自金属管的管壁很薄，管外径与管内径相差无几。同一公称直径的管子与管路附件均能相互连接具有互换性，每一公称直径，对应一个外径，其内径数值随厚度不同而不同。公称直径可用公制毫米表示，也可用英制英寸表示。

8.1.3 图例

表 8-2 根据 GB/T 50106—2010 的有关规定，列出了给水排水施工图中常用的图例，

其中管道类别以汉语拼音字母表示。

给 水 排 水 图 例 **表 8-2**

名称	图例	名称	图例
生活给水管	J	蝶阀	
消火栓给水管	XH	闸阀	
自动喷淋给水管	ZP	水嘴	平面 系统
污水排水管	W	皮带水嘴	平面 系统
空调凝结水管	KN	止回阀	
通气管	T TL-	角钢	
排水暗沟	坡向	圆形地漏	平面 系统
排水明沟	坡向	方形地漏	平面 系统
室内消火栓（单口）	平面 系统	S型存水弯	
消防栓（双栓）	平面 系统	P型存水弯	
消防水泵接合器		立管检查口	
消防闭式自动喷头		通气帽	
信号闸阀		雨水斗	平面 系统
平衡锤安全阀		雨水口（单箅）	
旋塞阀	平面 系统	雨水口（双箅）	
减压阀	左侧为高压端	阀门井及检查井	以代号标注区别管道，如J、W、Y分别为给水、污水、雨水
淋浴喷头		隔油池	YC
水表井		矩形化粪池	HC
浮球阀	平面 系统	管道伸缩器	

8.2 室内给水工程图

室内给水工程图包括室内给水平面图、室内给水系统图、管道安装详图、施工说明等。本节重点介绍室内给水平面图和给水系统图。

8.2.1 室内给水平面图

1. 室内给水系统的组成

民用建筑室内给水系统一般分为生活用水系统和消防用水系统。对于低层或多层的民用建筑，可以只设生活用水系统，高层以上的民用建筑应设消防用水系统。

室内给水系统一般由以下主要部分组成，如图 8-1 所示。

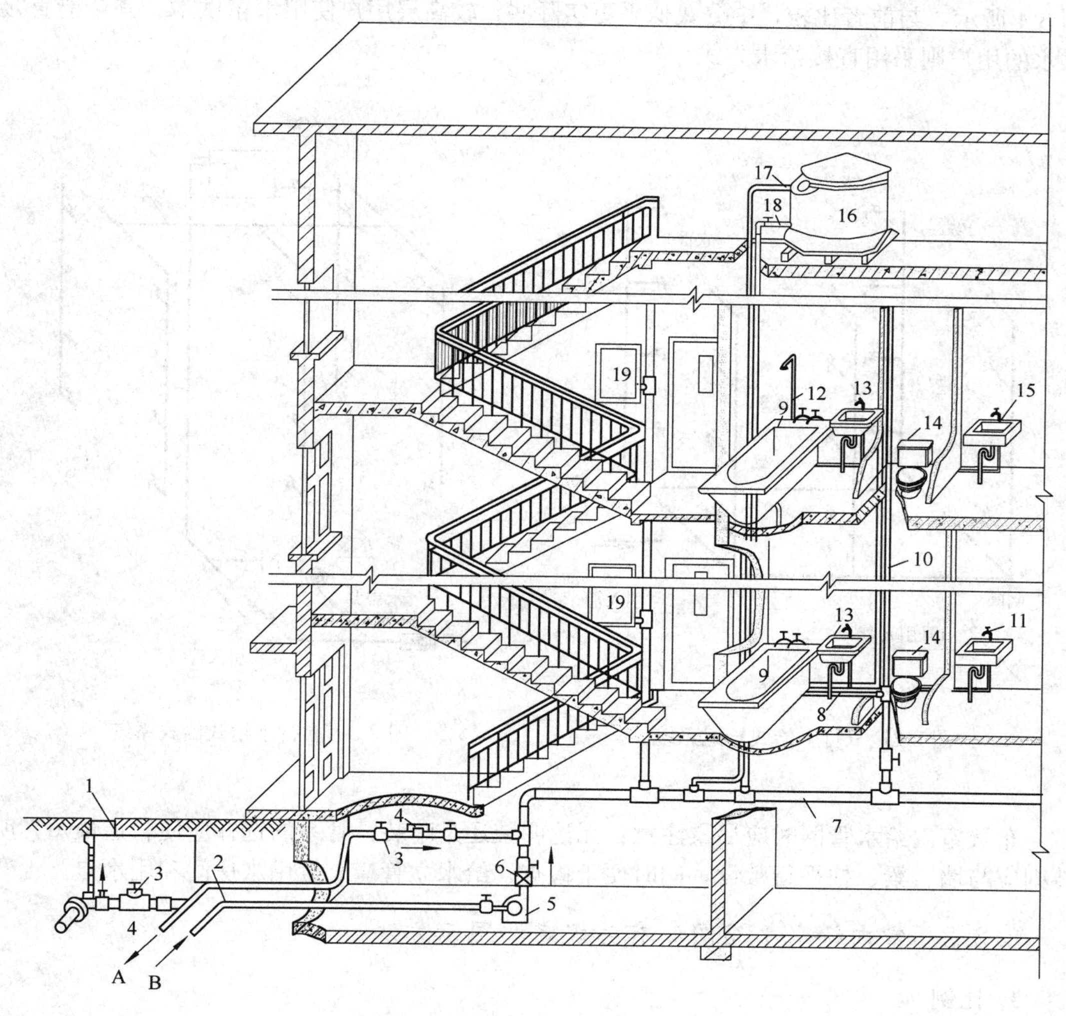

图 8-1 室内给水系统示意图

1—阀门井；2—引入管；3—闸阀；4—水表；5—水泵；6—止回阀；7—干管；8—支管；9—浴盆；10—立管；11—水龙头；12—淋浴器；13—洗脸盆；14—大便器；15—洗涤盆；16—水箱；17—进水管；18—出水管；19—消火栓；A—入贮水池；B—来自贮水池

从室内给水示意图中看出，室外管网接近该建筑物的终端是阀门井，显然它可以控制该建筑的给水系统；引入管是自室外管网引入房屋内部的一段水平管道；水表用来记录用水流量。室内配水管网主要包括水平干管、立管、支管；配水器具及附件主要包括各种配水龙头、闸阀等。升压及储水设备，是为解决用水量大或水压不足时，所需要设置的水泵和水箱等设备。室内给水系统的终端根据功能需要而确定，如为浴盆所设置的淋浴器（喷头）、冷水和热水水龙头；为洗脸盆洗涤盆所设置的水龙头；为室内灭火所设置的消防栓及阀门等等。

2. 室内给水系统的供水方式

根据给水干管敷设位置的不同，给水管网系统可分为下行上给式，也称直接给水式，采用这种方式供水的条件是当地市政水压足够，如图 8-2 所示。上行下给式，如图 8-3 所示，这是为解决当地市政水压不足，设置水泵水箱联合给水的供水方式。还有中分式，如图 8-4 所示，与前者比较，中分式似乎更实际些，较高层用户使用水箱供水，其余能直接供水的用户则采用直接给水方式。

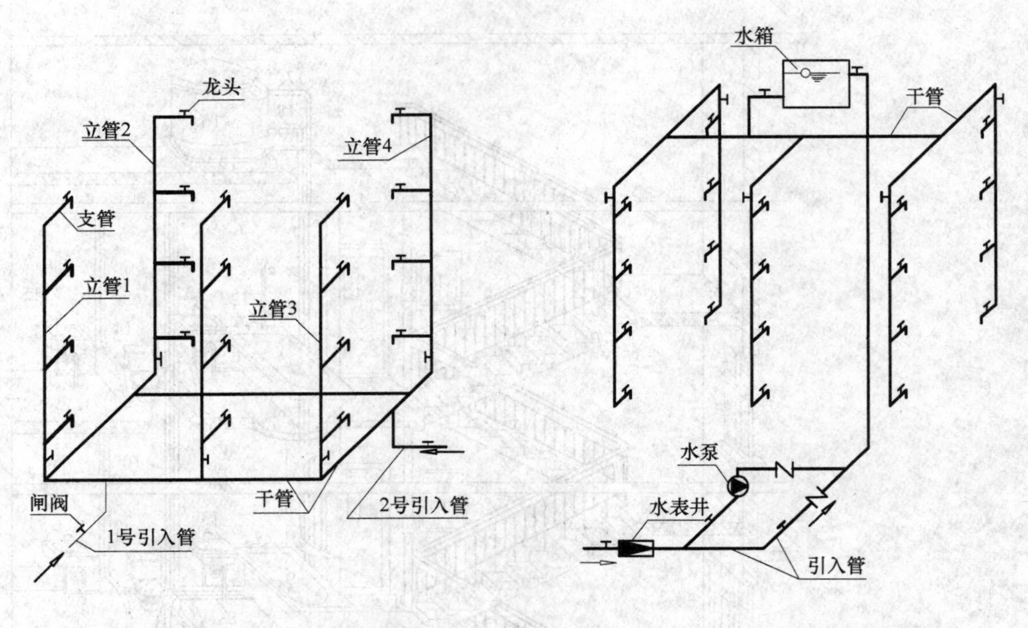

图 8-2　下行上给式给式系统　　图 8-3　上行下给式给式系统

布置室内给水管网时应尽量注意：无论明装还是暗装，管系的选择应使管道最短，明装则应与墙、梁、柱平行敷设，同时便于检查；给水立管应靠近用水房间和用水点。

8.2.2　室内给水平面图的有关规定和图示方法

1. 比例

室内给水平面图主要反映各功能管道、卫生设备、厨具及其附件的平面布置情况。它是在简化的建筑平面图基础上绘制出室内给水管网及卫生设备的平面布景。通常，室内给水平面图采用与建筑平面图相同的比例绘制，一般为 1：100 或 1：50，当所选比例表达

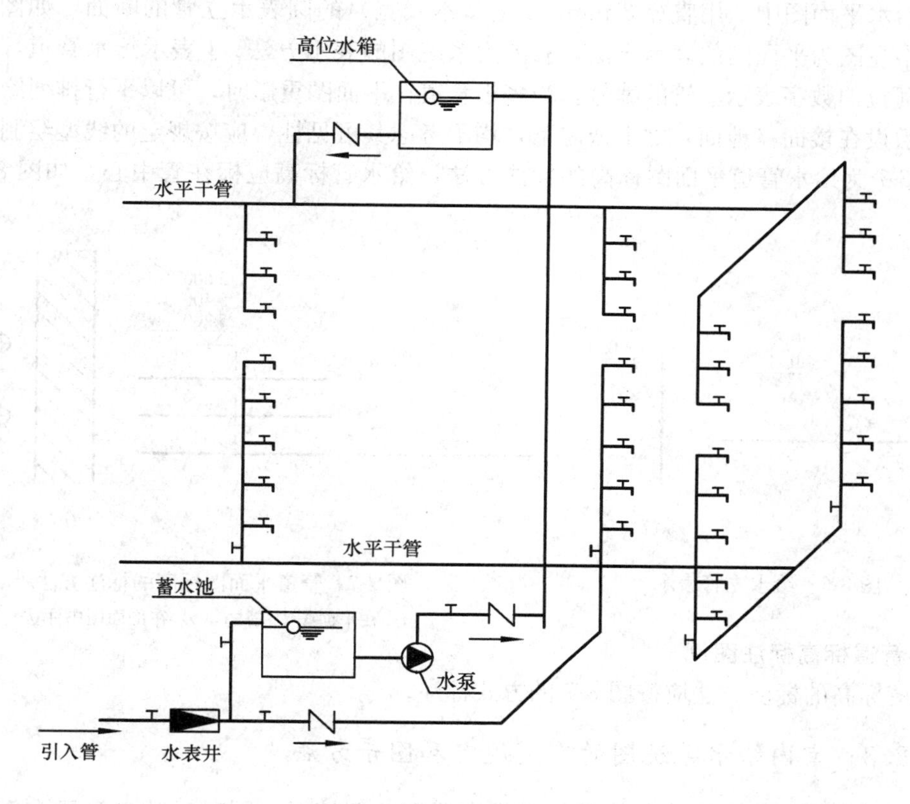

图 8-4　分区供水给水系统

不清楚时，可以采用 1∶25 的比例绘制。

2. 平面图的数量

室内给水平面图的数量根据各层管网的布置情况而定。对于多层房屋，底层的给水平面图应单独绘制；楼层平面的管道布置若相同，可绘制一个标准层给水平面图；当屋顶设有水箱及管道布置时，应单独绘制顶层相关的给水平面图，如图 8-11 屋面给水配管网图。

3. 线型

在给水平面图中，墙身、柱、门和窗、楼梯、台阶等主要建筑构件的轮廓用细实线绘制，由于房屋的建筑平面图只是作为管道系统水平布局和定位的基准，所以房屋的细部及门窗代号均可省略。洗涤池、洗脸盆、浴盆、坐便器等卫生设备和器具以图例的形式用中粗实线绘制，给水管道用粗实线。

4. 给水系统编号及给水立管的图示方法

为了方便读图，在底层给水平面图中各种管道应按系统予以编号。一般给水管以每条室外引入管为一系统，系统编号的表示方法如图 8-5 所示，其中圆的直径为 10mm，用细实线绘制；分子相应的字母代号表示管道的类别，例如“J”表示给水，分母用阿拉伯数字表示系统的编号。

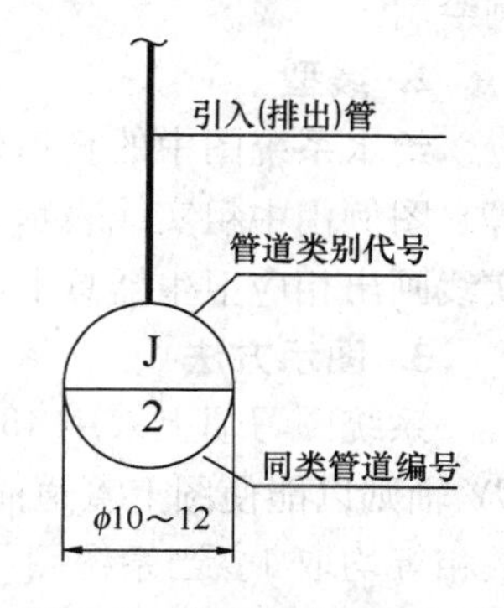

图 8-5　给水系统编号表示

在给水平面图中，用直径 3 mm（3 倍基本线宽）的圆表示立管的断面，如图 8-6 所示。其中左图为平面图的表示方法，右图为系统图的表示方法；J 表示给水管道，L 表示立管，阿拉伯数字表示立管的编号。当多根管道在平面图重影时，可以平行排列绘制。管道不论敷设在楼面（地面）之上或之下，均不考虑其可见性，应按规定的线型绘制。

图 8-7 为给水管道平面图标高的标注方法，给水管标高应标在管中心，如图 8-7（*b*）所示。

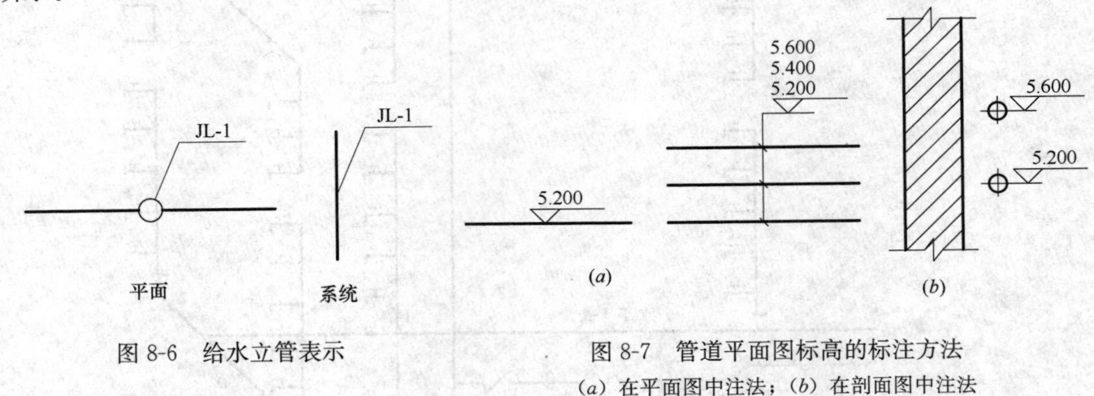

图 8-6　给水立管表示

图 8-7　管道平面图标高的标注方法
（*a*）在平面图中注法；（*b*）在剖面图中注法

5. 管道标高标注图例

管道标高的标注方法应按图 8-7 的方式标注。

8.2.3　室内给水系统图的有关规定和图示方法

给水系统图是用来表达各管道的空间布置和连接情况，同时反映各管段和管径、坡度、标高及附件在管道上的位置等。因为给水管道在空间往往有转折、延伸、重叠及交叉的情况，所以为了清楚地表现管道的空间布局、走向及连接情况，系统图根据轴测投影原理，绘制出管道系统的正面斜等轴测图，如图 8-2、图 8-3、图 8-4 所示。

给水系统图一般从某个系统引入管开始，依次表示水平干管-立管-支管-放水龙头-卫生器具等。

1. 比例

室内给水平面图是绘制室内给水系统图的基础图样。通常，系统图采用与平面图相同的比例绘制，一般为 1∶100 或 1∶50，当局部管道按比例不易表示清楚时，可以不按比例绘制。

2. 线型

给水系统图中的管道依然用粗实线表示，管道的配件或附件（如阀门、水表、龙头等）图例用中粗实线表示。卫生器具（如洗涤池、坐便器、浴盆等）不再绘制，只是用粗实线画出相应卫生器具下面的存水弯或连接的横支管。

3. 图示方法

系统图习惯上采用 45°正面斜等轴测投影绘制。通常把高度方向作为 *OZ* 轴，*OX* 和 *OY* 轴则以能使图上管道简单明了，避免管道过多地交错为原则。三个方向的轴向伸缩系数相等均取 1。当系统图与平面图采用相同的比例绘制时，*OX*、*OY* 轴方向的尺寸可以直接在相应的平面图上量取，*OZ* 轴方向的尺寸按照配水器具的习惯安装高度量取。

室内给水主要表现给水系统的空间枝状结构，即系统图通常按独立的给水系统来绘制，每一个系统图的编号应与给水平面图中的编号一致。

为了使系统图的图面清晰，对于用水器具和管道布置完全相同的楼层，可以只画一层完整的配置，其他楼层省略，在省略处用 S 形折断符号表示，并标注写“同底层”的字样。

当管道的轴测投影相交时，位于上方或前方的管道连续绘制，位于下方或后方的管道则在交叉处断开，如图 8-8 所示。

在给水系统图中，应对所有管段的直径和标高进行标注。管段的直径可以直接标注在管段的旁边或引出线引出。给水管为压力管，不需要设置坡度。给水系统一般要求标注楼（地）面、屋面、引入管、支管水平段、阀门、水龙头、水箱等部位的标高，给水管道的标高以管中心标高为准，标高数字以米为单位，如图 8-9 所示。

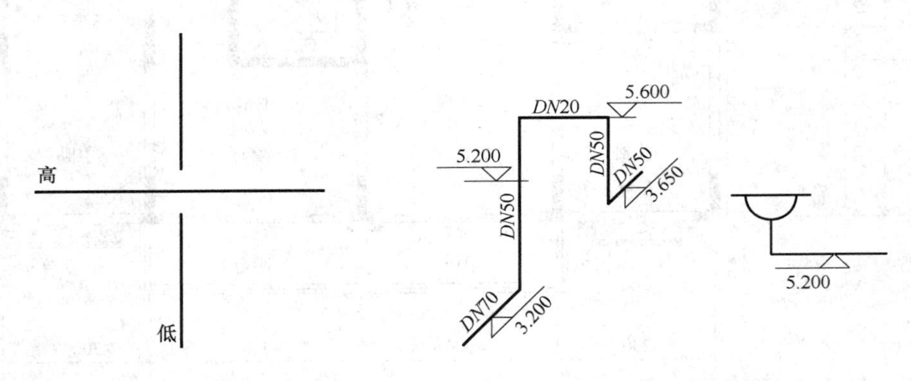

图 8-8　管道交叉表示方法　　　图 8-9　管道系统图标高标注方法

8.2.4　阅读室内给水平面图和给水系统图

在给水平面图、系统轴测图中，水管、水表、水泵、阀门、水箱、卫生设备等均是用图例符号表示，见表 8-2。所以，在给水平面图中难以看出其三维空间的布置系统，读图时应将给水平面图和给水系统轴测图相互对照，这样就会产生三维布置效果。

1. 阅读室内给水平面图

对于一般的小型民用建筑，室内给水排水工程管网布置不太复杂，通常将室内给水、排水平面图绘制在同一张图纸上。对于复杂的高层建筑或大型建筑，可以将室内给水、排水平面图分开绘制。

以前面介绍的某中高层住宅为例，因为其属于一般规模建筑，可以将室内给水、排水平面图合并绘制，但为了表述清楚，该案例采取了分别绘制的方法。如图 8-10 所示，图中表示了中高层住宅二-八层给水排水立管布置，其中 JL-1、JL-2 分别为 A 户型、B 户型的给水立管，为保障供水和准确测量每户水流量，这里为每户设置独立的立管，每户都是独立的一套给水系统。此处需要提示的是，给水立管一般从底层到顶层管径逐渐减小。

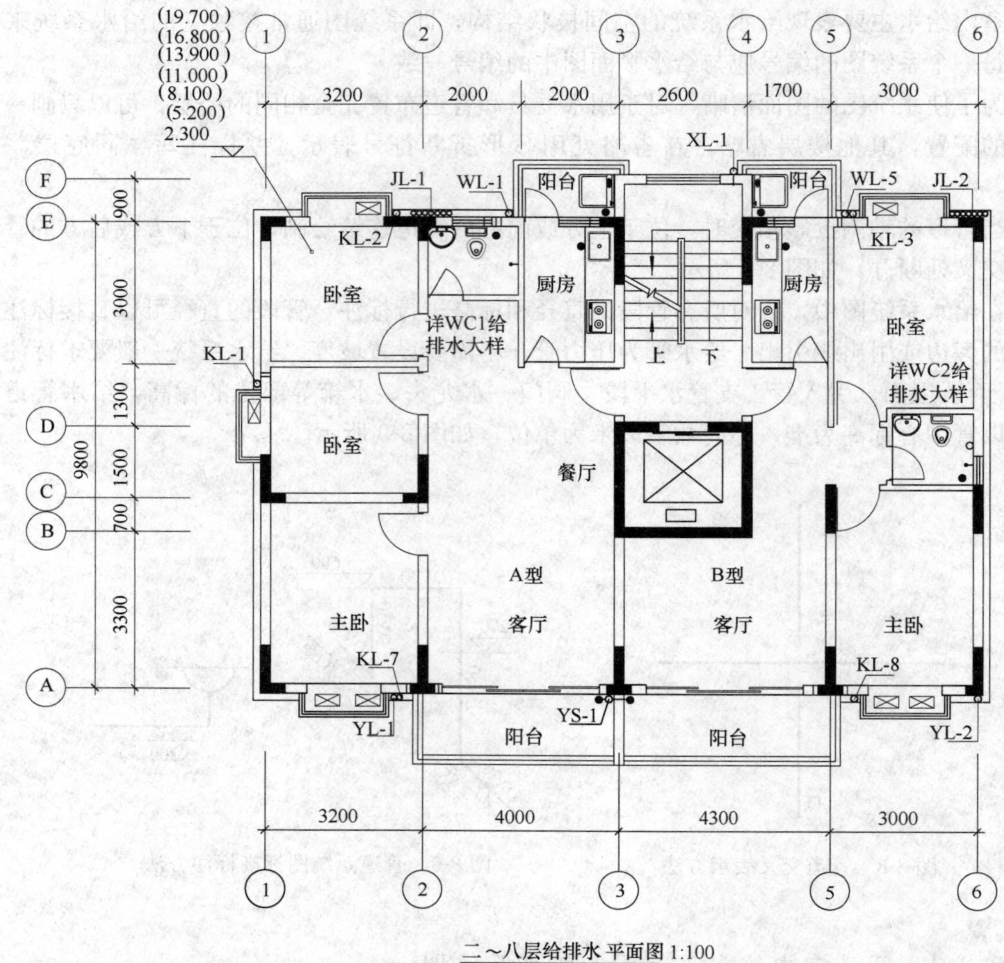

图 8-10　给水排水工程立管布置图

2. 阅读室内给水平面图与系统图

为详细了解该案例每户独立给水系统，请详见图 8-11、图 8-12。图 8-11 表示了该案例在屋面上布设的生活给水配管及水表箱的设计；图 8-12 分别表示了水箱进水管安装及

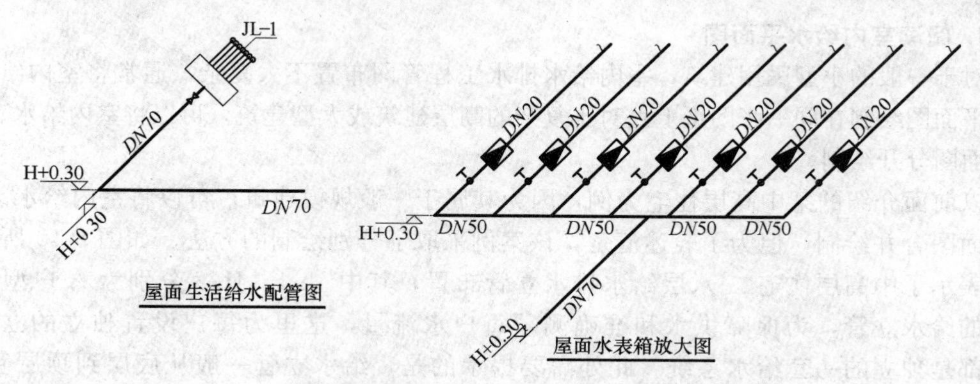

图 8-11　某中高层住宅屋面生活给水配管图及水表箱放大图

消防出水管安装、生活出水管安装的设计意图，图中较详细表达了诸管道安装路线、规格、尺寸及相关技术要求等。

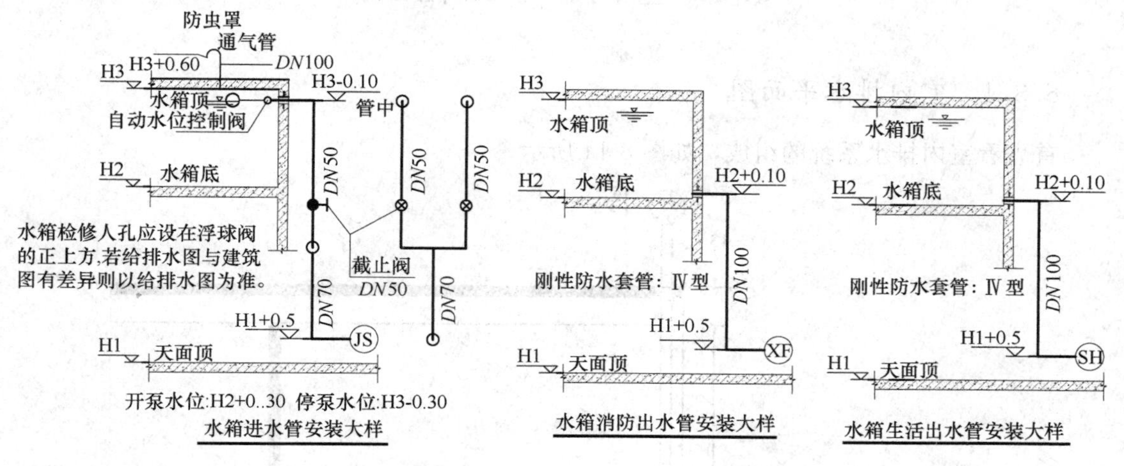

图 8-12　某中高层住宅水箱管道安装大样图

图 8-13 是该教学案例室内卫生间、厨房给水平面图与系统图，图中表示了 B 户型卫生间、厨房给水系统的设计意图。从图中可看到，通过Ⓔ与⑥轴线北侧墙体给水立管 JL-2 送水，行至室内地砖下找平层暗敷的西南走向的两只水平干管，由此将给水送至卫生间和厨房。图中详细标注了各给水管的规格、标高、技术要求等。

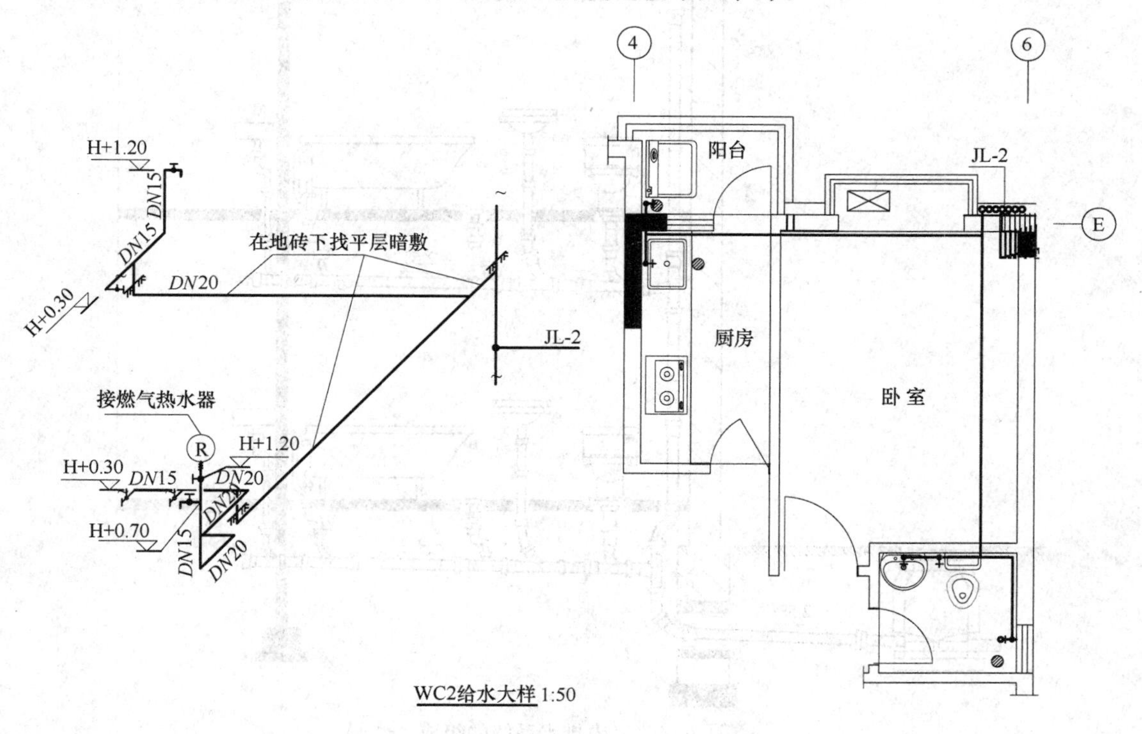

图 8-13　某中高层住宅卫生间、厨房给水平面图与系统图

8.3 室内排水工程图

8.3.1 室内排水平面图

首先看室内排水系统的组成，如图 8-14 所示。

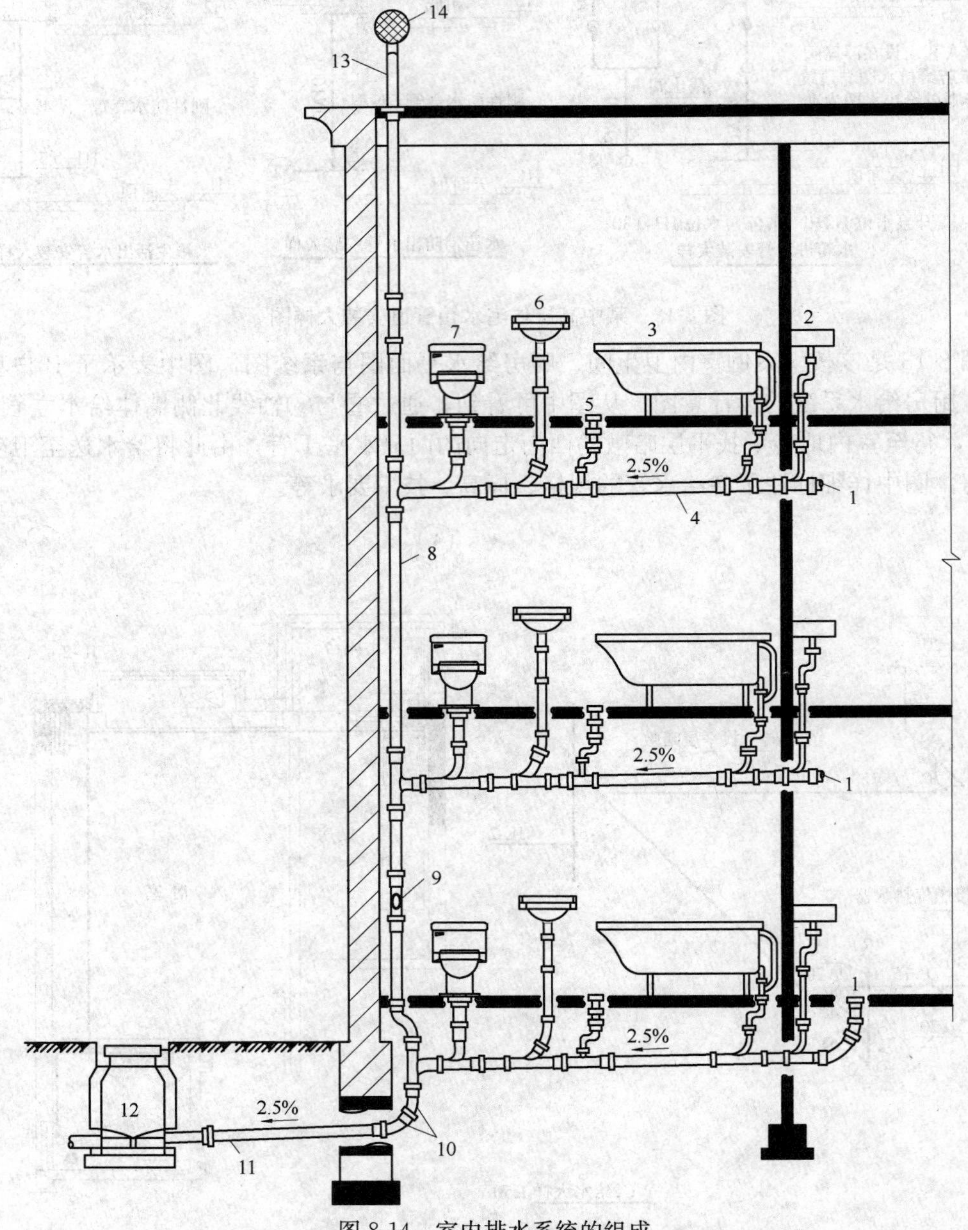

图 8-14 室内排水系统的组成

1—清扫口；2—洗涤盆；3—浴盆；4—横支管；5—地漏；6—洗脸盆；7—大便器；8—立管；9—检查口；10—45°弯头；11—排出管；12—排水检查井；13—伸顶通气罩；14—网罩

民用建筑室内排水系统的主要任务是排除生活污水和废水（居民住宅所排的水基本属于污水，工厂、实验室所排以废水为主）。一般室内排水系统由以下主要部分组成，如图8-14所示。

清扫口、洗涤盆（厨房等用水）、浴盆、洗脸盆、地漏、大便器等所排污水均流入排水横支管，排水横必须沿水流方向设计2%左右的坡度，当卫生器具较多时，应在排水横管的末端设置清扫口。横管将污水送入排水立管，这些连接各楼层排水横管的竖向管道，汇集了各横管的污水，将其排至建筑物底层的排出管，排出管管径应大于或等于连接的立管，且设有1%～2%向着检查井方向的坡度。

立管在首层和顶层应设有检查口，顶层检查口以上的一段立管称为通气管，用来排除臭气、平衡气压。通气管应高出屋面300～700mm，且在管顶设置网罩以防杂物落入。

布置室内排水管网时应尽量考虑：立管的布置要便于安装和检修；立管应尽量靠近污物、杂质最多的卫生设备，排出管应以最短的途径与室外管道连接，并在连接处设检查井。

8.3.2　室内排水平面图的有关规定和图示方法

1. 比例

室内排水平面图的比例同给水平面图。

2. 线型

排水管道用粗虚线绘制；洗涤池、洗脸盆、浴盆、坐便器等卫生设备和器具以图例的形式用中实线绘制；墙身、柱、门和窗、楼梯、台阶等主要建筑构配件的轮廓线用细实线绘制。

3. 图示方法

为了方便读图，在底层排水平面图中各种管道应按系统予以编号。一般排水管是以每一根承接室外检查井的排出管为一系统，系统编号的表示方法如图8-15所示，其中圆的直径为10mm，用细实线绘制；分子用相应的字母代号表示管道的类别，例如“W”表示污水，“P”表示排水；分母用阿拉伯数字表示系统的编号。

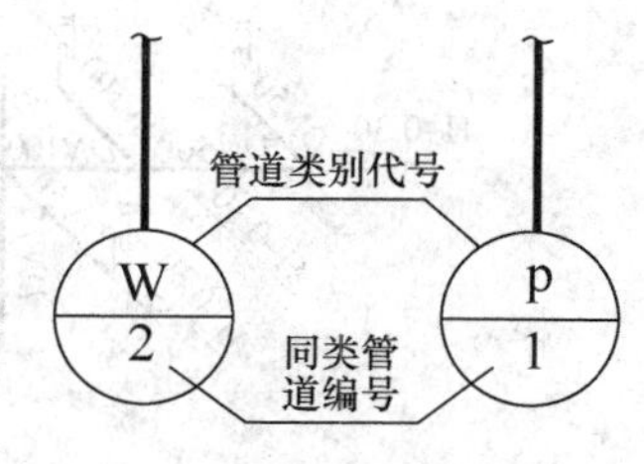

图8-15　排水系统图编号方法

8.3.3　室内排水系统图的有关规定和图示方法

1. 比例

室内排水系统图的比例同室内排水平面图。

2. 线型

排水管：包括排出管、排水立管和排水横管，用粗实线绘制；通气管用粗虚线绘制；图中的“=”表示楼地面。

3. 图示方法

室内排水系统图表达方法同室内给水系统图，即同样采用正面斜等侧图，排水管是以每一根承接室外检查井的排出管为一系统。

由于排水管为重力管，应在排水横管旁边标注坡度，如“i=0.02”，箭头表示坡向，当排水管横管采用标准坡度时，可省略坡度标注，在施工说明中写明即可。

排水系统一般要求标注楼（地）面、层面、主要的排水横管、立管上的检查口、通气帽及排出管的起点等部位的标高，管道的标高以管内底标高为准。

8.3.4 阅读室内排水平面图和排水系统图

图 8-16 是该教学案例室内卫生间、厨房排水平面图与系统图，图中表示了 B 户型卫生间、厨房排水系统的设计意图。从图中可看到厨房和阳台的污水排入 WL-5 排水立管；卫生间污水排入 WL-2 排水立管。从排水系统图可详细了解标各排水管的规格、标高、技术要求等。

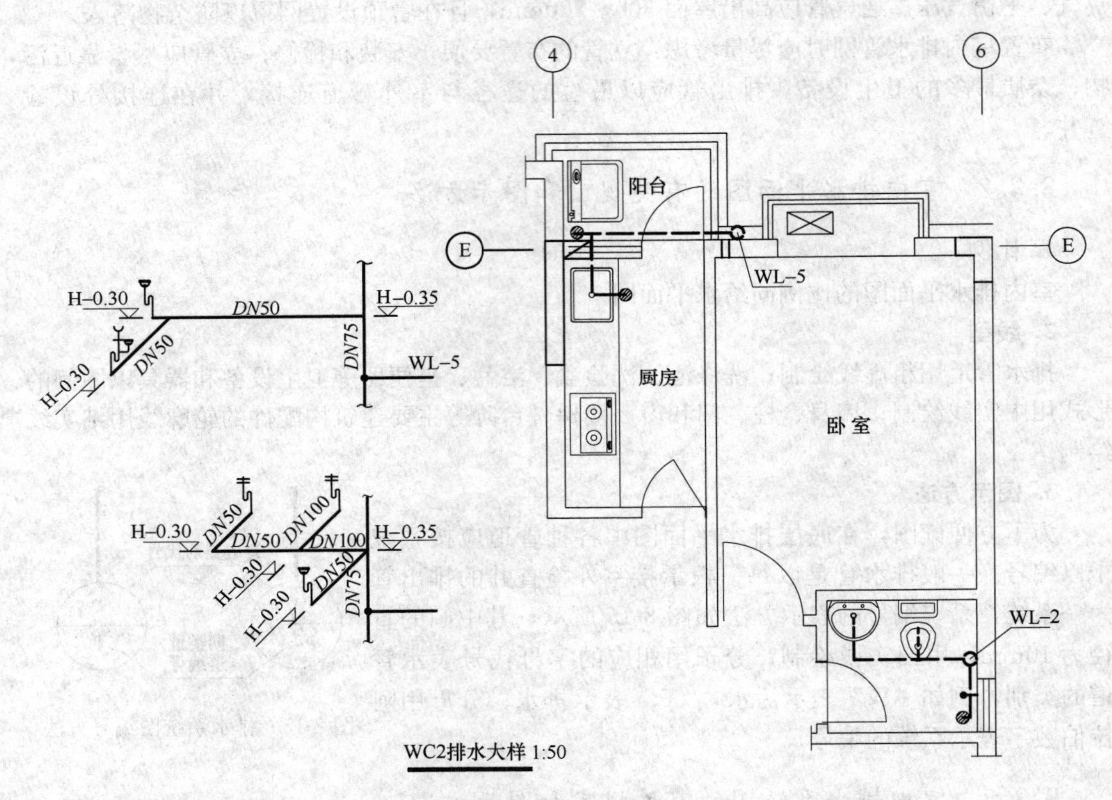

图 8-16 某中高层住宅卫生间、厨房排水平面图与系统图

8.4 给水排水工程图画法

8.4.1 室内给水排水平面图的画图步骤

绘制室内给水（排水）平面图时，一般先绘制首层给水（排水）平面图，再绘制其他各楼层（或标准层）的给水（排水）平面图，各层平面图的绘图步骤如下：

（1）绘制该楼层的建筑平面图。只绘制主要建筑构件及配件轮廓线（细实线），其方法同建筑平面图。

(2) 按图例绘制卫生器具（中粗实线）。

(3) 绘制管道（粗实线或粗虚线）的平面布置，凡是连接某楼层卫生设备的管道，不论安装在楼板上面或下面，均应画在该楼层的给水排水平面图上。给水系统的引入管和排水系统的排出管只需出现在底层给水和排水平面图中。绘制管道布置时，一般先画立管，再画引入管或排出管，最后按水流方向画出各支管及管道附件。

(4) 标注建筑平面图的轴线尺寸，标注管径、标高、坡度、系统编号，书写文字说明。

8.4.2 室内给水排水系统图的画图步骤

室内给水排水系统图应按系统的编号分别绘制。系统布置完全相同或对称的可以只画一个，各楼层管网上下布局相同的只画一层，如图 8-13、图 8-16 所示。

(1) 确定轴测轴的方向。为了使图面上管道清晰易读，避免出现管道过多交叉的现象，选择出 OX 轴和 OY 轴，高度方向作为 OZ 轴。

(2) 绘制各系统的立管，定出室内地面线、楼面线和层面线。

(3) 先画立管，以立管为依据画各楼层的横向管段。对于给水系统，先画引入管，再画与立管相连的横向支管。对于排水系统，先画排出管，再画与立管相连的排水横管。给水排水工程管均用粗实线表示，通气管用粗虚线表示。

(4) 绘制管道附件（阀门、截止阀、水表、检查口、通气管、通气帽等）、配水器具的存水弯及地漏等，这些都采用相应的图例绘制。

应该注意，在管道系统中，与管道走向有关的各墙体，要分别画出墙体的一段竖向断面，作为管道转折或确定位置的标志，以方便阅读和施工时确定各管段的位置。

8.5 室外管网布置图

8.5.1 室外管网布置图

为了说明新建房屋室内给水排水管道与室外管网的连接情况，通常还要用较小比例（1：500、1：1000）画出室外管网的平面布置图。在此图中，只画出局部室外管网的干管，说明与给水引入管和污水排出管的连接情况，如图 8-17 所示。

新设计的室外管网平面布置图内容如下：

(1) 给水管道用粗实线表示。房屋引入管处设有阀门井，一个居民区还应有消防栓和水表井。

(2) 排水管道用粗虚线表示。由于排水管道经常要疏通，所以在排水管的起端、两管相交点和转折点均要设置检查井，在图上用直径 2～3mm 的小圆圈表示。两检查井之间的管道应是直线，不能做成折线或曲线。排水管是重力自流管，从上流开始，在图上用箭头表示水流方向。图中排水干管用粗虚线表示、雨水管用粗点画线表示。本例把雨水管和污水管独立设置，分流排出，终端接入市政管道，如图 8-17 所示。

为了说明管道、检查井的埋设深度、管道坡度、管径大小等情况，对较简单的管网布置可直接在布置图中注上管径、长度、坡度、流向等。

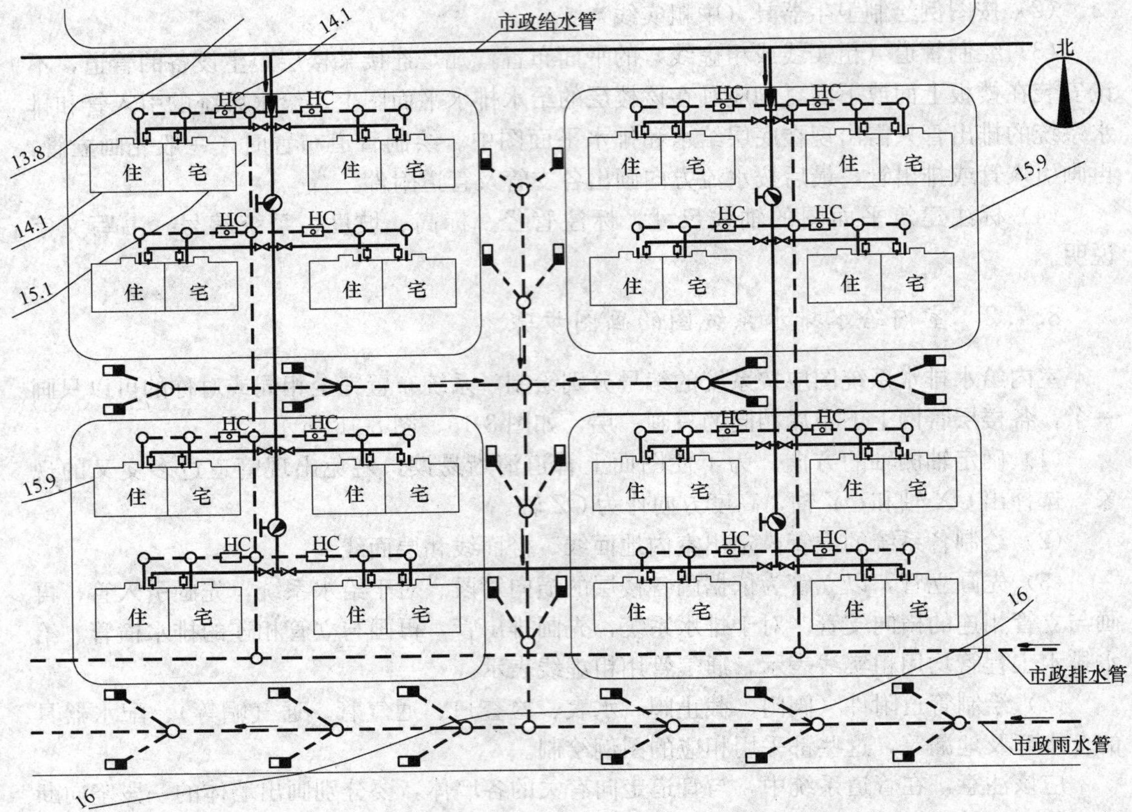

图 8-17 某住宅小区室外给水排水工程管网总平面布置图

8.6 与教学案例有关的给水排水施工图例

以下给水排水工程施工图及有关文字资料是本书教学案例某中高层住宅的一部分，介绍这些材料的目的是想为初学者提供更多有价值的相关配套信息，以便更深入地学习和分析给水排水施工图的图示原则、设计理念和设计方法。同时，通过文字资料，进一步了解严谨的建筑规范、技术要求等，使初学者从中受到启发和专业熏陶。

8.6.1 若干相关给水排水施工图例（图 8-18～图 8-26）

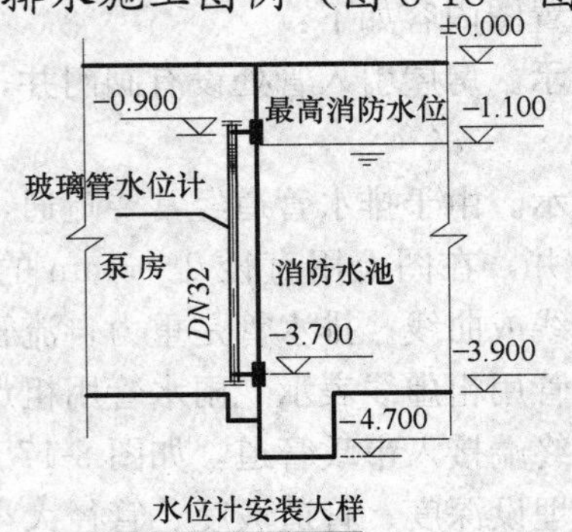

图 8-18 水位计安装大样

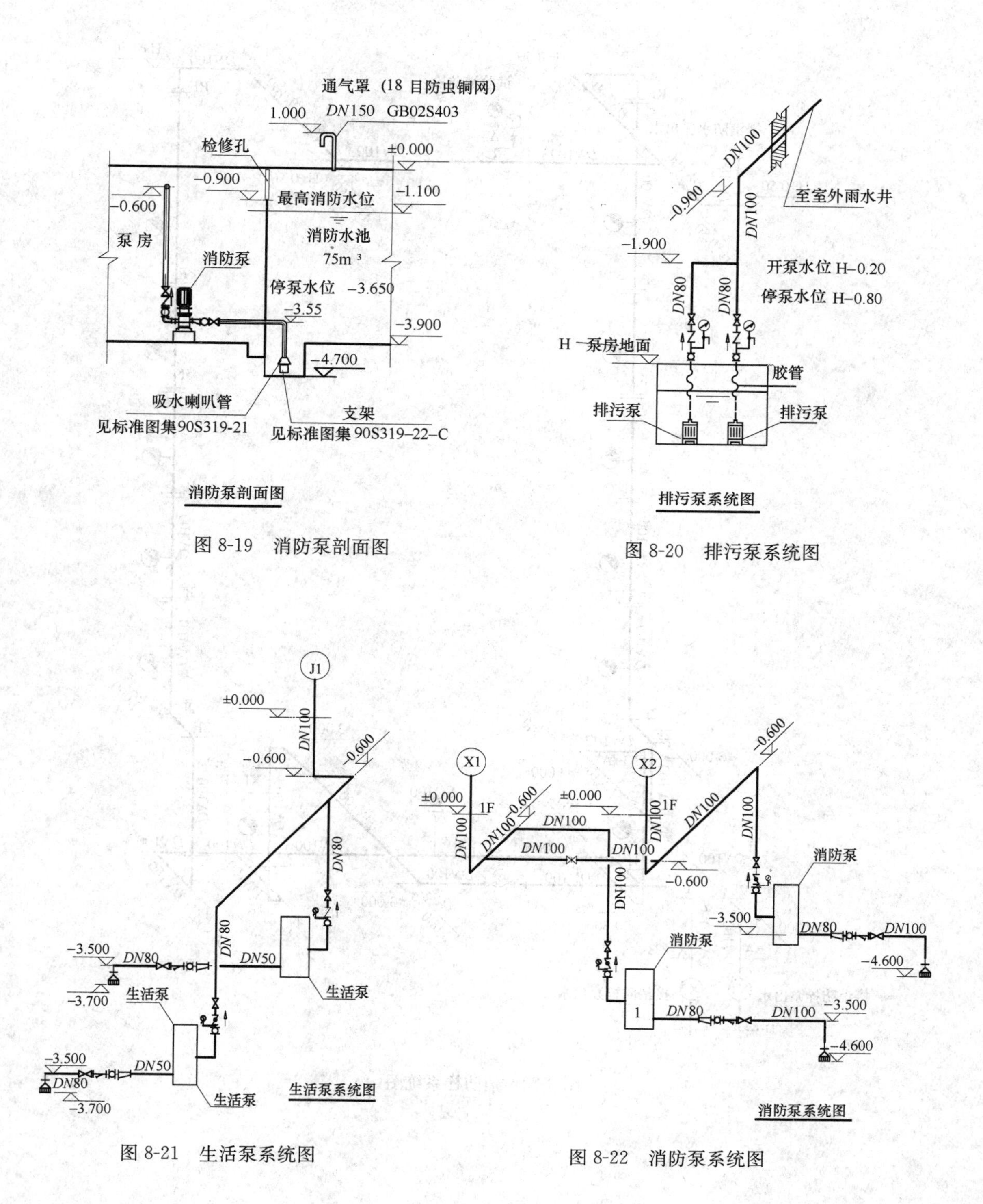

图 8-19 消防泵剖面图

图 8-20 排污泵系统图

图 8-21 生活泵系统图

图 8-22 消防泵系统图

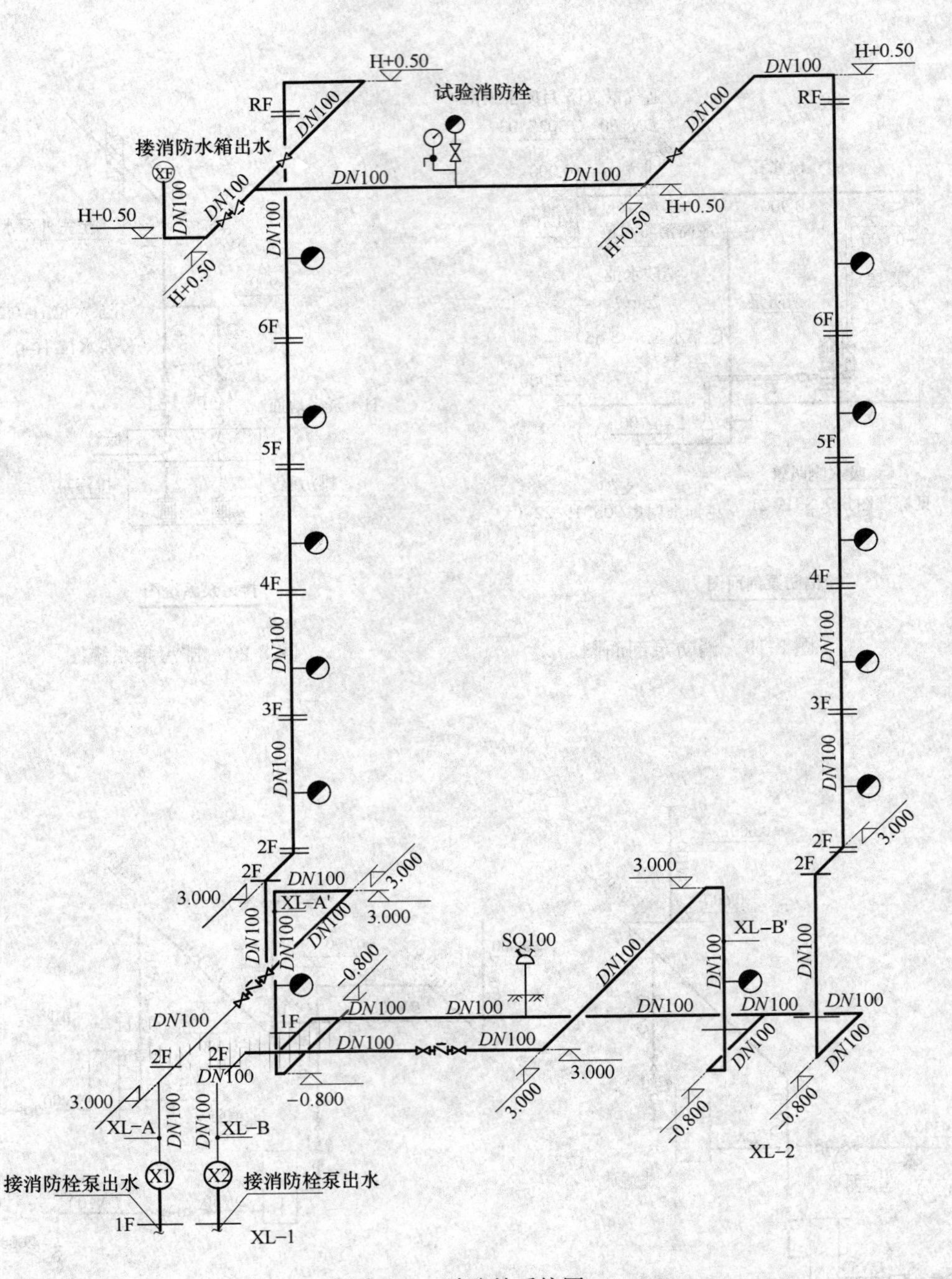
H+0.50
RF
DN100
试验消防栓
接消防水箱出水
XF
DN100
H+0.50
H+0.50
6F
5F
4F
3F
2F
1F
3.000
XL-A'
XL-B'
SQ100
-0.800
XL-A
XL-B
X1
X2
接消防栓泵出水
接消防栓泵出水
XL-1
XL-2

图 8-23　消防栓系统图

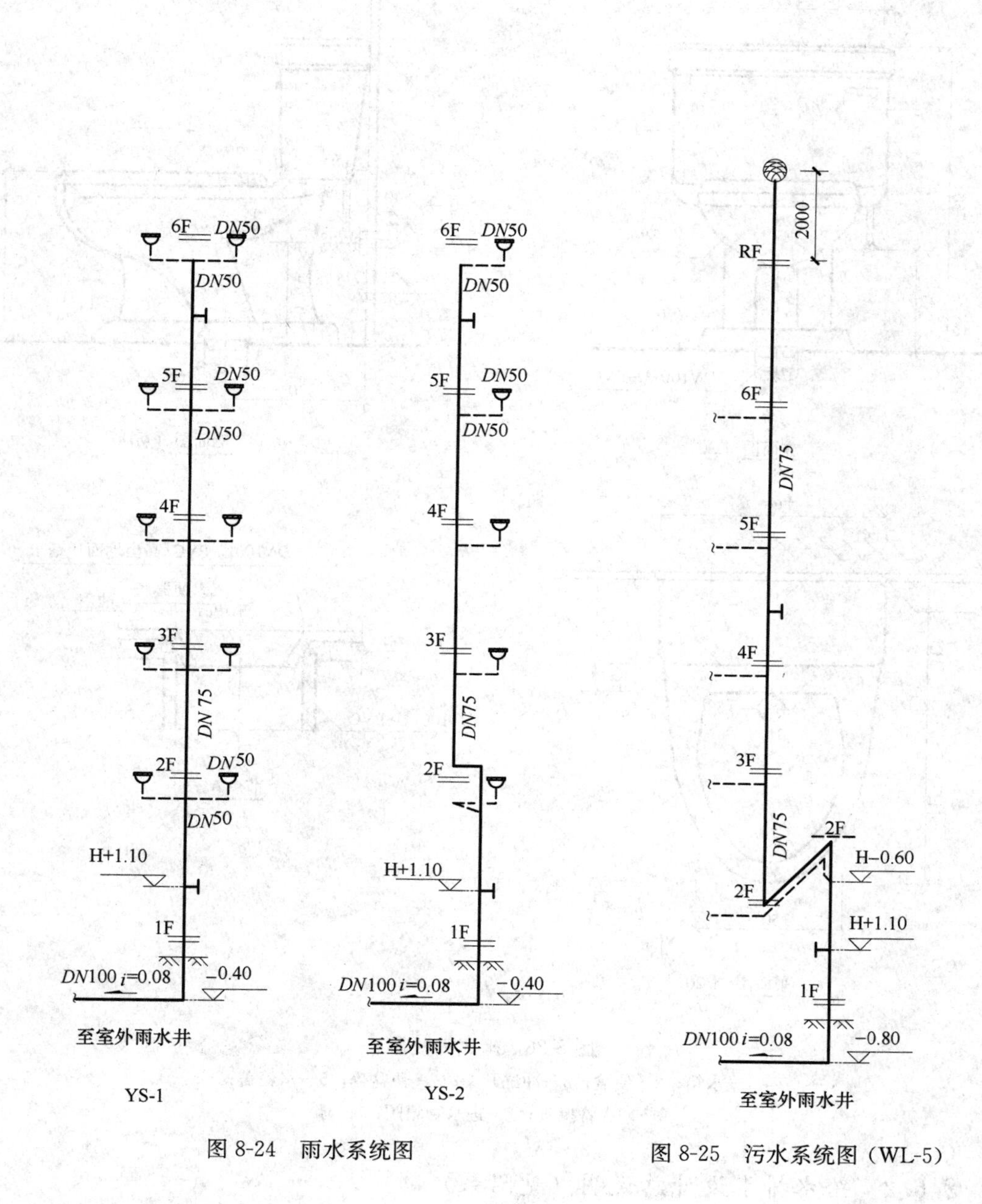

图 8-24　雨水系统图

图 8-25　污水系统图（WL-5）

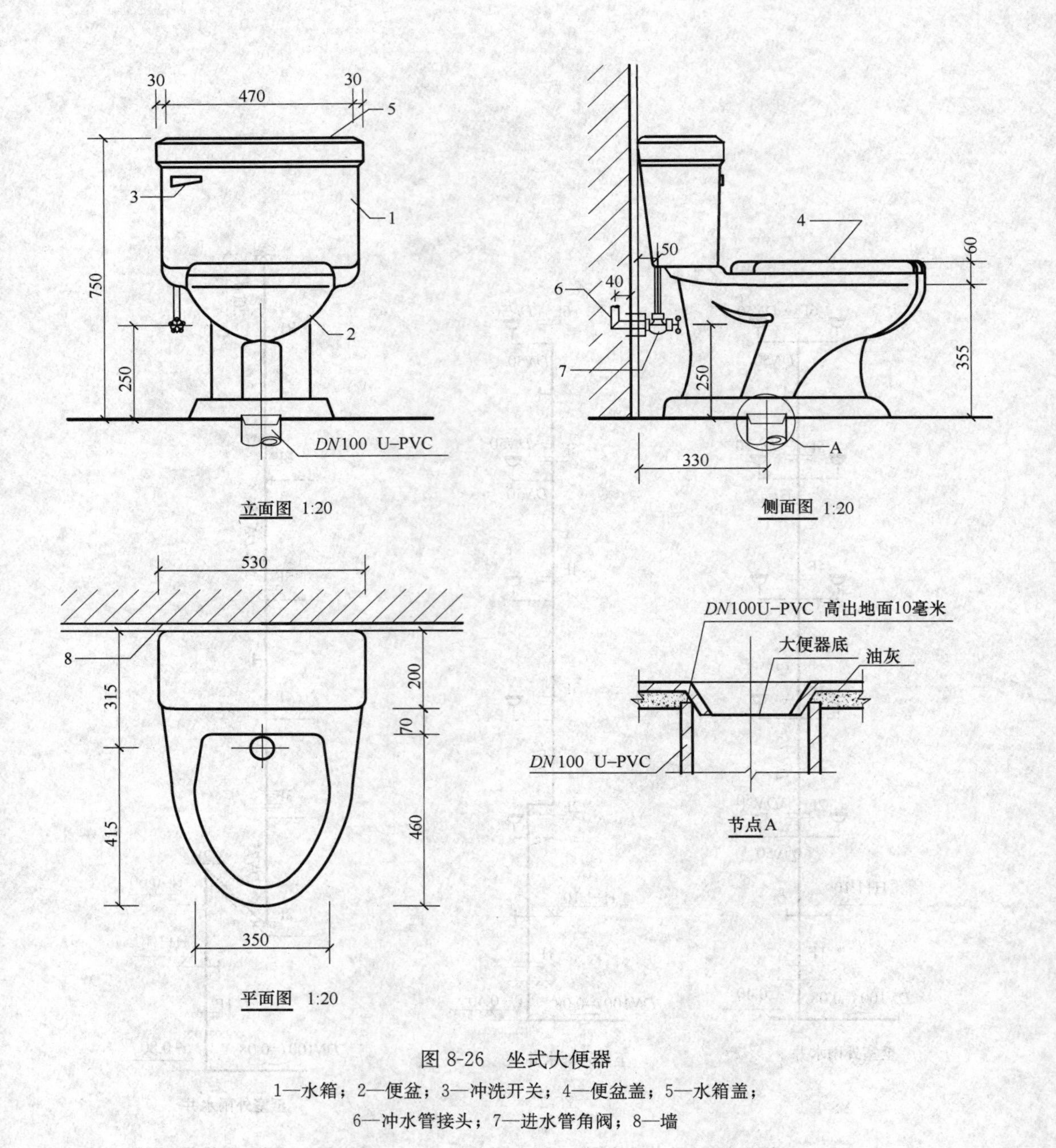

图 8-26 坐式大便器

1—水箱；2—便盆；3—冲洗开关；4—便盆盖；5—水箱盖；
6—冲水管接头；7—进水管角阀；8—墙

8.6.2 给水排水设计总说明（见附录）

第9章 路 桥 工 程 图

人类建造道路的历史至少有几千年，几乎可以追溯到原始社会。远古时代，人们经常沿着动物的足迹或是最省力的路径即别人走过的路来行走，结果被经常践踏的地方就成为小径，小径逐渐发展，变成道路。

现今道路的概念和形式已十分宽泛，本章所阐述的道路与是一种主要承受移动荷载（车辆、行人）反复作用的带状工程结构物，其基本组成部分包括路基、路面，以及桥梁、涵洞、隧道、防护工程、排水设施等附属构造物。因此，道路工程图是由表达线路整体状况的道路路线工程图和表达各工程实体构造的桥梁、隧道和涵洞等工程图组合而成。

桥梁是修筑道路时保证车辆通过江河、山谷、低洼地带的构造物。对于道路路线工程图和桥梁、涵洞、隧道等构造物的工程图，表达设计思想、绘制工程图样的基本原理，都采用前面所述的正投影理论和方法。本章主要介绍道路路线工程图和桥梁工程图的表达方法。

道路和桥梁工程图中的尺寸以厘米（cm）为单位，这一点与房屋建筑施工图以毫米（mm）为单位有所不同。

9.1 道 路 工 程 图

根据性质、组成和作用的不同，道路可分为公路、城市道路、厂矿道路和农村道路。本章介绍公路和城市道路的表达方法。

道路路线中心线方向狭长，其竖向高差和平面的弯曲变化与地面起伏情况有关，因此道路路线工程图的图示方法与其他工程图不同。道路路线工程图是以地形图作为平面图，称为路线平面图；以纵向断面展开图作为立面图，称为路线纵断面图；以横向断面图作为侧面图，称为路基横断面图。三种图分别画在单独的图纸上。道路路线工程图就是以这三种图样来表示路线的线形、空间位置、路基、路面状况和尺寸。

9.1.1 公路路线工程图

公路是主要承受机动车辆行驶及其荷载反复作用的带状结构物。

公路的中心线由于受自然条件的限制，在平面上有转折，纵面上有起伏，为了满足车辆行驶的要求，必须用一定半径的曲线连接起来，因此路线在平面和在纵断面上都是由直线和曲线组合而成的。平面上的曲线称为平曲线，纵断面上的曲线称为竖曲线。

公路路线工程图包括路线平面图、路线纵断面图和路基横断面图。

1. 路线平面图

公路路线平面图的作用是表达路线的方向和水平线形（直线和转弯方向）以及路线两侧一定范围内的地形、地物的情况。

道路路线具有狭而长的特点，一般无法把整条路线画在一张图纸内。通常分段画在多张图纸上，每张图样上注明序号、张数、指北针和拼接标记。

如图 9-1 所示为某公路 K1＋000 至 K1＋220 段的路线平面图。其内容包括地形、路线两部分。

2. 地形部分

路线平面图的比例一般为 1∶2000～1∶5000。地形是用等高线和地物图例表示的，表示地物常用的平面图图例见表 9-1。

道路平面图图例 **表 9-1**

名称	符号	名称	符号	名称	符号
房屋		涵洞		水稻田	
学校	文	桥梁		草地	
医院	+	菜地		河流	
大车路		旱田		高压线 低压线	
小路		果树		水准点	BH编号 高程

在图 9-1 地形图中可了解到，等高线愈密表示地势愈陡峭，反之则地势愈平坦。图 9-1中标注了若干点的地面高程数值。沿线有两个水准点符号，用来作为地面高程测量的参照。图 9-1 左侧有一片房屋，山坡上种植了一些果树，沿线还有一些高压线。为了确定方位和路线的走向，图 9-1 地形图上需画出指北针或坐标网。

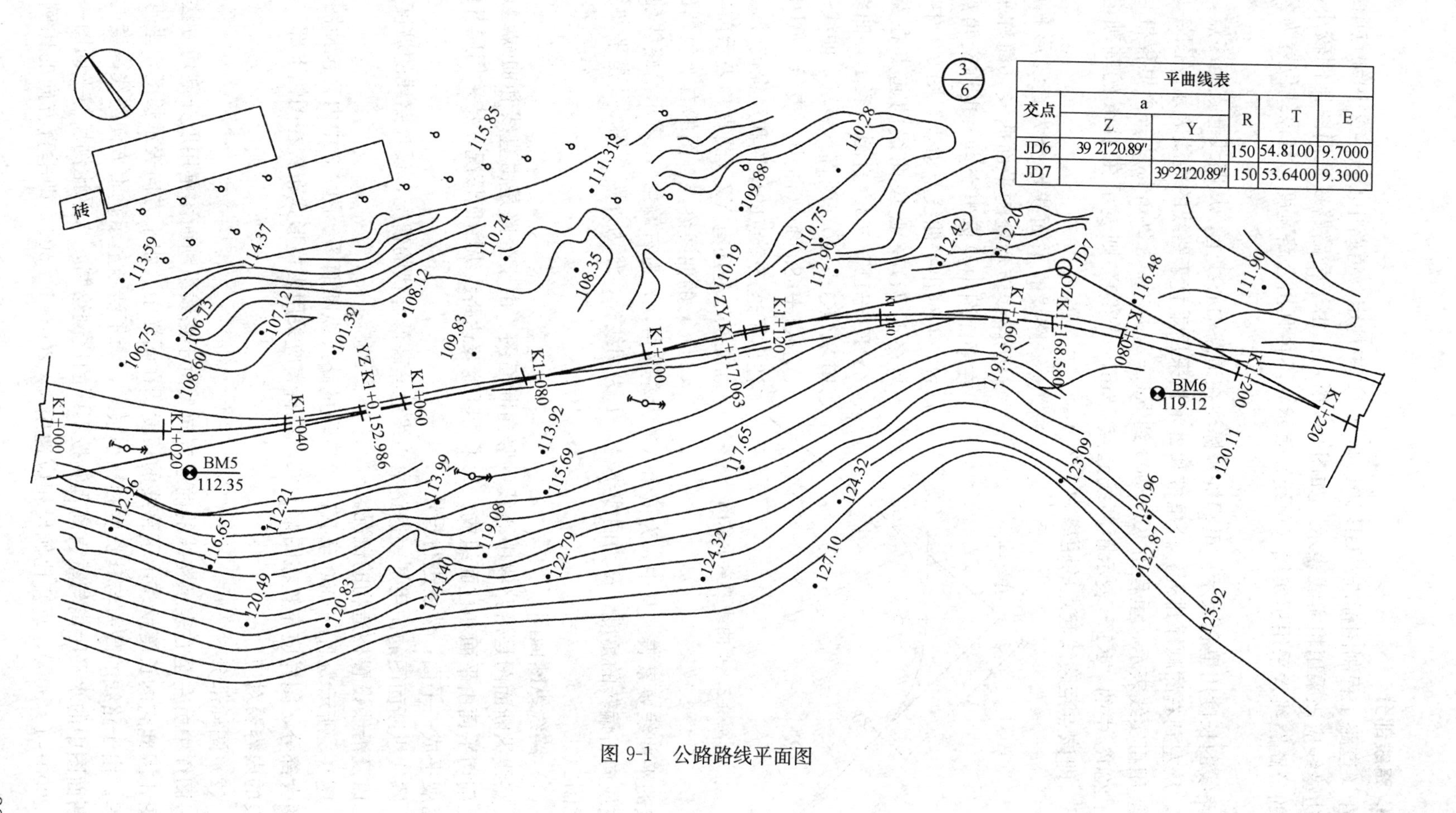

平曲线表

交点	a		R	T	E
	Z	Y			
JD6	39 21′20.89″		150	54.8100	9.7000
JD7		39°21′20.89″	150	53.6400	9.3000

图 9-1　公路路线平面图

3. 路线部分

在《道路工程制图标准》GB 50162—1992 中规定，道路中心线应采用细点画线表示，路基边缘线应该采用粗实线表示，如图 9-8 所示。由于公路路线平面图比例较小，所以，图中的公路路线常采用粗实线（单线）表示，不再画出公路宽度，且该线位置为公路的中心线。

路线的长度用里程表示。里程桩号标注在道路中心线上，从路线起点至终点，按从小到大，从左到右的顺序排列；公里桩和百米桩采用垂直于路线的短线表示。图 9-1 中的设计路线用粗实线表示，里程由 K1＋000 到 K1＋220，每隔 20m 标注一个里程桩号，桩号“K1＋220”中的“K1”表示距路线起点 1km，“220”则表示在 1km 的基础上延长了 220m，即该点距路线起点的距离为 1220m。

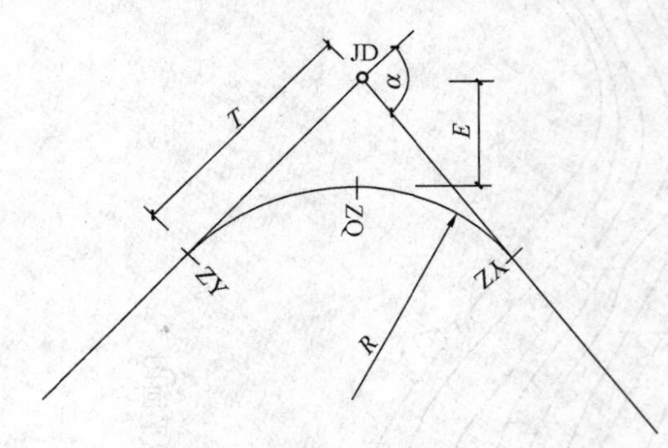

图 9-2　平曲线要素示意图

路线的平面线形分为直线形和曲线形。对于路线转弯处的平面曲线（简称平曲线），在平面图中要标出交点（也称交角点）的位置，并列出平曲线要素表。图 9-1 中有一个 7 号交点 *JD*7，此段曲线的起点在路线上用 ZY K1＋117.063（直圆）表示，曲线的终点用 YZ K1＋220（圆直）表示，曲线的中点用 QZ K1＋68.580（曲中）表示。图中分别标注出了这三个点的位置和里程桩号。在 K1＋052.986 处还有 YZ（圆直）表示前一个交点（*JD*6）的曲线终点。图的右上角列出了两个交点的平曲线要素表。其中 α 为偏角（Z 为左偏角，Y 为右偏角），表示沿路线前进方向，向左或向右偏转的角度。R 为曲线半径，T 为切线长，E 为外距。图 9-2 是平曲线要素的示意图。

（1）路线纵断面图

路线纵断面图是沿路线中心线的竖向断面图。由于公路是由直线和曲线组成的，因此，剖切平面由平面和柱面组成。为了清晰地表达路线纵断面情况，特采用展开的方法将断面展平成一平面，然后进行投影。

路线纵断面图的作用是表达路中心线地面高低起伏的情况，设计路线的坡度、地质情况，以及沿线设置构造物的概况。

图 9-3 所示为 K1＋000 至 K1＋220 段的路线纵断面图。图 9-3 中内容包括图样和资料表两大部分，图样应布置在图幅上部，资料表应采用表格形式布置在图幅下部，图样与资料表的内容要对应。

（2）图样部分

图样中由左至右表示路线的前进方向，由于路线纵断面图是用展开剖切方法获得的断面图，因此它的长度就表示了路线的长度。在图样中，水平方向表示长度，垂直方向表示高程。由于路线的高差与其长度相比小很多，为了清晰显示垂直方向路线高度的变化，规定断面图中的水平距离与垂直高程宜按不同的比例绘制，水平比例尺与平面图一致，采用 1∶2000～1∶5000，垂直比例尺相应地用 1∶200～1∶500，即垂直方向的比例按水平方

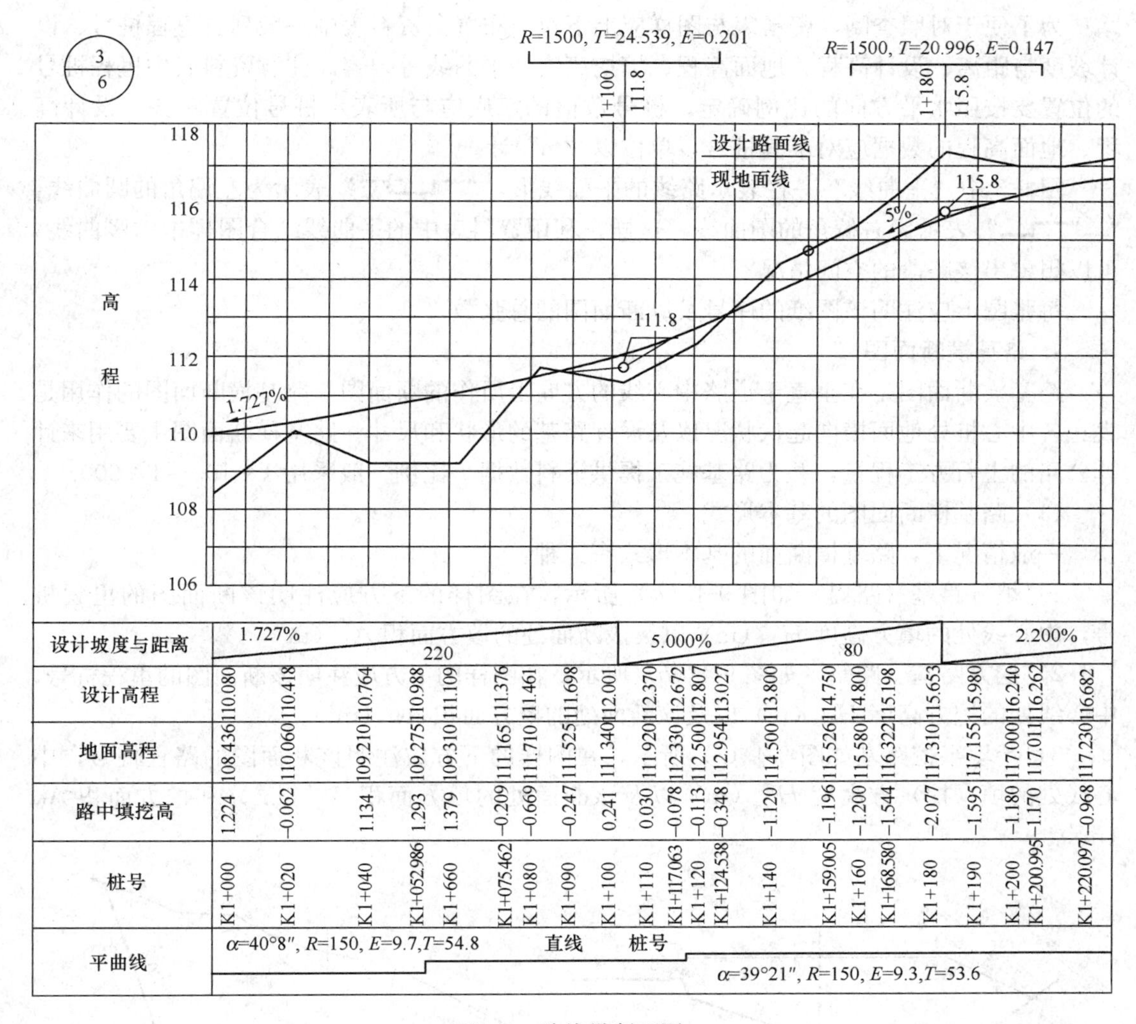

图 9-3　路线纵断面图

向的比例放大十倍。

图中不规则的细折线表示设计中心线处的纵向地面线，它是沿中心线的原地面各点高程的连线。粗实线表示公路路线纵向设计线。比较设计线和地面线的相对高度，可以决定填挖方地段和填挖高度。

当路线纵向坡度发生变化时，为保证车辆顺利行驶，应设置竖向曲线（简称竖曲线）。竖曲线分为凸曲线和凹曲线两种，分别用“┌┬┐”和“└┴┘”符号表示，并在其上标注竖曲线的半径（R）、切线长（T）和外距（E）。竖曲线符号一般画在图样的上方，切线应用细虚线表示，变坡点用直径为 2mm 的中粗线圆圈表示。图 9-3 在 K1＋100 和 K1＋180 处分别设置一个凹曲线和一个凸曲线。

根据需要，图样中还应在所在里程处标出桥梁、涵洞和通道等人工构造物的名称、规格和中心里程。

（3）资料表部分

为了便于对照查阅，资料表与图样应上下对应布置。资料表中一般列有里程桩号、设计坡度与距离、设计高程、地面高程、填挖高度、平曲线等内容。注意资料表中里程桩号的位置要按照水平方向的比例确定，桩号数值的字底应与所表示桩号位置对齐。设计高程、地面高程的数据应对准其桩号，单位以“m”计。

图 9-3 中“平曲线”一栏表示路线的平面线形，“￣|＿|￣”表示为左偏角的圆曲线，“＿|￣|＿”表示为右偏角的圆曲线。这样，利用资料表中的平曲线结合图样中的竖曲线，可以想象出该路段的空间情况。

每张图上应注明该图纸的序号及纵断面图的总张数。

4. 路基横断面图

路基横断面图是在垂直于道路中心线的方向上所作的断面图。路基横断面图的作用是表达各中心桩处地面横向起伏状况以及设计路基的形状和尺寸。路基横断面图主要用来计算公路的土石方工程量，并为路基施工提供资料数据。比例一般采用 1∶100～1∶200。

(1) 路基横断面图的基本形式

一般情况下，路基横断面的基本形式有三种：

1) 填方路基（路堤）如图 9-4（*a*）所示，在图样的下方应注明该断面图的里程桩号，中心线处的填方高度 H_T（m）以及该断面处的填方面积 A_T（m^2）。

2) 挖方路基（路堑）如图 9-4（*b*）所示，在图样的下方应注明该断面图的里程桩号，中心线处的挖方高度 H_W（m）以及该断面处的挖方面积 A_W（m^2）。

3) 半填半挖路基如图 9-4（*c*）所示，在图样的下方应注明该断面图的路程桩号，中心线处的填（挖）方高度 H_W（m）以及该断面处的填方面积 A_T（m^2）和挖方面积 A_W（m^2）。

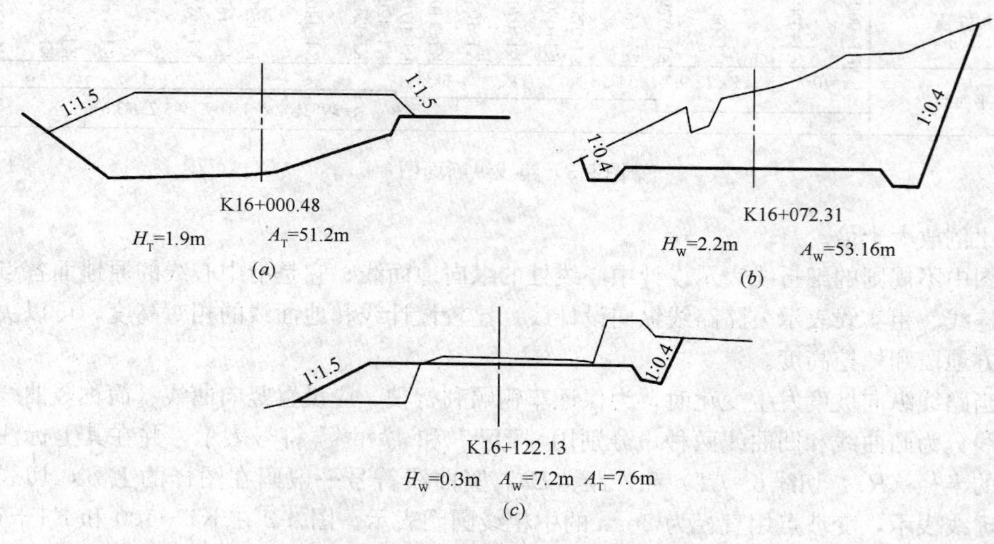

图 9-4　路基横断面图的基本形式

(2) 路基横断面图画图时应注问题

路基横断面图应按桩号的顺序排列，并从图纸的左下方开始画，先由下向上，再由左向右排列，如图 9-5 所示。地面线应用细实线表示，设计线应用粗实线表示，路中心线应用细点画线表示。每张路基横断面图的右上角，应注明该张图纸的编号及横断面图的总张数。

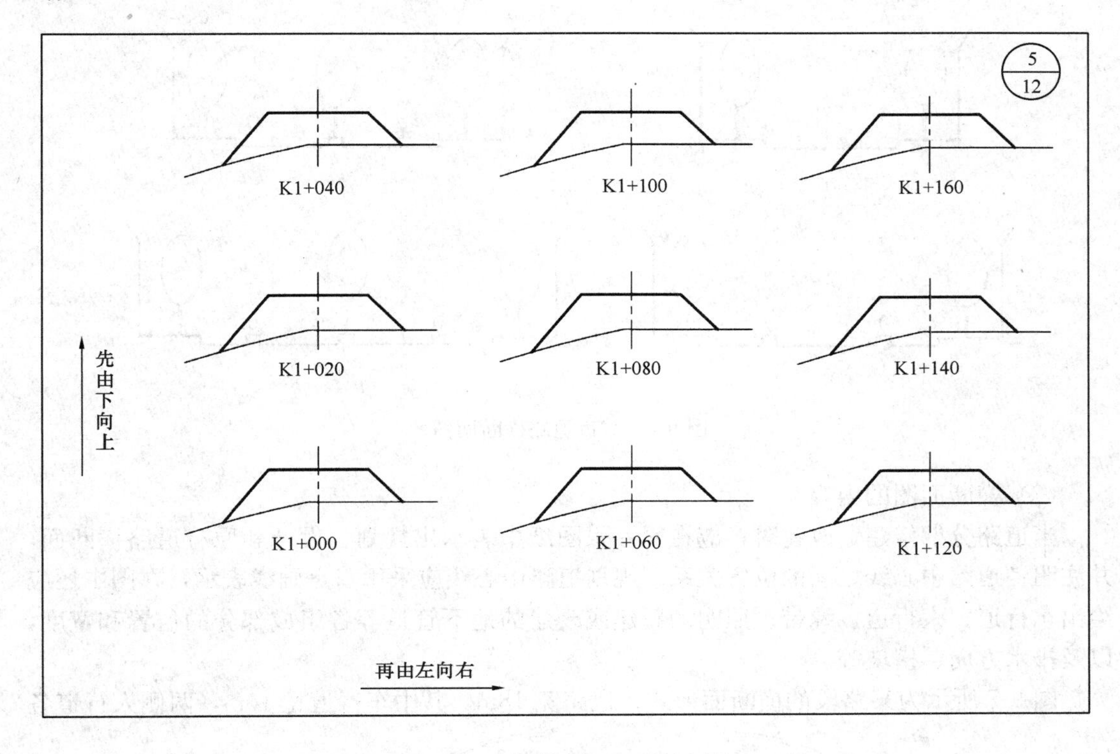

图 9-5　路基横断面布置示意图

9.1.2　城市道路路线工程图

城市范围以内，供车辆及行人通行的具备一定技术条件和设施的道路，称为城市道路。与公路相比，它具有组成复杂、功能多样、行人和车辆交通量大、交叉点多等特点，因此首先需要在横断面的布置设计中综合解决技术问题。所以城市道路工程图制图顺序为先做横断面图，再做平面图和纵断面图。

1. 横断面图

道路的横断面图在直线段是垂直于道路中心线方向的断面图，而在平曲线上则是法线方向的断面图。道路的横断面主要由车行道、人行道、绿化带和分车带等几部分组成。

（1）横断面的基本形式

根据机动车道和非机动车道不同布置形式，城市道路横断面布置有以下四种基本形式：

1）“一块板”断面。把所有车辆都组织在同一个车行道上混合行驶，车行道布置在道路中央，如图 9-6（*a*）所示。

2）“两块板”断面。利用分隔带把一块板形式的车行道一分为二，分向行驶，如图 9-6（*b*）所示。

3）“三块板”断面。利用分隔带把车行道分隔为三块，中间的为双向行驶的机动车车行道，两侧的为单向行驶的非机动车车行道，如图 9-6（*c*）所示。

4）“四块板”断面。在三块板断面形式的基础上，再用分隔带把中间的机动车车行道分隔为二，分向行驶，如图 9-6（*d*）所示。

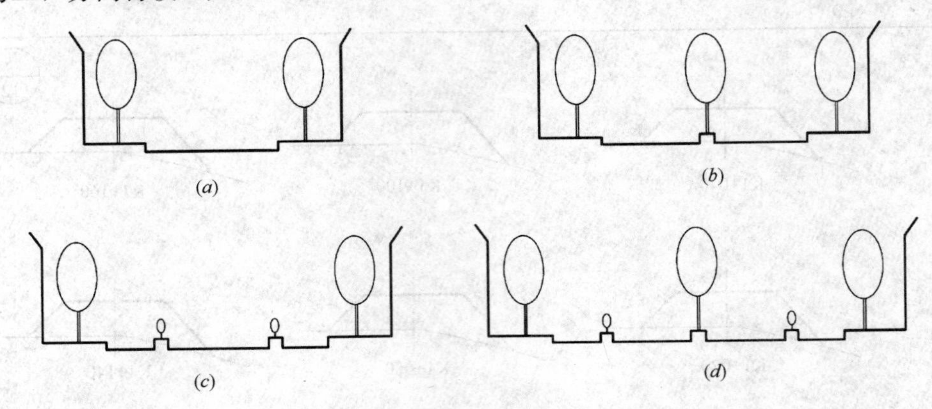

图 9-6　城市道路横断面图

（2）横断面图的内容

当道路分期修建、改建时，应在同一张图纸中表示出规划、设计和原有道路横断面，并注明各道路中心线之间的位置关系。规划道路中心线应采用双点画线表示，在图中还应绘出车行道、人行道、绿带、照明、新建或改建的地下管道等各组成部分的位置和宽度，以及排水方向、横坡等。

图 9-7 所示为某路段的横断面形式，道路宽 18m，其中车行道宽 10m，两侧人行道各

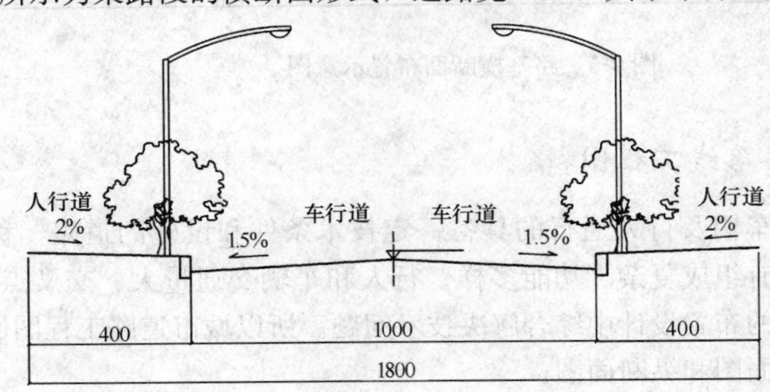

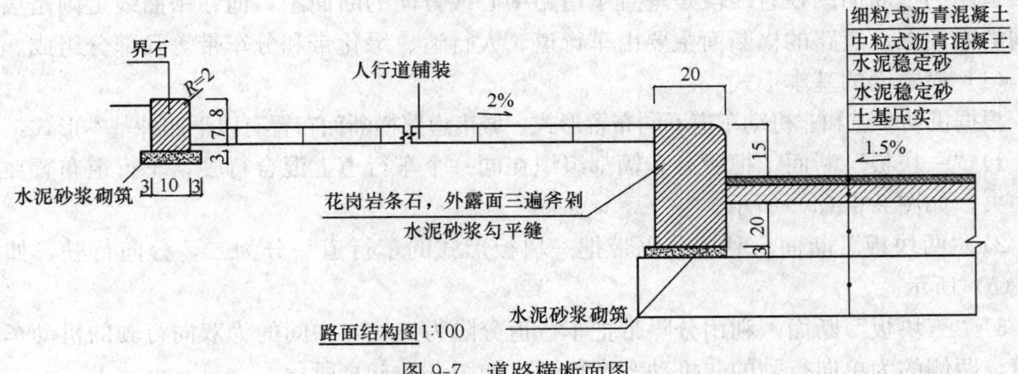

图 9-7　道路横断面图

宽 4m。路面排水坡度为 1.5%，箭头表示流水方向。路面结构图采用 1∶10 的详图表示方法，图中表示了车行道和人行道的具体做法。

2. 公路平面图

城市道路平面图是用来表示城市道路方向、平面线型和车行道、人行道布置以及沿路两侧一定范围内的地形、地物情况。从中可以了解道路走向、占地面积以及修建该路段应拆除的原有地物情况。

图 9-8 所示为某段道路的改建平面设计图，比例为 1∶500；图中粗实线表示为该段道路的设计线，加粗的折线为建筑规划红线；道路转角处设置了 5m 宽的无障碍人行道。图 9-8 中标注了各条车行道、人行道的宽度尺寸，标注了路口转弯处的圆弧半径。

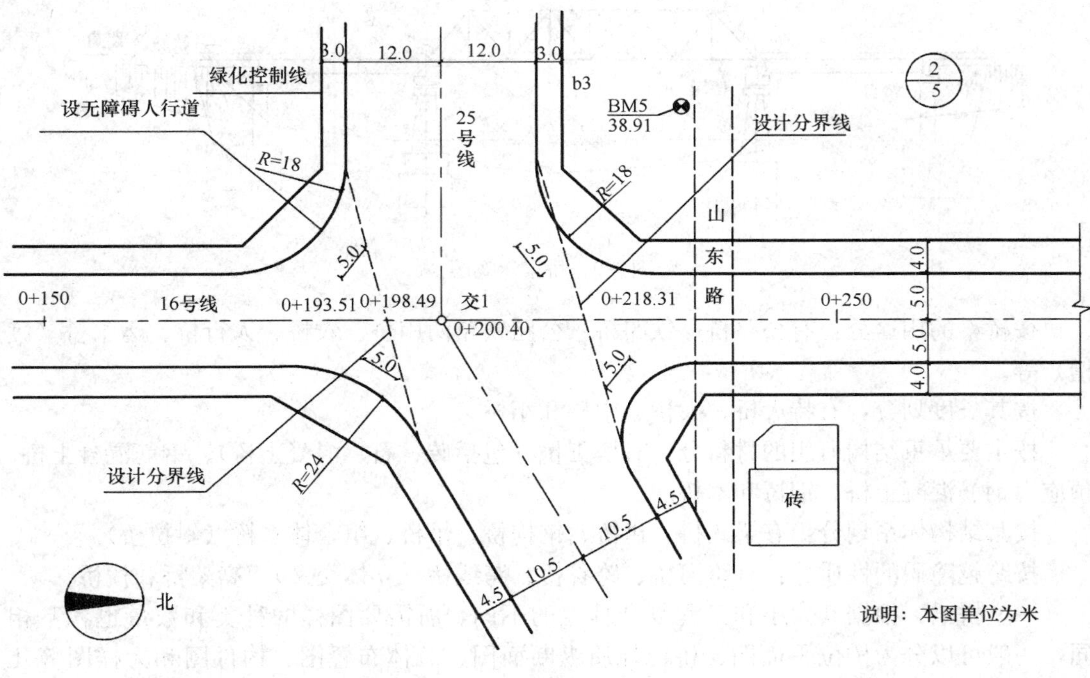

图 9-8　道路路线平面图

十字路口中的虚线是规划 16 号线和 25 号线的分界线；十字路口的北侧有一条原有北京路，北京路的东侧有一个建筑物。

3. 纵断面图

沿道路中心线所作的断面图为纵断面图，其作用和图示方法与公路纵断面图相同。不再赘述。

9.2　桥、涵及隧道工程图

当公路或铁路跨越江河、湖海、山谷等障碍物时，需要修建桥梁或涵洞；穿过高山、江河、湖海时，则需要开凿隧道。桥梁、涵洞、隧道等工程图，是修建这些建筑物的技术依据。

桥梁、涵洞、隧道等工程图样，除了采用前面讲述的图示方法（三面图、剖面图和断面图等）外，还应根据其构造形式的不同，采用不同的表示方法。本章将主要介绍桥梁、涵洞、隧道等建筑物的图示方法和特点。

9.2.1　桥梁工程图

桥梁是公路、铁路的重要组成部分（图 9-9）。桥梁主要由上部结构和下部结构两大基本部分以及附属构造物组成。上部结构亦称桥跨结构，是在线路中断时，跨越障碍物的主要承载结构：下部结构包括桥墩、桥台及其基础，用以支承上部结构，并把上部结构的荷载安全可靠地传递到地基上去。附属构造物则包括路堤、护岸、导流结构物等。

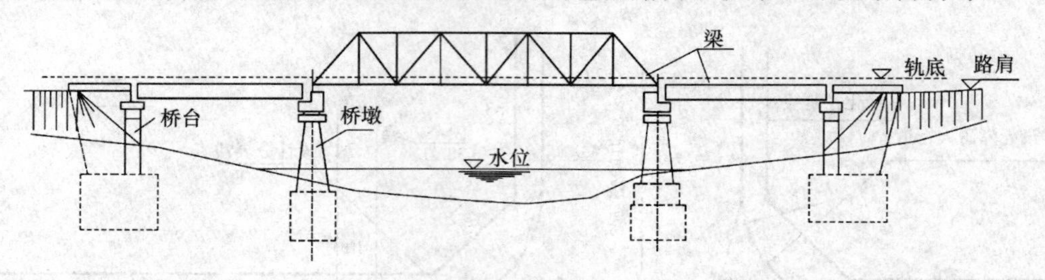

图 9-9　桥梁示意图

按桥梁的用途分：有公路桥、铁路桥、公路铁路两用桥、农桥、人行桥、运水桥（渡槽）等。

按其长度划分：有特大桥、大桥、中桥和小桥。

按主要承重结构所用的材料分：有㘮工桥（包括砖、石、混凝土桥）、钢筋混凝土桥、预应力钢筋混凝土桥、钢桥和木桥。

按其结构体系划分：有梁式桥、拱桥、钢构桥、吊桥、组合体系桥（斜拉桥）。

按跨越障碍的性质分：有跨河桥、跨谷桥、跨线桥（立体交叉）、高架桥和栈桥。

一座桥梁，根据其大小和工程复杂程度的不同，所需要图样的种类和数量也各不相同，一般可以分为桥位平面图、桥位地质纵断面图、总体布置图、构件图和大样图等几种。本节只介绍桥墩和桥台构造图。

1. 桥墩图

桥墩是桥梁的中间支柱，它由基础、墩身和墩顶（包括托盘和墩帽）三部分组成，如图 9-10 所示。根据墩身水平截面形状的不同，又有矩形、圆形、圆端形、尖端形桥墩等。此外，还有高桥墩、柔性墩等，现以图 9-10（*b*）所示的圆端形桥墩为例说明桥墩的构造和图示特点。

2. 桥墩的构造

基础：基础在桥墩的底部，埋在地面以下。扩大基础可以是单层或多层的。基础的形状除长方体外，还有圆柱体、八棱柱等。

墩身：墩身是桥墩的主体。墩身的横断面形状呈圆端形，上面小，下面大。墩身可以看作由三个部分组成，两边是半圆台，中间是四棱柱。

墩顶：墩顶在桥墩的上部，由托盘和墩帽两部分组成。托盘顶面和底面都是圆端形，顶面较长，可看作由三部分组成，两边各是半个斜圆柱，中间是梯形柱。墩帽有安放桥梁

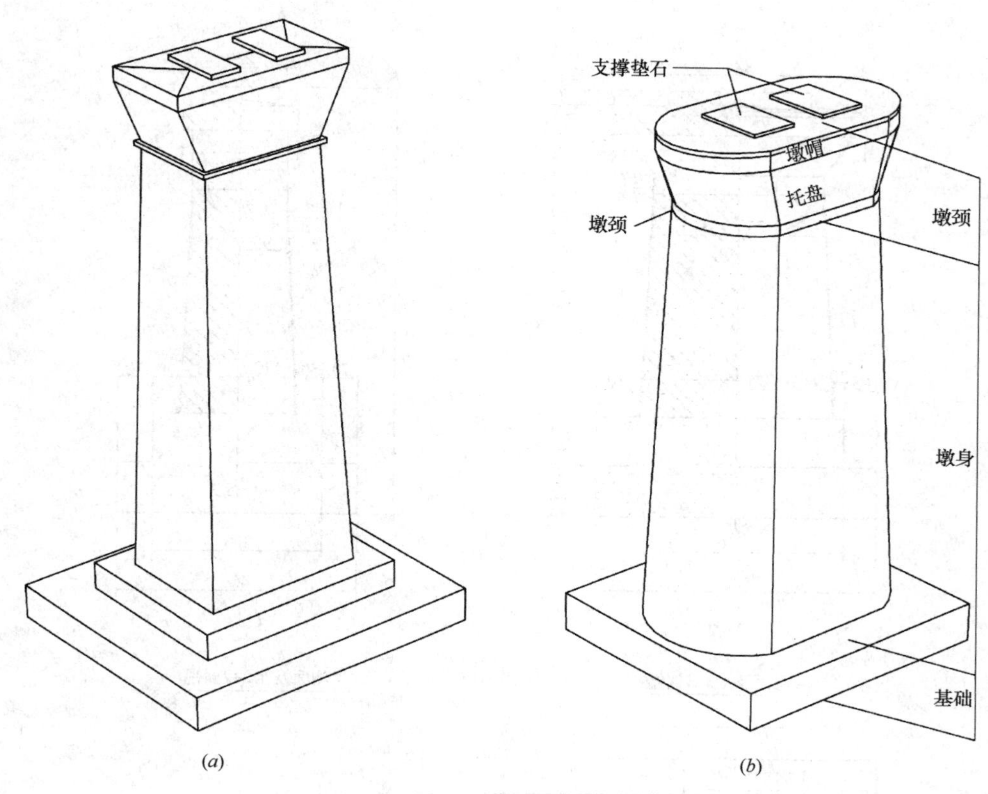

图 9-10 矩形和圆端形桥墩

(a) 矩形桥墩；(b) 圆端形桥墩

支座用的垫石和排水坡。

3. 桥墩的表达

桥墩图包括桥墩总图、墩顶构造图和墩顶钢筋布置图等。桥墩顺线路方向的投影称为正面图（或简称正面）；垂直于线路方向的投影称为侧面图（或简称侧面）。

（1）桥墩总图

桥墩总图主要用来表达桥墩的总体概貌、部分尺寸和各部分的材料。它包括正面图、平面图和侧面图。这三面图均采用半剖面图（对称简化）的表达方法，如图 9-11 所示。

正面图：由半正面和半 3-3 剖面组成。半正面表示外形；半 3-3 剖面表示基础、墩身和墩帽等各部分所用的材料。不同材料的分界线画成细虚线。点画线是平面与曲面的分界线。

平面图：由半平面和半 1-1 剖面组成。半平面表示由墩帽向下投影的形状和大小。半 1-1 剖面表示墩身水平截面及其以下部分水平投影的形状和大小。墩帽的排水坡用示坡线表示。

示坡线方向是倾斜面的最大坡度线方向。

侧面图：由半侧面和半 2-2 剖面组成。半侧面表示桥墩的外形，半 2-2 剖面表示其各部分所用的材料。

（2）墩顶构造图（图 9-12）

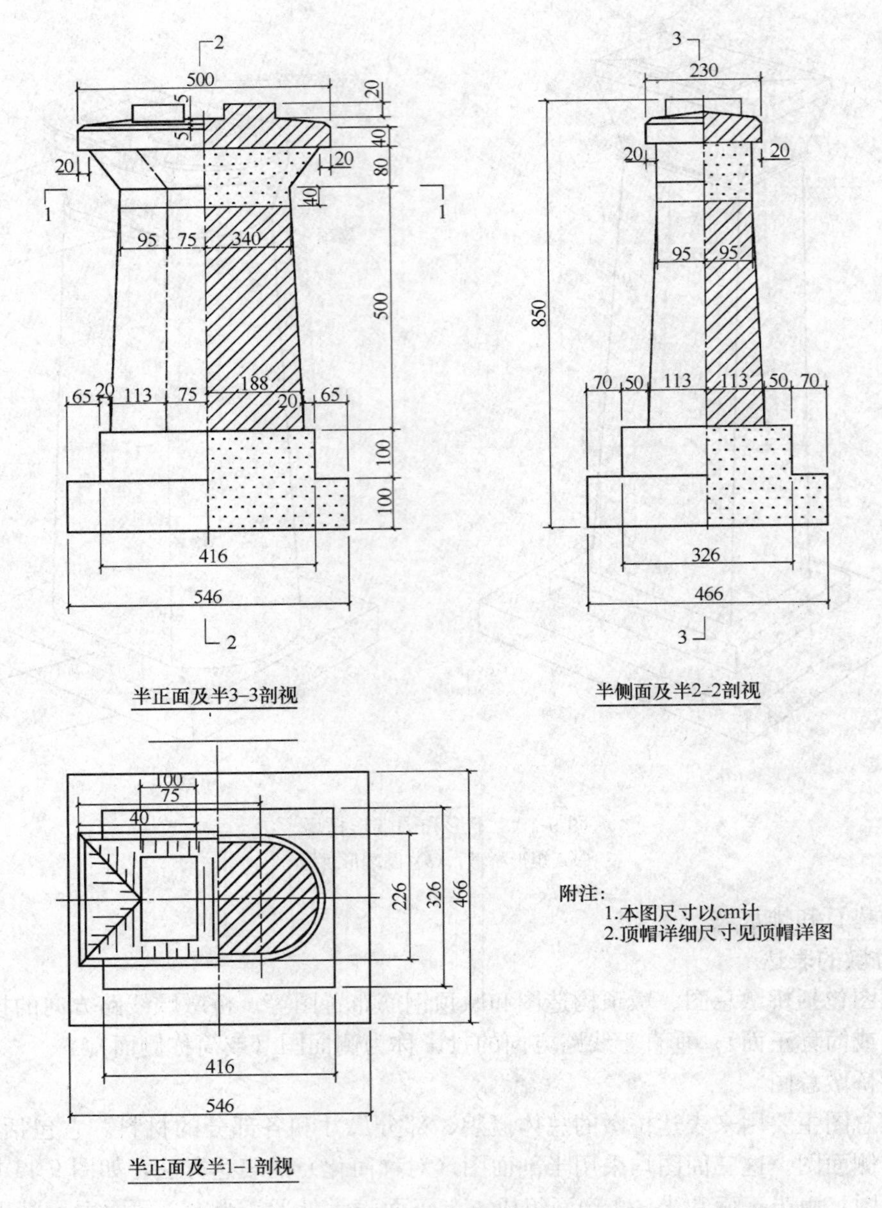

图 9-11　桥墩总图

由于桥墩总图比例较小，墩帽构造的尺寸和托盘的形状尚不能完全表达出来，故有必要另取墩顶构造图来补充桥墩总图表达的不足，如图 9-12 所示。

正面图和侧面图都是墩顶的外形图，其墩身采用了折断画法。为使图形清晰起见，平面图只画了可见部分的投影。1-1 和 2-2 断面表明了托盘顶部和底部的形状和大小。

墩顶的钢筋布置图，与前面的钢筋混凝土结构图的表达内容和特点相同，此处不再赘述。

（3）桥台图

桥台是桥梁两端的支柱，除支承梁外，它还承受着路基填土的水平推力。

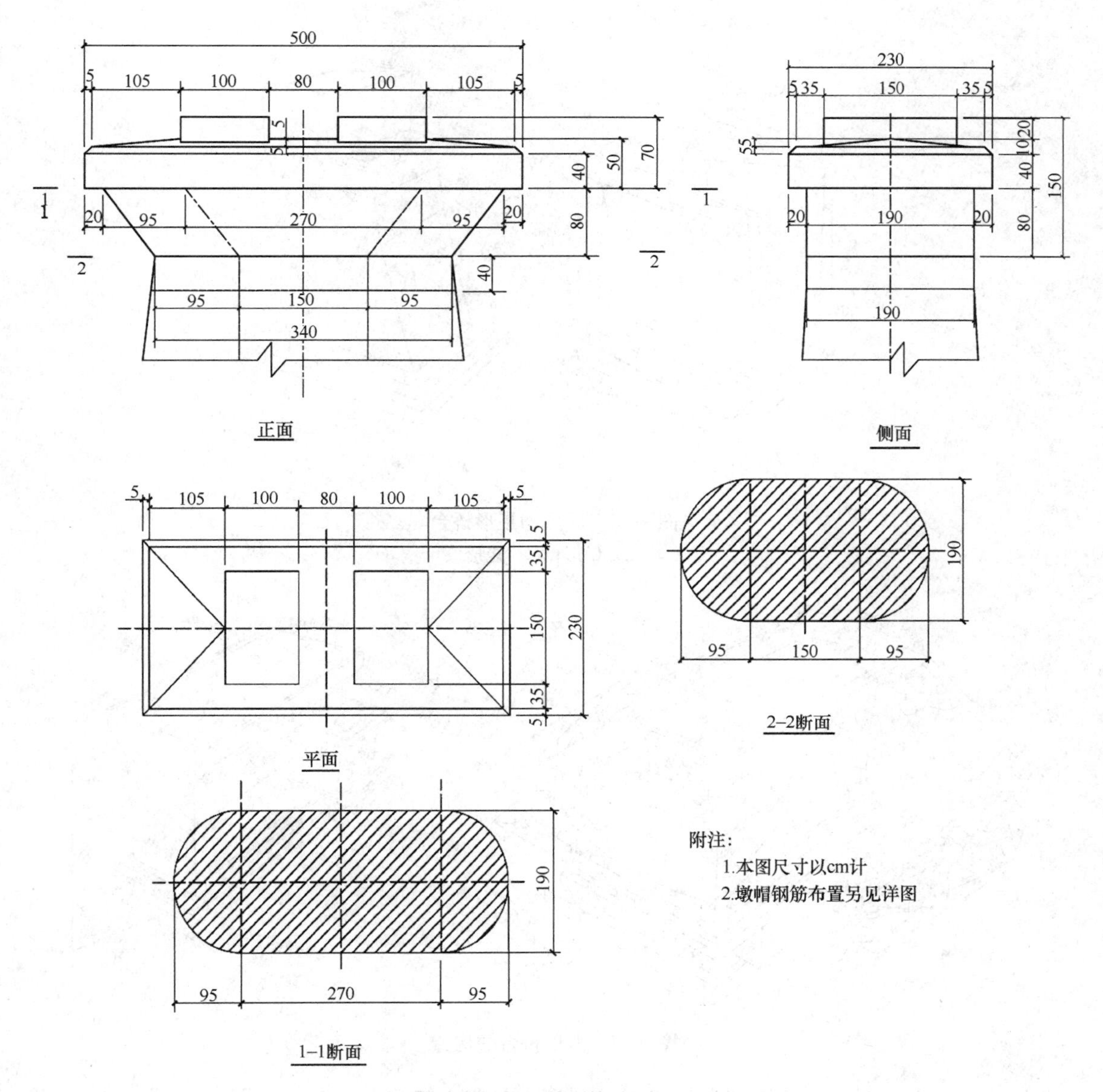

图 9-12　墩顶构造图

同桥墩一样，桥台多以台身水平截面形状分成多种类型。铁路桥梁的桥台根据桥头填土高低等的不同，通常采用 U 形、矩形、T 形等，如图 9-13、图 9-14 所示。铁路桥多用 T 形桥。

公路桥一般路基填土较低，路面宽度较大，桥梁荷载较小，所以多用 U 形桥台。

现以铁路 T 形桥台为例说明桥台的图示特点。

(4) 桥台的构造

桥台由基础、台身和台顶组成，如图 9-14 所示。

基础：基础是桥台的最下部分，分为三层，由大小不等的 T 形板叠置而成。

台身：它是桥台的中间部分。桥台的类型是以台身的水平截面形状区分的。T 形桥台

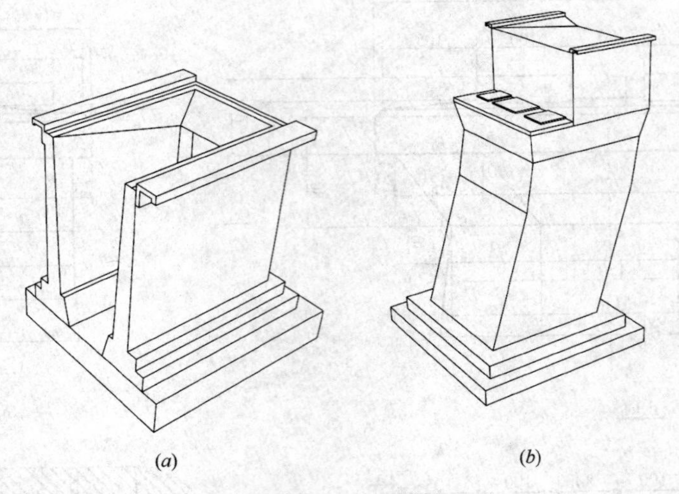

图 9-13　U 形和矩形桥台

（a）U 形；（b）矩形

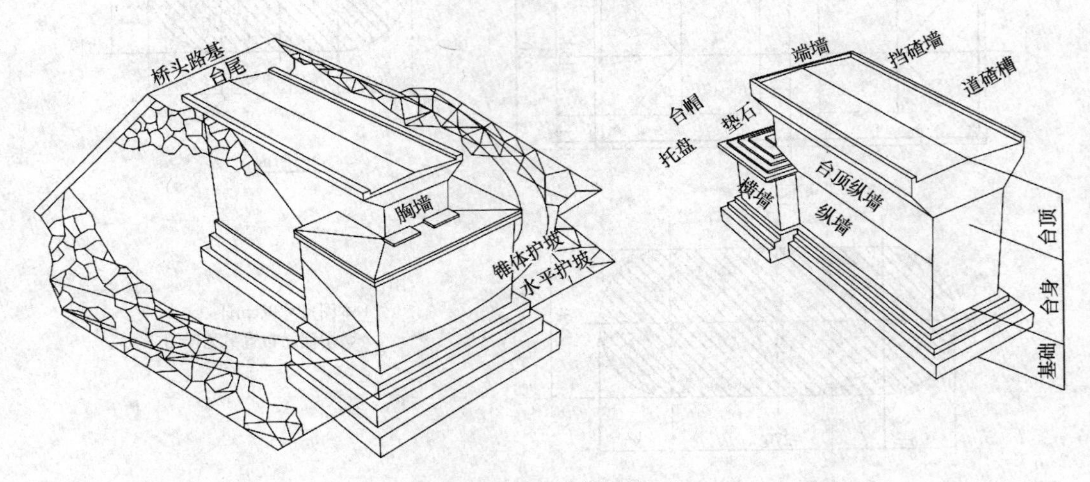

图 9-14　T 形桥台的构造

的台身由纵墙、横墙及其上部的托盘组成。托盘是用来承托台帽的。

台顶：它位于桥台的上部，主要由台帽、道砟槽和台顶纵墙（即台身纵墙的向上延伸部分）三部分组成。台帽在托盘之上，其中一部分与台顶纵墙相嵌，它的组成和构造基本与墩帽相同。道砟槽是用来容纳道砟以铺设轨道的，其基本形状如图 9-15 所示，是一个四面有墙的槽子。两端的墙叫端墙，两侧的墙叫挡砟墙。它们的内侧上部都稍悬出形成滴水檐，如 A 处放大图所示。为了防止槽内积水，在槽底用低标号的混凝土做成一个向两侧倾斜的垫层，并在两侧最低位置穿过挡砟墙，相间设置横向泄水管。另外在槽底混凝土垫层表面及端墙挡砟墙内侧表面敷设防水层，以免水中有害物质侵害钢筋混凝土。前述滴水檐就是防止雨水渗人防水层与混凝土之间的缝隙的。

附属建筑：这里主要指保护桥头填土不致受河水冲刷的锥体护坡。它与桥台紧密相连，其实际形状相当于两个 1/4 的椭圆锥体，分设于桥台两侧。台身的大部分都为它所覆

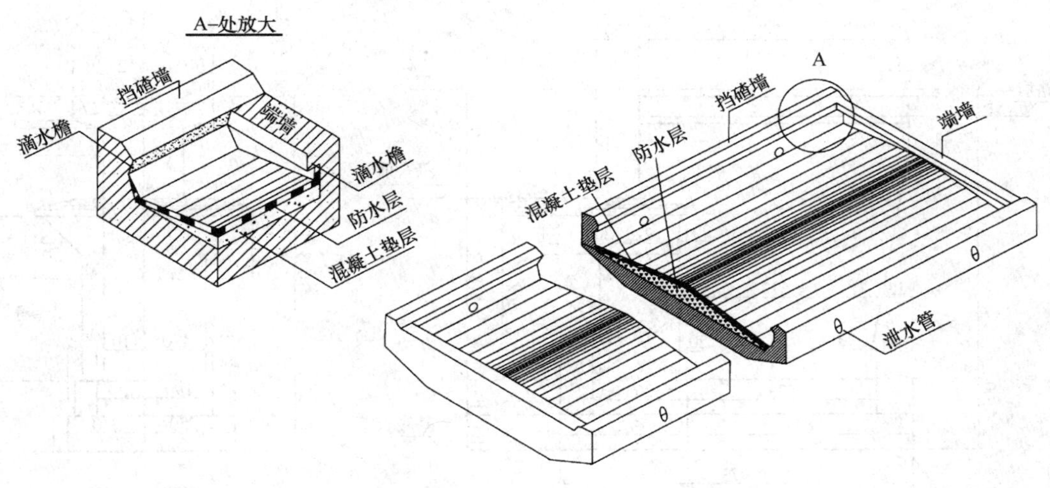

图 9-15 桥台道砟槽的构造

盖和包容。

(5) 桥台的表达

桥台图一般有桥台总图、台顶构造图、台帽及道砟槽钢筋布置图。若基础为较复杂的沉井或桩基础等，则还应有基础构造图。在桥台总图中，沿着与线路垂直的方向投射所得到的图叫侧面图或侧面；从桥孔顺着线路方向投射得到的图叫正面图或正面；从路基顺着线路方向投射得到的图叫背面图或背面。画桥台图时，习惯把侧面图画在正立面的位置，把正面图和背面图画在侧立面的位置。下面以图 9-14 所示的 T 形桥台为例进行介绍。

(6) 桥台总图

桥台总图（图 9-16）主要用来表达桥台的总体形状、大小、各组成部分的相对位置以及桥台与路基、锥体护坡、线路上部构造等相关构筑物的关系，说明各组成部分所使用的材料。

侧面图是一个外形图。它反映桥台各组成部分的形状特征和相关位置及桥台与其相关的路基、锥体护坡等的相互关系。除标明桥台本身的主要尺寸外，还应标注基底、桥头路肩和轨底等处的标高。坡度为 1∶1 的细实线表示桥台两侧锥体护坡与台身的交线。锥体护坡未表示，以显露桥台的形状。

其中路肩线、轨底线一般用细实线绘出。

由于桥台以线路中心纵剖面为对称面，故侧面图常画成桥台的半个正面图和半个背面图组成的组合视图。半正面在左，半背面在右，中间以点画线隔开。它同时表达了桥台两个方向的形状和大小。用细双点画线示出了道砟和轨枕，桥头路基及锥体护坡省略不画。

平面图：通常由半个平面图和半个基顶剖面图组成。半平面图主要表达道砟槽及台帽的形状和大部分尺寸，半基顶剖面图表达基础及台身水平截面的形状和尺寸。由于图名已表示了该剖面图的剖切位置，故图中无须再作标注。

附注用以说明尺寸单位、桥台各部分的建筑材料、有关设计和施工的注意事项等。附注一般安排在图纸右下方的适当位置。

(7) 台顶构造图

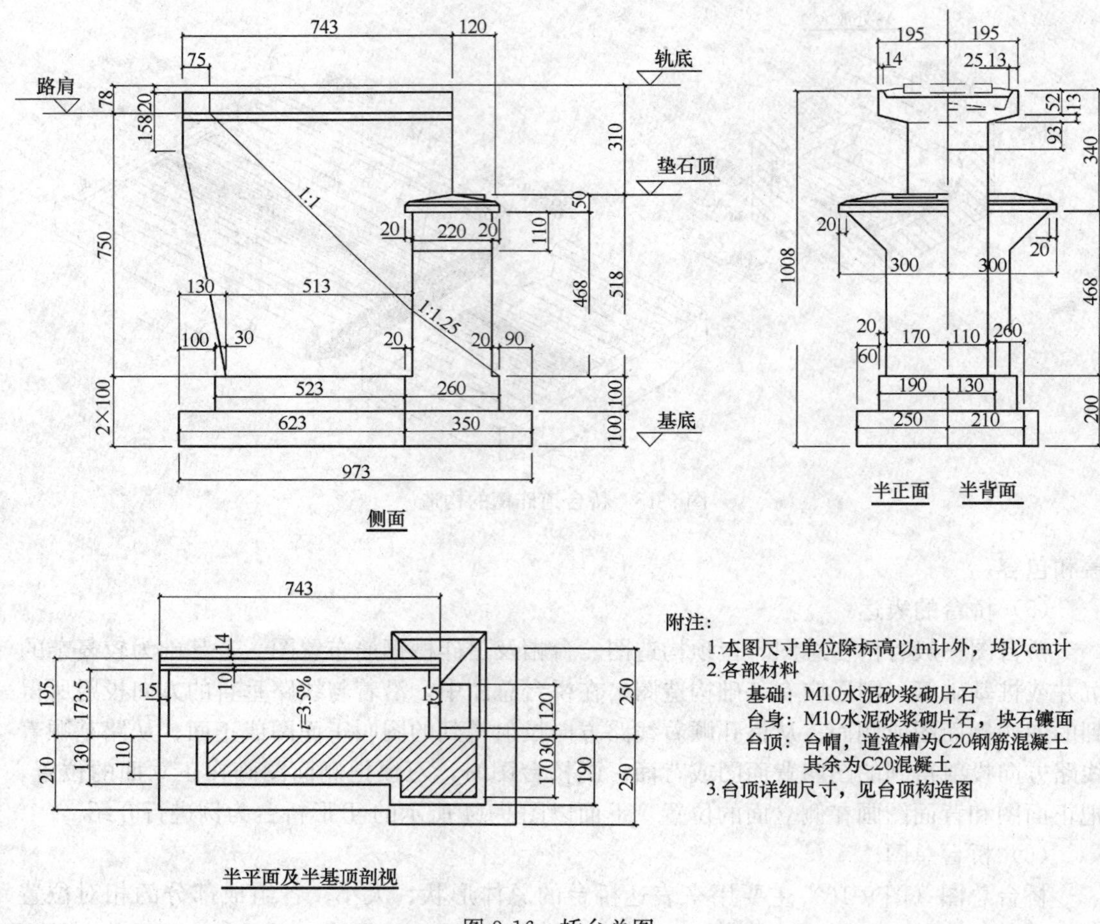

图 9-16　桥台总图

由于桥台总图的比例较小，台顶的构造较复杂，其形状和尺寸不易表达清楚，所以用较大比例画出台顶构造图，如图 9-17 所示。

台顶构造图的视图选择与配置基本同桥台总图，只是将其中的侧面图和半背面图，分别改为中心纵剖面图和半 1-1 剖面图，取消半基顶剖面而画成完整的平面图，且都省略台身以下部分。另外应绘出“*A*”、“*B*”两处的局部放大图。这样，就使台顶特别是道砟槽的内部构造、台帽的细部尺寸以及各部分的建筑材料等都得到充分的表达。要指出的是，这里的“中心纵剖面图”的剖切位置及投影方向也是寓于图名之中而无须另作标注的。在“*A*”、“*B*”详图中，黑白相间的符号是表示防水层的，而防水层在本图的其他几个视图中都被省略。这种省略形式，在工程图中是允许的。

至于道砟槽及台帽中的钢筋布置，另有桥台道砟槽及台帽钢筋布置图表示，本图中以附注作出交代。

4. 悬索桥图

悬索桥是由主缆、加劲梁、主塔、鞍座、锚碇、吊索等构件构成的柔性悬吊体系，如图 9-18 所示。成桥时，主要由主缆和主塔承受结构自重，加劲梁受力由施工方法决定。成桥后结构共同承受外荷作用，受力按刚度分配。

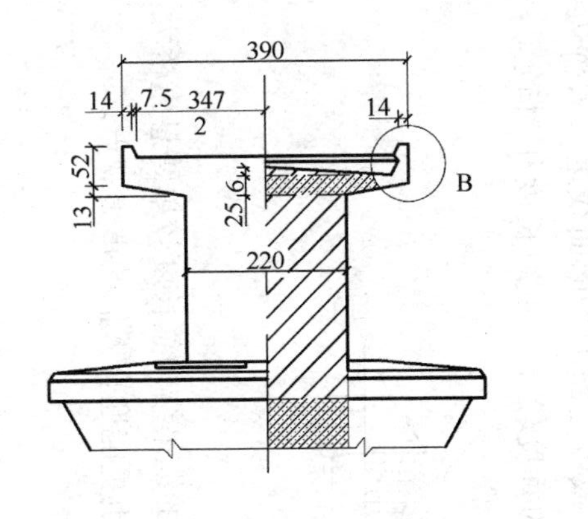

半正面 半1-1剖面

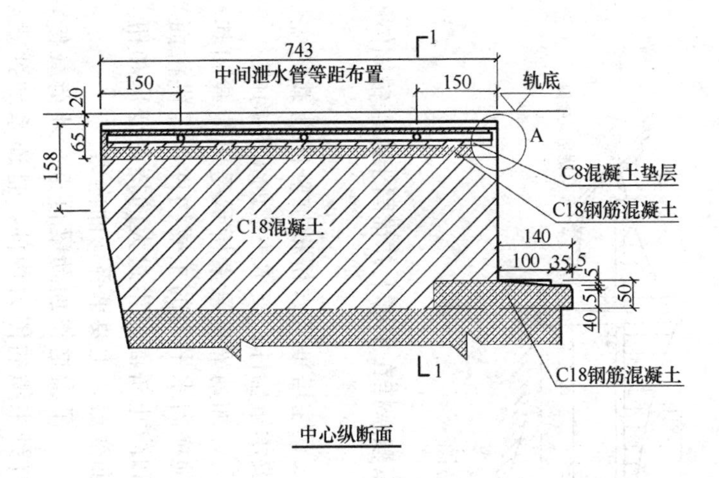

中心纵断面

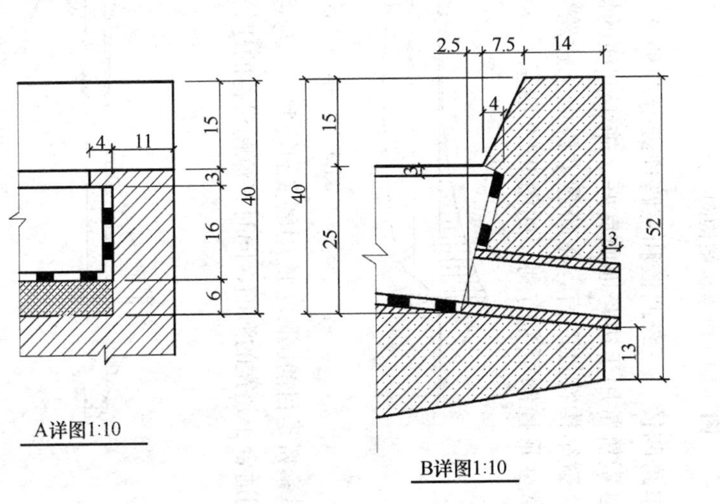

A详图1:10

B详图1:10

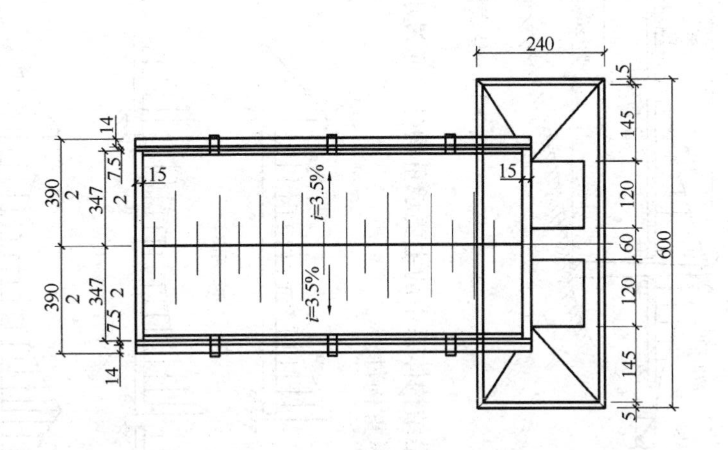

附注：1.本图尺寸以cm计；
2.道渣槽及台帽钢筋布置另见详图。

图 9-17　台顶构造图

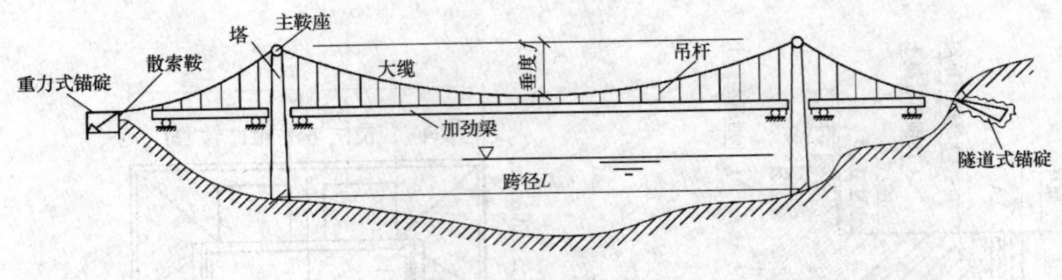

图 9-18　悬索桥构造图

主缆是结构体系中的主要承重构件；通过塔顶索鞍悬挂在主塔上并锚固于两端锚固体中的柔性承重构件。

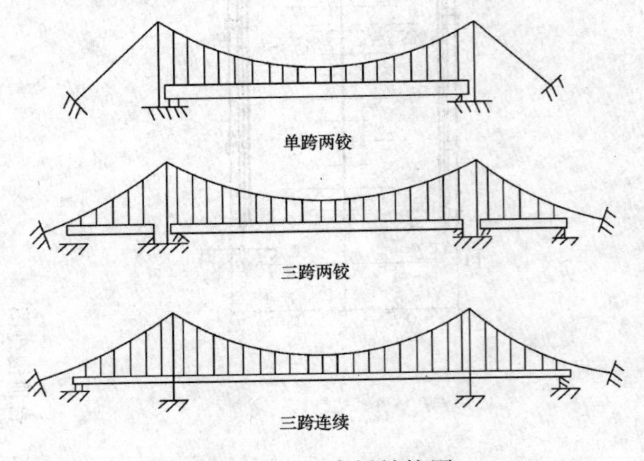

图 9-19　悬索桥结构图

主塔是悬索桥抵抗竖向荷载的主要承重构件；支承主缆的重要构件。

加劲梁是悬索桥承受风荷载和其他横向水平力的主要构件，提供桥面和防止桥面发生过大的挠曲变形和扭曲变形，主要承受弯曲内力。

吊索是将加劲梁自重、外荷载传递到主缆的传力构件，是连系加劲梁和主缆的纽带。

锚碇是锚固主缆的结构，它将主缆中的拉力传递给地基。

按照悬索桥加劲梁的支承构造来划分，有单跨两铰、三跨两铰和三跨连续等三种常用形式，如图 9-19 所示。

单跨悬索桥常用于边跨地质良好、施工方便的情形，或者道路的平面曲线进入大桥边跨的情况。就结构特性而言，单跨悬索桥由于边跨主缆的垂度较小，主缆长度相对较短，对中跨荷载变形控制更为有利，如图 9-20 所示。

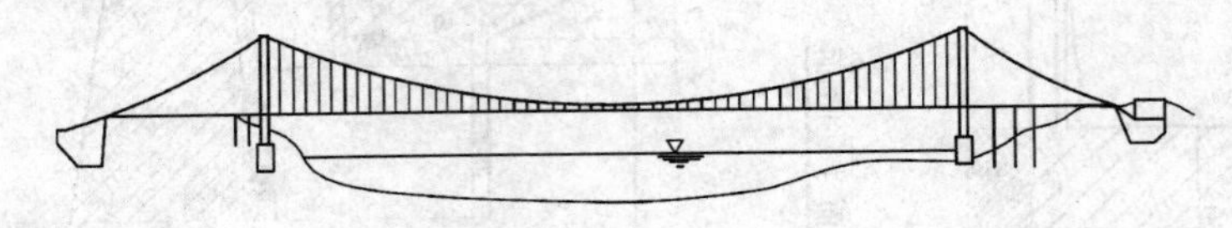

图 9-20　单跨悬索桥

三跨悬索桥是目前国际上应用最多的桥型，三跨悬索桥的缆吊结构总长度较单跨悬索桥大得多，特别适合于超宽的海面，同时其流畅对称的建筑造型也更能迎合人们的审美观点。

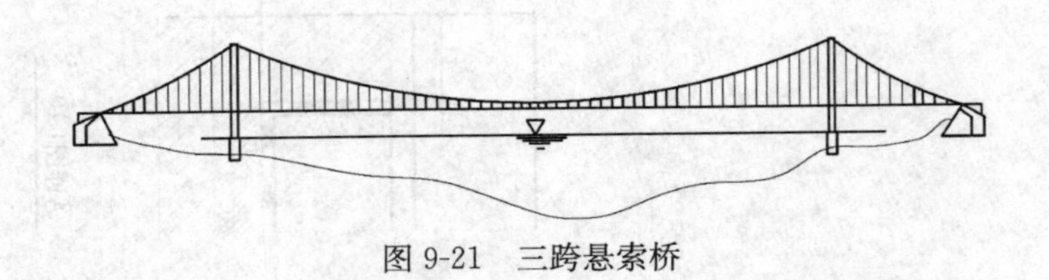

图 9-21　三跨悬索桥

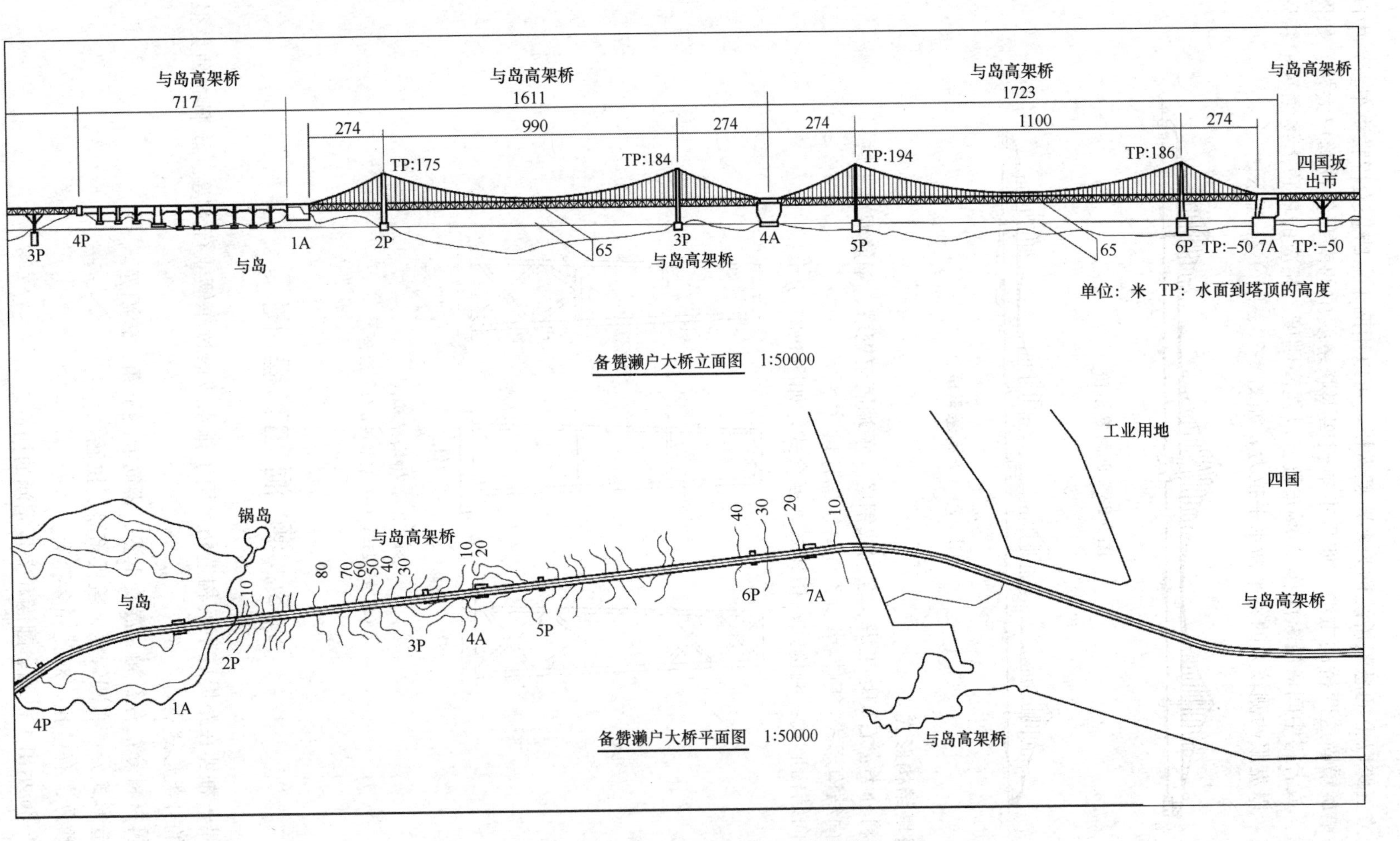

图 9-22　日本本州四国联络线的南、北备赞濑户大桥

四跨或五跨以上的悬索桥统称为多跨悬索桥，可以用两个三跨悬索桥联袂布置，中间共用一座锚旋锚固这两桥的主缆，如日本本州四国联络线中的南北备赞懒户大桥，如图9-22 所示。或者将中间塔沿纵向作 A 形布置，以提高刚度。相应的塔顶大缆须采取特殊锚固措施，以克服两侧较大的不平衡水平拉力，如图 9-23、图 9-24 所示。

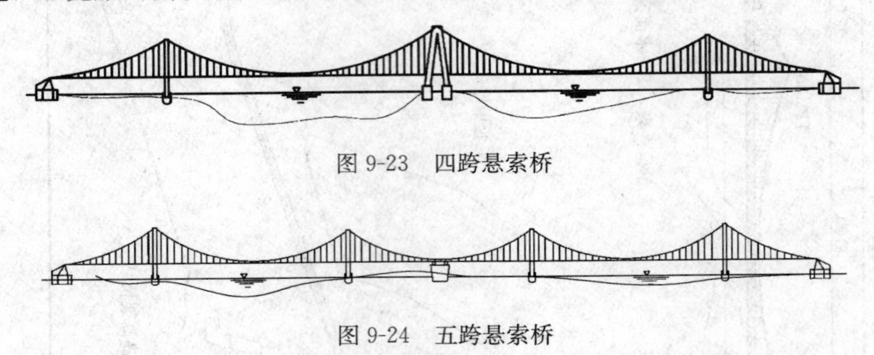

图 9-23　四跨悬索桥

图 9-24　五跨悬索桥

5. 桥塔结构形式

按材料分类：石砌圬工塔、摆动式钢塔、下端固定钢塔、钢筋混凝土塔

按纵向结构形式：刚性塔、柔性塔、摇柱塔

按横向结构形式：刚构式、桁架式、混合式，如图 9-25 所示。

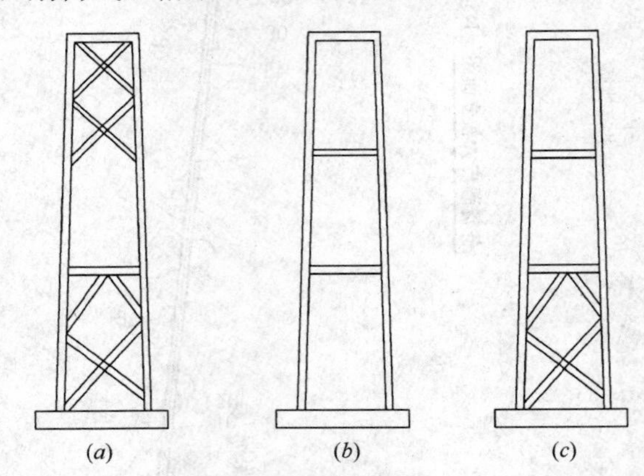

图 9-25　桥塔结构图

(a) 桁架式；(b) 刚架式；(c) 混合式

9.3 涵洞工程图

涵洞是一种埋在路堤底下的构造物，用于排水或通过车辆或行人等。涵洞的种类很多，常见的分类形式有：

按建筑材料分：有石涵、混凝土涵、钢筋混凝土涵、砖涵等。

按构造形式分：有圆管涵、盖板箱涵、拱涵。

按孔数分：有单孔、双孔和多孔等。

如图 9-26 示出了拱涵、圆涵和盖板箱涵的构造。

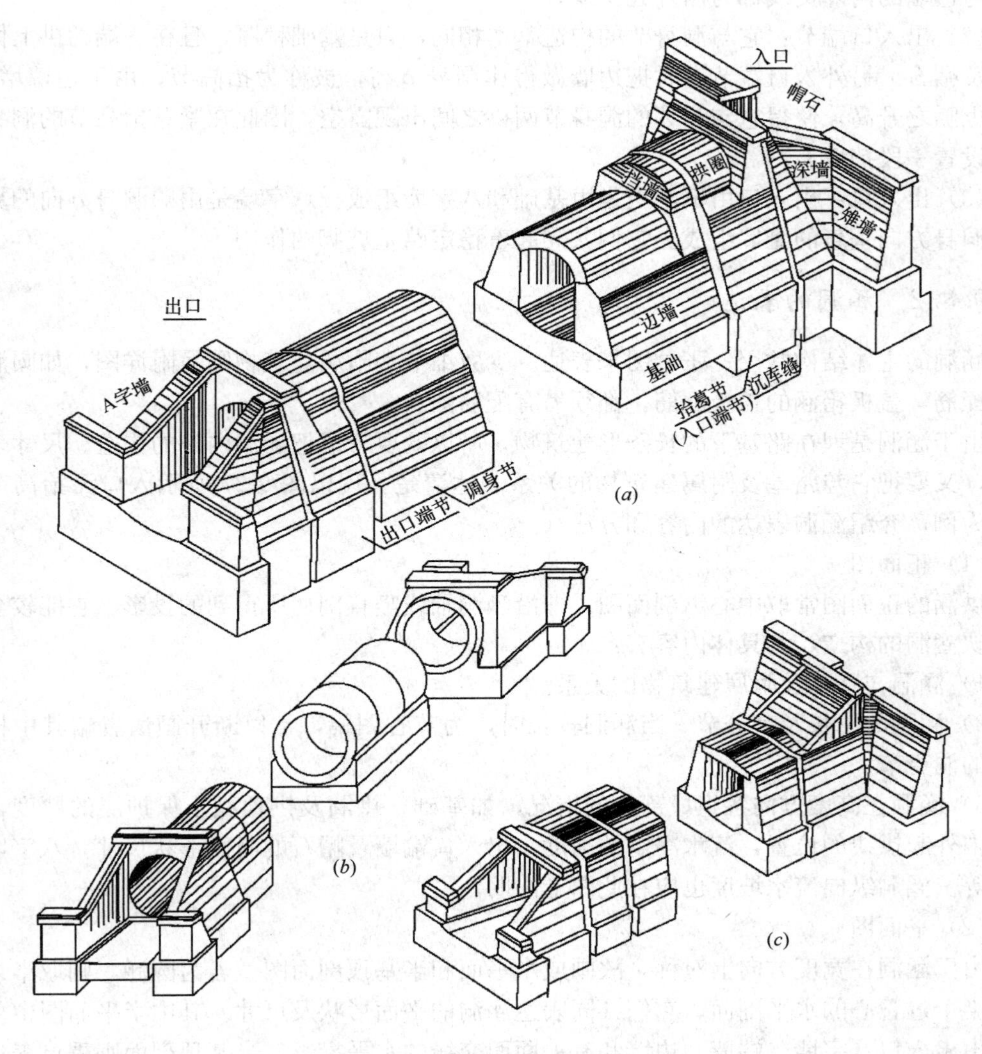

图 9-26　涵洞的种类及构造

(*a*) 拱涵；(*b*) 圆涵；(*c*) 盖板箱涵

9.3.1　涵洞的构造

涵洞虽然有多种类型、但其组成部分基本相同。它是一长条形建筑物，由洞身及洞口组成，它的轴线多与线路中心线垂直。洞身在长度方向常分成若干节，节与节之间留有3cm 宽的沉降缝，其中填塞防水材料。洞身外围做有防水层，防水层外再覆盖 30cm 厚度的黏土保护层。洞口是由进口和出口两部分组成。它连接着洞身及路基边坡，保证涵洞基础和两侧路基免受冲刷，使水流顺畅。常见的洞口类型有端墙式、翼墙式、锥坡式、平头式和走廊式等。现以图 9-26（*a*）所示的入口抬高式拱形涵洞为例，介绍涵洞各部分的构造。

(1) 洞身节：从下至上由基础、边墙和拱圈组成，每节长度为 3～5cm。拱圈的拱脚平面与边墙的内外交线称为内外起拱线。

(2) 出入口端节：它与洞身节的构造基本相同，只是基础稍厚，且在一端的拱上做有端墙及帽石。另外入口端节有时把边墙做得比洞身节高，被称为抬高节。由于边墙增高，拱圈也随之升高，使得它与相邻的洞身节两拱之间出现露空，因此在紧贴抬高节的洞身节拱顶设置一段挡墙。

(3) 出入口：出入口由下至上是由基础和八字墙组成。八字墙是由顺洞身方向的翼墙及与洞身方向垂直的雉墙组成。它们共同起着稳定路基坡脚的作用。

9.3.2 涵洞的表达

涵洞的主体结构常用一张总图来表达。少数细节和附属建筑物则另附详图，如圆涵的管节配筋，盖板箱涵的盖板配筋，都须另有配筋图。

由于涵洞是埋在路基下的长条形建筑物，所以既要考虑把涵洞内外的构造、尺寸表达清楚，又要把它与路基及附属建筑物的关系表达清楚。现以图 9-27 所示入口无抬高节的拱涵为例，介绍涵洞表达的内容和方法。

(1) 正面图

拱涵的正面图常取中心纵剖面图，即沿涵洞轴线竖直剖切所得到的投影。它能较全面地反映涵洞的构造，其具体内容有：

1) 涵洞与路基及附属建筑物的关系。

2) 涵洞的总长及其分节。当涵洞较长时，为节省图幅，常以断开画法省略其中构造相同的洞身节。

3) 涵洞在高度方向各组成部分的情况，如基础、拱圈及拱顶黏土保护层的厚度，边墙上内外起拱线的位置，流水净空的高度，出入口端墙及帽石的断面形状尺寸，八字墙的组成等。涵洞纵向流水坡度也应在此图上注明。

(2) 平面图

由于涵洞在宽度方向上对称，故画成半平面和半基顶剖面图。若为圆涵，则取半个平面和半个过管心的水平剖面。它们共同表达涵洞的平面形状及尺寸。其中半平面图中主要表达出出入口八字墙、端墙、边墙和有关面面交线的水平投影。半基顶剖面则重点表达涵洞的孔径，边墙、八字墙底面的形状尺寸以及八字墙的宽度等。

(3) 侧面图

涵洞的侧面图画成出入口的正面图，并布置在中心纵剖面图的出入口端，保持其就近对应位置。它们的作用主要是表达涵洞出入口包括端墙的外形及其与路基、锥体护坡等的关系。至于八字墙后面的构造及洞身各节的情况一律略去，以保持图形清晰。

(4) 其他视图

为了表达涵洞各处的断面形状、净空等，还须取若干剖面图。在图 9-27 中，1-1 剖面是表达出口翼墙（含帽石）及基础的断面形状和尺寸。2-2 剖面主要是表达洞身的断面形状。由于在上述各图中拱圈的细节尚未表达清楚，故又画了拱圈详图。以上各图的布置都应考虑“就近对应”和“阅读方便”的原则。

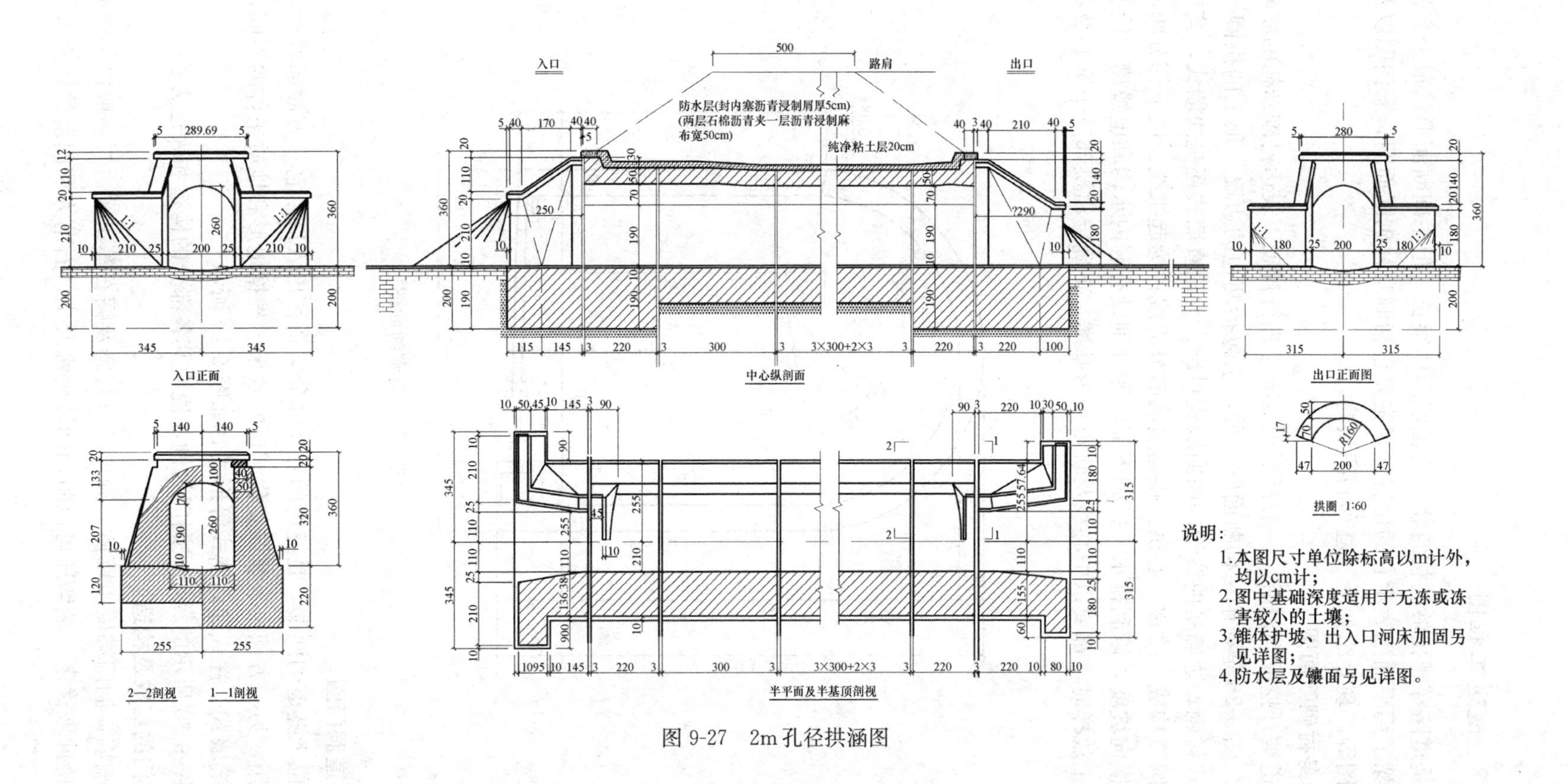

图 9-27　2m孔径拱涵图

9.3.3 隧道工程图

隧道是道路穿越山岭的构筑物，它虽然形体很长，但中间断面形状很少变化，所以隧道工程图除了用平面图表示它的位置外，主要包括洞身衬砌断面图、洞门图以及大小避车洞的构造图等。现介绍如下（避车洞图从略）。

1. 洞身衬砌断面图

当隧道被开挖成洞以后，一般都要用混凝土进行衬砌。表达衬砌结构的图叫做隧道衬砌断面图。图 9-28 是衬砌结构断面的一种，它包括两边的边墙，顶上的拱圈。边墙是直的叫直墙式衬砌。边墙是曲线形的叫曲墙式衬砌。无论直墙式还是曲墙式，其拱圈一般都是由三段圆弧构成，故称三心拱。拱与边墙的分界线称为起拱线。底下部分叫做铺底，它有一定的横向坡度，以利排水。衬砌下部两侧分别设有洞内水沟和电缆槽。绘制衬砌断面图和作施工放样时，都要以中心线及轨顶线为基准，正确定出拱部三个圆心及各段拱的起迄点。

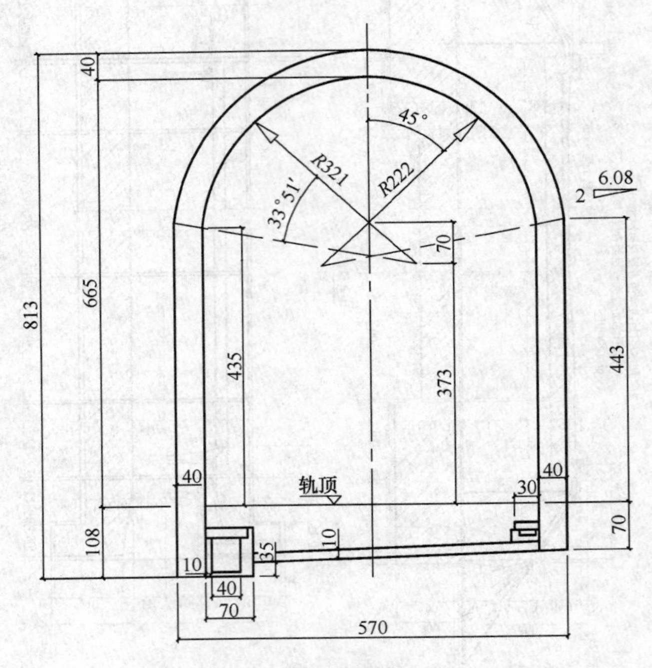

图 9-28 衬砌断面图

2. 隧道洞门图

洞门位于隧道的两端，是隧道的外露部分，俗称出入口。它一方面起着稳定洞口仰坡坡脚的作用，另一方面也有装饰美化洞口的效果。根据地形和地质条件的不同，隧道洞门可以采用端墙式、柱式和翼墙式等形式，如图 9-29 所示。

现以图 9-30 所示的翼墙式洞门为例，说明其各部分的构造和表达方法。

3. 洞门的组成及构造

（1）端墙：洞门端墙由墙体、洞口环节衬砌及帽石等组成。它一般以一定坡度倾向山体，以保持仰坡稳定。端墙还可以阻挡仰坡雨水及土、石落人洞门前的轨道上，以保证洞

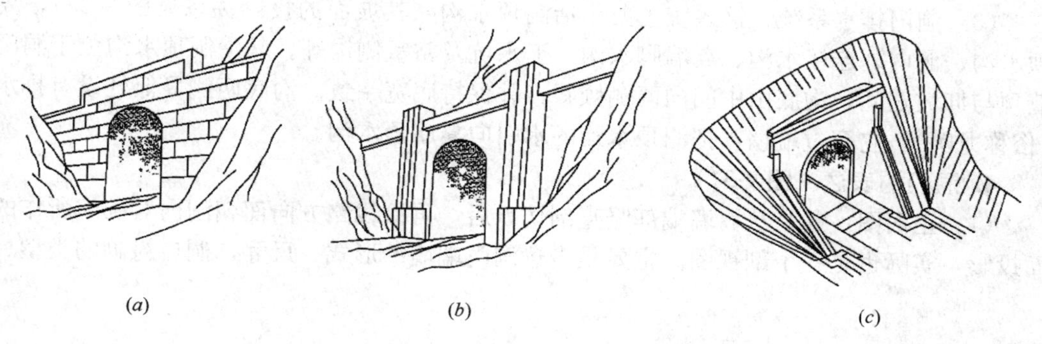

(a)　　(b)　　(c)

图 9-29　隧道洞门

（a）墙墙式洞门；（b）柱式洞门；（c）翼堰式阀门

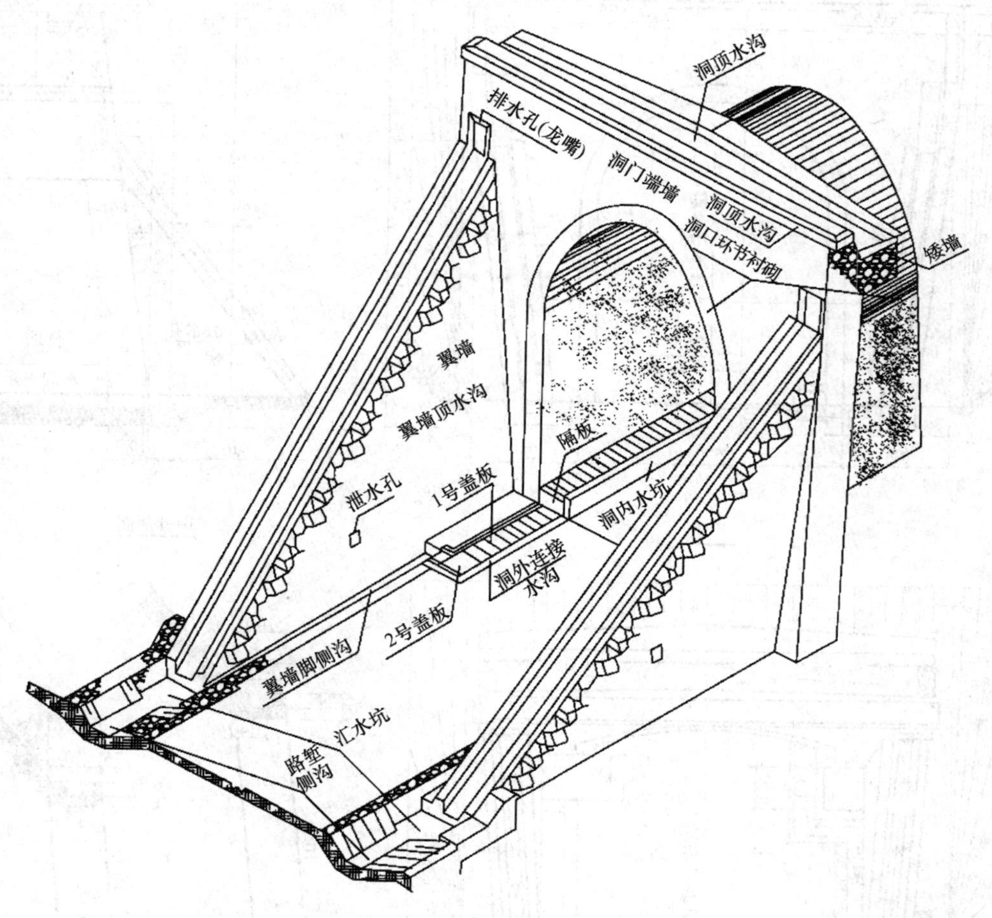

图 9-30　翼墙式洞门的构造

口的行车安全。

（2）翼墙：位于洞口两边，呈三角形，顶面坡度与仰坡一致，后端紧贴端墙，并以一定坡度倾向路堑边坡，同时起着稳定端墙和路堑边坡的作用。顶部还设有排水沟和贯通墙体的泄水孔，用来排除墙后的积水。

(3) 洞门排水系统：该系统主要包括洞顶水沟（其坡面的投影关系见图 9-33），翼墙顶水沟、洞内外连接水沟、翼墙脚水沟、汇水坑及路堑侧沟等。其中洞顶水沟位于洞门端墙顶与仰坡之间，沟底由中间向两侧倾斜，并保持底宽一致。沟底两侧最低处设有排水孔（俗称龙嘴），它穿过端墙，把洞顶水沟的水引向翼墙顶水沟。

4. 洞门的表达（图 9-31）

(1) 正面图：它是从翼墙端部竖直剖切以后，再沿线路方向面朝洞内对洞门所作的立面投影，实际也是一个剖视图。主要是表达洞门端墙的形式、尺寸，洞口衬砌的类型、主

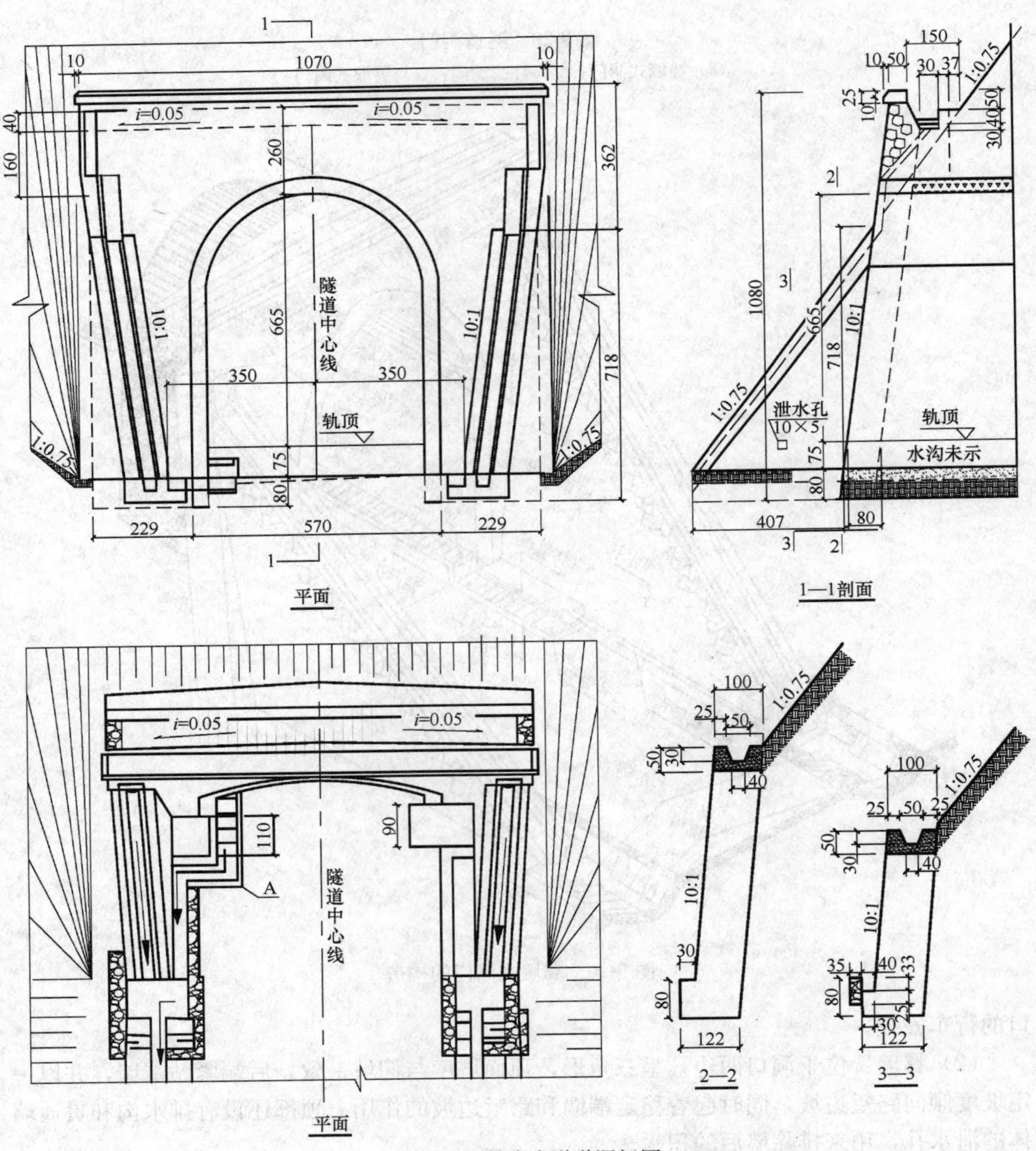

图 9-31　翼墙式隧道洞门图

要尺寸（细部尺寸另外由衬砌断面图表达），翼墙的位置、横向倾斜度以及洞顶水沟的位置、排水坡度等，同时也表达洞门仰坡与路堑边坡的过渡关系。

（2）平面图：主要是表达洞口排水系统的组成及洞内外水的汇集和排除路径。另外，也反映了仰坡与边坡的过渡关系。为了图面清晰，常略去端墙、翼墙等的不可见轮廓线。

（3）1—1 剖面：这是沿隧道中心剖切的，以此取代侧面图。它表达端墙的厚度、倾斜度，洞顶水沟的断面形状、尺寸，翼墙顶水沟及仰坡的坡度，连接洞顶及翼墙顶水沟的排水孔设置等。因为另有排水系统详图，此图一般对洞内外排水沟不作详示。

（4）2—2 和 3—3 断面图：主要是用来表达翼墙顶水沟的断面形状和尺寸、横向倾斜度及其与路堑边坡的关系，同时也表达翼墙脚构造上有无水沟段的区别。

（5）排水系统详图：如图 9-32 所示。其中 A 详图是图 9-31 平面图中 A 节点的放大

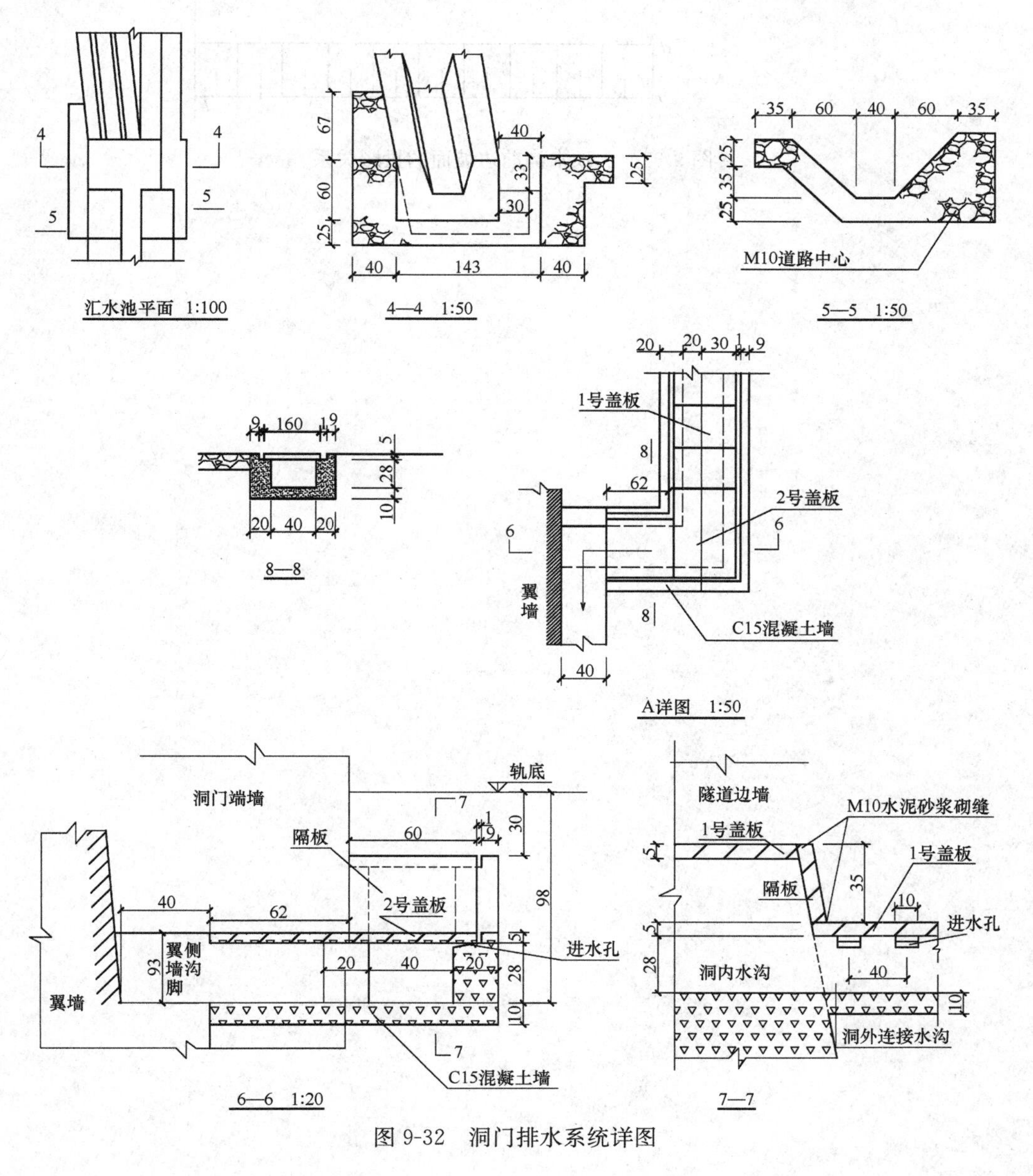

图 9-32 洞门排水系统详图

图。它主要表达洞外连接水沟上的盖板布置。6—6，7—7 和 8—8 主要是表达洞内水沟与洞外连接水沟的构造及其连接情况。4—4 表达左右两个汇水坑的构造、做法及与翼墙端面的关系。5—5 是一个复合断面图，左、右两边分别表示离汇水坑远、近处路堑侧沟的铺砌情况。图 9-33 是洞顶水沟前边坡面的投影关系。

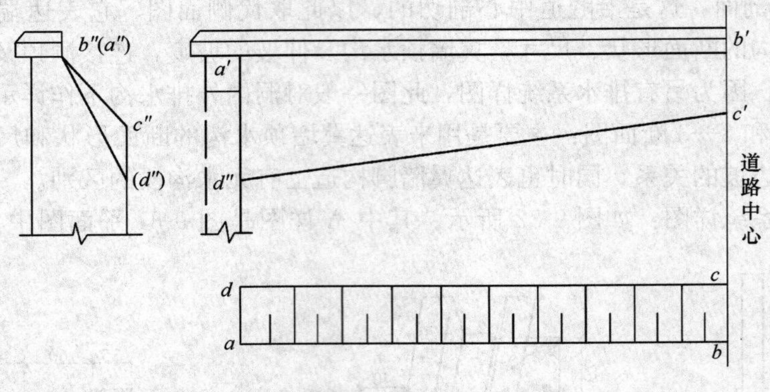

图 9-33 洞顶水沟前边坡面的投影关系

附　录

1. 总则

1.1　图中尺寸单位：管道长度与标高以米计，其余均以毫米计。

1.2　图中管线设计标高：给水管为管中心标高，排水管为管内底。

1.3　给水管从市政生活给水管网接管，排水管接入市政排水管网。

1.4　室内给水排水立管及卫生用具的给水排水管在穿过基础、楼板、墙壁时应配合土建施工预留孔洞，当管道穿过天面，给水水箱地下室外墙时，应按国标 S312-Ⅳ预埋带翼环的防水管。

2. 室内给水

2.1　室内给水管管材及接口

2.1.1　*DN*＜500mm 者用：

(a) 铝塑复合管（PAP）；(b) 给水塑料管（UPVC）；(c) 钢塑复合管；(d) 三型聚苯烯管（PP-R）；(e) 胶连聚乙烯管（PEX）。

DN＞50mm 者用：

(a) 三型无硅共聚聚丙烯管（PP-R）；(b) 胶连聚乙烯管（PEX）；(c) 给水塑料管（UPVC）；(d) 钢管。

2.1.2　管道接口方式按产品样本要求。

2.1.3　塑料管材压力等级不小于 1.0MPa。

2.1.4　按《建筑给水硬聚/氯乙烯管道设计与施工验收规程》CECS41-92 有关规定进行施工和验收。

2.2　管道安装方式

2.2.1　管道采用明装。

2.2.2　管道采用暗装，暗装管道的墙槽，应在土建施工时预留。

2.3　管道的固定

2.3.1　塑料管道的立管和水平管的支撑间距不得大于表一的规定

表 1

外径（mm）		≤20	25	32	40	50	63	75	90	110
立管（m）		0.90	1.00	1.20	1.40	1.60	1.80	2.0	2.2	2.4
水平管（m）	冷水管	0.5	0.55	0.65	0.80	0.95	1.10	1.2	1.35	1.55
	水管	0.3	0.35	0.40	0.50	0.60	0.70	0.80		

2.3.2　给水管道系统的附件、水表、阀门等应该有支承措施附件的重量或者启闭阀门时的扭矩不得作用于管路系统。

2.3.3　管道系统由干管引出的支管部位、与供水设备或容器相连接处，宜有折角悬臂管段，以补偿管道的伸缩，而不应直接采用T形连接方式。

2.3.4 给水横管设有2%～5%的坡度并流向泄水装置。

2.3.5 塑料管穿过楼板时应设塑料套管，套管应高出地面100mm。

2.4 管道的刷油及防腐

2.4.1 （a）塑料管不刷油，但颜色应与建筑饰面协调；（b）钢管刷防腐漆两道，面漆两道并与建筑饰面协调。

2.4.2 埋地管段的防腐：所有钢管及铸铁管均刷环氧煤沥清漆两道，总厚度不小于3mm，当有特殊防腐要求时，另行设计。

2.5 天面上敷设的水平方向的管段，在闸阀、三通管、弯管及直管的下部应设管墩作为支撑，管墩间距参照本章表一，管墩所用材料为10MPa混凝土捣制。

2.6 在有可能检修的给水附件前后及支管的阀件前后，应装活接头以利于检修，设计图中不标明具体位置。

2.7 给水水箱按结构图施工，水箱入孔位置及进出水管管径、安装方向见本设计图，管道穿箱壁时的防水套管应配合土建施工预埋。水箱的进水管、出水管、排污管、自水箱至阀门间的管段采用衬塑钢管，水箱的溢流管及通气管出口应装设金属防虫网。

2.8 给水管道所埋深度若图中未注明，可按下述原则施工，在阀门井处为地面以下1.00m；室外管段地面以下0.5m，室内管段地面以下0.3m，埋深变化段用管道纵坡调整，不用弯管等配件。

2.9 水压试验：室内给水管道试验压力为工作压力的1.5倍，但最小不应小于0.588MPa，最大不超过0.981MPa。

3. 室内排水

3.1 排水管管材及接口

3.1.1 采用硬聚氯乙烯管（UPVC）GB/T 5836-1.2-92承插粘连式接头，并按建设部颁发的《建筑排水用硬聚氯乙烯管道工程技术规范》CJJ/T 29—98有关规定进行施工。

3.1.2 采用镀锌钢管或不锈钢管，丝扣连接；卡箍；法兰连接。

3.2 排水管道的坡度（按表2施工）

表2

管径（mm）	50	75	110	125	160
标准坡度	0.025	0.015	0.012	0.010	0.007
最小坡度	0.012	0.008	0.006	0.005	0.004

3.3 架空铺设的横管用吊架固定

吊架参照S161/55-14.15页相关要求施工，吊架与吊架间距：塑料管按表3的规定；铸铁管应在每个接头处设一个吊架；配件较多的横管段可适当减少。

表3

外径（mm）	40	50	75	90	110	125	160
间距（mm）	400	500	750	900	1100	1250	1600

3.4 立管用管箍固定，参照S161/54-47-48-49页相关要求施工，卡箍间距：当楼层高度

不大于4m时，应只设一个管箍，管箍安装距楼面1.5～1.8m。

3.5 排水管道的刷油及防腐按第2.4条的规定进行，当采用硬聚氯乙烯管时，管道不刷油。

3.6 设有两个以上的卫生器具，其明装水平管段的起点处应装清扫口，带检查门的弯管或带管堵的三通，图中一般不示出。

3.7 排水横管与横管、横管与立管相连接时采用45°三通、四通或90°顺水三通、四通。

3.8 排水立管转弯时或最末端出户转弯处，应用两个45°的弯管与水平管90°斜三相连，立管末端的弯头处应做100MPa混凝土管墩。

3.9 排水地漏的顶面要比净地面低0.01m地面应有不小于0.01的坡度。地漏选用：

(a) 普通地漏，支管设存水弯；(b) 洗衣机排水设专用地漏。

3.10 伸缩节的设置，伸缩节的安装位置应符合规程第3.1.2条立管；当层高小于4m时，每层设一伸缩节横管；所有排水横管当直线管段>2m时设一个伸缩节。

3.11 卫生器具大便器的选用：

(a) 蹲式，自闭式冲洗；(b) 坐式，低水箱。小便器；(c) 小便斗，自闭式冲洗；(d) 小便斗，角式冲洗阀；(e) 立式小便器，自闭式冲洗；(f) 壁挂式，按钮冲洗。

3.12 埋地排水管道在隐蔽前按GBJ 242—82第4.2.16和第4.3.5条做灌水试验。

4. 室外给水

4.1 给水管材及接口

4.1.1 管材采用：(a) 孔网钢带复合塑料管；(b) PP-R管；(c) PEX管。

4.1.2 接口：(a) 橡胶圈接口；(b) 胶接；(c) 法兰连接；(d) 按产品样本。

4.1.3 按《室外硬聚氯乙烯给水管道工程施工及验收规程》(CECS18：90) 有关规定进行施工和验收。

4.2 给水管必须铺设在老土上，并不能铺设在石块、木垫、砖垫或其他垫块上。

4.3 当管底为软土质时，应换黏土夯实后铺管，夯实密度不低于95%。

4.4 当管底为岩石或半岩石时，应在管底铺中砂或粗粒砂，厚200mm作基础。

4.5 管道回填土中不能夹有石块，砖块，草皮，树根等杂物。

5. 室外排水

5.1 排水管管材及接口：

5.1.1 *DN*200、*DN*300的埋地雨水污水管采用UPVC大口径双壁波纹管。

5.1.2 UPVC大口径双壁波纹管的接口方式详见相关产品资料说明书。

5.2 管道安装与敷设详相应的产品资料，按要求进行施工。

5.3 污水检查井按02S515//19-20施工；雨水检查井按02S515/10-11施工；井盖用铸铁材料，车道下采用重型，其他为轻型，详见97S501-1。

5.4 生活污水接入化粪池统一处理。

6. 消防

6.1 消火栓系统：

6.1.1 本工程室内消火栓用水量10升/秒同时使用水枪数量为2支；每支水枪最小流量为5升/秒，每根竖管最小流量为10升/秒，前十分钟消火栓用水由屋顶水箱取水。

6.1.2 室内消火栓按图99S202施工，安装方式：(a) 明装；(b) 半明装；(c) 暗装。

6.1.3 消火栓水管管材及接口：消火栓水管用热镀锌钢管，当 DN<100mm 时丝扣连接；当 DN>100mm 时采用卡箍连接。

6.1.4 消火栓箱材料采用：（a）铝合金；（b）钢板，消火栓采用：DN65 型直流水枪 ϕ19mm，衬胶消防水龙带 L=25m；消防软管卷盘包括 DN25 软管 20m 及灭火喉。

6.1.5 消火栓箱暗装或半暗装，按建筑施工图要求与采购的成品相匹配，消防栓栓口离地面 1.1m。

6.2 室外消防

6.2.1 室外消火栓采用 SS100 型地上式消火栓，按 01S201 标准施工，消防水泵接合器按 SQ100-A 型施工。

6.3 消防管道试压

6.3.1 消防栓系统试压力为工作压力的 1.5 倍，但最低不小于 1.4MPa，其压力保持两小时无明显渗漏为合格。

7. 其他

7.1 工程施工和验收凡未说明部分，均应遵照国家标准《建筑给水排水及采暖工程施工质量及验收规范》GB 50242—2002 中的有关规定施工和验收。

7.2 根据建筑物的不同性质和功能，按《建筑灭火器配置设计规范》GBJ 140—90 配置灭火器并由建设方自理。

7.3 采用标准图集号，详见表 4 内容。

表 4

序　号	名　称	集　号
1	给水排水标准图集	S1. S2. S3
2	钢制管道零件	S311
3	卫生设备安装	99S304
4	管道支架及吊架	S161
5	室内消火栓安装	99S202
6	消防水接合器安装	99S203
7	雨水斗	01S302
8	室外消火栓安装	01S201
9	住宅用热水器选用及安装	01SS126
10	小型潜水排污泵选用及安装	01（03）S305
11	防水套管	02S404

主 要 参 考 文 献

[1] 马彩祝等. CAD技术. 第1版. 广州：华南理工大学出版社，2008.

[2] 马彩祝等. 环境工程制图与CAD技术. 第1版. 广州：华南理工大学出版社，2018.

[3] 中华人民共和国住房和城乡建设部. GB 50001—2010 房屋建筑制图统一标准[M]. 北京：中国计划出版社，2010.

[4] 何斌等. 建筑制图. 第7版. 北京：高等教育出版社，2014.

[5] 谢步瀛等. 道路工程制图. 第4版. 北京：人民交通出版社，2007.

[6] 丁建梅. 土木工程制图自考教材. 第1版. 武汉：武汉大学出版社，2014.

[7] 曹琳. 土木工程制图一土木工程CAD二维绘图教程. 第1版. 北京：科学出版社，2017.

[8] 陈晓东. AutoCAD2018建筑设计从入门到精通. 第2版. 北京：电子工业出版社，2018.

[9] 董代进. 机械CAD. 第1版. 重庆：重庆大学出版社，2018.

[10] 李晓宏. AutoCAD计算机绘图基础(电子信息类用书). 第1版. 南京：东南大学出版社，2010.

[11] 张启光. 计算机绘图—AutoCAD2012. 第3版. 北京：高等教育出版社，2017.

[12] 朱勇. 计算机绘图(CAD). 第1版. 北京：清华大学出版社. 2017.

[13] 王莹. 土木工程CAD二维绘图教程. 第1版. 北京. 中国电力工业出版社，2017.

[14] 谷康. 园林制图与识图. 第1版. 南京：东南大学出版社，2010.

[15] 马彩祝. 建筑轴测图教程. 第1版. 吉林：吉林人民出版社，2008.

[16] 李祥. 室内设计CAD教程. 第1版. 南京：东南大学出版社，2010.

[17] 天工在线. AutoCAD2018计算机绘图基础. 第1版. 北京：中国水利水电出版社，2017.

[18] CAD辅助设计教育研究室. 中文版AutoCAD 2015实用教程. 第1版. 北京：人民邮电出版社，2016.